普通高等教育“十一五”国家级规划教材

建筑力学（上册）

（第二版）

罗　奕　主　编

赵凤婷
沈建康　副主编

苏铁坚
常伏德　主　审

人民交通出版社

内 容 提 要

本书为普通高等教育“十一五”国家级规划教材。

本书共三篇,分上、下两册。

上册共两篇十六章。第一篇静力学,含静力学的基本概念和公理、物体的受力分析和受力图、平面汇交力系、力矩、平面力偶系、平面一般力系、空间力系及重心;第二篇材料力学,含材料力学的基本概念、轴向拉伸与压缩、扭转、平面图形的几何性质、弯曲内力、弯曲应力、应力状态、强度理论、弯曲变形、组合变形的强度计算、压杆稳定等。

本书为高职高专土建类专业使用教材,亦可供成人高校及工程技术人员使用。

图书在版编目(CIP)数据

建筑力学(上册)/罗奕主编．—2版．—北京:人民交通出版社,2008.8

普通高等教育“十一五”国家级规划教材

ISBN 978-7-114-07233-8

Ⅰ.建… Ⅱ.罗… Ⅲ.建筑力学—高等学校:技术学校—教材 Ⅳ.TU311

中国版本图书馆CIP数据核字(2008)第090398号

普通高等教育“十一五”国家级规划教材

书　　名:建筑力学(上册)(第二版)

著 作 者:罗　弈

责任编辑:卢仲贤　王　霞

出版发行:人民交通出版社

地　　址:(100011)北京市朝阳区安定门外外馆斜街3号

网　　址:http://www.ccpress.com.cn

销售电话:(010)59757973

总 经 销:人民交通出版社发行部

经　　销:各地新华书店

印　　刷:大厂回族自治县正兴印务有限公司

开　　本:787×1092　1/16

印　　张:17.75

字　　数:442千

版　　次:2003年8月 第1版

　　　　　2008年8月 第2版

印　　次:2020年8月 第7次印刷　总第11次印刷

书　　号:ISBN 978-7-114-07233-8

定　　价:53.00元(上、下共二册)

第二版前言

本教材第一版系根据教育部高教司高职高专处关于加强高职教学基本建设的指示精神和高等职业教育专门课教材建设开发指导委员会的要求编写而成，于2003年出版。

教育部2006年8月将本教材列入普通高等教育"十一五"国家级规划教材。为此，我们对教材作了修订和部分改写，对一些章节作了调整，充分体现高等职业教育的教学要求，使教材更具有针对性和实用性，注重学生基本素质、基本能力的培养，力求在内容上、形式上更加贴近实际。

本次修订工作由吉林交通职业技术学院罗奕任主编，辽宁交通高等专科学校赵凤婷、徐州建筑职业技术学院沈建康任副主编，辽宁交通高等专科学校王颀、鲁东大学土木工程学院郭兰英参加编写。长春工程学院常伏德教授、吉林建筑工程学院苏铁坚教授主审。其中，第一章、第二章、第三章、第四章、第五章、第六章由赵凤婷编写；第七章、第八章、第九章、第十章、第十一章、第十二章、第十三章由罗奕编写；第十四章、第十五章、第十六章由王颀编写；第十七章、第十八章由郭兰英编写；第十九章、第二十章、第二十一章、第二十二章由沈建康编写。

限于编者水平，书中不妥之处，恳请批评指正。

编　者

2008年3月

第一版前言

本教材系根据教育部高教司高职高专处关于加强高职教学基本建设的指示精神和高等职业教育专门课教材建设开发指导委员会的要求编写而成。

本教材的编写力求突出高职高专特点,因此,在内容的选取和体系的安排上,特别注意体现高职教材"运用为主,够用为度"的编写原则,突出彰显了基础理论在应用方面的内容。教材一方面照顾到传统性,将全书分为三篇,上册为静力学、材料力学,下册为结构力学;另一方面又按照建筑力学的统一性,对内容作了调整与选择,在最大的可能上使教材符合工程建设实际的需要。在教材内容的表述方面,力求做到清晰、简练、避免不必要的繁琐的论证和叙述,着重讲清基本概念和基本理论的内涵及各部分内容在应用上的特点和方法,提高解决常见工程中的基础性力学问题的能力。为便于学习、复习巩固、掌握要点,本教材在各章末均有小结,并选配有足够数量的例题和习题。

本教材由吉林交通职业技术学院罗奕主编,徐州建筑职业技术学院沈建康、成都航空职业技术学院冯光灿、内蒙古大学职业技术学院李万龙副主编,吉林建筑工程学院苏铁坚教授主审。其中,绪论、第一章、第二章、第三章、第四章、第五章、第六章由吉林交通职业技术学院罗奕编写;第七章、第八章、第九章、第十章、第十六章由内蒙古大学职业技术学院李万龙编写;第十一章、第十二章、第十三章、第十四章、第十五章、第十七章、第十八章由成都航空职业技术学院冯光灿编写;第十九章、第二十章、第二十一章、第二十二章、第二十三章由徐州建筑职业技术学院沈建康编写。

限于编者水平,书中不妥之处,恳请批评指正。

编　者

2002 年 6 月

编 写 说 明

《建筑力学》是提供建筑结构受力分析和计算理论依据的一门科学。在进入各种具体问题讨论之前，首先就建筑力学研究对象、基本任务及基本内容作一简介。

一、建筑力学的研究对象

作用在建筑物上的力和重力在工程上称为荷载，大的如整幢高楼、楼面上的人群、设备重量以及各部分构件自身的重力等等。建筑物中以承受和传递荷载而起骨架作用的部分称为建筑结构（简称结构）。组成结构的单个部分称为构件。对土建类专业来讲，建筑力学的主要研究对象就是组成结构的构件和构件体系。

二、建筑力学的主要内容和任务

承受和传递荷载的建筑结构构件，在荷载作用下，一方面会引起周围物体对它的反作用，例如一根受荷载作用的梁，搁在柱子上，梁对柱子有作用力，而柱对梁起支承力作用，因而，任何一个构件，在设计时首先需要弄清楚它们受到哪些荷载的作用以及周围物体对它们有些什么反作用力；另一方面，当构件受到各种作用力的同时，构件本身发生变形，并且存在着破坏的可能，但结构构件本身是具有一定的抵抗变形和破坏能力的，即有一定的承载能力，这种承载能力的大小与构件的材料性质、截面几何形状及尺寸、受力性质、工作条件、构造情况等有关。在结构设计中，如果把构件截面设计得过小，构件承载能力小于所受的荷载而发生破坏，则结构不安全，或者因变形过大不能正常工作；如果把构件截面设计得过大，构件承受荷载的能力过分大于所受荷载，则用料过多，又会不经济。这样就需要对任何一个结构或构件的承载能力进行计算，以使所设计的结构既安全又经济。

建筑力学将以上这些内容分为静力学、材料力学、结构力学三部分来讨论。其中静力学，主要研究力之间的平衡关系并应用到结构的受力分析中；材料力学，主要研究构件受力后发生变形时的承载能力问题；结构力学，主要研究结构体系的变形和内力分析，为工程设计提供分析方法和计算公式。

在以上三部分内容中，静力学是建筑力学中有关力的基本规律，材料力学、结构力学则是各种构件及结构计算的基础理论。

综上，建筑力学的任务是：研究各种建筑结构或构件在荷载作用下的平衡条件以及承载能力。

建 筑 力 学

（上册）

目　　录

第一篇　静　力　学

第二篇　材料力学

第一篇　静　力　学

引　　言

静力学是研究物体在力系作用下处于平衡的规律。

什么是平衡呢？在一般工程问题中，物体相对于地球保持静止或作匀速直线运动，称为**平衡**。例如，房屋、水坝、桥梁相对于地球是保持静止的；在直线轨道上作匀速运动的火车，沿直线匀速起吊的构件，它们相对于地球作匀速直线运动，这些都是平衡的实例。它们的共同特点就是运动状态没有变化。

在一般情况下，一个物体总是同时受到若干个力的作用。我们把作用于物体上的一群力，称为**力系**。使物体保持平衡的力系，称为**平衡力系**。

在静力学中具体讨论两个问题：力系的简化和力系的平衡条件。

在一般情况下，物体受到力系的作用，会使运动状态发生变化，只有当力系满足某些条件时，才能使物体处于平衡状态。如起吊构件时，绳索的拉力大于或小于构件的重力时，构件就加速直线上升或减速直线上升；只有当拉力与重力相等时，构件才会匀速直线上升、匀速直线下降或静止，即构件处于平衡状态。讨论物体在力系作用下处于平衡时，力系所应该满足的条件，称为**力系的平衡条件**，这是静力学讨论的主要问题。在讨论力系的平衡条件中，往往需要把作用在物体上的复杂的力系，用一个与原力系作用效果相同的简单的力系来代替，使得讨论平衡条件时比较方便，这种对力系作用效果相同的代换，就称为**力系的简化**，或称为**力系的合成**。对物体作用效果相同的力系，称为**等效力系**。如果一个力与一个力系等效，则该力称为此力系的合力，而力系中的各个力称为这个力的分力。

建筑物中的构件在正常情况下都处于平衡状态，因此，建筑力学首先要研究物体的平衡问题。

第一章　静力学基本知识

§1-1　刚体的概念

刚体是指在任何外力作用下，其大小和形状始终保持不变的物体。实际上，自然界里并无刚体存在，任何物体在力的作用下，都将发生变形。但是工程实际中的许多物体（例如建筑物中的梁、柱等）变形都非常小，对于物体平衡问题的研究影响很小，可以忽略不计，因而可将实际物体抽象为刚体，这样，将使静力学问题的研究大为简化。

然而，当讨论物体受到力的作用后会不会破坏时，变形就是一个主要的因素，这时就不能再把物体看作刚体，而应该看作变形体，这将在本书第二篇——材料力学中研究。但须指出，以刚体为对象得出的力系的平衡条件，一般也可以推广应用于变形很小的变形体的平衡情况。

§1-2 力的概念

一、力和力的两种作用效应

人们在长期的生产劳动和日常生活中逐渐形成并建立了力的概念。力是物体间的相互机械作用，这种作用使物体运动状态发生改变或使物体变形。力使物体运动状态发生改变，称为力的运动效应或外效应。例如：人推车时，车子由静止转为运动，运动由慢变快，行驶中的汽车刹车时，靠摩擦力能使它停下来等；力使物体变形，称为力的变形效应或内效应。例如：桥梁受到车辆的作用而产生弯曲变形，混凝土试块在试验机加压下可以被压碎等。

既然力是物体与物体之间的相互作用，因此，力不可能脱离物体而单独存在，有受力体时必定有施力体。

二、力的三要素

实践证明，力对物体的作用效果，取决于三个要素，通常称为力的三要素：

（1）力的大小：力的大小表明物体间相互作用的强弱程度。为了度量力的大小，必须规定力的单位，在国际单位制中，力的单位为牛［顿］（N）或千牛［顿］（kN），1 kN = 1000N。

（2）力的方向：力的方向包含力的方位和指向。例如：重力的方向是铅垂向下，铅垂是重力的方位，向下是重力的指向。

（3）力的作用点：力的作用点就是力对物体作用的位置，力的作用位置实际上有一定的范围，不过当作用范围与物体相比很小时，可近似地看作是一个点。作用于一点的力，称为集中力。

在力的三要素中，有任一要素改变时，都会对物体产生不同的效果。

三、力的表示方法

力是一个有大小和方向的量，所以力是**矢量**。

通常可以用一段带箭头的线段来表示力的三要素。线段的长度（按选定的比例）表示力的大小；线段与某定直线的夹角表示力的方位，箭头表示力的指向；带箭头线段的起点或终点表示力的作用点。如图 1-1 所示，按比例量出力 $\boldsymbol{F}$ 的大小是 20kN，力的方向与水平线成 45°角，指向右上方，作用在物体的 A 点上。

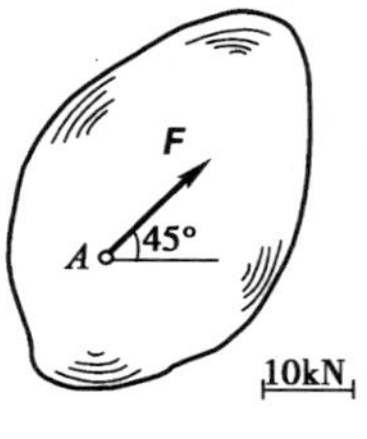

图 1-1

§1-3 静力学基本公理及推论

静力学公理是人们通过长期观察和实践总结出来的普遍规律，它阐述了力的一些基本性质，是静力学部分的基础。

公理 1：二力平衡公理

作用在同一刚体上的两个力，使刚体平衡的必要和充分条件是：这两个力的大小相等，方向相反，并沿着同一条作用线（图 1-2）。

本公理总结了作用在刚体上的最简单的力系平衡时所必须满足的条件。对于刚体，这个条件是既必要又充分的；但是对于变形体，这一条件则是不充分的。例如，软绳受两个等值反向而且共线的两个拉力作用时，软绳可以平衡；但如果受到两个等值反向而且共线的压力作用时，软绳就不能平衡。

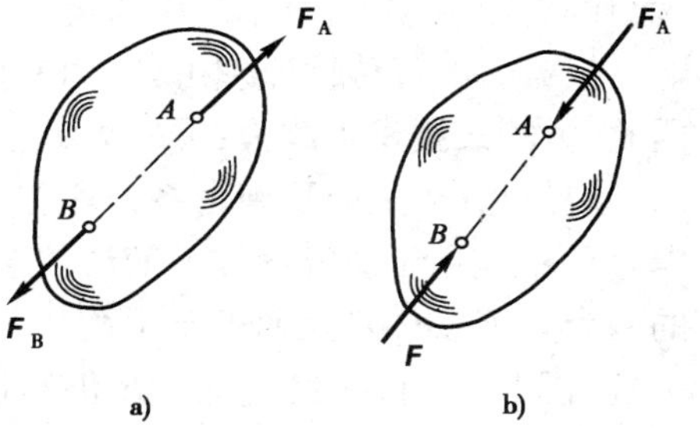

图 1-2

若一根直杆只在两点受力作用而处于平衡，则作用在此两点的二力的方向必在这两点的连线上。此直杆称为**二力杆**（图 1-3）。对于只在两点受力作用而处于平衡的一般物体，称为**二力构件**。

图 1-3

二力平衡公理是研究力系平衡条件的基础。

公理 2：加减平衡力系公理

在作用于刚体上的已知力系，加上或去掉任一平衡力系，并不改变原力系对刚体的作用效应。

因为平衡力系不会改变物体的运动状态，即平衡力系对物体的运动效果为零，所以在物体的原力系上加上或去掉一个平衡力系，是不会改变物体的运动效果的。

加减平衡力系公理是研究力系简化的基础。

推论：力的可传性原理

作用在刚体上的力可沿其作用线移到该刚体上任一点，而不改变该力对刚体的作用。

证明：

（1）设力 $\boldsymbol{F}$ 作用在物体 A 点［图 1-4a）］。

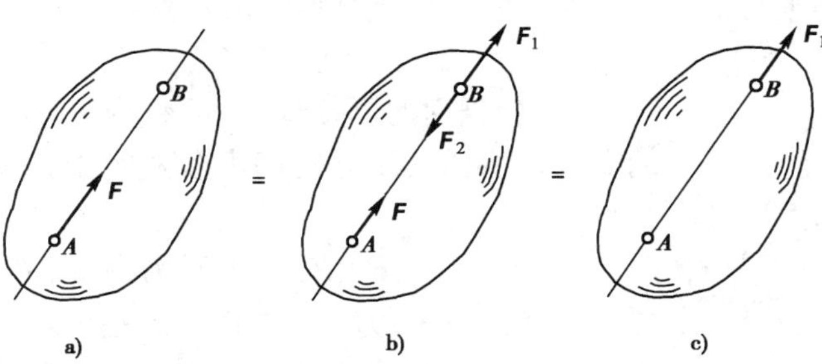

图 1-4

（2）根据加减平衡力系公理，可在力的作用线上任取一点 B，加上一个平衡力系 $\boldsymbol{F}_1$ 和 $\boldsymbol{F}_2$，并使 $\boldsymbol{F}_1 = -\boldsymbol{F}_2 = \boldsymbol{F}$［图 1-4b）］。

(3)由于力 $\boldsymbol{F}$ 和 $\boldsymbol{F}_2$ 是一个平衡力系,可以去掉,所以只剩下作用在 B 点的力 $\boldsymbol{F}_1$[如图 1-4c)]。

(4)力 $\boldsymbol{F}_1$ 和原力 $\boldsymbol{F}$ 等效,就相当于把作用在 A 点的力 $\boldsymbol{F}$ 沿其作用线移到 B 点。

力的可传性原理,是我们日常生活中所常见的,例如,用绳拉车,或者沿同一直线、以同样大小的力用手推车,对车产生的运动效应相同。

根据力的可传性原理可知,力对刚体的作用效应与力的作用点在作用线上的位置无关。因此,**力的三要素可改为:力的大小、方向和作用线。**

应当指出,加减平衡力系公理和力的可传性原理都只适用于研究物体的运动效应(外效应),而不应用于研究物体的变形效应(内效应)。例如,直杆 AB 的两端受到等值、反向、共线的两个力 $\boldsymbol{F}_1$、$\boldsymbol{F}_2$ 作用而处于平衡状态[图 1-5a)];如果将这两个力各沿其作用线移到杆的另一端[图 1-5b)],显然,直杆 AB 仍然处于平衡状态。但是直杆的变形不同了。图 1-5a)的直杆的变形是缩短,而图 1-5b)的直杆的变形却是伸长,这就说明当研究物体的变形效应时,力的可传性原理就不适用了。

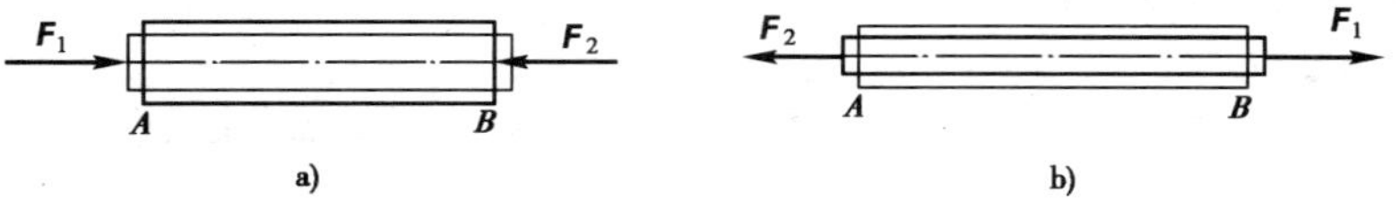

图 1-5

公理 3:力的平行四边形法则

作用于物体上同一点的两个力可以合成为作用在该点的一个合力,其大小和方向可由这两个力为边所构成的平行四边形的对角线来表示(图 1-6)。

力的平行四边形法则是力系合成与分解的基础。

这种求合力的方法,称为矢量加法。其矢量式为

$$\boldsymbol{R}=\boldsymbol{F}_1+\boldsymbol{F}_2 \tag{1-1}$$

应该注意式中每一个矢量均具有大小和方向的意义。

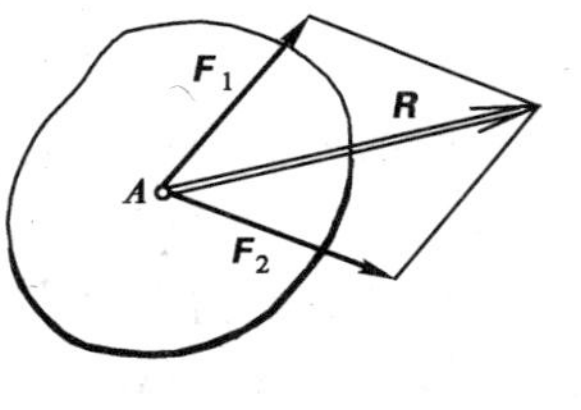

图 1-6

推论:三力平衡汇交定理

若一刚体受三个共面而互不平行的力作用处于平衡时,则此三力必汇交一点。

证明:

(1)设有共面不平行的三个力 $\boldsymbol{F}_1$、$\boldsymbol{F}_2$、$\boldsymbol{F}_3$ 分别作用在一刚体上的 A_1、A_2、A_3 三点而成平衡,如图 1-7 所示。

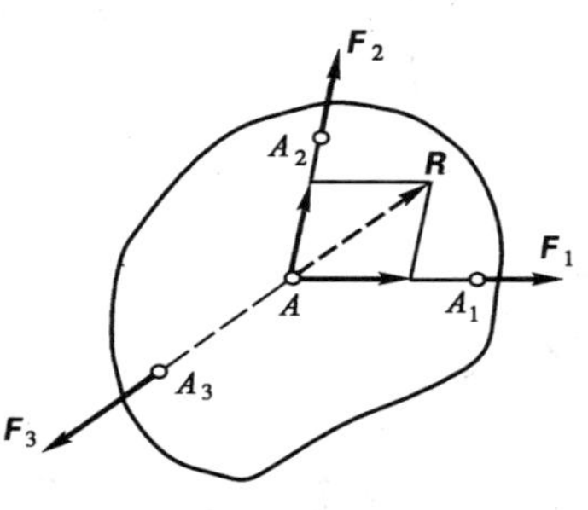

图 1-7

(2)根据力的可传性原理,将力 $\boldsymbol{F}_1$、$\boldsymbol{F}_2$ 移到该两力作用线的交点 A,并按力的平行四边形公理合成为合力 $\boldsymbol{R}$,$\boldsymbol{R}$ 也作用在 A 点。

(3)因为 $\boldsymbol{F}_1$、$\boldsymbol{F}_2$、$\boldsymbol{F}_3$ 三力平衡,所以 $\boldsymbol{R}$ 应与力 $\boldsymbol{F}_3$ 平衡。由二力平衡公理知,力 $\boldsymbol{F}_3$ 与 $\boldsymbol{R}$ 一定是大小相等、方向相反、且作用在同一直线上,就是说,$\boldsymbol{F}_3$ 必通过力 $\boldsymbol{F}_1$ 和 $\boldsymbol{F}_2$ 的交点 A,即三个力 $\boldsymbol{F}_1$、$\boldsymbol{F}_2$、$\boldsymbol{F}_3$ 的作用线必汇交于一点。

三力平衡汇交定理也可从实践中得到验证。例如,小球搁置在光滑的斜面上,并用绳子拉住,这时小球受到重力 $\boldsymbol{G}$、绳子

的拉力 $\boldsymbol{T}$ 和斜面的支承力 $\boldsymbol{N}$ 的作用。如果这三个力的作用线不汇交于一点(图 1-8),则此小球不会平衡,只有当小球滚动到如图 1-9 所示的三力汇交于一点的情况下,小球才能处于平衡状态。

三力平衡汇交定理常常用来确定物体在共面不平行的三个力作用下平衡时其中未知力的方向。

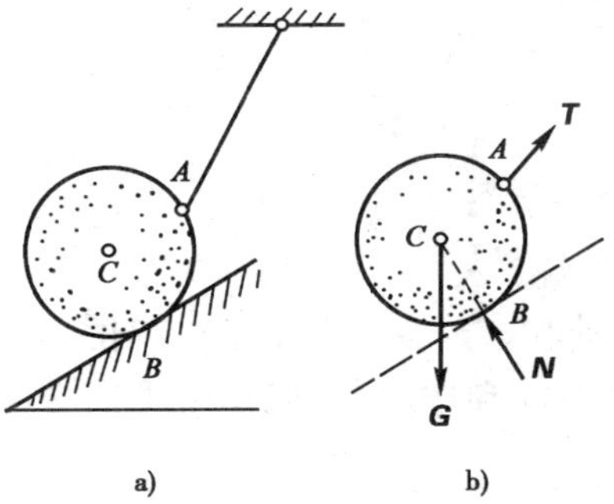

图 1-8

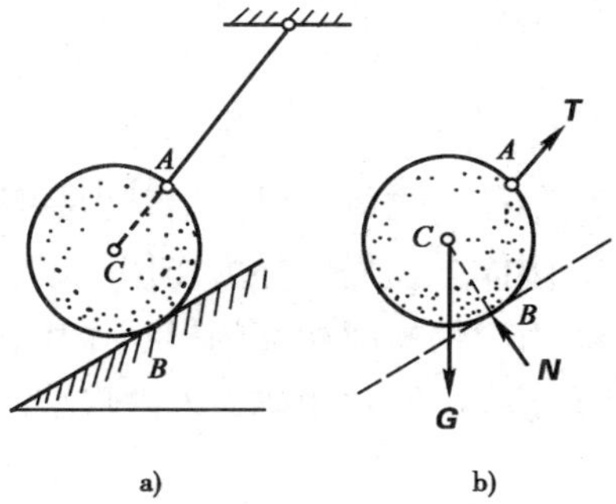

图 1-9

公理 4:作用与反作用公理

两物体间的作用力和反作用力,总是大小相等、方向相反,作用线相同,分别作用在这两个物体上。

这个公理概括了两个物体间相互作用力的关系。如物体 A 对物体 B 施作用力 $\boldsymbol{F}$,同时,物体 A 也受到物体 B 对它的反作用力 $\boldsymbol{F}'$,且这两个力大小相等、方向相反、沿同一直线作用。如图 1-10 所示。

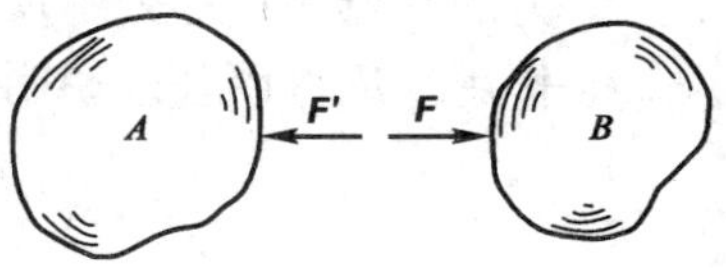

图 1-10

例 1-1 小球受重力 $\boldsymbol{G}$ 作用,用绳索悬挂于天花板[图 1-11a)],绳重不计。试分析各物体间相互的作用力和反作用力。

解 小球与地球之间有一对作用力 $\boldsymbol{G}$ 和反作用力 $\boldsymbol{G}'$,它们分别作用于小球中心和地球中心[图 1-11b)、c)],且 $\boldsymbol{G}'=\boldsymbol{G}$,其方向相反,并沿同一直线。

小球与绳索之间有一对作用力 $\boldsymbol{T}_B$ 和反作用力 $\boldsymbol{T}'_B$,分别作用于绳索的 B 点和小球的 B 点[图 1-11b)、d)],且 $\boldsymbol{T}'_B=\boldsymbol{T}_B$,其方向相反,并沿着绳的中心线。

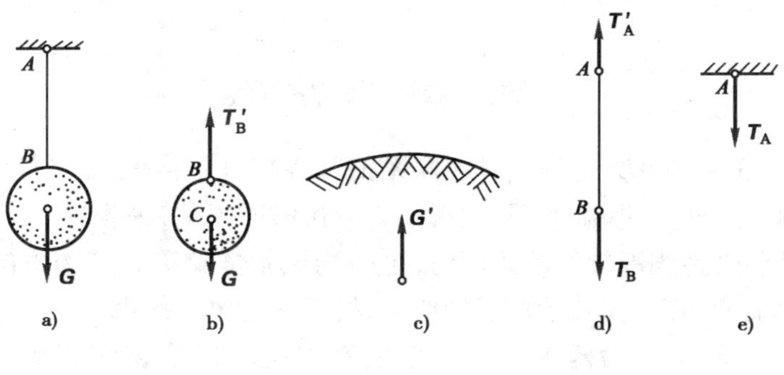

图 1-11

同样,绳索对天花板施作用力 $\boldsymbol{T}_A$,作用在板的 A 点,其反作用力 $\boldsymbol{T}'_A$,作用在绳的端点 A[图 1-11d)、e)]。

应该注意,不能把该定律和二力平衡条件混淆起来。由于作用力和反作用力是分别作用在两个相互作用的不同的物体上,因此它们并不是一对平衡力。

小　　结

静力学主要研究力系的简化和平衡条件两个问题。本章讨论静力学的基本概念、静力学的基本公理。

一、静力学的基本概念

1. 平衡　物体相对于地球保持静止或作匀速直线运动的状态。

2. 刚体　在任何外力作用下,大小和形状保持不变的物体。

3. 力　物体间相互的机械作用,这种作用使物体的运动状态改变(外效应),或使物体变形(内效应)。力对物体的外效应取决于力的三要素:大小、方向和作用点(或作用线)。

二、静力学公理

静力学公理揭示了力的基本性质,是静力学的理论基础。

1. 二力平衡公理说明了作用在一个刚体上的两个力的平衡条件。
2. 加减平衡力系公理是力系等效替换的基础。
3. 力的平行四边形公理反映了两个力合成的规律。
4. 作用与反作用公理说明了物体间相互作用的关系。

第二章　物体的受力分析和受力图

§2-1　约束与约束反力

一、约束与约束反力的概念

在工程实际中,任何构件都受到与它相联系的其他构件的限制,而不能自由运动。例如,大梁受到柱子限制,柱子受到基础的限制,桥梁受到桥墩的限制,等等。

一个物体的运动受到周围物体的限制时,这些周围物体就称为该物体的约束。例如上面所提到的柱子是大梁的约束,基础是柱子的约束,桥墩是桥梁的约束。

物体受到的力一般可分为两类。一类是使物体运动或使物体有运动趋势的力,称为**主动力**,例如重力、水压力、土压力等。主动力在工程上称为**荷载**。另一类是约束对物体的运动起限制作用的力,称为**约束反力**,简称**反力**。物体受到主动力作用时,物体将沿着约束所能限制的方向有运动或运动趋势时,则约束对物体有作用力而限制物体的运动,故这种作用力就称为约束反力。**约束反力的方向总是和物体的运动方向相反**。

通常主动力是已知的，约束反力的确定与约束类型及主动力有关，现从工程上常见的几种约束来讨论其约束反力的特征。

二、几种常见的约束及其反力

1. 柔体约束

例如柔绳、链条胶带等用于限制物体的运动时，都是柔体约束。由于柔体约束只能限制物体沿着柔体约束的中心线离开柔体约束的运动，而不能限制物体沿其他方向的运动，所以**柔体约束的约束反力通过接触点，其方向沿着柔体约束的中心线且为拉力**。这种约束反力通常用 $\boldsymbol{T}$ 表示（图 2-1）。

2. 光滑接触面约束

物体与另一物体相互接触，当接触处的摩擦力很小，可以略去不计时，两物体彼此的约束就是光滑接触面约束。这种约束只能限制物体沿着接触面的公法线且指向接触面的运动而不能限制物体离开接触面的运动。所以，**光滑接触面的约束反力通过接触点，其方向沿着接触面的公法线且为压力**，如图 2-2 所示。这种约束反力通常用 $\boldsymbol{N}$ 表示。

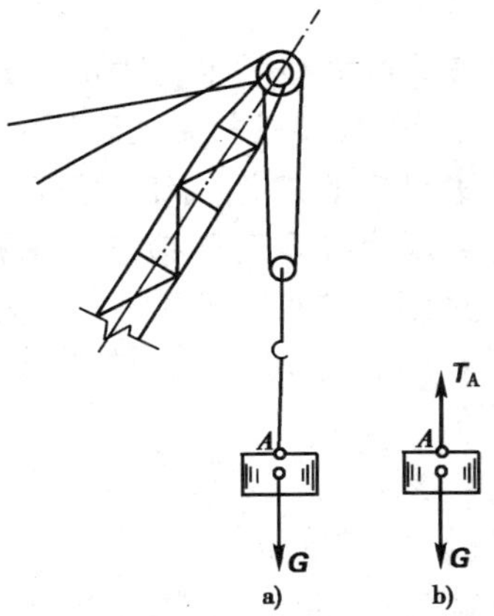

图 2-1

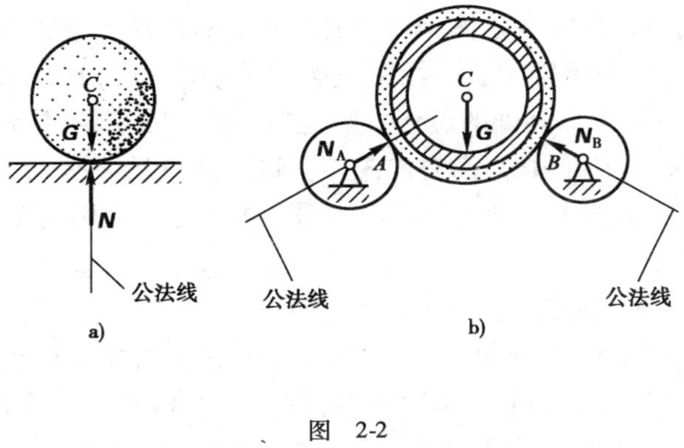

图 2-2

例 2-1 重为 $\boldsymbol{G}$ 的杆 AB 置于半圆槽中（图 2-3），画出杆 AB 所受到的约束反力。接触处摩擦不计。

解 杆 AB 在 A、B 处受到光滑接触面约束。其约束反力应沿着接触面的公法线，所以，A 处的约束反力 $\boldsymbol{N}_A$ 作用于 A 点，其方向沿着半径 AO 且为压力，B 处的约束反力 $\boldsymbol{N}_B$ 作用于 B 点，其方向垂直于杆 AB，也是压力。

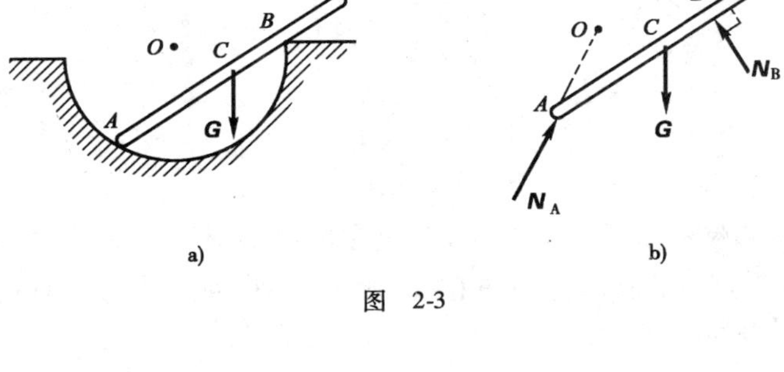

图 2-3

3. 圆柱铰链约束

圆柱铰链简称铰链,门窗用的合页便是铰链的实例。圆柱铰链是由一个圆柱形销钉插入两个物体的圆孔中构成[图 2-4a)、b)],且认为销钉与圆孔的表面都是完全光滑的。圆柱铰链的简图如图 2-4c)所示。

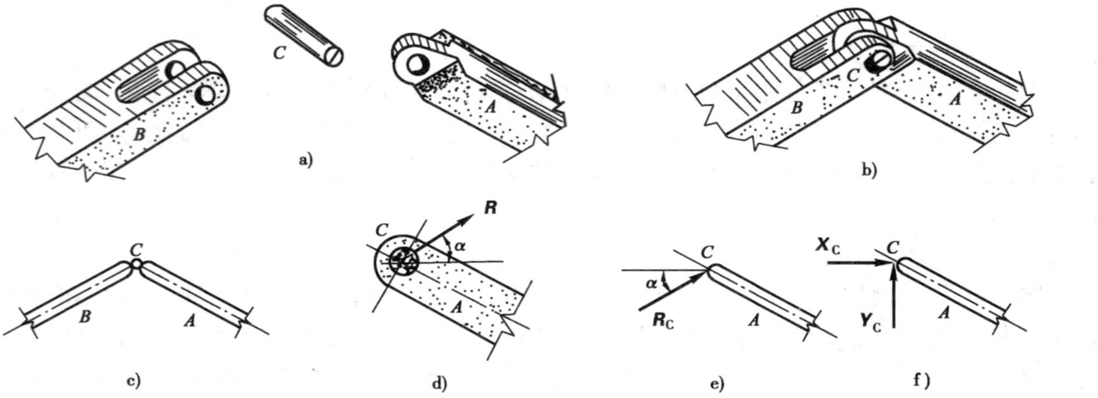

图 2-4

销钉不能限制物体绕销钉相互转动,而只限制物体在垂直于销钉轴线的平面内沿任意方向的相对移动。当物体相对于另一物体有运动趋势时,销钉与孔壁便在某处接触,且接触处是光滑的,由光滑接触面的约束反力可知,销钉反力沿接触点与销钉中心的连线作用[如图 2-4d)],但由于接触处的位置一般是未知的,所以,**圆柱铰链的约束反力在垂直于销钉轴线的平面内,通过销钉中心,而方向未定。**这种约束反力有大小和方向两个未知量,可用一个大小和方向都是未知的力 $\boldsymbol{R}$ 来表示[如图 2-4e)];也可用两个互相垂直的分力 $\boldsymbol{X}_C$ 和 $\boldsymbol{Y}_C$ 来表示[如图 2-4f)]。

4. 链杆约束

如图 2-5a)所示的支架,水平杆 *AB* 在 *A* 端用铰链与墙壁连接,在 *B* 处由杆 *BC* 支承,这杆 *BC* 就可看为是水平杆 *AB* 的链杆约束。所谓链杆约束就是两端用光滑销钉与物体相连而中间不受力的直杆,如图 2-5b)所示的 *AB* 杆。这种约束只能限制物体沿着链杆中心线趋向或离开链杆的运动,而不能限制其他方向的运动。所以,**链杆的约束反力沿着链杆中心线,指向未定。**链杆约束的简图及其反力如图 2-5c)和图 2-5d)所示。

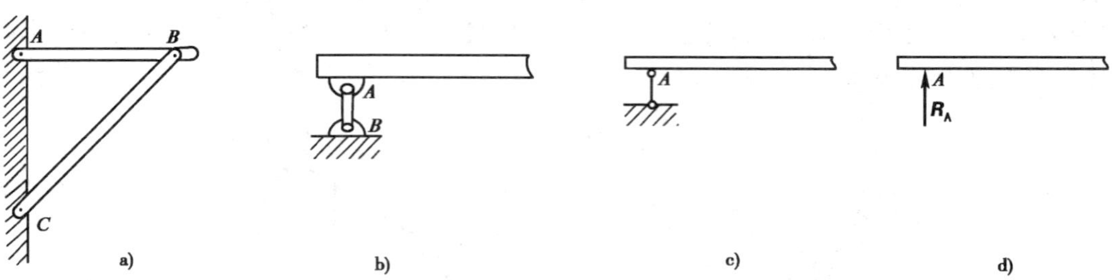

图 2-5

另一方面,我们分析链杆的受力情况,链杆只在两端各有一个力作用而处于平衡状态,故链杆为二力杆。所受的力必沿着链杆的中心线,或为拉力,或为压力;而链杆对物体的反作用力也沿着链杆中心线,指向未定。

5. 固定铰支座(铰链支座)

图 2-6 所示是固定铰支座的结构简图。支座固定于基础或静止的结构物上,构件与支座再用光滑的圆柱形销钉连接,就构成固定铰支座。它的计算简图如图2-7a)或图 2-7c)所示。

这种支座可以限制构件在垂直于销钉轴线的平面内沿任意方向的移动,而不限制构件绕销钉轴线的转动。**可见,固定铰支座的约束性能与圆柱铰链相同,所以它的支座反力与圆柱铰链的反力也相同**,如图 2-7b)或图 2-7d)所示。

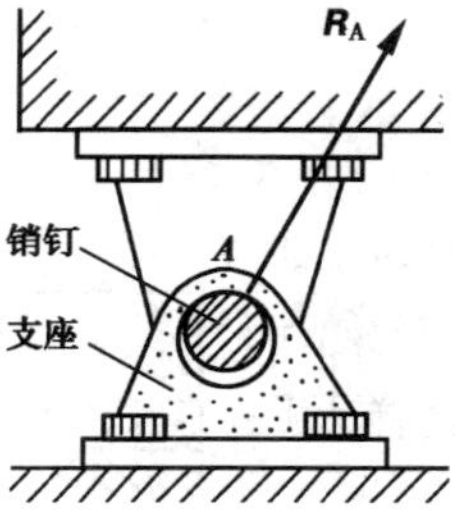

图 2-6

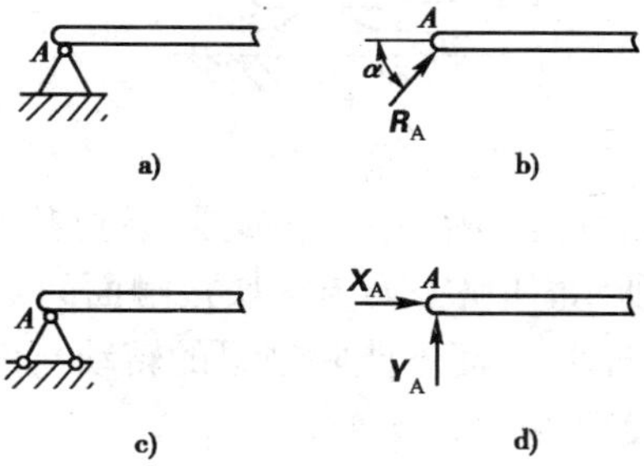

图 2-7

如图 2-6 所示的支座是桥梁上广为采用的较理想的固定铰支座,而在房屋建筑中较少采用这种理想的支座,通常将限制构件移动,而允许构件产生微小转动的支座都视为固定铰支座。例如图 2-8a)所示,预制柱插入杯形基础后,在杯口周围用沥青麻丝填实。这样,柱子可能产生微小转动,而不能上下、左右移动,因此,柱子可视为支承在固定铰支座上[图 2-8b)]。又如图 2-9a)所示的屋架,它的端部支承在柱子上,并将预埋在屋架和柱子上的两块钢板焊接起来,它可以阻止屋架的移动,但因焊缝的长度有限,对屋架转动的限制作用很小,因此,把这种装置也视为固定铰支座。

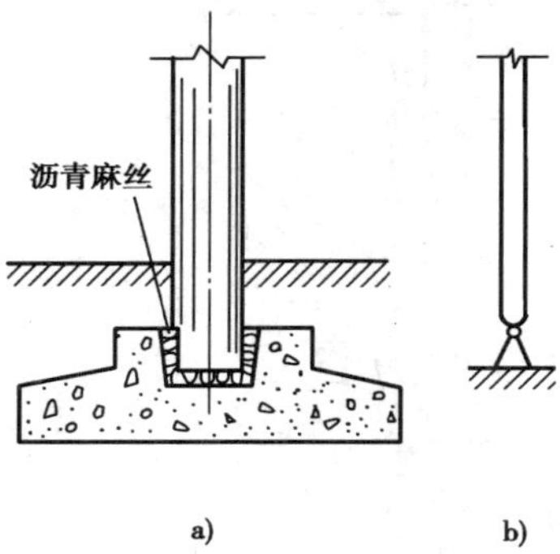

图 2-8

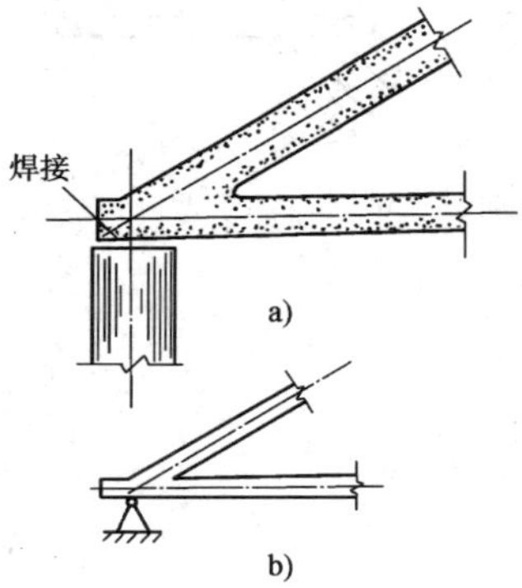

图 2-9

6. 可动铰支座

如图 2-10 所示是可动铰支座的结构简图。在固定铰支座下面加几个辊轴支承于平面上,但支座的连接,使它不能离开支承面,就构成可动铰支座。计算简图如图 2-11a)或图 2-11b)所示。

这种支座只能限制构件垂直于支承面方向的移动,而不能限制物体绕销钉轴线的转动和沿支承面方向的移动。**所以它的支座反力通过销钉中心,垂直于支承面,指向未定**,如图 2-11c)所示。

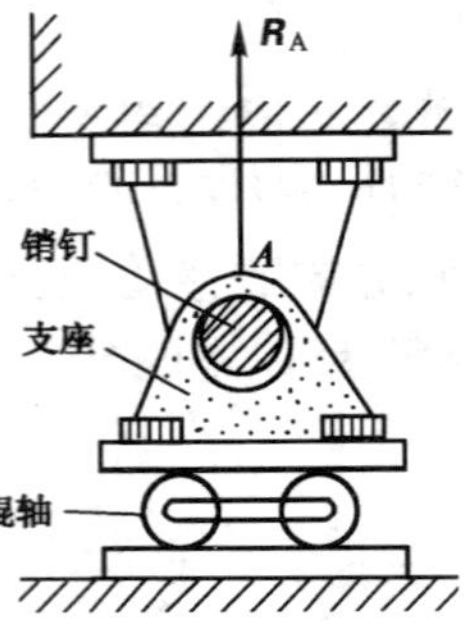

图 2-10

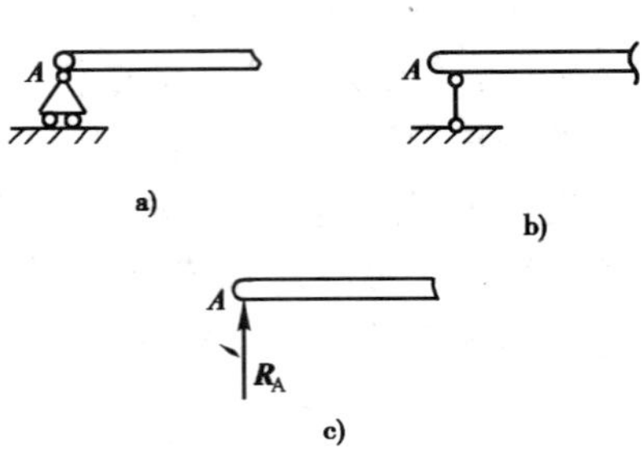

图 2-11

在工程上，例如，一根横梁通过混凝土垫块支承在砖柱上，如图2-12a)所示，如略去梁与垫块接触面间的摩擦，则垫块只能限制梁沿铅垂方向移动，而不能限制梁的转动与沿水平方向的移动。这样，可视为梁置于可动铰支座上。

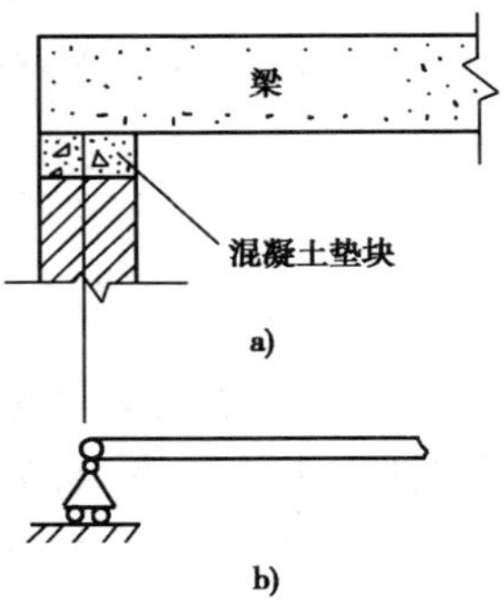

图 2-12

7. 固定端支座

如房屋建筑中的挑梁，它的一端嵌固在墙壁内，墙壁对挑梁的约束，既限制它沿任何方向移动，又限制它的转动，这样的约束称为固定端支座。它的构造简图如图 2-13a）所示，计算简图如图2-13b）所示。

由于这种支座既限制构件的移动，又限制构件的转动，所以，**它除了产生水平和竖向的约束反力外，还有一个阻止转动的约束反力偶**，如图 2-13c）所示。

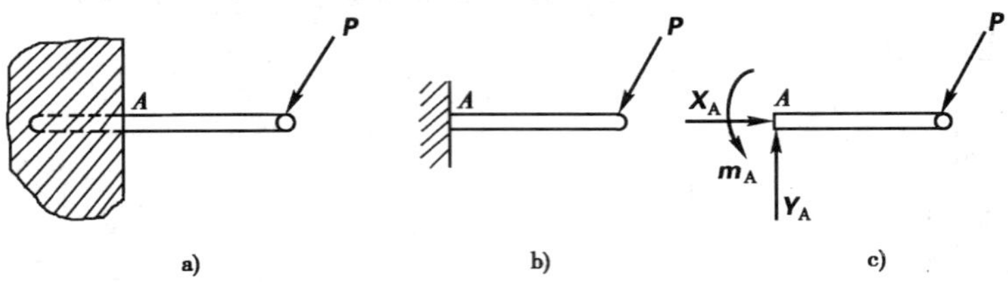

图 2-13

§2-2 物体的受力分析与受力图

一、物体的受力分析

在工程实际中，为了求出未知的约束反力，需要根据已知力，应用平衡条件求解。为此，首先要确定构件受了几个力，每个力的作用位置和力的作用方向，这种分析过程称为**物体的受力分析**。

物体所受的主动力按照作用范围的不同，荷载可分为分布荷载和集中荷载两类。

当荷载分布于某一体积上时，称为**体荷载**（如物体的重力）；当荷载分布于某一面积上时，称为**面荷载**（如风、雪、水、汽等对物体的压力）；而当荷载分布于长条形状的体积或面积上时，则可简化为沿其长度方向中心线分布的**线荷载**。

物体上每单位体积、单位面积或单位长度上所承受的荷载分别称为**体荷载集度、面荷载集度或线荷载集度**，它们各表示对应的分布荷载密集的程度。荷载集度要乘以相应的体积或面积或长度后才是荷载(力)。如荷载是均匀分布的则称为**均布荷载**。否则,即为**非均布荷载**。例如,均质等截面管道的重力、水池的水平池底所受的水压力[图 2-14a)]是均布荷载,而池壁所受的水压力则因压强与水深成正比而按三角形分布的非均布荷载[图 2-14b)]。

线荷载集度的单位是牛/米(N/m),而面荷载集度与体荷载集度的单位则分别为牛/米^2(N/m^2)与牛/米^3(N/m^3)等。

在工程实际中所遇到的物体一般都是非自由体,所以除主动力外,它们还受到约束反力的作用。

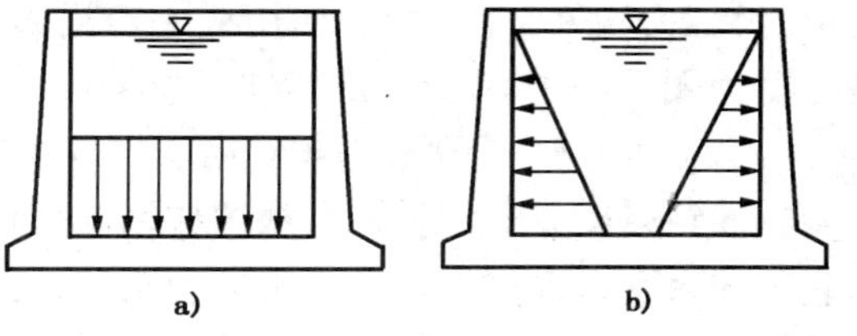

图 2-14

二、受　力　图

为了清晰地表示物体的受力情况,我们把需要研究的物体(称为**受力体**)从周围的物体(称为**施力体**)中分离出来,单独画出它的简图,这个步骤叫做取**研究对象**或取**隔离体**。然后把施力物体对研究对象的作用力(包括主动力和约束反力)全部画出来。这种表示物体受力的简明图形,称为**受力图**。画物体受力图是解决静力学问题的一个重要步骤。下面举例说明。

例 2-2 用力 $\boldsymbol{F}$ 拉动碾子以压平路面,重为 $\boldsymbol{P}$ 的碾子受到一石块的阻碍,如图 2-15a)所示。试画出碾子的受力图。

解 (1)取碾子为研究对象(即取隔离体),并单独画出其简图。

(2)画主动力。有地球的引力 $\boldsymbol{P}$ 和杆对碾子中心的拉力 $\boldsymbol{F}$。

(3)画约束反力。因碾子在 A 和 B 两处受到石块和地面的约束,如不计摩擦,均为光滑表面接触,故在 A 处受石块的法向反力 $\boldsymbol{N}_A$ 的作用,在 B 处受地面的法向反力 $\boldsymbol{N}_B$ 的作用,它们都沿着碾子上接触点的公法线而指向圆心。

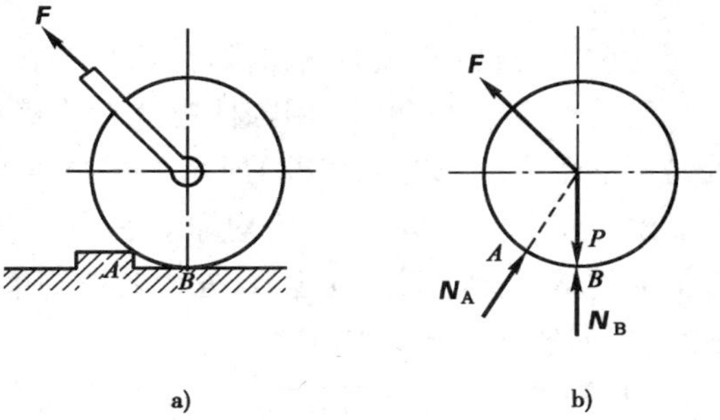

图 2-15

碾子的受力图如图 2-15b)所示。

例 2-3 水平梁 AB 受荷载 $\boldsymbol{P}$ 作用,A 端为固定铰支座,如图 2-16a)所示,梁的自重不计,试画出梁的受力图。

解 (1)取 AB 为研究对象,并画出其简图。

(2)画主动力。只有荷载 $\boldsymbol{P}$ 作用。

(3)画约束反力。梁的 A 端为固定铰支座,其约束反力通过铰链中心 A,但大小和方向未知,用两个大小未知的正交分力 $\boldsymbol{X}_A$ 和 $\boldsymbol{Y}_A$ 表示,$\boldsymbol{X}_A$ 和 $\boldsymbol{Y}_A$ 的指向可任意假设。梁的 B 端为可动铰支座,对梁的约束反力垂直于45°斜面,用 $\boldsymbol{R}_B$ 表示。梁的受力图如图 2-16b)或图 2-16c)所示。以上两种表示方法均可。

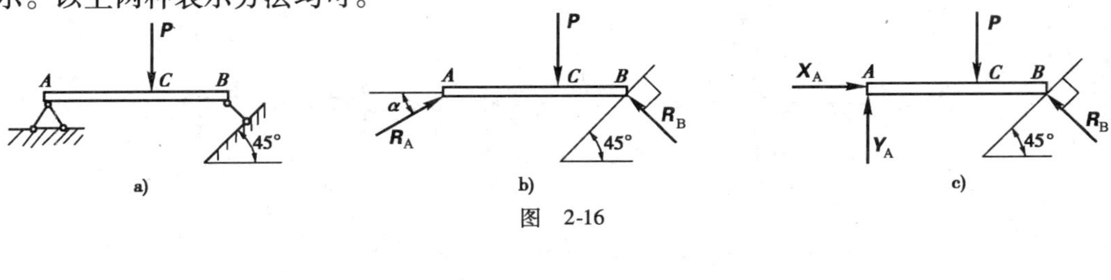

图 2-16

例 2-4 图2-17a)所示三铰拱桥，由左、右两拱铰接而成。设各拱自重不计，在拱 AC 上作用荷载 $\boldsymbol{P}$。试分别画出拱 AC 和 CB 的受力图。

解 (1)先取 BC 为研究对象。由于拱的自重不计，且只在 B、C 两处受铰链约束，因此拱 BC 为二力构件，此二力的作用线一定沿 BC 的连线，且大小相等、方向相反。图 2-17b)为 BC 的受力图。图中 $\boldsymbol{R}_C$、$\boldsymbol{R}_B$ 的指向任意假设。

(2)再取 AC 为研究对象。由于自重不计，因此主动力只有荷载 $\boldsymbol{P}$。拱 AC 在 C 铰处受到 BC 给它的约束反力 $\boldsymbol{R'}_C$ 的作用，根据作用与反作用定律，$\boldsymbol{R'}_C=-\boldsymbol{R}_C$。拱在 A 处受到固定铰支座给它的约束反力 $\boldsymbol{R}_A$ 的作用，由于方向未知，可用两个大小未知的正交分力 $\boldsymbol{X}_A$ 和 $\boldsymbol{Y}_A$ 表示。拱 AC 的受力图如图 2-17c)所示，也可根据三力平衡汇交定理，画拱 AC 的受力图如图 2-17d)所示。

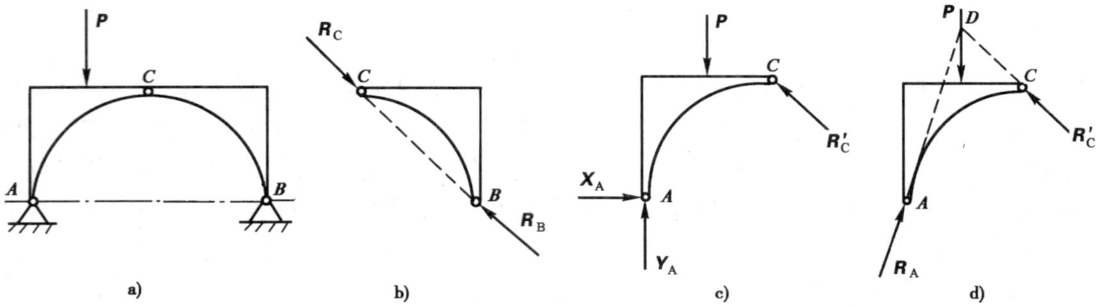

图 2-17

请读者考虑：若左右两拱都计入自重时，受力图各有何不同？

例 2-5 梁 AC 和 CD 用圆柱铰链 C 连接，并支承在三个支座上，A 处是固定铰支座，B 和 D 处是可动铰支座，如图 2-18a)所示。试画梁 AC、CD 及整梁 AD 的受力图。梁的自重不计。

解 (1)取梁 CD 为研究对象。受主动力 $\boldsymbol{P}$ 作用。D 处是可动铰支座，它的反力是垂直于支承面的 $\boldsymbol{R}_D$，指向假设向上；C 处为铰链约束，它的约束反力可用两个互相垂直的分力 $\boldsymbol{X}_C$、$\boldsymbol{Y}_C$ 表示，指向假设如图 2-18b)所示。

(2)取梁 AC 为研究对象。A 处是固定铰支座，它的反力可用 $\boldsymbol{X}_A$ 和 $\boldsymbol{Y}_A$ 表示，指向假设；B 处可动铰支座，它的反力用 $\boldsymbol{R}_B$ 表示，指向假设；C 处是铰链，它的约束力$\boldsymbol{X'}_C$、$\boldsymbol{Y'}_C$ 和作用在梁 CD 上的 $\boldsymbol{X}_C$、$\boldsymbol{Y}_C$ 是作用力与反作用力的关系，其指向不能再任意假设。梁 AC 的受力图如图 2-18c)所示。

(3)取整梁 AD 为研究对象。它的受力图如图 2-18d)所示。这时没有解除铰链 C 的约束，故 AC 与 CD 两段梁相互作用的力不必画。A、B 和 D 处支座反力假设的指向应与图2-18b)和图 2-18c)相符合。

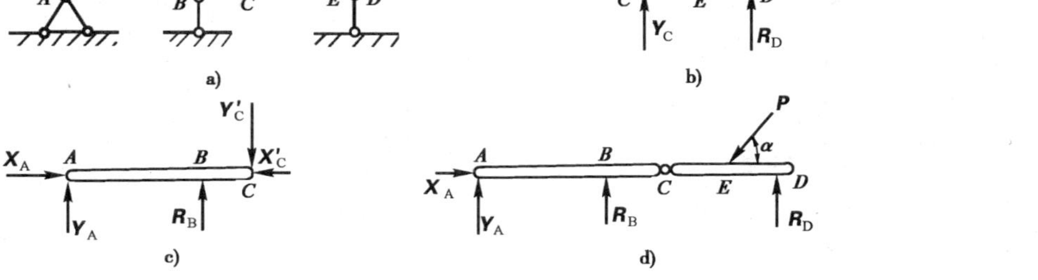

图 2-18

例 2-6 管道支架 ABC 如图 2-19 所示，A、B、C 处都是铰链连接。管道压力 $\boldsymbol{P}$ 作用在水平杆 AB 上的 D 点，各杆自重不计。试画水平杆 AB、斜杆 BC 及整体的受力图。

解 (1)取斜杆 BC 为研究对象。BC 杆只在两端各受到一个约束反力 $\boldsymbol{R}_B$、$\boldsymbol{R}_C$ 作用而平衡，所以 BC 杆是二力杆，$\boldsymbol{R}_B$、$\boldsymbol{R}_C$ 的作用线必定沿 BC 连线，指向假设。BC 杆的受力图如图 2-19b)所示。

(2)取水平杆 AB(包含销钉 B)为研究对象。受主动力 $\boldsymbol{P}$、约束反力 $\boldsymbol{X}_A$、$\boldsymbol{Y}_A$ 和 $\boldsymbol{R'}_B$ 作用，$\boldsymbol{R'}_B$ 是 $\boldsymbol{R}_B$ 的反作用力。AB 杆的受力图如图 2-19c)所示。

(3)取整个支架为研究对象。支架受主动力 $\boldsymbol{P}$ 及约束反力 $\boldsymbol{X}_A$、$\boldsymbol{Y}_A$ 和 $\boldsymbol{R}_C$ 作用。反力 $\boldsymbol{X}_A$、$\boldsymbol{Y}_A$、$\boldsymbol{R}_C$ 的指向假设要与图 2-19b)、c)一致。整体的受力图如图 2-19d)所示。

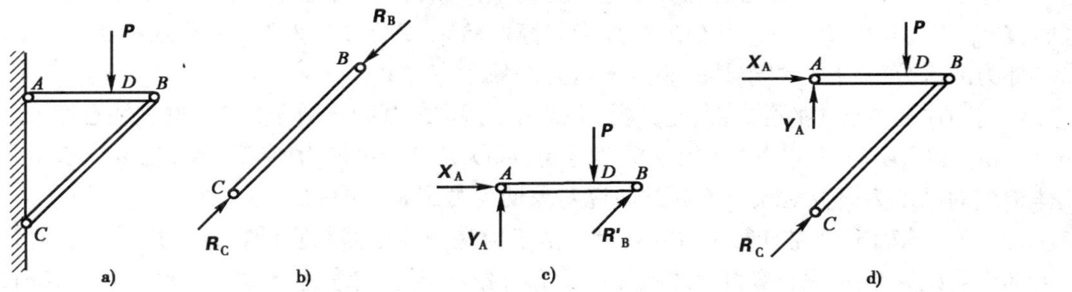

图 2-19

例 2-7 如图2-20a)所示，梯子的两部分 AB 和 AC 在点 A 铰接，又在 D、E 两点用水平绳连接。梯子放在光滑水平面上，若其自重不计，但在 AB 的中点 H 处作用一铅直载荷 $\boldsymbol{P}$。试分别画出绳子 DE 和梯子的 AB、AC 部分以及整个系统的受力图。

解 (1)绳子 DE 的受力分析。绳子两端 D、E 分别受到梯子对它的拉力 $\boldsymbol{F}_D$、$\boldsymbol{F}_E$ 的作用[图 2-20b)]。

(2)梯子 AB 部分的受力分析。它在 H 处受载荷 $\boldsymbol{P}$ 的作用，在铰链 A 处受 AC 部分给它的约束反力 $\boldsymbol{F}_{Ax}$ 和 $\boldsymbol{F}_{Ay}$ 的作用。在点 D 受绳子对它的拉力 $\boldsymbol{F'}_D$(与 $\boldsymbol{F}_D$ 互为作用力和反作用力)。在点 B 受光滑地面对它的法向反力 $\boldsymbol{F}_B$ 的作用。

梯子 AB 部分的受力图如图 2-20c)所示。

(3)梯子 AC 部分的受力分析。在铰链 A 处受 AB 部分对它的作用力 $\boldsymbol{F'}_{Ax}$ 和 $\boldsymbol{F'}_{Ay}$(分别与 $\boldsymbol{F}_{Ax}$ 和 $\boldsymbol{F}_{Ay}$ 互为作用力和反作用力)。在点 E 受绳子对它拉力 $\boldsymbol{F'}_E$(与 $\boldsymbol{F}_E$ 互为作用力和反作用力)。在 C 处受光滑地面对它的法向反力 $\boldsymbol{F}_C$。

梯子 AC 部分的受力图如图 2-20d)所示。

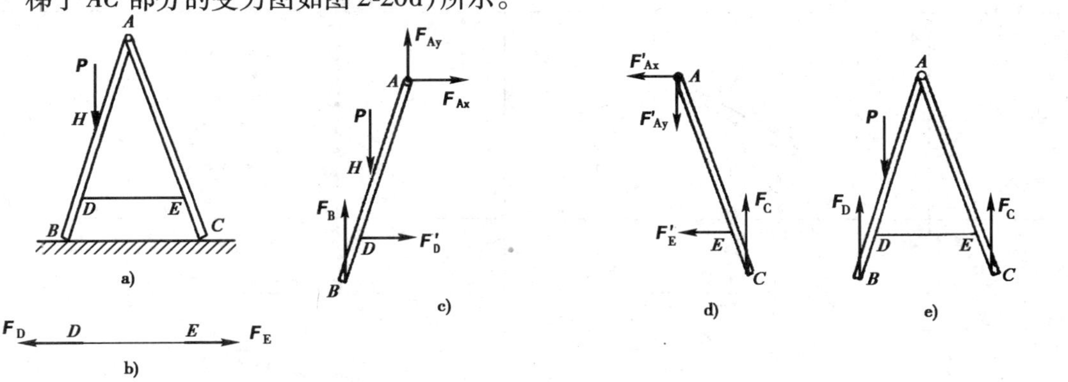

图 2-20

(4)整个系统的受力分析。当选整个系统为研究对象时,可把平衡的整个结构看作为刚体。由于铰链 A 处所受的力互为作用力与反作用力关系,即$\boldsymbol{F}_{Ax} = -\boldsymbol{F'}_{Ax}$,$\boldsymbol{F}_{Ay} = -\boldsymbol{F'}_{Ay}$;绳子与梯子连接点 D 和 E 所受的力也分别互为作用力与反作用力关系,即$\boldsymbol{F}_{D} = \boldsymbol{F'}_{D}$,$\boldsymbol{F}_{E} = \boldsymbol{F'}_{E}$,这些力都成对地作用在整个系统内,称为**内力**。内力对系统的作用效应相互抵消,因此可以除去,并不影响整个系统的平衡。故内力在受力图上不必画出。在受力图上只需画出系统以外的物体给系统的作用力,这种力称为**外力**。这里,荷载 $\boldsymbol{P}$ 和约束反力$\boldsymbol{F}_{B}$、$\boldsymbol{F}_{C}$都是作用于整个系统的外力。

整个系统的受力图如图 2-20e)所示。

应该指出,内力与外力的区分不是绝对的。例如,当我们把梯子的 AC 部分作为研究对象时,$\boldsymbol{F'}_{Ax}$、$\boldsymbol{F'}_{Ay}$和$\boldsymbol{F'}_{E}$均属外力,但取整体为研究对象时,$\boldsymbol{F'}_{Ax}$、$\boldsymbol{F'}_{Ay}$和$\boldsymbol{F'}_{E}$又成为内力。可见,内力与外力的区分,只有相对于某一确定的研究对象才有意义。

正确地画出物体的受力图,是分析、解决力学问题的基础。画受力图时必须注意如下几点:

(1)必须明确研究对象。根据求解需要,可以取单个物体为研究对象,也可以取由几个物体组成的系统为研究对象。不同的研究对象的受力图是不同的。

(2)正确确定研究对象受力的数目。由于力是物体之间相互的机械作用,因此,对每一个力都应明确它是哪一个施力物体施加给研究对象的,绝不能凭空产生。同时,也不可漏掉一个力。一般可先画已知的主动力,再画约束反力(见表 2-1);凡是研究对象与外界接触的地方,都一定存在约束反力。

常见约束及其约束反力 表 2-1

约束类型	计 算 简 图	约 束 反 力	未知量数目
柔体约束	*a* 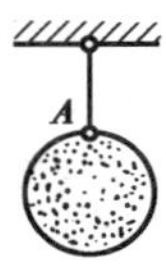	*b* 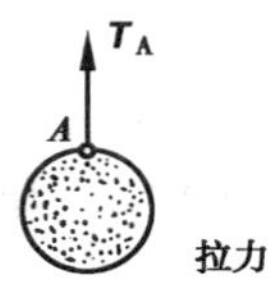	1
光滑接触面	*c* 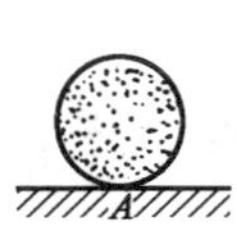	*d* 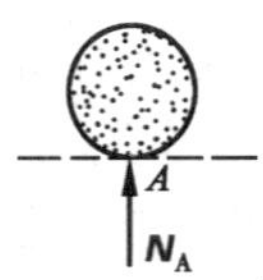	1
圆柱铰链	*e* 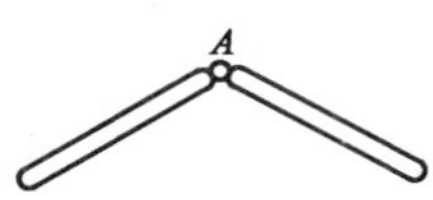	*f* 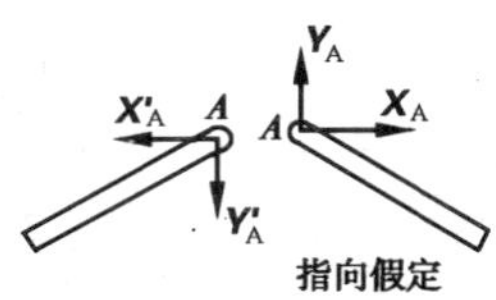	2
链 Ä杆	*g* 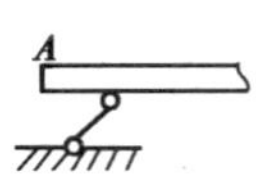	*h* 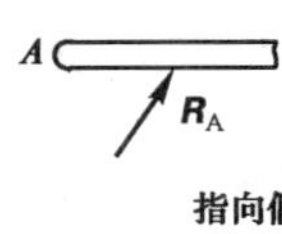	1

续上表

约束类型	计 算 简 图	约 束 反 力	未知量数目
固定铰支座	*i* 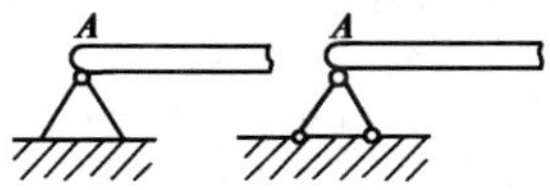	*j* 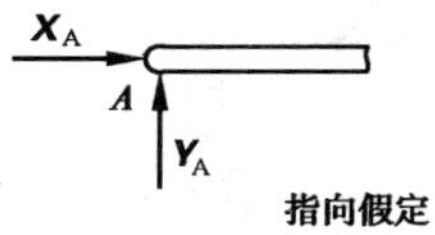	2
可动铰支座	*k* 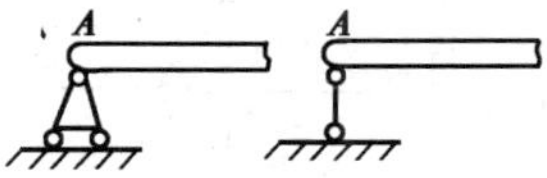	*l* 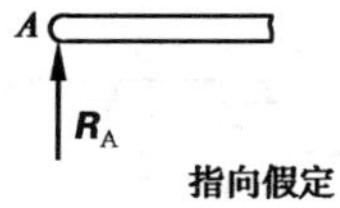	1
固定端支座	*m* 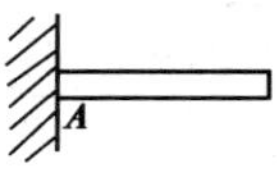	*n* 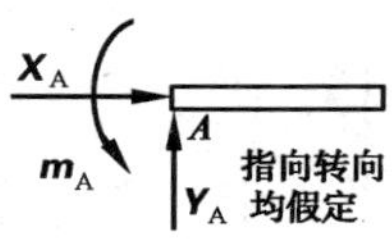	3

小　　结

物体的受力分析和受力图是研究物体平衡的基础。

1. 约束　阻碍物体运动的限制物。约束阻碍物体运动趋向的力，称为约束反力。约束反力的方向根据约束的类型来决定，它总是与约束所能阻碍物体的运动方向相反。

2. 受力图　画物体受力图时，首先要明确研究对象（即取隔离体）。物体受的力分为主动力和约束反力。当分析多个物体组成的系统受力时，要注意分清内力与外力，内力成对可不画，还要注意作用力与反作用力之间的相互关系。

习　　题

2-1　试作图中各物体的受力图。假定各接触面都是光滑的。

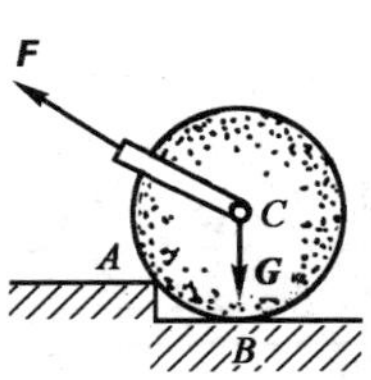

a)

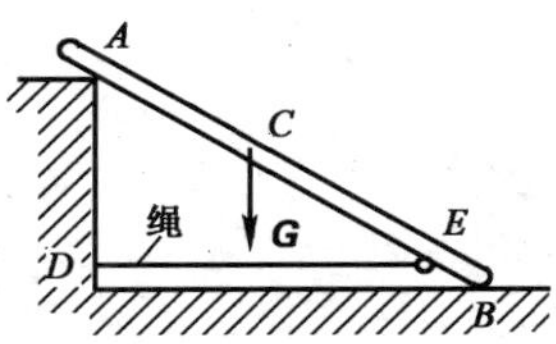

b)

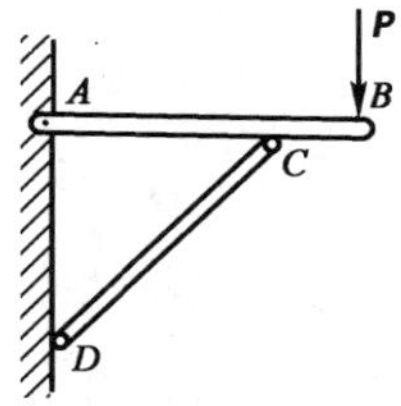

c) 杆重不计，画 *AB* 杆受力图

题 2-1 图

2-2　试作图中各梁的受力图，梁重不计。

2-3　试作图示结构各部分及整体的受力图，结构自重不计。

2-4　试作图示物体系中指定物体的受力图。假定所有接触面都是光滑的，图中无注明的都不计自重。

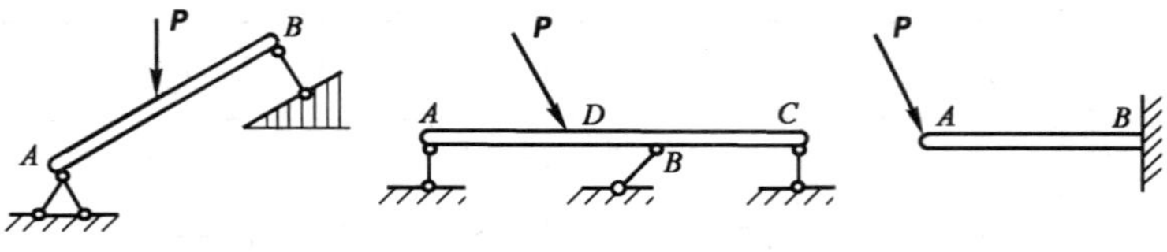

a)　　b)　　c)

题 2-2 图

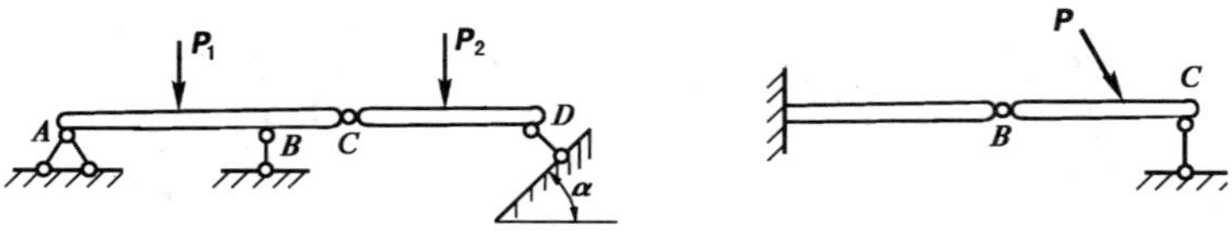

a)　　b)

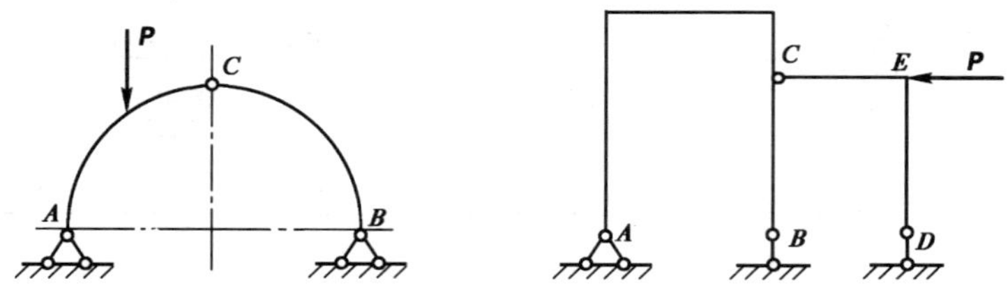

c)　　d)

题 2-3 图

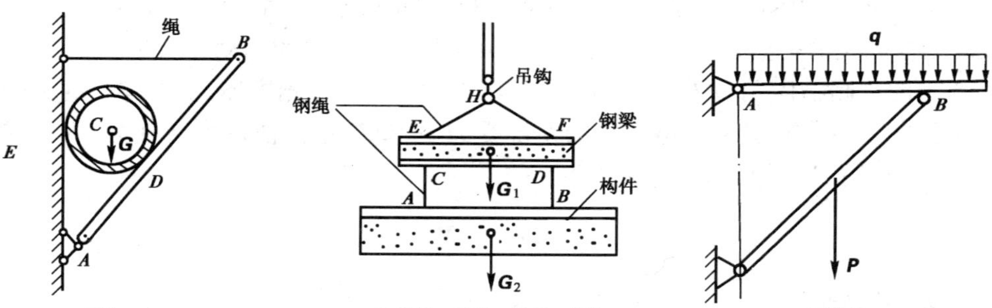

a) 圆管 C,杆 AB　　b) 吊钩、钢梁、构件、整体　　c) 杆 AB 、CD

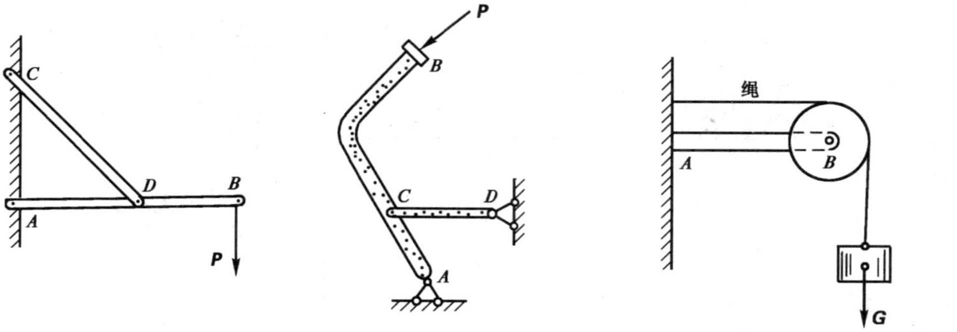

d) 杆 AB 、CD　　e) 杆 AB 、CD　　f) 物块、滑轮、杆

题 2-4 图

2-5 小车 A、B 的重力分别为 $\boldsymbol{G}_A$、$\boldsymbol{G}_B$，由绳索牵引沿斜面作匀速运动，试作小车 A、B 及两车连在一起的受力图，摩擦不计。

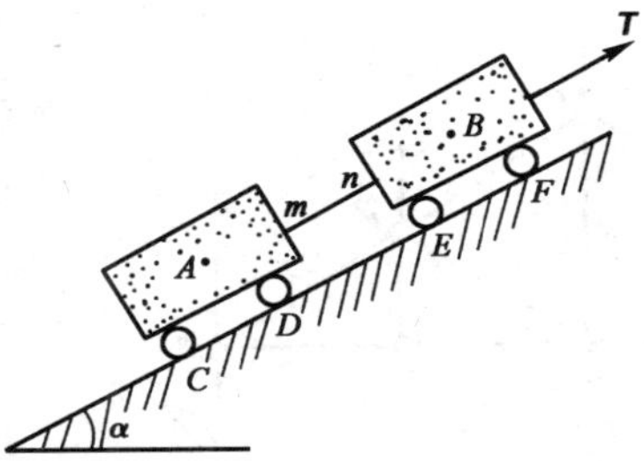

题 2-5 图

第三章 平面汇交力系

工程实际中，作用在构件或结构上的力系是多种多样的。但是，按照力作用线的分布情况，主要分为两类力系：凡各力的作用线都在同一平面内的力系称为**平面力系**；凡各力的作用线不在同一平面内的力系，称为**空间力系**。在平面力系中，各力作用线交于一点的力系，称为**平面汇交力系**；各力作用线互相平行的力系，称为**平面平行力系**；各力作用线任意分布的力系，称为**平面一般力系**。

§3-1 工程实际中的平面汇交力系问题

平面汇交力系是力系中最简单的一种，在工程中有很多实例。例如，起重机起吊重物时[图 3-1a)]，作用于吊钩 C 的三根绳索的拉力 $\boldsymbol{T}$、$\boldsymbol{T}_A$、$\boldsymbol{T}_B$ 都在同一平面内，且汇交于一点，就组成平面汇交力系[图 3-1b)]。又如当三角支架不计杆的自重时[图 3-2a)]，作用于铰链 B 上的三个力 $\boldsymbol{N}_A$、$\boldsymbol{N}_C$、$\boldsymbol{T}$ 也组成平面汇交力系[图 3-2b)]。

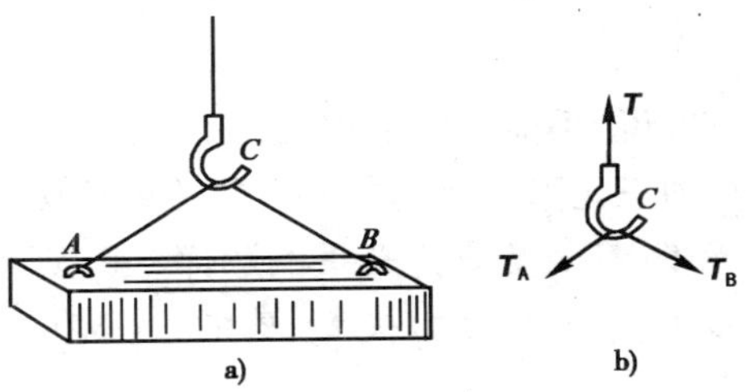

图 3-1

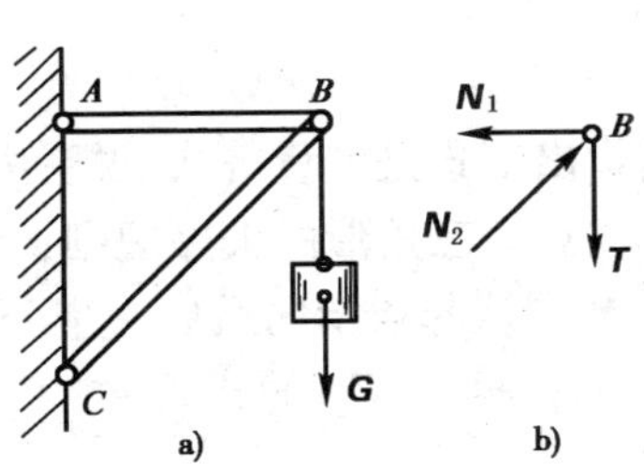

图 3-2

又如图 3-3a) 所示的屋架通常均被看作为由一些在其两端用光滑圆柱铰互相连接的直杆组成，而且由于各杆的自重比屋架所承受的各个荷载小很多可忽略不计，因此每根直杆都在分别作用于其两端的两个力作用下处于平衡。当以各个铰结点（或称**节点**）为研究对象时，与节点相连接的各杆作用于其上的力也组成一个平面汇交力系。例如，图 3-3b）就是节点 C 的受力图。

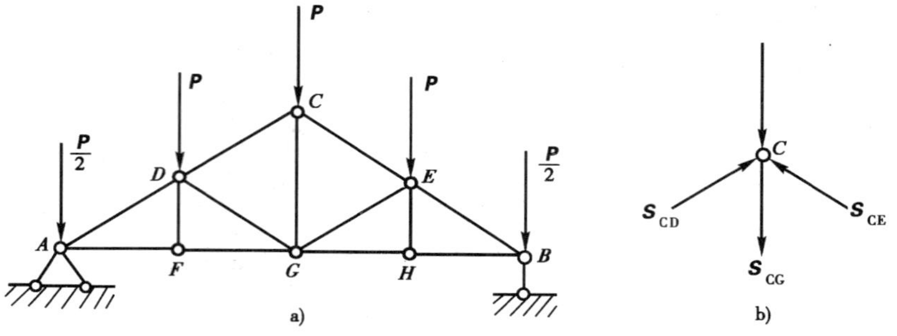

图 3-3

研究平面汇交力系，一方面可以解决一些简单的工程实际问题，另一方面也为研究更复杂的力系打下基础。

本章将用几何法和解析法来研究平面汇交力系的合成和平衡问题。

§3-2 平面汇交力系合成的几何法

一、两个汇交力的合成

设在物体上受汇交于 O 点的两个力 $\boldsymbol{F}_1$ 和 $\boldsymbol{F}_2$ 的作用[图 3-4a）]，求这两个力的合力。根据力的平行四边形公理，可得合力的大小和方向是以两力 $\boldsymbol{F}_1$ 和 $\boldsymbol{F}_2$ 为边所构成的平行四边形的对角线来表示，合力 $\boldsymbol{R}$ 的作用点就是原两力的汇交点 O，如图 3-4a）所示。

为简便起见，求这合力只要作出力的平行四边形的一半就可以了。如图 3-4b）所示，从 A 点作 $\overline{AB} /\!/ \boldsymbol{F}_1$ 且 $\overline{AB} = \boldsymbol{F}_1$，再从 $\boldsymbol{F}_1$ 的终点 B 作 $\overline{BC} /\!/ \boldsymbol{F}_2$ 且 $\overline{BC} = \boldsymbol{F}_2$，连接 AC，则矢量 $\overline{AC}$ 就代表合力 $\boldsymbol{R}$ 的大小和方向。合力的作用点仍是原两力的汇交点 O。三角形 ABC 称为**力的三角形**，这种求合力的方法称为力的**三角形法则**。可用式子表示为：

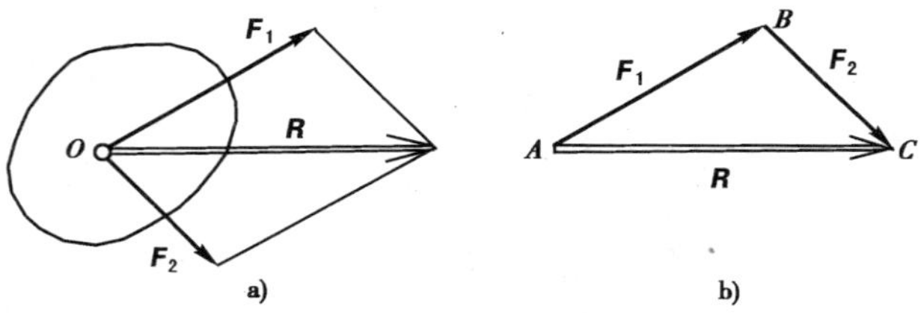

图 3-4

$$\boldsymbol{R} = \boldsymbol{F}_1 + \boldsymbol{F}_2$$

应当指出上式是矢量等式，说明力应按照矢量加法，一般说，不能用代数加法。

注意力三角形的矢序规则：分力矢量 $\boldsymbol{F}_1$ 和 $\boldsymbol{F}_2$ 沿力三角形边界的同一方向首尾相接，而合力 $\boldsymbol{R}$ 则从起点指向最后一个分力矢量的末端。作图时若变换分力矢量的顺序，即从 A 点先作 $\boldsymbol{F}_2$，再从 $\boldsymbol{F}_2$ 的末端作 $\boldsymbol{F}_1$，所作的力三角形不同，但合力矢量 $\boldsymbol{R}$ 的大小和方向不变。

二、任意个汇交力的合成

设在物体的 O 点作用一平面汇交力系 $\boldsymbol{F}_1$、$\boldsymbol{F}_2$、$\boldsymbol{F}_3$、$\boldsymbol{F}_4$[（图 3-5a）]，现求其合力。为此，可连续应用力的三角形法则，如图 3-5b）所示，先求 $\boldsymbol{F}_1$ 和 $\boldsymbol{F}_2$ 的合力 $\boldsymbol{R}_1$，再求 $\boldsymbol{R}_1$ 和 $\boldsymbol{F}_3$ 的合力

$\boldsymbol{R}_2$，最后求 $\boldsymbol{R}_2$ 和 $\boldsymbol{F}_4$ 的合力 $\boldsymbol{R}$。力 $\boldsymbol{R}$ 就是原汇交力系 $\boldsymbol{F}_1$、$\boldsymbol{F}_2$、$\boldsymbol{F}_3$、$\boldsymbol{F}_4$ 的合力。实际作图时，$\boldsymbol{R}_1$ 和 $\boldsymbol{R}_2$ 不必画出，只要按选定的比例尺依次作矢量 $\overline{AB}$、$\overline{BC}$、$\overline{CD}$ 和 $\overline{DE}$ 分别代表力 $\boldsymbol{F}_1$、$\boldsymbol{F}_2$、$\boldsymbol{F}_3$ 和 $\boldsymbol{F}_4$，连接 AE，则矢量 $\overline{AE}$ 就代表合力的大小和方向。合力的作用点是原力系各力的汇交点 O。多边形 $ABCDE$ 称为**力的多边形**，而这种求合力的方法称为**力的多边形法则**。简单地说，就是各分力首尾相接，力多边形的闭合边（始点指向终点的连线），就代表合力的大小和方向。

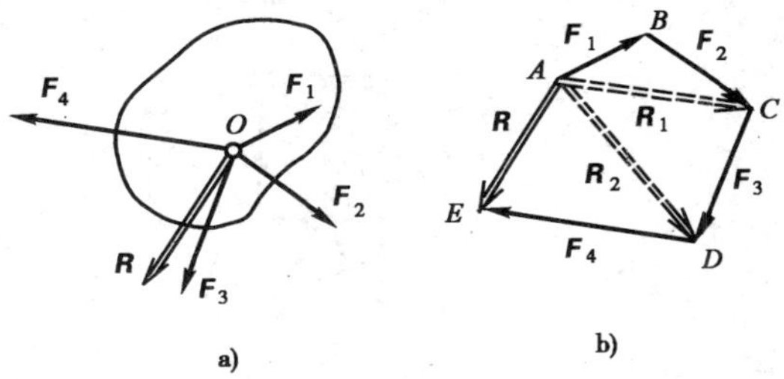

图 3-5

力多边形法则可推广到任意个汇交力的情形，用式子表示为：

$$\boldsymbol{R}=\boldsymbol{F}_1+\boldsymbol{F}_2+\cdots+\boldsymbol{F}_n=\sum\boldsymbol{F} \tag{3-1}$$

即平面汇交力系合成的结果是一个合力，合力的大小和方向等于原力系中各力的矢量和，其作用线通过原汇交力系的汇交点。

应用力多边形法则求合力时，若按不同顺序画各分力矢量，可得形状不同的力多边形，但最终求出的合力的大小和方向不变。合力的作用点仍为各力的汇交点。

用几何法解题时，题目简图（计算简图）、物体的受力图、力的多边形图都应按照选用的比例尺准确画出。

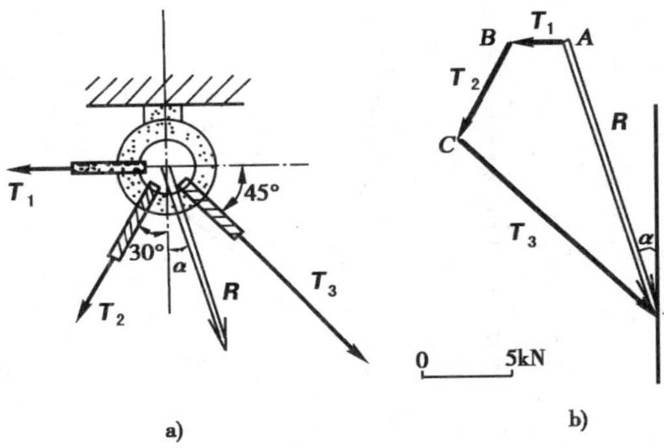

图 3-6

例 3-1 一拉环套有三根共面的绳索，它们分别受拉力 $\boldsymbol{T}_1$、$\boldsymbol{T}_2$、$\boldsymbol{T}_3$ 作用，已知各力的大小是 $T_1=3\text{ kN}$，$T_2=6\text{ kN}$，$T_3=15\text{ kN}$；各力的方向如图 3-6a）所示。试用几何法求拉环所受的合力。

解 由于三个拉力 $\boldsymbol{T}_1$、$\boldsymbol{T}_2$、$\boldsymbol{T}_3$ 的作用线延长相交于拉环的中心 O，所以它们是平面汇交力系［图 3-6a）］。选定比例尺，按力的多边形法则，取任一点 A，作 $\overline{AB}=T_1$，$\overline{BC}=T_2$，$\overline{CD}=T_3$，连接 $\boldsymbol{T}_1$ 的始点 A 和 $\boldsymbol{T}_3$ 的终点 D，则矢量 $\overline{AD}$ 就是合力 $\boldsymbol{R}$ 的大小和方向，如图 3-6b）所示。依比例尺量得

$$R=16.50\text{ kN},\alpha=16°10'$$

合力的作用线通过各力的汇交点 O。

三、力 的 分 解

根据力的平行四边形法则，也可以把一个已知力分解成两个分力，但是，如果没有足够的附加条件，其解答将是无穷多的。因为将一个已知力 $\boldsymbol{F}$ 分解为两个分力时，以 $\boldsymbol{F}$ 为对角线可以作出无穷多个平行四边形（图 3-7）。为了使问题得到确定的解答，必须要有足够的附加条件。附加条件可能为：(1)已知两分力的方向；(2)已知两分力的大小；(3)已知其中一个分力的大小和方向等。最常见的情况是将一力按两个已知方向进行分解。如图3-8所示，欲求 $\boldsymbol{F}$ 沿直角坐标轴 x、y 分解的两个分力，则可过矢量 $\boldsymbol{F}$ 的末端 C 分别作平行于 x、y 轴的平行线，就可以得到与两坐标轴的交点 A 和 B，$\overline{OA}$ 和 $\overline{OB}$ 即为所求的两个分力 $\boldsymbol{F}_x$、$\boldsymbol{F}_y$，其作用点为原力 $\boldsymbol{F}$ 的作用点 O。

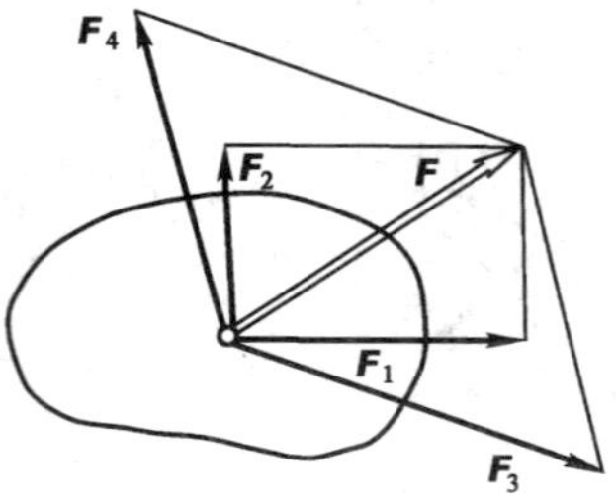

图 3-7

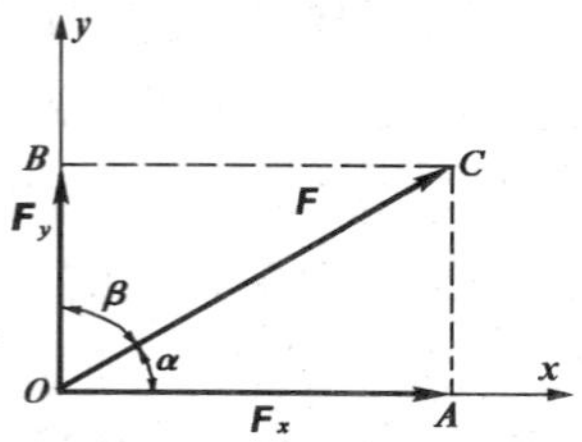

图 3-8

§3-3 平面汇交力系平衡的几何条件

平面汇交力系可合成为一个合力 $\boldsymbol{R}$，即合力 $\boldsymbol{R}$ 与原力系等效。如果某平面汇交力系的力多边形自行闭合，即第一个力的始点和最后一个力的终点重合（图 3-9），表示该力系的合力等于零，则物体的运动效果与不受力一样，物体处于平衡状态，该力系为平衡力系。反之，欲使平面汇交力系成为平衡力系，必须使它的合力为零，即力多边形必须自行闭合。所以，**平面汇交力系平衡的必要和充分的几何条件是力多边形自行闭合——力系中各力画成一个首尾相接的封闭的力多边形，或者说力系的合力等于零**。用式子表示为

$$\boldsymbol{R}=0 \quad 或 \quad \sum \boldsymbol{F}=0 \tag{3-2}$$

a)　　b)

图 3-9

如已知物体在主动力和约束反力作用下处于平衡状态，则可应用平衡的几何条件求约束反力，但未知量的个数不能超过两个。

例 3-2　如图3-10表示起吊构件的情形。构件自重 $G=10$ kN；两钢丝绳与铅垂线的夹角都是 45°。求当构件匀速起吊时两钢丝绳的拉力。

解　先取整个起吊系统为研究对象，拉力 $\boldsymbol{T}$ 与构件重力 $\boldsymbol{G}$ 组成平衡力系[图 3-10a)]，$T=G=10$ kN。

再取吊钩 C 为研究对象，吊钩 C 受三个共面汇交力 $\boldsymbol{T}$、$\boldsymbol{T}_A$、$\boldsymbol{T}_B$ 作用而平衡[图 3-10b)]，且 $\boldsymbol{T}_A$ 和 $\boldsymbol{T}_B$ 的方向已知，但大小未知，共有两个未知量，故可应用平面汇交力系平衡的几何条件求解。

从任一点 a 作 $\overline{ab}=\boldsymbol{T}$，过 a、b 分别作 $\boldsymbol{T}_A$ 和 $\boldsymbol{T}_B$ 的平行线相交于 C，得到自行闭合的力多边形 abc。矢量 $\overline{bc}$ 代表 $\boldsymbol{T}_B$ 的大小和方向，矢量 $\overline{ca}$ 代表 $\boldsymbol{T}_A$ 的大小和方向[图 3-10c)]。按比例尺量得

$$T_A=T_B=7.07 \text{ kN}$$

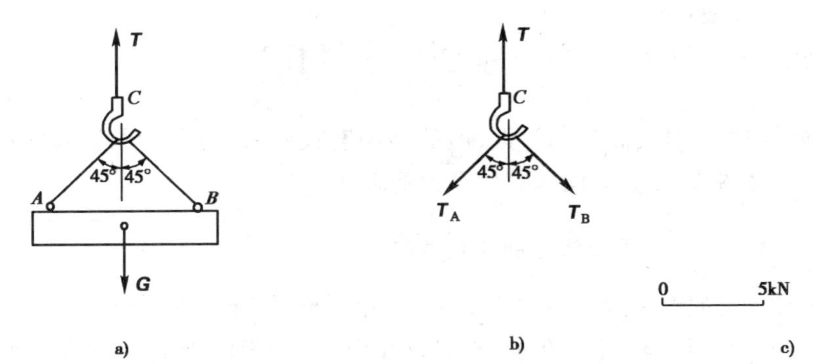

图 3-10

当刚起吊时，构件作加速运动，钢丝绳受到的拉力比上面所求得的值大得多。

例 3-3 梁 AB 在 C 点受力 $\boldsymbol{P}$ 作用，如图 3-11a）所示。设 $P=10$ kN，梁重不计，求支座 A、B 的反力。

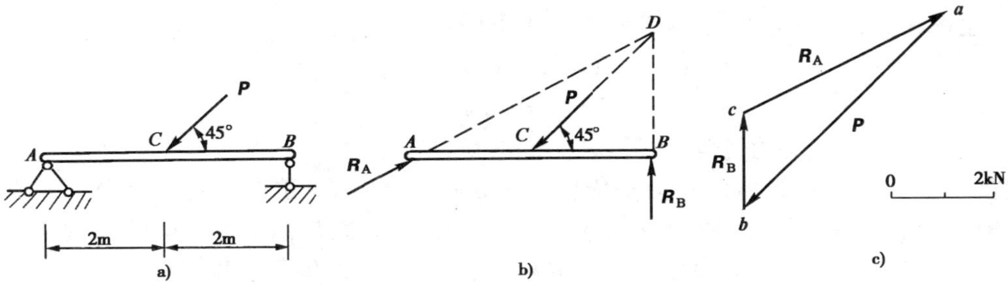

图 3-11

解 取梁为研究对象，画它的受力图。梁受到主动力 $\boldsymbol{P}$ 和支座反力 $\boldsymbol{R}_A$、$\boldsymbol{R}_B$ 的作用。B 处是可动铰支座，$\boldsymbol{R}_B$ 的作用线垂直于支承面，指向假设向上；A 处是固定铰支座，$\boldsymbol{R}_A$ 的方向未定。因为梁只受到三个共面不平行力的作用而处于平衡，所以可应用三力平衡汇交定理求解。

力 $\boldsymbol{P}$ 与 $\boldsymbol{R}_B$ 的作用线相交于 D 点，$\boldsymbol{R}_A$ 必沿着 AD 直线作用，指向假设如图 3-11b）所示。按比例尺作闭合的力三角形 abc，如图 3-11c）所示。由图可见，两反力指向的假设正确，按比例尺量得

$$R_A = 7.91\text{kN}, R_B = 3.53\ \text{kN}$$

通过以上各例，可归纳出用几何法求解平面汇交力系平衡问题的步骤如下：

1. 选取研究对象　弄清题意，明确已知力和未知力，选取能反映出所要求的未知力和已知力关系的物体为研究对象。

2. 画受力图　在研究对象上画出全部主动力和约束反力，正确运用二力构件的性质和三力平衡汇交定理来确定约束反力的作用线，如果约束反力的指向未定时，可先假设，也可暂不画。

3. 作闭合的力多边形　选择适当的比例尺，先画已知力，作闭合的力多边形。按“首尾相接”画出各力的箭头方向。

4. 求出未知力　从力多边形中量出所要求的力的大小和角度，并根据力多边形上力的箭头指向确定未知力的指向。

§3-4 平面汇交力系合成的解析法

平面汇交力系的几何法具有直观、简洁的优点，但其精确度较差，在力学中用得较多的还是解析法。这种方法是以力在坐标轴上的投影的计算为基础。

一、力在坐标轴上的投影

设力 $\boldsymbol{F}$ 作用于物体的 A 点，如图 3-12a)、b) 所示。取直角坐标系 Oxy，使力 $\boldsymbol{F}$ 在 xy 坐标面内。从力 $\boldsymbol{F}$ 的两端点 A 和 B 分别作坐标轴 x 的垂线，从两根垂线在 x 轴上所截得的线段 ab 并加上正号或负号，称为力 $\boldsymbol{F}$ 在 x 轴上的投影，用 X 表示。并且规定：当从力的始端的投影 a 到终端的投影 b 的方向与投影轴正向一致时，力的投影取正值；反之，取负值。同样，在图 3-12a)、b) 中线段 $a'b'$ 加上正号或负号是力 $\boldsymbol{F}$ 在 y 轴上的投影，用 Y 表示。

通常采用力 $\boldsymbol{F}$ 与坐标轴 x 所夹的锐角来计算投影，其正号或负号可根据上述规定直观判断得出。由图 3-12a)、b) 可见，投影 X 和 Y 可用下列式子计算

$$\left.\begin{aligned} X &= \pm \boldsymbol{F}\cos\alpha \\ Y &= \pm \boldsymbol{F}\sin\alpha \end{aligned}\right\} \tag{3-3}$$

式中 α 为力 F 与 x 轴所夹的锐角。

在图 3-12a)、b) 中还画出力 $\boldsymbol{F}$ 沿直角坐标轴方向的分力 $\boldsymbol{F}_x$ 和 $\boldsymbol{F}_y$。应当注意：力的投影 X、Y 与力的分力 $\boldsymbol{F}_x$、$\boldsymbol{F}_y$ 是不同的，力的投影只有大小和正负，它是标量，而力的分力是矢量，有大小，有方向，其作用效果还与作用点或作用线有关。引入力在轴上的投影的概念后，就可将力的矢量计算转化为标量计算。

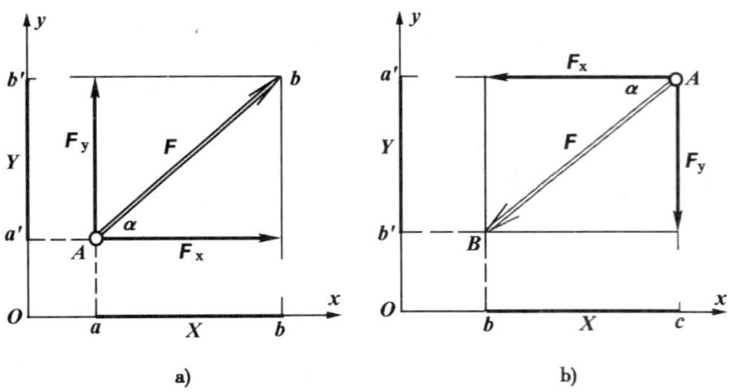

图 3-12

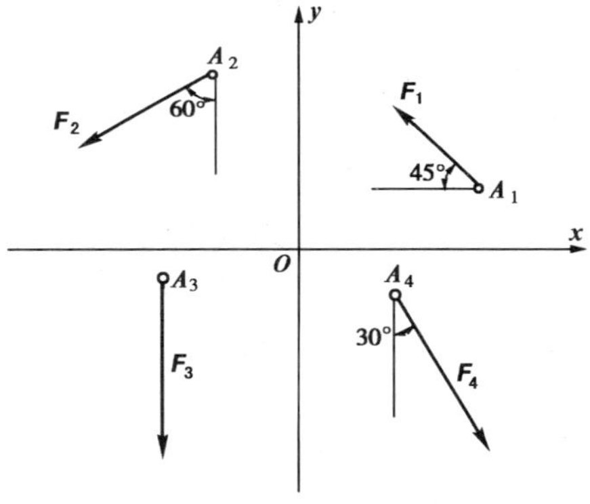

图 3-13

例 3-4 试分别求出图3-13中各力在 x 轴和 y 轴上的投影。已知 $F_1 = 100$ N，$F_2 = 150$ N，$F_3 = F_4 = 200$ N，各力的方向如图所示。

解 由式(3-3)可得出各力在 x、y 轴上的投影为

$X_1 = -F_1\cos45° = -100 \times 0.707 = -70.7$ N

$Y_1 = F_1\sin45° = 100 \times 0.707 = 70.7$ N

$X_2 = -F_2\cos30° = -150 \times 0.866 = -129.9$ N

$Y_2 = -F_2\sin30° = -150 \times 0.5 = -75$ N

$X_3 = F_3\cos90° = 200 \times 0 = 0$ N

$Y_3 = -F_3\sin90° = -200 \times 1 = -200$ N

$X_4 = F_4\cos60° = 200 \times 0.5 = 100$ N

$Y_4 = -F_4\sin60° = -200 \times 0.866 = -173.2$ N

由本例可知，当力与坐标轴垂直时，力在该轴上的投影为零。当力与坐标轴平行时，力在该轴上的投影的绝对值等于力的大小。

二、合力投影定理

为了用解析法求平面汇交力系的合力，必须先讨论合力及其分力在同一轴上投影的关系。

设有一平面汇交力系 $\boldsymbol{F}_1$、$\boldsymbol{F}_2$、$\boldsymbol{F}_3$ 作用在物体的 O 点，如图 3-14a）所示，从任一点 A 作力多边形 $ABCD$，如图 3-14b）所示，则矢量 $\overline{AD}$ 就表示该力系的合力 $\boldsymbol{R}$ 的大小和方向。取任一轴 x 如图示，把各力都投影在 x 轴上，并令 X_1、X_2、X_3 和 R_x 分别表示各分力 $\boldsymbol{F}_1$、$\boldsymbol{F}_2$、$\boldsymbol{F}_3$ 和合力 $\boldsymbol{R}$ 在 x 轴上的投影，由图 3-14b）可见

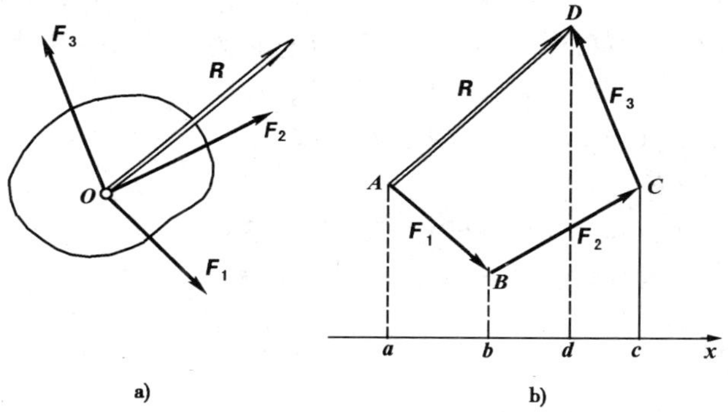

a)　　b)

图　3-14

$$X_1 = ab, X_2 = bc, X_3 = -cd, R_x = ad$$

而

$$ad = ab + bd - cd$$

因此可得

$$R_x = X_1 + X_2 + X_3$$

这一关系可推广到任意汇交力的情形，即

$$R_x = X_1 + X_2 + \cdots + X_n = \sum X \tag{3-4}$$

由此可见，**合力在任一轴上的投影，等于各分力在同一轴上投影的代数和**。这就是**合力投影定理**。

三、用解析法求平面汇交力系的合力

当平面汇交力系为已知时，如图 3-15 所示，我们可选直角坐标系，求出力系中各力在 x 轴和 y 轴上的投影，再根据合力投影定理求得合力 $\boldsymbol{R}$ 在 x、y 轴上的投影 R_x、R_y，从图 3-15 中的几何关系，可见合力 $\boldsymbol{R}$ 的大小和方向由下式确定：

$$\left.\begin{aligned} R &= \sqrt{R_x^2 + R_y^2} = \sqrt{(\sum X)^2 + (\sum Y)^2} \\ \tan\alpha &= \frac{|R_y|}{|R_x|} = \frac{|\sum Y|}{|\sum X|} \end{aligned}\right\} \tag{3-5}$$

式中 α 为合力 $\boldsymbol{R}$ 与 x 轴所夹的锐角，α 角在哪个象限由 $\sum X$ 和 $\sum Y$ 的正负号来确定，具体详见

图 3-16 所示。合力的作用线通过力系的汇交点 O。

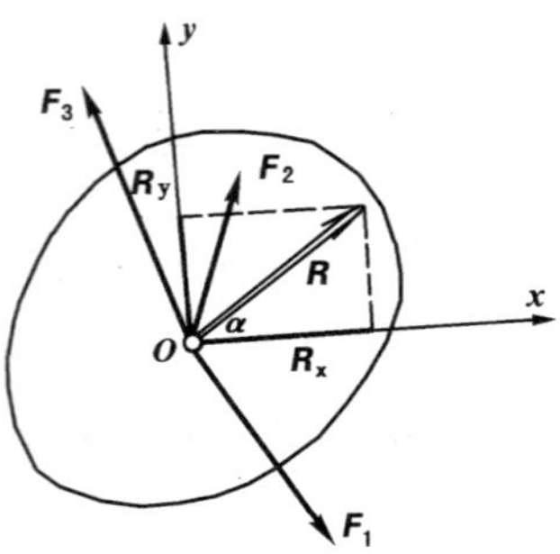

图 3-15

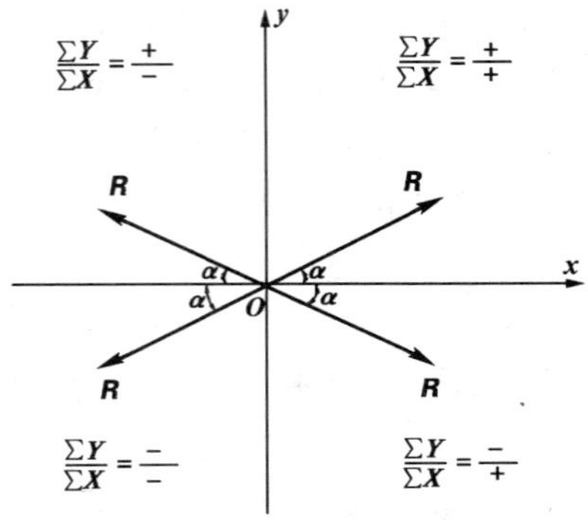

图 3-16

例 3-5 在起吊装置的螺栓环眼上，作用有平面汇交力系 $\boldsymbol{T}_1$、$\boldsymbol{T}_2$、$\boldsymbol{T}_3$ 和 $\boldsymbol{T}_4$，如图 3-17 所示。已知 $T_1=1.5$ kN，$T_2=0.8$ kN，$T_3=3$ kN，$T_4=1$ kN，各力的方向如图示，用解析法求其合力。

解 设直角坐标系 Oxy 如图示。由式(3-4)计算合力 $\boldsymbol{R}$ 在 x、y 轴上的投影为

$$
\begin{aligned}
R_x &= \sum X = T_1\cos45° - T_2\cos60° + 0 + T_4\cos30° \\
&= 1.5\times0.707 - 0.8\times0.5 + 1\times0.866 \\
&= 1.527 \text{ kN} \\
R_y &= \sum Y = T_1\sin45° + T_2\sin60° - T_3 - T_4\sin30° \\
&= 1.5\times0.707 + 0.8\times0.866 - 2 - 1\times0.5 \\
&= -0.746 \text{ kN}
\end{aligned}
$$

故合力 $\boldsymbol{R}$ 的大小为

$$R=\sqrt{R_x^2+R_y^2}=\sqrt{(1.527)^2+(-0.746)^2}=1.696 \text{ kN}$$

合力 $\boldsymbol{R}$ 的方向为

$$\tan\alpha=\frac{|R_y|}{|R_x|}=\frac{0.746}{1.527}=0.490,\alpha=26°06'$$

因 R_x 为正、R_y 为负，故 α 应在第四象限，合力 $\boldsymbol{R}$ 的作用线通过力系的汇交点 O，如图所示。

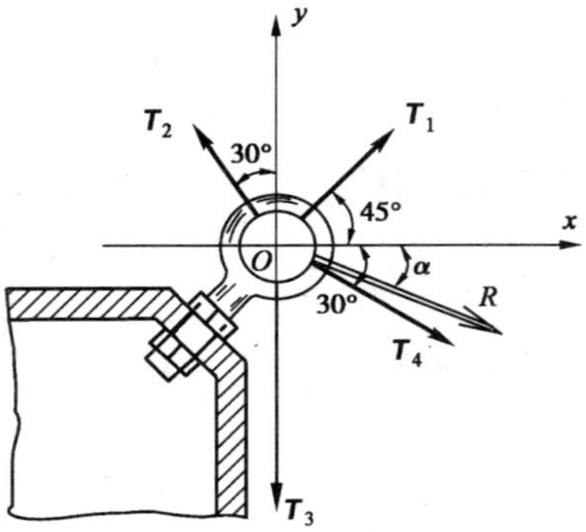

图 3-17

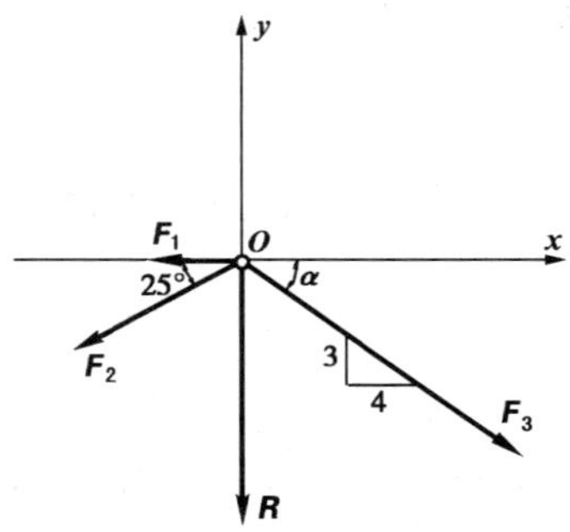

图 3-18

例 3-6 如图3-18 所示，已知 $F_1=20$ kN，$F_2=40$ kN，如果三个力 $\boldsymbol{F}_1$、$\boldsymbol{F}_2$、$\boldsymbol{F}_3$ 的合力 $\boldsymbol{R}$ 沿铅垂向下，试求力 $\boldsymbol{F}_3$ 和 $\boldsymbol{R}$ 的大小。

解 取直角坐标系如图所示。因已知合力 $\boldsymbol{R}$ 沿 y 轴向下，故 $R_x=0, R_y=-R$。

由式(3-4)知

$$R_x=\sum X$$

得
$$0=-F_1-F_2\cos 25°+F_3\cos\alpha$$

即
$$0=-20-40\times 0.906+F_3\times\frac{4}{\sqrt{3^2+4^2}}$$

解得
$$F_3=70.3\ \text{kN}$$

又由
$$R_y=\sum Y$$

得
$$-R=0-F_2\sin 25°-F_3\sin\alpha$$

即
$$-R=-40\times 0.423-70.3\times\frac{3}{\sqrt{3^2+4^2}}$$

解得
$$R=59.1\ \text{kN}$$

§3-5 平面汇交力系平衡的解析条件

从§3-3知道：平面汇交力系平衡的必要和充分条件是该力系的合力等于零。而根据式(3-5)的第一式可知

$$R=\sqrt{(\sum X)^2+(\sum Y)^2}=0$$

上式 $(\sum X)^2$ 与 $(\sum Y)^2$ 恒为正数，要使 $R=0$，必须且只须

$$\left.\begin{aligned}\sum X=0\\ \sum Y=0\end{aligned}\right\}\tag{3-6}$$

所以**平面汇交力系平衡的必要和充分的解析条件是：力系中所有各力在两个坐标轴中每一轴上投影的代数和都等于零**。式(3-6)称为**平面汇交力系的平衡方程**。应用这两个独立的平衡方程可以求解两个未知量。

例 3-7 一根钢管重 $G=5\text{kN}$，放在 V 形槽内[图 3-19a)]。钢管与槽面间的摩擦不计，求槽面对钢管的约束反力。

解 取钢管为研究对象，作用在它上面的有重力 $\boldsymbol{G}$ 及光滑槽面的约束反力 $\boldsymbol{N}_A$ 和 $\boldsymbol{N}_B$，其受力图如图 3-19b)所示。三力 $\boldsymbol{G}$、$\boldsymbol{N}_A$、$\boldsymbol{N}_B$ 组成平面汇交力系。

设直角坐标系如图，列平衡方程

$$\sum X=0\quad N_A\sin 60°-N_B\sin 45°=0\tag{a}$$

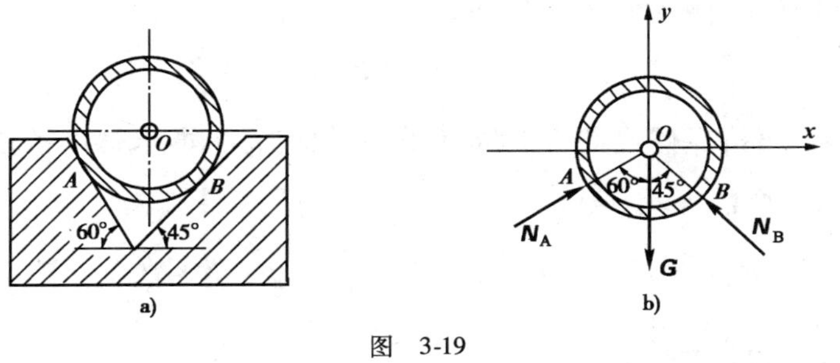

图 3-19

$$\sum Y=0\quad N_A\cos 60°+N_B\cos 45°-G=0\tag{b}$$

将式(a)加式(b)得

$$(\sin 60° + \cos 60°) N_A - G = 0$$

故
$$N_A = \frac{G}{\sin 60° + \cos 60°}$$

将 $\boldsymbol{G}$ 的值代入,得

$$N_A = \frac{5}{0.866 + 0.5} = 3.66\ \text{kN}$$

由式(a)解得

$$N_B = \frac{N_A \sin 60°}{\sin 45°}$$

将 $\boldsymbol{N}_A$ 的值代入,得

$$N_B = \frac{3.66 \times 0.866}{0.707} = 4.48\ \text{kN}$$

例 3-8 平面刚架在 C 点受水平力 $\boldsymbol{P}$ 作用,如图 3-20a)所示。已知 $P = 30\text{kN}$,刚架自重不计,求支座 A、B 的反力。

解 取刚架为研究对象,它受到力 $\boldsymbol{P}$、$\boldsymbol{R}_A$ 和 $\boldsymbol{R}_B$ 的作用。这三力平衡其作用线必汇交于一点,故可画出刚架的受力图如图 3-20b)所示,图中 $\boldsymbol{R}_A$、$\boldsymbol{R}_B$ 的指向是假设的。

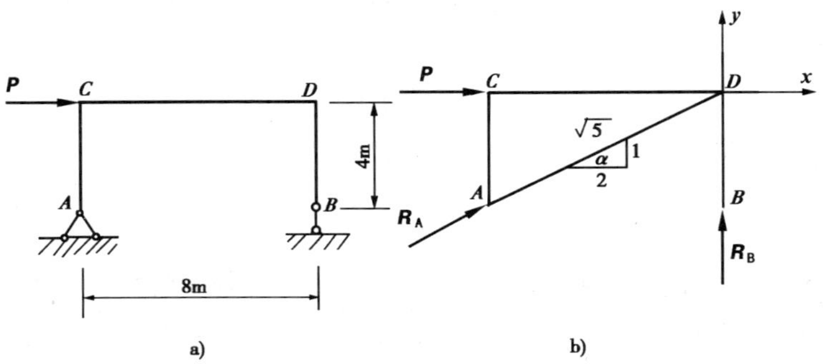

图 3-20

设直角坐标系如图,列平衡方程

$$\sum X = 0 \qquad P + R_A \cos\alpha = 0$$

解得

$$R_A = -\frac{P}{\cos\alpha} = -30 \times \frac{\sqrt{5}}{2} = -15\sqrt{5} = -33.5\ \text{kN}(\swarrow)$$

负号表示 $\boldsymbol{R}_A$ 的实际方向与假设的方向相反。再由

$$\sum Y = 0 \qquad R_B + R_A \sin\alpha = 0$$

由于列 $\sum Y = 0$ 时,$\boldsymbol{R}_A$ 仍按原假设的方向求其投影,故应将上面求得的数值连同负号一起代入,即将 $R_A = -15\sqrt{5}\text{kN}$ 代入,于是得

$$R_B = -R_A \sin\alpha = -(-15\sqrt{5}) \times \frac{1}{\sqrt{5}} = 15\ \text{kN}(\uparrow)$$

得正号表示 R_B 假设的方向正确。

为了形象地表示支座反力的方向,可在反力得数后面加一括号标出反力的实际方向。

例 3-9 如图3-21a)所示的起重装置,杆 AB 的一端铰接在井架上,另一端用钢索 BC

与井架连接。重物通过卷扬机由绕过滑轮 B 的钢索起吊。已知重物重力 $G=2\text{kN}$，杆与滑轮的自重及滑轮的大小都不计，滑轮轴承的摩擦也不计，求钢索 BC 的拉力和杆 AB 所受的力。

解 取滑轮（包含销钉）B 为研究对象，作用在滑轮上的力有：钢索 BE 的拉力 $\boldsymbol{T}$，由重物平衡可得 $T=G=2\ \text{kN}$；钢索 BD 的拉力 $\boldsymbol{T}_{BD}$，因不计轴承摩擦，故 $T_{BD}=T=2\text{kN}$；钢索 BC 的拉力 $\boldsymbol{T}_{BC}$；杆 AB 是二力杆，它对滑轮的约束反力 $\boldsymbol{N}_{AB}$ 沿 AB 线，并假设是压力。因滑轮的大小不计，所以这四个力组成平面汇交力系。滑轮的受力图如图 3-21b）所示。

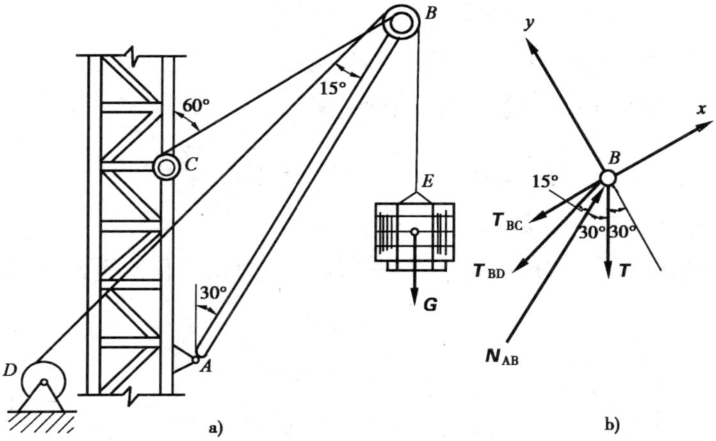

图 3-21

为了避免解联立方程，取直角坐标系如图示，使 y 轴垂直于未知力 $\boldsymbol{T}_{BC}$。列出平衡方程

$$\sum Y=0 \qquad -T_{BD}\sin15^\circ+N_{AB}\sin30^\circ-T\sin60^\circ=0$$

将 $\boldsymbol{T}$ 与 $\boldsymbol{T}_{BD}$ 的已知值代入，得

$$\boldsymbol{N}_{AB}=\frac{T_{BD}\sin15^\circ+T\sin60^\circ}{\sin30^\circ}=\frac{2\times0.259+2\times0.866}{0.5}=4.50\ \text{kN}$$

得正号表示假设指向正确，即杆 AB 受压。

再列

$$\sum X=0 \qquad -T_{BC}-T_{BD}\cos15^\circ+N_{AB}\cos30^\circ-T\cos60^\circ=0$$

将各已知值代入，得

$$\begin{aligned}T_{BC}&=-T_{BD}\cos15^\circ+N_{AB}\cos30^\circ-T\cos60^\circ\\&=-2\times0.966+4.50\times0.866-2\times0.5=0.965\ \text{kN}\end{aligned}$$

例 3-10 一结构受水平力 $\boldsymbol{P}$ 作用如图 3-22a）所示。不计各杆自重，求三根杆 AB、BC、CA 所受的力。

解 杆 AB、BC、CA 两端铰接，中间不受力，故三根杆都是二力杆。

先取铰链 C 为研究对象，假定杆 CA、BC 都受拉，画出铰 C 的受力图如图 3-22b）所示。

设直角坐标系如图，列平衡方程

$$\sum X=0 \qquad P+\boldsymbol{N}_{CB}\cos45^\circ=0 \tag{a}$$

$$\sum Y=0 \qquad N_{CA}-\boldsymbol{N}_{CB}\sin45^\circ=0 \tag{b}$$

由式（a）、（b）解得

$$\boldsymbol{N}_{CB}=-\sqrt{2}P \qquad \boldsymbol{N}_{CA}=P$$

N_{CB}的结果为负值，表示其指向与假设的相反，杆 BC 应是受压；N_{CA}得正号，表示杆 CA 受拉。

再取铰链 B 为研究对象，假定杆 BC、AB 受拉，画出铰 B 的受力图如图 3-22c）所示。杆 BC 是二力杆，故它对两端铰链的作用力，应当是大小相等，方向相反，用 N_{BC}表示，$N_{BC}=N_{CB}$。

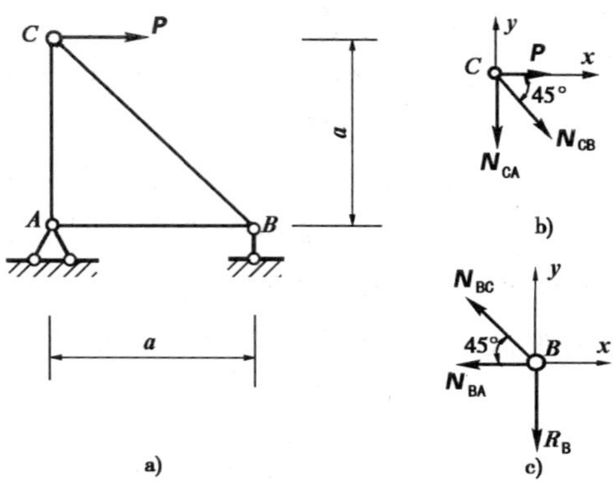

图 3-22

设直角坐标系如图，列平衡方程

$$\sum X=0 \qquad -N_{BA}-N_{BC}\cos45°=0 \qquad (c)$$

原假设杆 BC 受拉，得 $N_{BC}=-\sqrt{2}P$，现假设杆 BC 仍受拉，故 $N_{BC}=-\sqrt{2}P$，连同负号一起代入式（c），于是得

$$N_{BA}=-N_{BC}\cos45°=-(-\sqrt{2}P)\frac{\sqrt{2}}{2}=P$$

得正号表示杆 AB 受拉。

通过以上各例的分析，可知用解析法求解平面汇交力系平衡问题的步骤与几何法大体相同，现叙述如下：

1. 选取研究对象。
2. 画受力图　约束反力指向未定应先假设。
3. 选坐标轴　最好使某一坐标轴与一个未知力垂直，以便简化计算。
4. 列平衡方程求解未知量　列方程时注意各力的投影的正负号。当求出的未知力为负数时，就表示该力的实际指向与假设的指向相反。

小　　结

本章用几何法和解析法研究平面汇交力系的合成和平衡条件。

平面汇交力系合成的结果为一个作用线通过各力汇交点的合力；如果合力为零，则力系平衡。详见下表：

方　法	合　　成	平衡条件
几何法	根据力多边形法则求合力，即力多边形的闭合边代表合力的大小和方向	力多边形自行闭合
解析法	$R_x=\sum X \qquad R_y=\sum Y$ $R=\sqrt{(\sum X)^2+(\sum Y)^2} \qquad \tan\alpha=\frac{\mid\sum Y\mid}{\mid\sum X\mid}$ 合力 $\boldsymbol{R}$ 的指向由 $\sum Y$ 和 $\sum X$ 的正负号决定	$\sum X=0$ $\sum Y=0$

习　　题

3-1　如图所示，固定在墙壁上的圆环受三条绳索的拉力作用，力 $\boldsymbol{P}_1$ 沿水平方向，力 $\boldsymbol{P}_3$ 沿铅直方向，力 $\boldsymbol{P}_2$ 与水平线成 40°角。三力的大小分别为 $P_1=2\ \mathrm{kN}$，$P_2=2.5\ \mathrm{kN}$，$P_3=1.5\ \mathrm{kN}$。用几何法求这三个力的合力。

3-2 如图所示，五个力作用于一点。图中方格的边长为 1cm，试用几何法和解析法求力系的合力。

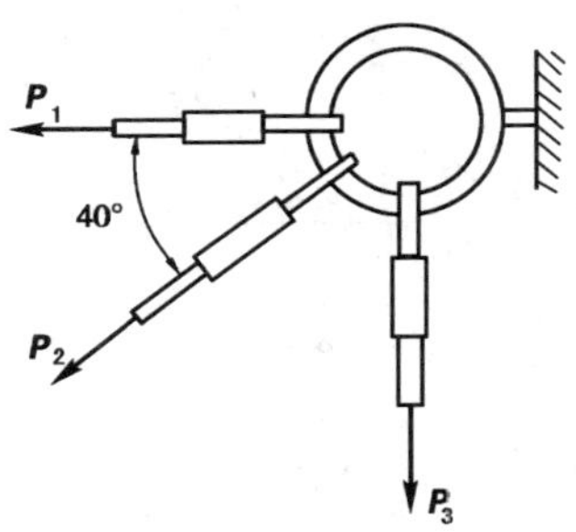

题 3-1 图

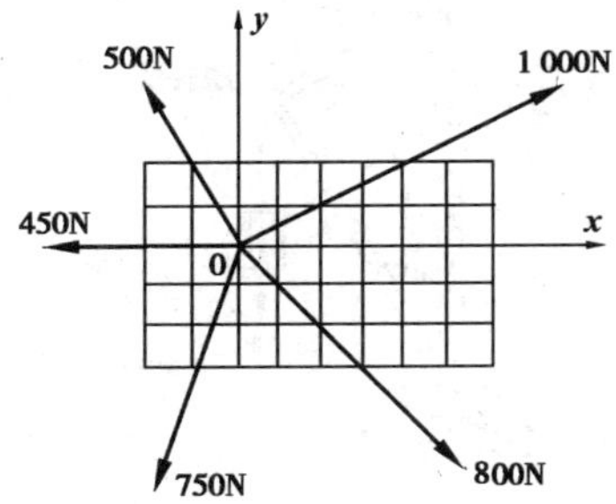

题 3-2 图

3-3 起吊双曲拱桥的拱肋时，在图示位置成平衡，用几何法求钢索 AB 与 AC 的拉力。设 $G=30$ kN。

3-4 梁 AB 的支座如图示。在梁的中点作用一力 $\boldsymbol{P}$，其大小 $P=20$ kN，方向如图。梁自重不计，用几何法求 A、B 支座的反力。

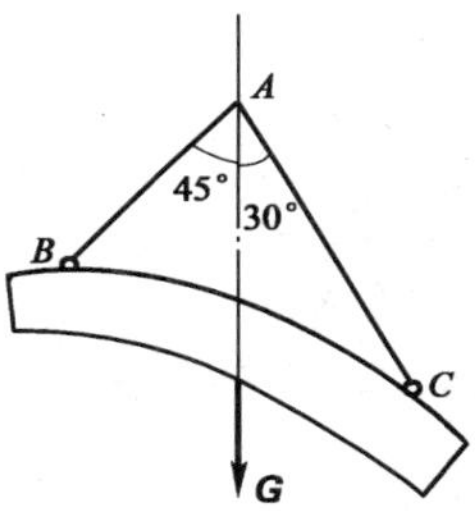

题 3-3 图

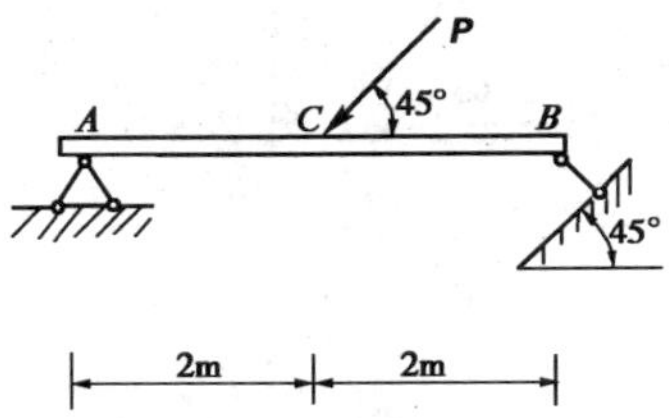

题 3-4 图

3-5 压路机碾子重 $W=20$ kN，半径 $R=40$ cm，若用水平力 $\boldsymbol{P}$ 拉碾子越过高 $h=8$ cm 的石坎，问 P 应多大？若要使 P 为最小，力 P 与水平线的夹角 α 应为多大？此时 P 等于多少？

3-6 图示电动机重 $P=5$ kN，放在水平梁 AC 的中央。梁的 A 端以铰链固定，另一端以撑杆 BC 支持，撑杆与水平梁的交角为 30°。不计梁和撑杆的重力。求撑杆 BC 所受的力及铰链支座 A 的反力。

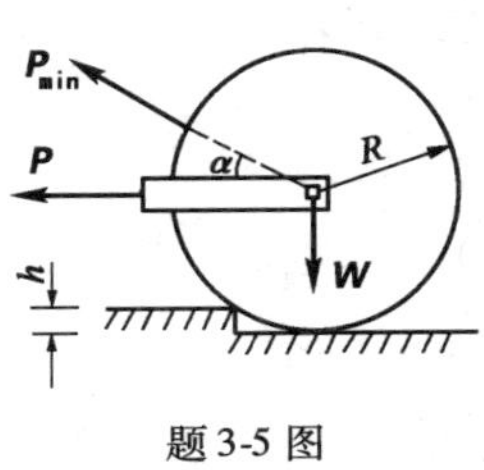

题 3-5 图

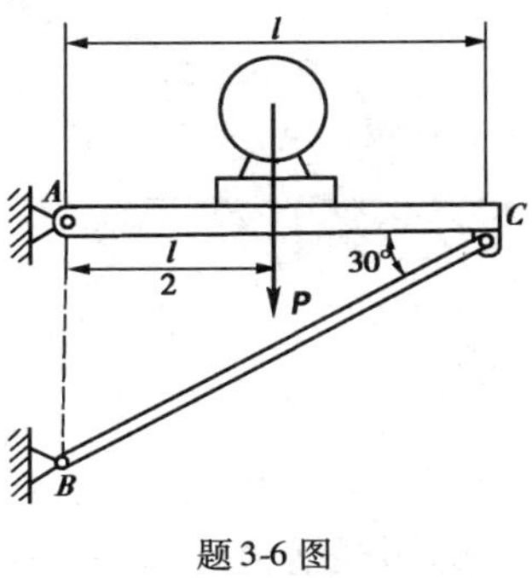

题 3-6 图

3-7 起重机支架的杆 BA 和 AC 在 A 点用铰互相连接，由铰车 D 水平引出钢索绕过滑轮 A 起吊重物，如图所示。设物体重力 $G=30$kN，杆件、滑轮和钢索的自重以及滑轮的大小和摩擦不计，试用解析法求杆 BA 和 AC 所受的力。

3-8　如图所示用一组绳索挂一重 $G=1$ kN 的重物，求各绳的拉力。

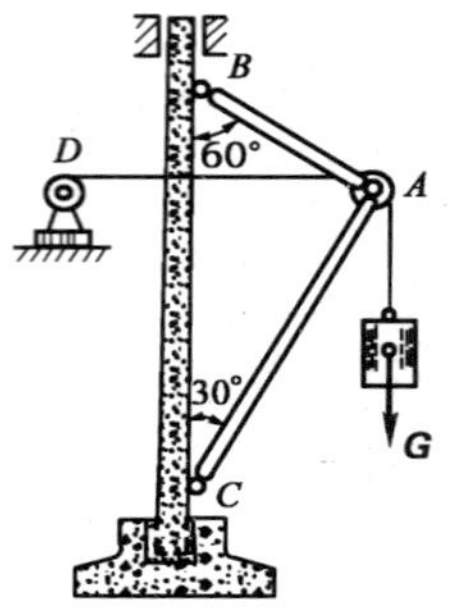

题 3-7 图

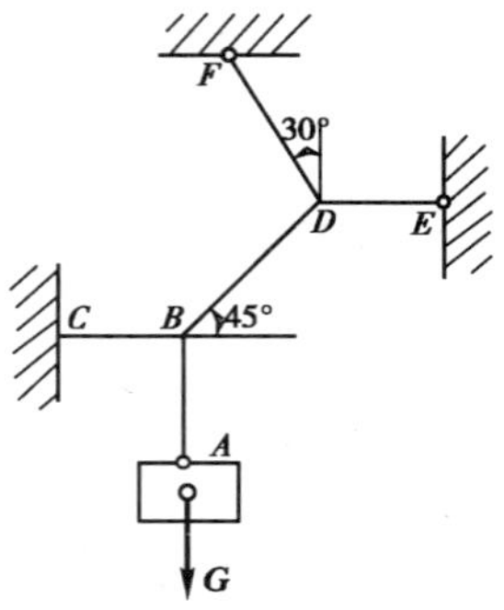

题 3-8 图

3-9　支架由杆 AB、AC 构成，A、B、C 三处都是铰链，在 A 点悬挂重力为 $\boldsymbol{G}$ 的重物。试求在图示四种情况下，AB、AC 杆所受的力。杆的自重不计。

3-10　求图示三铰刚架在水平力 $\boldsymbol{P}$ 作用下所引起的 A、B 两支座的反力。

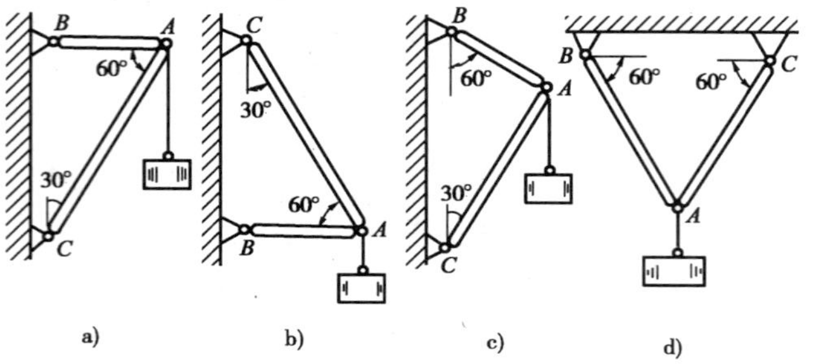

题 3-9 图

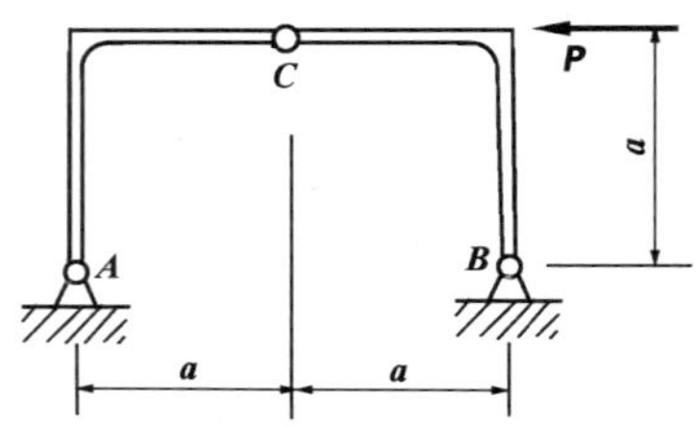

题 3-10 图

3-11　球重 $\boldsymbol{G}_1=100$ N，置于光滑水平面上，受力情况如图示。当球处于平衡时，用解析法求拉力 $\boldsymbol{T}$ 和平面对球的约束反力 $\boldsymbol{N}$。已知物体 M 重 $\boldsymbol{G}_2=150$ N。

3-12　如图所示缆车道两端支座在同一高度上，相距 30 m，滚轮挂重物 $G=1.5$ kN，轮上受一平行于缆索的牵引力 $\boldsymbol{P}$ 作用。试求滚轮在 C 处平衡时缆索的拉力 $\boldsymbol{T}$ 及牵引力 $\boldsymbol{P}$ 的大小。滚轮自重和大小不计。

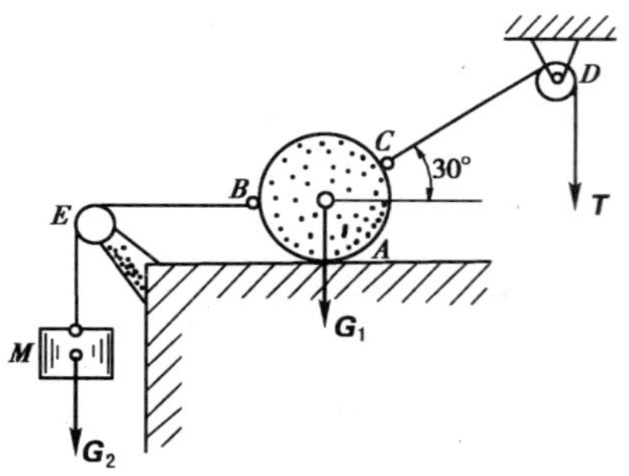

题 3-11 图

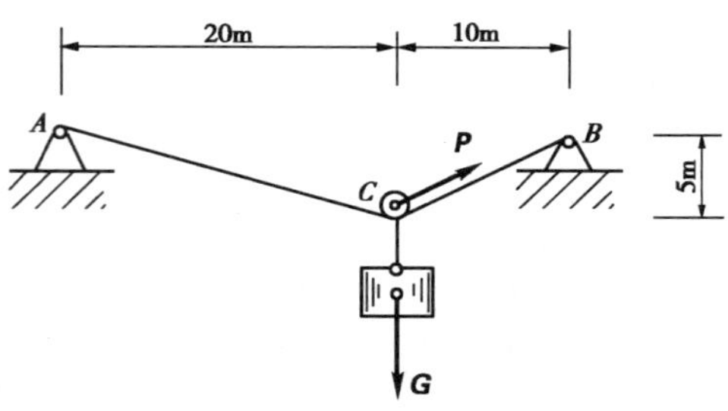

题 3-12 图

3-13　相同的两根钢管 C 和 D 搁放在斜坡上，并用两根铅垂立柱挡住，如图所示。设每根管子重 4 kN，求管子作用在每根立柱上的压力，摩擦不计。

3-14　管道半径 $R=20$ cm，每隔相等距离用一个支架支承它，如图所示。支架用杆 AB 与钢索 BC 构成，且位于与墙面垂直的铅垂面内。每个支架所支持的管子重力是 $W=2.2$ kN，杆 AB

长 70 cm。不计杆重和钢索重，求管子对杆 AB 的压力、钢索 BC 所受的拉力和支座 A 的反力。

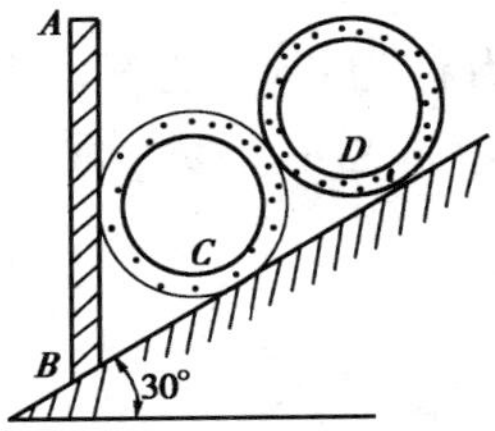

题 3-13 图

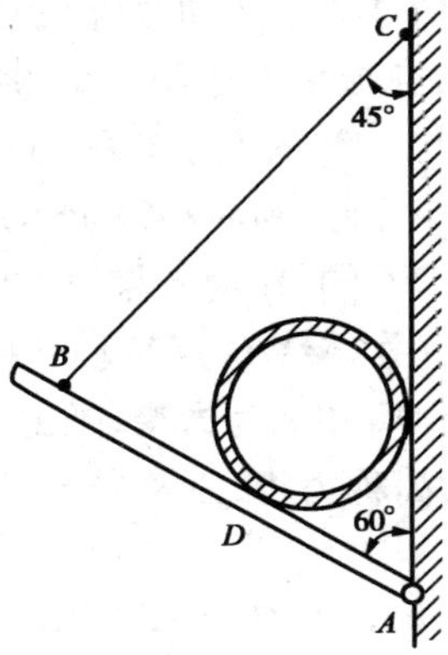

题 3-14 图

3-15　压榨机构由 AB、BC 两杆和压块 C 用铰连接而成，A、C 两铰位于同一水平线上。当在 B 点作用有铅垂力 $P=0.3$ kN，且 $\alpha=8°$时，被压榨物 D 所受的压榨力多大？不计压块与支承面间的摩擦及杆的自重。

3-16　重物 M 悬挂如图，绳 BD 跨过滑轮且在其末端 D 受一大小为 100 N 的铅垂力 Q 作用，使重物在图示位置平衡。不计滑轮摩擦，求重物的重力 P 及绳 AB 段的拉力 T 的大小。设 $\alpha=45°$，$\beta=60°$。

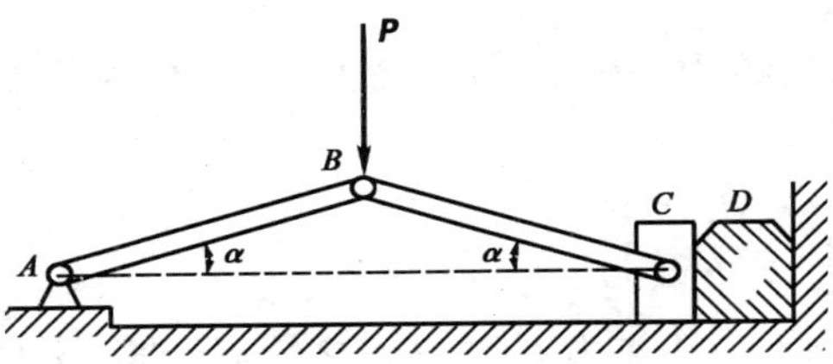

题 3-15 图

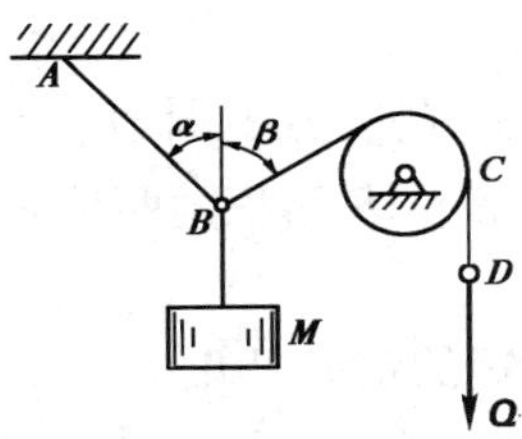

题 3-16 图

第四章　力矩、平面力偶系

在度量力对物体的转动效应和研究平面一般力系时，需要掌握力对点的矩和力偶这两个概念，并会计算它们的大小，这在理论和实际应用方面都有重要的意义。

§4-1　力对点之矩

一、力对点之矩

从生活和生产实践中知道，力除了能使物体移动外，还能使物体转动。例如用扳手拧螺母时，加力可使扳手和螺母绕螺母轴线转动。其他如杠杆、滑轮等简单机械，也是力使其绕一点转动效应的实例。

力使物体产生转动效应与哪些因素有关呢？现以扳手拧紧螺母为例来说明。如图4-1a)、b)所示，若在扳手上作用一个力 $\boldsymbol{F}$，该力在垂直于螺母轴线的平面内。由经验知，拧紧螺母的作用不仅与力 $\boldsymbol{F}$ 的大小有关，而且与螺母中心点 O 到力 $\boldsymbol{F}$ 作用线的垂直距离 d 有关。因此力 $\boldsymbol{F}$ 使扳手绕螺母中心 O 点的转动效应可用两者的乘积 $F \cdot d$ 来量度。显然力 $\boldsymbol{F}$ 使扳手绕 O 点转动的方向不同，作用效果也不同。

在研究物体绕 O 点转动效应时，我们把物体的转动中心 O 点称为**矩心**，把矩心到力作用线的垂直距离 d 称为**力臂**，把力 $\boldsymbol{F}$ 的大小与力臂的乘积 $F \cdot d$ 冠上适当的正负号称为**力 $\boldsymbol{F}$ 对 O 点之矩，简称力矩**，以符号 $m_O(\boldsymbol{F})$ 表示 ，即：

$$m_O(\boldsymbol{F}) = \pm F \cdot d \tag{4-1}$$

$F \cdot d$ 为力 $\boldsymbol{F}$ 对 O 点之矩的大小，正负号表示力矩的转向。通常规定：使物体产生逆时针转动的力矩为正；使物体产生顺时针转动的力矩为负。因此，在平面问题中，力矩是一个代数量。

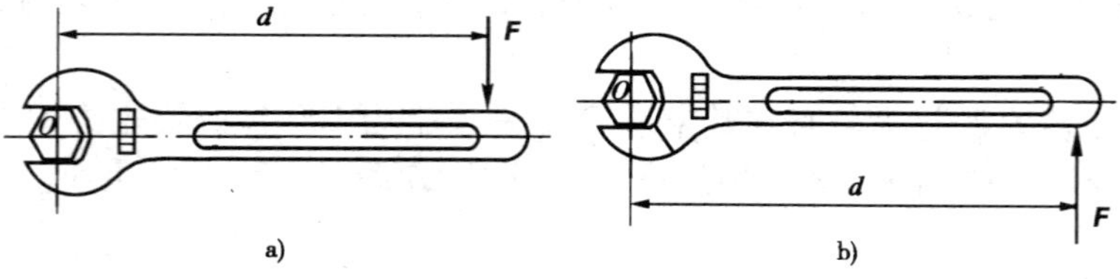

图 4-1

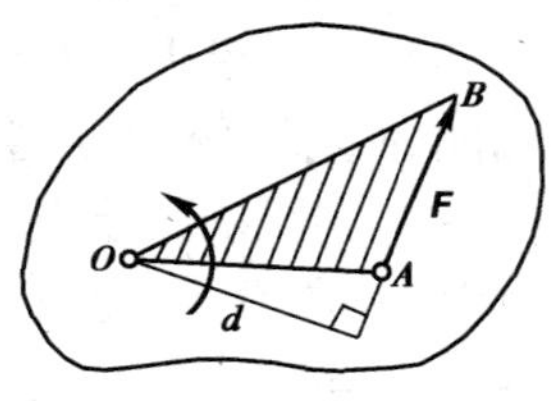

图 4-2

由图 4-2 可见，力 $\boldsymbol{F}$ 对 O 点的矩的大小还可以用该力的矢量$\overline{AB}$为底边、矩心 O 为顶点所构成的三角形 OAB 面积的两倍来表示。即

$$m_O(\boldsymbol{F}) = \pm 2\triangle OAB \tag{4-2}$$

根据力矩的定义可知：

(1)当力 $\boldsymbol{F}$ 的作用线通过矩心 O 时，此时力臂 $d=0$，于是力 $\boldsymbol{F}$ 对 O 点之矩等于零，这时力 $\boldsymbol{F}$ 不会使物体绕 O 点转动，这是符合人们的实践经验的。

(2)当力 $\boldsymbol{F}$ 沿其作用线移动时，由于力 $\boldsymbol{F}$ 的大小、方向以及力臂都未改变，所以力 $\boldsymbol{F}$ 对 O 点之矩保持不变。

力矩的单位是力与长度单位的乘积。在国际单位制中用牛[顿]·米(牛·米，N·m)或千牛[顿]·米(千牛·米，kN·m)。

例 4-1 重力坝受力情况如图4-3所示。已知 $P_1=400$ kN，$P_2=80$ kN，$G_1=450$ kN，$G_2=200$ kN，试分别计算这几个力对 B 点之矩。

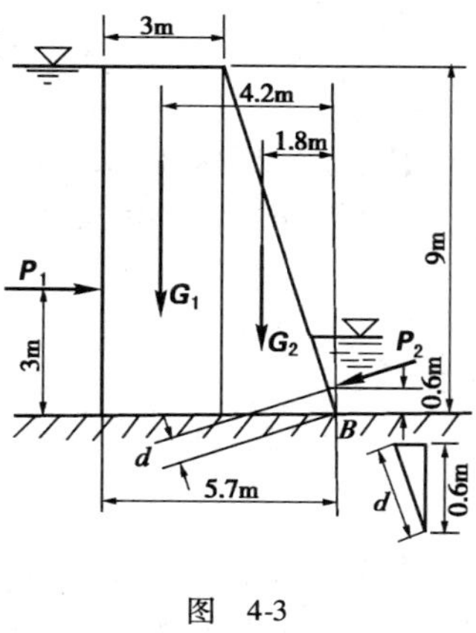

图 4-3

解 由图中所示并根据 $m_O(\boldsymbol{F}) = \pm Fd$，可得

$$m_B(\boldsymbol{G}_1) = 450 \times 4.2 = 1890 \text{ kN·m}$$

$$m_B(\boldsymbol{G}_2) = 200 \times 1.8 = 360 \text{ kN·m}$$

$$m_B(\boldsymbol{P}_1) = -400 \times 3 = -1200 \text{ kN·m}$$

又因图中坝身的三角形部分与 B 点处的三角形相似，故有

$$d : \sqrt{9^2+(5.7-3)^2} = 0.6 : 9$$

于是

$$d=\frac{9\sqrt{1+(0.3)^2}}{9}\times 0.6=0.626\ \text{m}$$

从而 $$m_B(\boldsymbol{P}_2)=80\times 0.626=50.1\ \text{kN}\cdot\text{m}$$

二、合力矩定理

计算力对某点之矩时,在有些问题中力臂不易求出,因而力矩不便计算。考虑到合力的作用应与其各分力的作用之和等效,如果分力及其力臂易于求出,则可应用合力矩定理来计算合力的力矩。

合力矩定理:平面汇交力系合力对平面内任一点的矩,等于力系中所有各分力对同一点的矩的代数和。即:

$$m_O(\boldsymbol{R})=m_O(\boldsymbol{F}_1)+m_O(\boldsymbol{F}_2)+\cdots+m_O(\boldsymbol{F}_n)=\sum m_O(\boldsymbol{F}) \tag{4-3}$$

证明:如图 4-4 所示,设在刚体上的点 A,作用一平面汇交力系 $\boldsymbol{F}_1$、$\boldsymbol{F}_2$、…、$\boldsymbol{F}_n$。$\boldsymbol{R}$ 为力系的合力,任选一点 O 为矩心,通过点 O 并垂直于 OA 作轴 Oy。图中的 Ob_1、$Ob_2\cdots Ob_n$ 和 Ob_r 分别等于力 F_1、$F_2\cdots$,F_n 和 $\boldsymbol{R}$ 在 Oy 轴上的投影 Y_1、Y_2、…、Y_n 和 R_y。现分别计算 $\boldsymbol{F}_1$、$\boldsymbol{F}_2$、…、$\boldsymbol{F}_n$ 和 $\boldsymbol{R}$ 各力对点的力矩。

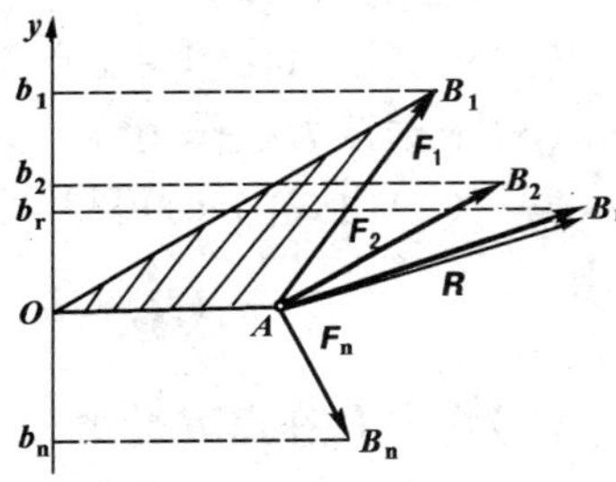

图 4-4

根据式(4-2)从图 4-4 可以得到:

$$m_O(\boldsymbol{F}_1)=2\triangle OAB_1=Ob_1\cdot OA=Y_1\cdot OA$$

同理可得:

$$\left.\begin{aligned} m_O(\boldsymbol{F}_2)&=Ob_2\cdot OA=Y_2\cdot OA\\ \vdots\qquad&\qquad\vdots\qquad\qquad\vdots\\ m_O(\boldsymbol{F}_n)&=Ob_n\cdot OA=Y_n\cdot OA\\ m_O(\boldsymbol{R})&=Ob_r\cdot OA=R_y\cdot OA \end{aligned}\right\} \tag{A}$$

根据合力投影定理:

$$R_y=Y_1+Y_2+\cdots+Y_n$$

上式两端乘以 OA 得:

$$R_y\cdot OA=Y_1\cdot OA+Y_2\cdot OA+\cdots+Y_n\cdot OA$$

将式(A)代入得:

$$m_O(\boldsymbol{R})=m_O(\boldsymbol{F}_1)+m_O(\boldsymbol{F}_2)+\cdots+m_O(\boldsymbol{F}_n)=\sum_{i=1}^{n}m_O(\boldsymbol{F}_i)$$

于是定理得证。

例 4-2 如图4-5 所示每 1 m 长挡土墙所受土压力的合力为 $\boldsymbol{R}$,它的大小 $R=150$ kN,方向如图示。求土压力 $\boldsymbol{R}$ 使墙倾覆的力矩。

解 土压力 $\boldsymbol{R}$ 可使挡土墙绕点 A 倾覆,故求 $\boldsymbol{R}$ 使墙倾覆的力矩,就是求 $\boldsymbol{R}$ 对点 A 的力矩。由已知尺寸求力臂 d 不方便,但如果将 $\boldsymbol{R}$ 分解为两分力 $\boldsymbol{F}_1$ 和 $\boldsymbol{F}_2$,则两分力的力臂是已知的,故由式(4-3)可得

$$\begin{aligned} m_A(\boldsymbol{R})&=m_A(\boldsymbol{F}_1)+m_A(\boldsymbol{F}_2)=F_1\cdot h/3-F_2\cdot b\\ &=150\cos 30^\circ\times 1.5-150\sin 30^\circ\times 1.5\\ &=82.4\ \text{kN}\cdot\text{m} \end{aligned}$$

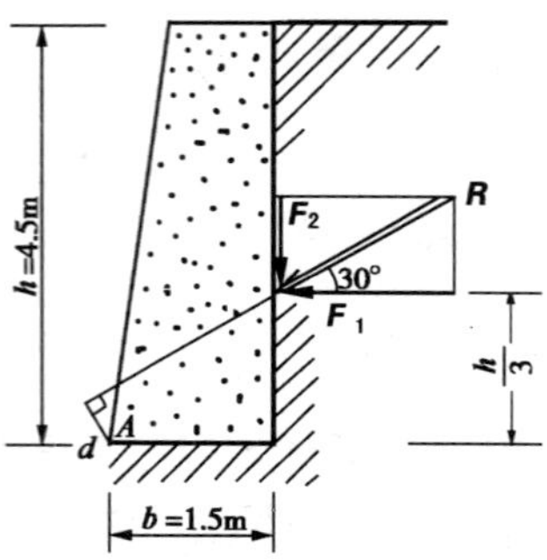

图 4-5

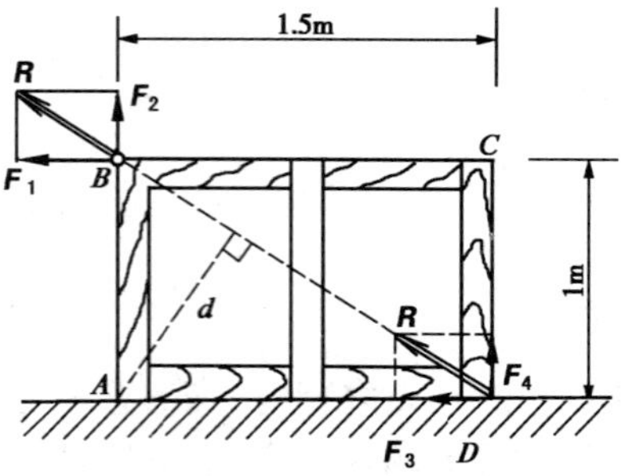

图 4-6

例 4-3 放在地面上的板条箱如图4-6 所示,受到 $R=120$ N 的力作用。试求该力对点 A 的矩:

(1)根据力臂计算;

(2)根据该力在作用于点 B 处的分力计算;

(3)根据该力在作用线上其他某一适当点处的分力计算。

解 (1)由式(4-1)可得

$$m_A(\boldsymbol{R})=R\cdot d=120\times 1.5\times\frac{1}{\sqrt{(1.5)^2+(1)^2}}=99.8\ \text{N}\cdot\text{m}$$

(2)将力 $\boldsymbol{R}$ 在点 B 分解为两分力 $\boldsymbol{F}_1$ 和 $\boldsymbol{F}_2$,由式(4-3),可得

$$m_A(\boldsymbol{R})=m_A(\boldsymbol{F}_1)+m_A(\boldsymbol{F}_2)=F_1\times 1+F_2\times 0=R\times\frac{1.5}{\sqrt{(1.5)^2+(1)^2}}$$

$$=120\times\frac{1.5}{\sqrt{(1.5)^2+(1)^2}}=99.8\ \text{N}\cdot\text{m}$$

(3)将力 $\boldsymbol{R}$ 在点 D 分解为两分力 $\boldsymbol{F}_3$ 和 $\boldsymbol{F}_4$,由式(4-3)可得

$$m_A(\boldsymbol{R})=m_A(\boldsymbol{F}_3)+m_A(\boldsymbol{F}_4)=F_3\times 0+F_4\times 1.5$$

$$=R\times\frac{1.5}{\sqrt{(1.5)^2+(1)^2}}$$

$$=120\times\frac{1.5}{\sqrt{(1.5)^2+(1)^2}}=99.8\ \text{N}\cdot\text{m}$$

§4-2 力偶、力偶的性质

一、力偶的概念

在实际中,我们常常见到汽车驾驶员用双手转动方向盘驾驶汽车[图 4-7a)],钳工用丝锥攻螺纹[图 4-7b)],人们用两个手指拧动水龙头、旋转钥匙开门等等,在方向盘、丝锥、水龙头、钥匙等物体上作用两个大小相等、方向相反、不共线的平行力。这两个等值、反向的平行力不能合成为一个力,该两力不共线,所以也不能平衡,事实上,这样的两个力使物体产生纯转动,这种由两个大小相等、方向相反的不共线的平行力组成的力系,称为力偶,如图 4-8 所示,记作($\boldsymbol{F}$、$\boldsymbol{F}'$)。

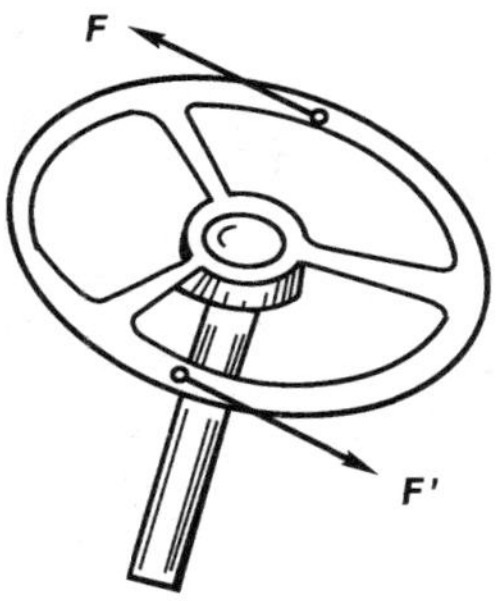

a)

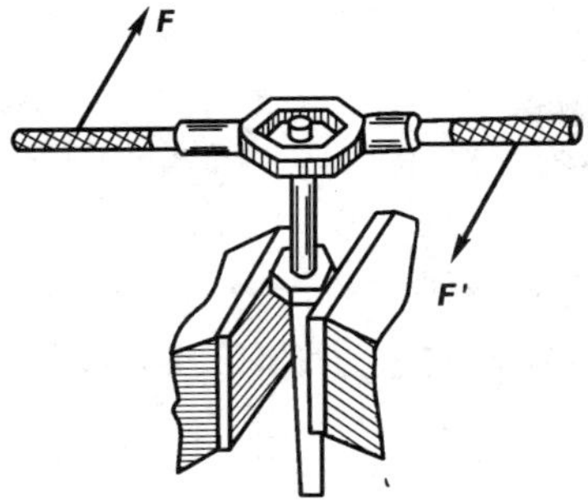

b)

图 4-7

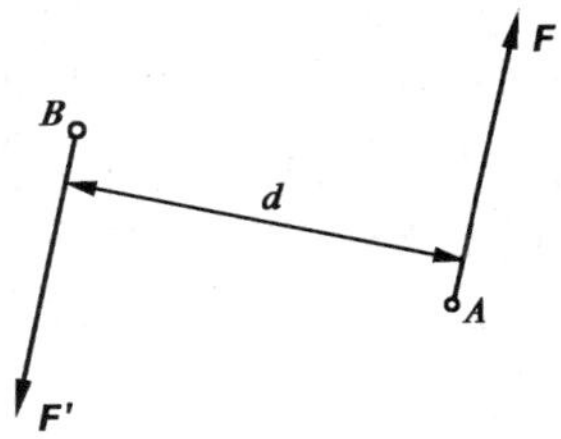

图 4-8

二、力　偶　矩

由经验知，力偶使物体转动的效应，取决于力偶的两个反向平行力和它们之间的垂直距离 d 的大小以及力偶的转向。力偶的两力之间的垂直距离 d 称为**力偶臂**。在力学中，人们把力偶中的力 $\boldsymbol{F}$ 的大小与力偶臂 d 的乘积加上适当的正负号作为度量力偶对物体转动效应的物理量，称为**力偶矩**，以符号 $m(\boldsymbol{F}、\boldsymbol{F}')$ 或 m 表示，即：

$$m(\boldsymbol{F}、\boldsymbol{F}') = m = \pm F \cdot d \tag{4-4}$$

在平面力系问题中，力偶矩是一个代数量，上式中的正负号表示力偶的转向。通常规定，力偶逆时针旋转时，力偶矩为正；反之，为负。有时简明地以一个带箭头的弧线表示力偶矩，标出其值（图 4-9）。

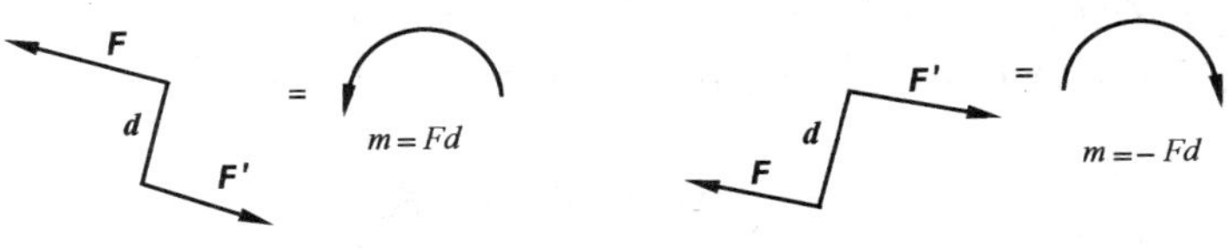

图 4-9

力偶矩的单位和力矩的单位相同。

三、力偶的三要素

力偶的两个力所在的平面称为**力偶作用面**。

实践证明，力偶对物体的作用效果由以下三个因素决定：(1)**力偶矩的大小**；(2)**力偶的转向**；(3)**力偶作用面的方位**。这三个因素称为**力偶的三要素**。

四、力偶的基本性质

根据前面的讲述，将力偶的基本性质归纳如下：

(1)**力偶没有合力，即不能用一个力来代替。**

由于力偶中的两力等值、反向，**它们在任一坐标轴上的投影代数和等于零**，因此力偶对物体只有转动效应，而无移动效应，而一个力一般情况是既有移动效应，又有转动效应，所以力偶不能与一个力等效。

力偶既不能合成为一个力，因而也**不能与一个力平衡，力偶必须用力偶来平衡**。

(2)**力偶对其作用面内任一点之矩恒等于力偶矩，而与矩心位置无关**。

证明：设有一力偶($\boldsymbol{F}$、$\boldsymbol{F}'$)作用在物体上，其力偶矩为 $m = F \cdot d$，如图 4-10 所示。在力偶的作用面内任取一点 O 为矩心，显然，力偶使物体绕 O 点转动的效应等于组成力偶的两个力对 O 点之矩的代数和来表示。用 x 表示从 O 点到力 $\boldsymbol{F}'$的垂直距离，则力偶的两个力对 O 点之矩的代数和为：

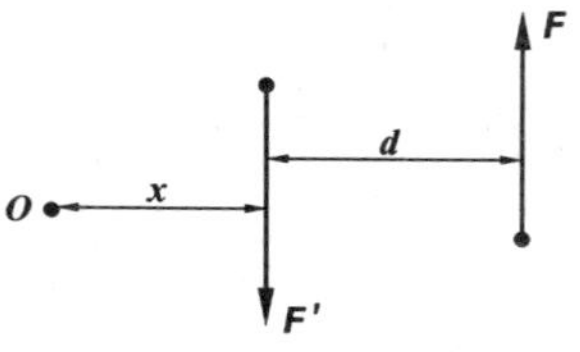

图 4-10

$$m_0(\boldsymbol{F}、\boldsymbol{F}') = F(d+x) - F' \cdot x = F \cdot d = m$$

此值即等于力偶矩。

(3)**在同一平面内的两个力偶，如果它们的力偶矩大小相等，力偶的转向相同，则这两个力偶是等效的**，称为**力偶的等效性**。

根据力偶的等效性，可得出下面两个推论：

推论 1　力偶可在其作用面内任意移转，而不改变它对物体的转动效应，即力偶对物体的转动效应与其在作用面内的位置无关。

推论 2　在保持力偶大小和转向不变的情况下，可任意改变力偶中力的大小和力偶臂的长短，而不改变它对物体的转动效应。

§4-3　平面力偶系的合成和平衡

若作用在物体上的几个力偶在同一平面内，则这些力偶称为**平面力偶系**。利用力偶的性质，可以很容易地解决平面力偶系的合成和平衡问题。

一、平面力偶系的合成

设有三个力偶($\boldsymbol{F}_1,\boldsymbol{F}'_1$)、($\boldsymbol{F}_2,\boldsymbol{F}'_2$)、($\boldsymbol{F}_3,\boldsymbol{F}'_3$)作用在物体的同一平面内，其力偶矩分别为 $m_1 = F_1d_1$、$m_2 = F_2d_2$、$m_3 = F_3d_3$，如图 4-11a)所示，现求它们的合成结果。

根据力偶的等效性质，将上述力偶进行变换，使它们具有相同的力偶臂。为此，在力偶作用面内任意取一线段 $AB = d$，使各力偶的力偶臂都变换为 d，得到等效力偶($\boldsymbol{P}_1,\boldsymbol{P}'_1$)、($\boldsymbol{P}_2,\boldsymbol{P}'_2$)、($\boldsymbol{P}_3,\boldsymbol{P}'_3$)，而力 $\boldsymbol{P}_1$、$\boldsymbol{P}_2$、$\boldsymbol{P}_3$ 的大小可由下列各式确定。

$$P_1 = \frac{|m_1|}{d} \qquad P_2 = \frac{|m_2|}{d} \qquad P_3 = \frac{|m_3|}{d}$$

再将变换后的各力偶在作用面内移动和转动，使它们的力偶臂都与 AB 重合，如图 4-11b)所示。将作用在 B 点的三个共线力合成，可得合力 $\boldsymbol{R}$。设 $\boldsymbol{P}_1 + \boldsymbol{P}_2 > \boldsymbol{P}_3$，则 $\boldsymbol{R}$ 的大小为

$$R = P_1 + P_2 - P_3$$

其方向与 $\boldsymbol{P}_1$ 相同。同样，作用在 A 点的三个力也合成得合力 $\boldsymbol{R}'$。显然力 $\boldsymbol{R}$ 和 $\boldsymbol{R}'$大小相等、方向相反，作用线平行而不重合，因此，力 $\boldsymbol{R}$ 和 $\boldsymbol{R}'$组成一个力偶($\boldsymbol{R},\boldsymbol{R}'$)，如图 4-11c)所示。这个力偶与原来的三个力偶等效，称为原来三个力偶的合力偶，其力偶矩 M 为

$$M = Rd = (P_1 + P_2 - P_3)d = P_1d + P_2d - P_3d$$

即 $$M = m_1 + m_2 + m_3$$

若有 n 个力偶，同样用上法合成。于是可得结论：**平面力偶系可以合成为一个合力偶，其力偶矩等于各分力偶矩的代数和**。用式子表示为

$$M = m_1 + m_2 + \cdots + m_n = \sum_{i=1}^{n} m_i \tag{4-5}$$

例 4-4 如图4-12 所示，在物体的某平面内受到三个力偶作用。已知 $P_1 = 200$ N，$P_2 = 600$ N，$m = 100$ N·m，求其合成结果。

解 三个共面力偶合成的结果是一个合力偶。

各分力偶矩为

$$m_1 = P_1 d_1 = 200 \times 1 = 200\ \text{N·m}$$

$$m_2 = P_2 d_2 = 600 \times \frac{0.25}{\sin 30°} = 300\ \text{N·m}$$

$$m_3 = -m = -100\ \text{N·m}$$

由式(4-5)得合力偶矩为

$$M = \sum m = m_1 + m_2 + m_3 = 200 + 300 - 100 = 400\ \text{N·m}$$

即合力偶矩的大小等于 400 N·m，转向为逆时针方向，与原力偶系共面。

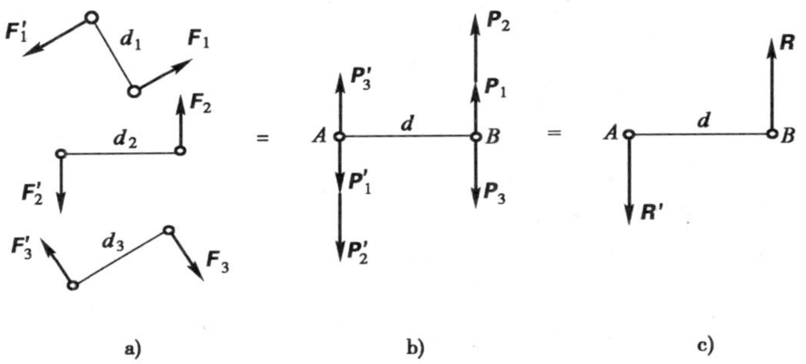

图 4-11

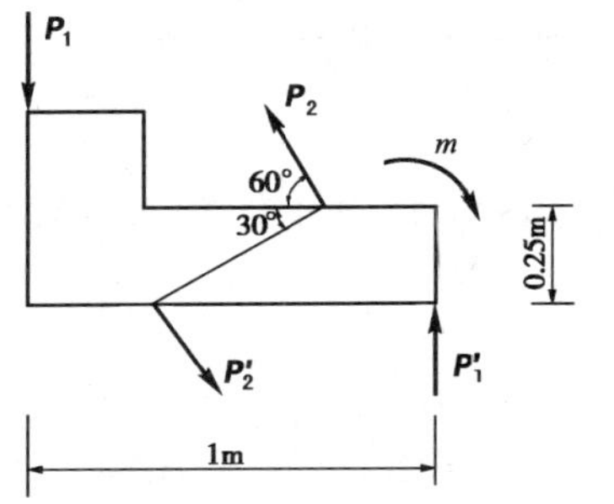

图 4-12

二、平面力偶系的平衡条件

平面力偶系可合成为一个合力偶，当合力偶矩等于零时，则力偶系中各力偶对物体的转动效应相互抵消，物体处于平衡状态；反之，若合力偶矩不等于零，则物体必有转动效应而不平衡。所以，**平面力偶系平衡的必要和充分条件是：力偶系中所有各力偶矩的代数和等于零**。用式子表示为

$$\sum_{i=1}^{n} m_i = 0 \tag{4-6}$$

对于平面力偶系的平衡问题，可用式(4-6)求解一个未知量。上式习惯上写作 $\sum m = 0$。

例 4-5 梁 AB 受荷载作用如图 4-13a）所示。已知 $m = 10$ kN·m，$P = P' = 5$ kN，梁重不计，求支座 A、B 的反力。

解 取梁 AB 为研究对象。作用在梁上的力有：两个已知力偶和支座 A、B 的反力 $\boldsymbol{R}_A$、$\boldsymbol{R}_B$。B 处为可动铰支座，$\boldsymbol{R}_B$ 的作用线沿铅垂线；A 处为固定铰支座，$\boldsymbol{R}_A$ 的作用线本来未定，但因梁上的荷载只有力偶，根据力偶只能与力偶平衡的性质，

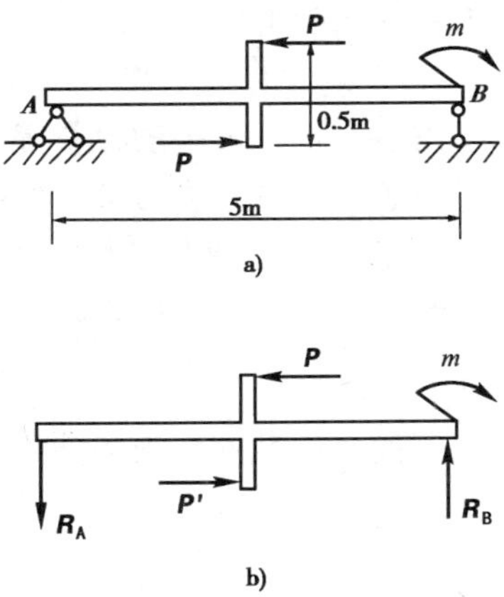

图 4-13

可知 $\boldsymbol{R}_{\mathrm{A}}$ 和 $\boldsymbol{R}_{\mathrm{B}}$ 必组成一个力偶，所以 $\boldsymbol{R}_{\mathrm{A}}$ 的作用线也应是铅垂的。假设 $\boldsymbol{R}_{\mathrm{A}}$ 和 $\boldsymbol{R}_{\mathrm{B}}$ 的指向如图 4-13b)所示。由平面力偶系的平衡条件

$$\sum m = 0 \quad P \times 0.5 - m + R_A \times 5 = 0$$

得

$$R_{\mathrm{A}} = \frac{m - 0.5P}{5} = \frac{10 - 0.5 \times 5}{5} = 1.5\ \mathrm{kN}(\downarrow)$$

故

$$R_{\mathrm{B}} = 1.5\ \mathrm{kN}(\uparrow)$$

小　　结

本章讨论了力矩和力偶的基本理论。

一、力矩及其计算

1. 力矩的概念　力矩是力使物体绕矩心转动效应的度量。它等于力的大小与力臂的乘积，在平面问题中它是代数量，一般规定力使物体绕矩心逆时针方向转动为正，反之为负。即

$$m_O = \pm F \cdot d$$

可见力矩的大小和转向与矩心的位置有关。

2. 合力矩定理　平面汇交力系的合力对平面内任一点的力矩，等于力系中各分力对同一点的力矩的代数和。即

$$m_O(\boldsymbol{R}) = \sum_{i=1}^{n} m_O(\boldsymbol{F}_{\mathrm{i}})$$

应用合力矩定理常常可以简化力矩的计算。

二、力偶的基本理论

1. 力偶

由等值、反向、作用线平行而不重合的两个力组成的力系，称为力偶。

2. 力偶的性质

力偶不能简化为一个力，也不能和一个力平衡，力偶只能与力偶平衡。

力偶对物体的转动效应取决于力偶的作用面、力偶矩的大小和力偶的转向。

在同一平面内的两个力偶，如果它们力偶矩的代数值相等，则这两个力偶是等效的。或者说，只要保持力偶矩的代数值不变，力偶可在其作用面内任意移转，也可以改变组成力偶的力的大小和力偶臂的长短。

3. 力偶的基本运算

力偶在任一轴上的投影等于零。

力偶中的两个力对其作用面内任一点的矩都等于力偶矩，而与矩心的位置无关。

4. 力偶的合成与平衡

平面力偶系可合成为一个合力偶，合力偶矩等于各分力偶矩的代数和。即

$$M = \sum_{i=1}^{n} m$$

平面力偶系的平衡条件是：各力偶矩的代数和等于零。即

$$\sum m = 0$$

习　　题

4-1　试计算下列各图中力 $\boldsymbol{P}$ 对 O 点的矩。

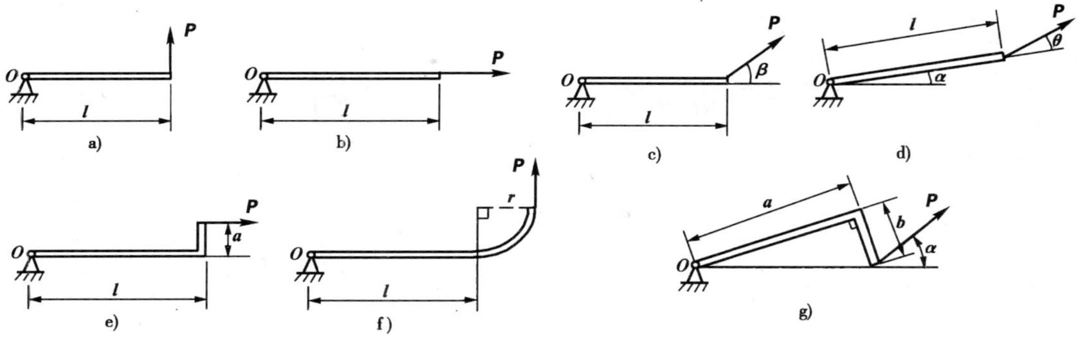

题 4-1 图

4-2　一个 400 N 的力作用在 A 点，方向如图，求：

(1) 此力对 D 点的矩。

(2) 在 C 点加一水平力，使它对 D 点的矩等于(1)的矩，求这个水平力。

(3) 要在 C 点加一最小力得到与(1)相同的矩，求这最小力。

4-3　已知挡土墙重 $W_1=75$ kN，铅垂土压力 $W_2=120$ kN，水平土压力 $P=90$ kN，试求这三个力对前趾点 A 之矩，并指出哪些力矩有使墙绕 A 点倾倒的趋势？哪些力矩使墙趋于稳定？它们的值各为若干？

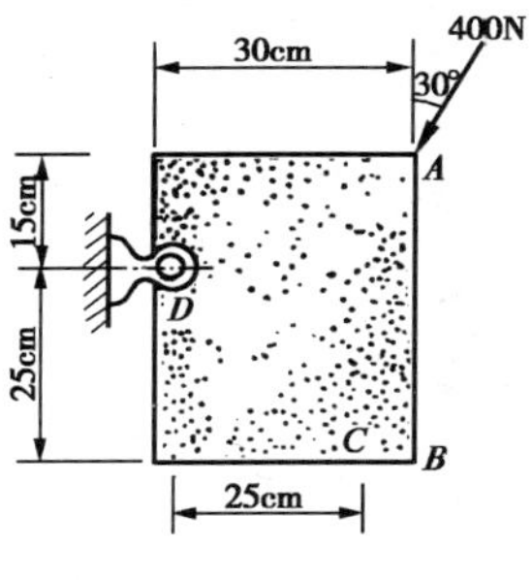

题 4-2 图

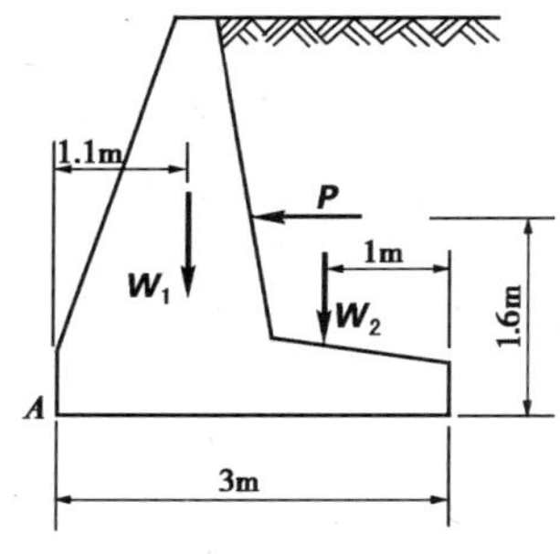

题 4-3 图

4-4　求图示各梁的支座反力。

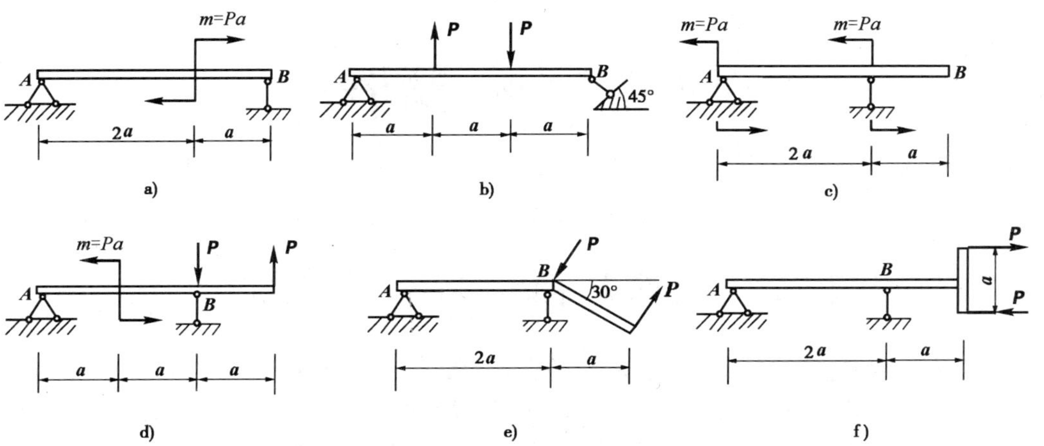

题 4-4 图

4-5　求图示刚架由于作用在 B 点的水平力 $\boldsymbol{P}$ 所引起的支座力 $\boldsymbol{R}_A$ 和 $\boldsymbol{R}_D$ 的大小和方向。刚架重力略去不计。

4-6　物体的某平面内同时作用有三个力偶，如图所示，已知 $F_1 = 200$ N，$F_2 = 600$ N，$m = 100$ N·m，求此三力偶的合力偶矩。

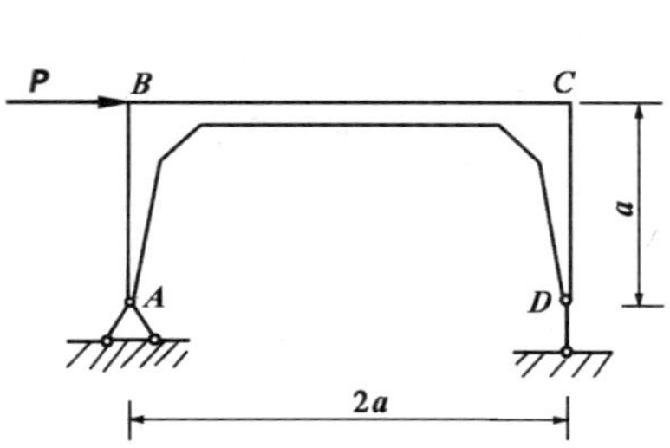

题 4-5 图

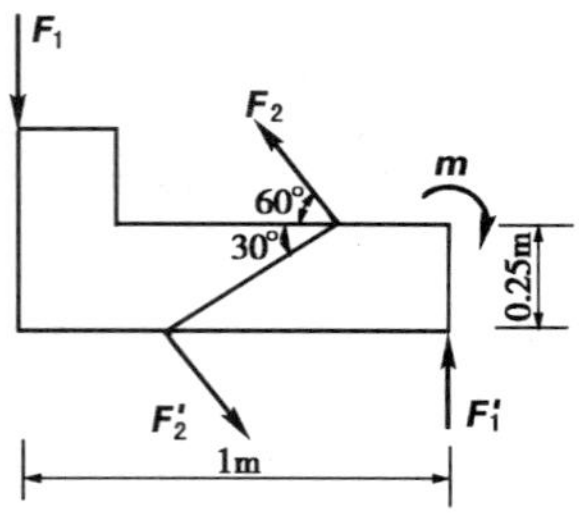

题 4-6 图

4-7　沿着刚体上正三角形 ABC 的三边分别作用着力 $\boldsymbol{F}_1$、$\boldsymbol{F}_2$、$\boldsymbol{F}_3$，如图所示。已知三角形边长是 a，而各力大小都等于 F。试证明这三个力可以合成为一个力偶，并求出它的力偶矩。

4-8　铰接四连杆机构 $ABCD$，在图示位置平衡。已知：$CD = 40$ cm，$AB = 60$ cm，作用在 CD 上的力偶 $m_1 = 1$ N·m。试求力偶 m_2 的大小和杆 BC 所受的力 $\boldsymbol{S}$。各杆的重力不计。

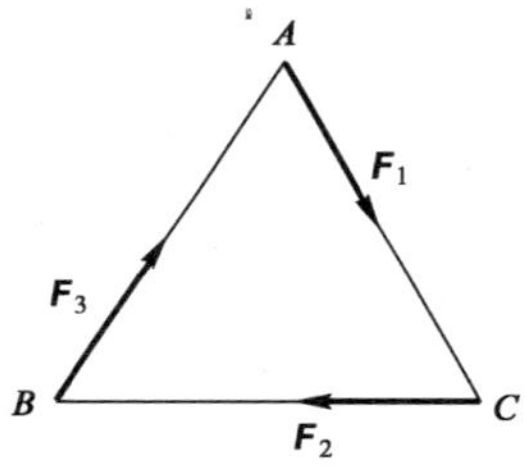

题 4-7 图

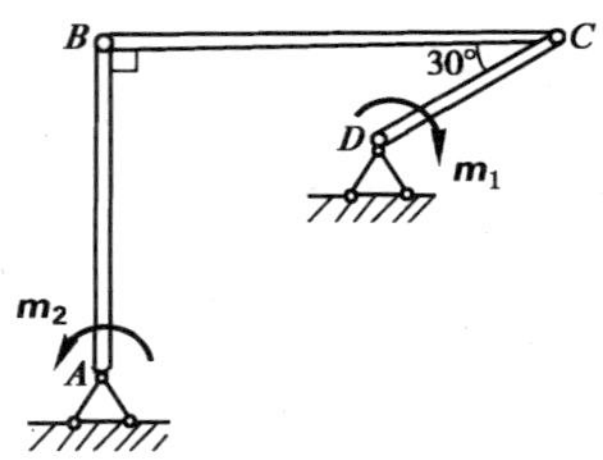

题 4-8 图

第五章　平面一般力系

平面一般力系是各力的作用线在同一平面内但不全部汇交于一点也不全部互相平行的力系。

§5-1　工程实际中的平面一般力系问题

在工程实际中，有些结构的厚度比其他两个方向的尺寸小得多，这种结构称为平面结构。在平面结构上作用的各力，一般都在同一平面内，组成平面一般力系。例如图 5-1 所示的三角形屋架，它受到屋面传来的竖向荷载 $\boldsymbol{P}$、风荷载 $\boldsymbol{Q}$ 以及两端支座的约束反力 $\boldsymbol{X}_A$、$\boldsymbol{X}_B$、$\boldsymbol{R}_B$，这些力组成平面一般力系，如图 5-2 所示。

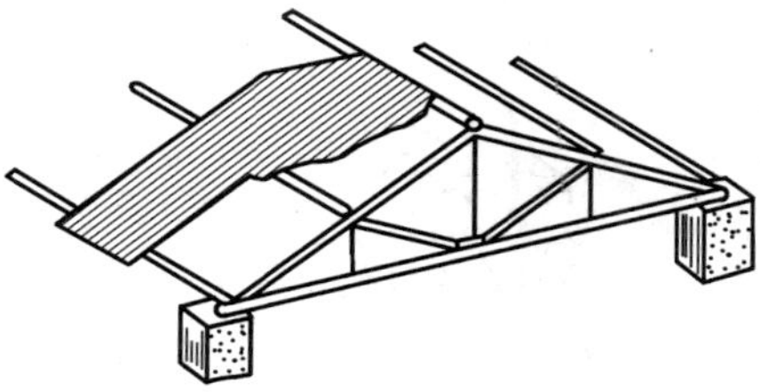

图 5-1

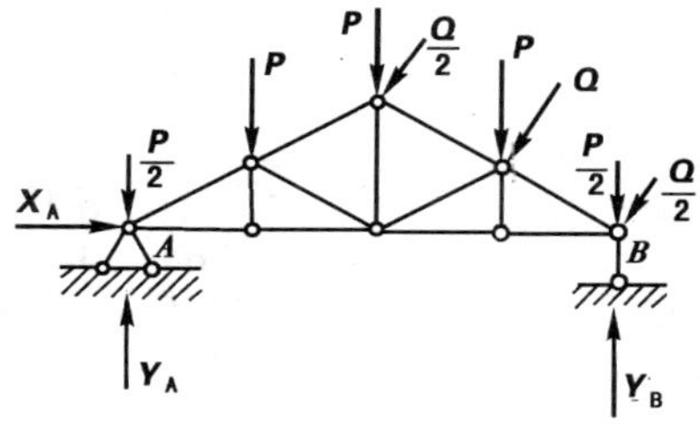

图 5-2

还有些结构虽然不是受平面力系作用，但如果结构本身（包括支座）及其所承受的荷载有一个共同的对称面，那么，作用在结构上的力系就可以简化为在对称面内的平面力系。例如图 5-3 所示沿直线行驶的汽车，车受到的重力 $\boldsymbol{G}$、空气阻力 $\boldsymbol{F}$ 以及地面对左右轮的约束反力的合力 $\boldsymbol{R}_A$、$\boldsymbol{R}_B$，都可简化到汽车的对称面内，组成平面一般力系。又如图 5- 4a）所示的挡土墙，考虑到它沿长度方向受力情况大致相同，通常取 1 m 长度的墙身作为研究对象，它所受到的重力 $\boldsymbol{G}$、土压力 $\boldsymbol{P}$ 和地基反力 $\boldsymbol{R}$ 也都可简化到 1 m 长墙身的对称面上，组成平面力系，如图 5- 4b）所示。

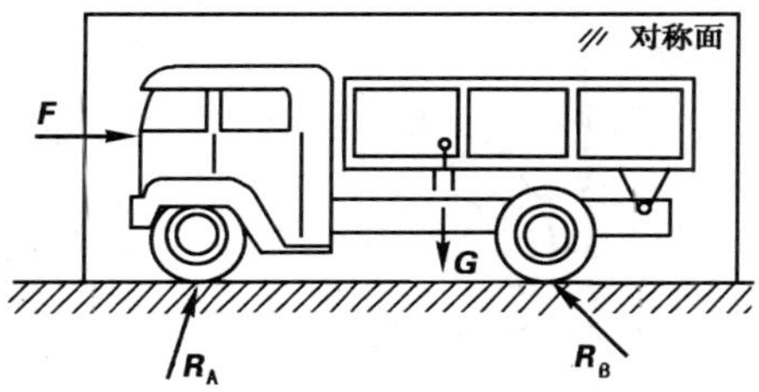

图 5-3

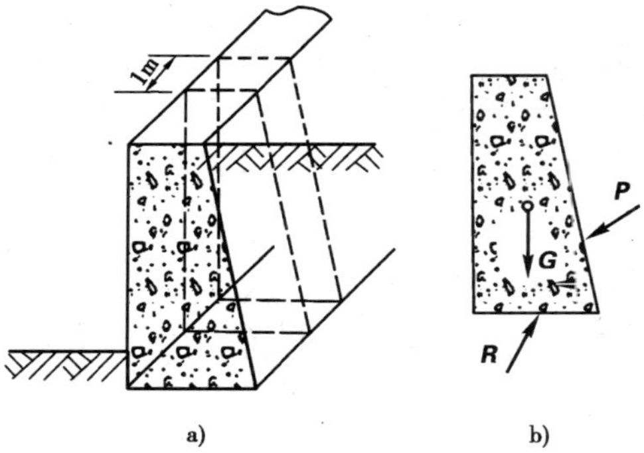

图 5- 4

总之，在工程中，许多结构的受力，一般都可以简化为平面一般力系的问题来处理，因此，平面一般力系是工程中最常见的力系。本章将讨论平面一般力系的简化和平衡问题。

§5-2　力的平移定理

前面已经研究了平面汇交力系和平面力偶系的合成和平衡问题。平面一般力系能否简化为这两种简单力系呢？要使平面一般力系各力的作用线都汇交于一点，这就需要将力的作用线平移。

将力的作用线平移，会不会改变它对物体的运动效应呢？让我们先看一个实例。如图 5-5a）所示，设一力 $\boldsymbol{F}$ 作用在轮缘上的 A 点，此力可使轮子转动，如果将它平移到轮心 O 点［图 5-5b）］的力 $\boldsymbol{F}'$，则它就不能使轮子转动，可见力的作用线是不能随便平移的。但是当我们将力 $\boldsymbol{F}$ 平行移到 O 点的同时，再在轮上附加一个适当的力偶［图 5-5c）］，就可以使轮子转动的效应和力 $\boldsymbol{F}$ 没有平移时［图 5-5a）］一样。可见，要将力平移，需要附加一个力偶才能和平移前等效。

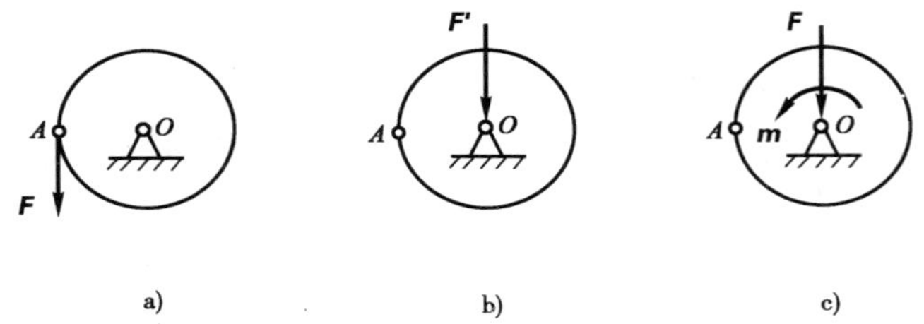

图 5-5

在一般情况下,设在物体的 A 点作用一个力 $\boldsymbol{F}$,如图 5-6a)所示,要将此力平移到物体的任一点 O。为此,在点 O 加上两个共线、反向、等值的力 $\boldsymbol{F}'$和 $\boldsymbol{F}''$,且其作用线与力 $\boldsymbol{F}$ 平行,大小与力 $\boldsymbol{F}$ 相等,如图 5-6b)所示,显然,这样并不影响原力 $\boldsymbol{F}$ 对物体的运动效果。为 $\boldsymbol{F}$ 与 $\boldsymbol{F}''$组成一个力偶,其力偶矩为

$$m = F \cdot d = m_O(\boldsymbol{F})$$

而作用在点 O 的力 $\boldsymbol{F}'$,其大小和方向与原力 $\boldsymbol{F}$ 相同,即相当于把原力 $\boldsymbol{F}$ 从点 A 平移到点 O,如图 5-6c)所示。

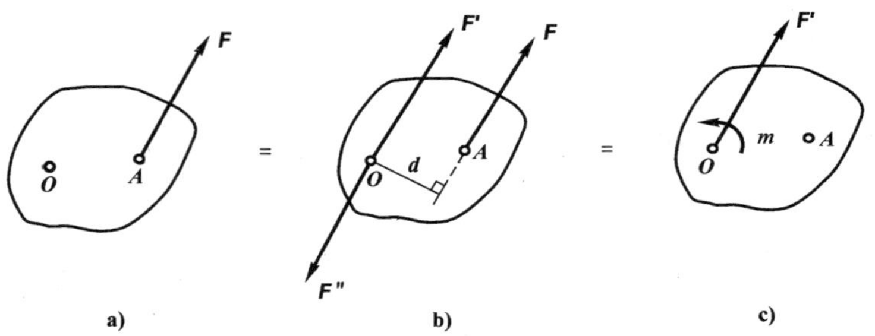

图 5-6

于是,得到**力的平移定理:作用于物体上的力 $\boldsymbol{F}$,可以平移到同一物体上的任一点 O,但必须同时附加一个力偶,其力偶矩等于原力 $\boldsymbol{F}$ 对于新作用点 O 的矩。**

力的平移定理是将一个力化为一个力和一个力偶。反之,在同平面内的一个力 $\boldsymbol{F}'$和一个力偶 m 也可化为一个合力,即由图 5-6c)化为图 a),这个力 $\boldsymbol{F}$ 与 $\boldsymbol{F}'$大小相等、方向相同、作用线平行,作用线间的垂直距离为

$$\boldsymbol{d} = \frac{|m|}{F'}$$

$\boldsymbol{F}$ 在 $\boldsymbol{F}'$哪一侧,视 $\boldsymbol{F}'$的方向和 m 的转向而定。上面这一做法也可称为力的平移定理的逆定理。

顺便指出,在图 5-6 中若将力的平移点 O 取在物体的重心处,则作用在 A 点的力 $\boldsymbol{F}$ 就与作用在重心的力 $\boldsymbol{F}'$和力偶($\boldsymbol{F}$,$\boldsymbol{F}''$)等效。这就清楚说明为什么自由物体在作用线不通过其重心之力的作用下,它将又移又转,而与力的作用线通过其重心时的情形不同。

§5-3　平面一般力系向作用面内任一点简化

一、简化方法

如图5-7a）所示，设在刚体上有一平面一般力系 $\boldsymbol{F}_1, \boldsymbol{F}_2, \cdots, \boldsymbol{F}_n$，分别作用于 A_1、A_2，$\cdots$，A_n 点。在平面内任取一点 O，称为**简化中心**，应用力的平移定理，把力系中各力都平移到这一点，这样，得到一个作用于点 O 的平面汇交力系 $\boldsymbol{F'}_1, \boldsymbol{F'}_2, \cdots, \boldsymbol{F'}_n$ 和一个附加的平面力偶系，其力偶矩分别为 m_1、m_2、$\cdots$、m_n，如图5-7b）所示。

作用于简化中心 O 的平面汇交力系中，各力的大小和方向分别与原力系中对应的各力相同，即：

$$\boldsymbol{F'}_1 = \boldsymbol{F}_1, \boldsymbol{F'}_2 = \boldsymbol{F}_2, \cdots, \boldsymbol{F'}_n = \boldsymbol{F}_n$$

而附加的平面力偶系中，各附加力偶的力偶矩分别等于原力系中各力对简化中心 O 点的矩，即：

$$m_1 = m_O(\boldsymbol{F}_1), m_2 = m_O(\boldsymbol{F}_2), \cdots, m_n = m_O(\boldsymbol{F}_n)$$

这样，平面一般力系分解成两个力系：平面汇交力系和平面力偶系。然后，再分别合成这两个力系。平面汇交力系 $\boldsymbol{F'}_1, \boldsymbol{F'}_2, \cdots, \boldsymbol{F'}_n$ 可合成为作用在简化中心 O 点的一个力 $\boldsymbol{R'}$，这个力 $\boldsymbol{R'}$ 称为原力系的主矢；附加力偶系可合成为一个力偶，这个力偶的力偶矩 M_O 称为原力系对简化中心 O 点的主矩，如图5-7c）所示。

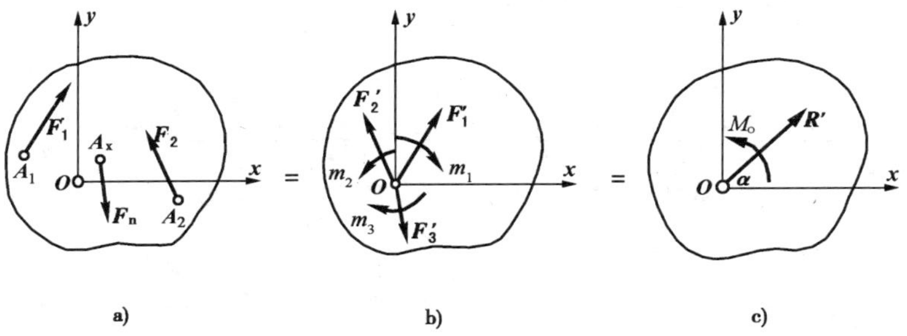

图　5-7

主矢 $\boldsymbol{R'}$

由平面汇交力系合成的几何法知：

$$\boldsymbol{R'} = \boldsymbol{F'}_1 + \boldsymbol{F'}_2 + , \cdots, + \boldsymbol{F'}_n$$

也即：

$$\boldsymbol{R'} = \boldsymbol{F}_1 + \boldsymbol{F}_2 + , \cdots, + \boldsymbol{F}_n = \sum \boldsymbol{F} \tag{5-1}$$

主矢 $\boldsymbol{R'}$ 的大小和方向也可用解析法求解。过简化中心 O 建立直角坐标系 Oxy，如图5-7所示，则由式(3-5)可得

$$\left.\begin{aligned} R' &= \sqrt{(\sum X)^2 + (\sum Y)^2} \\ \tan\alpha &= \frac{|\sum Y|}{|\sum X|} \end{aligned}\right\} \tag{5-2}$$

上式中 α 为主矢 $\boldsymbol{R'}$ 与 x 轴所夹的锐角，$\boldsymbol{R'}$ 的具体方向由 $\sum X$ 和 $\sum Y$ 的正负号来确定。由式(5-2)知，求主矢的大小和方向时，只要求出原力系中各力在坐标轴上的投影就可得出，而不

必将力平移后再求投影。

主矩 M_O,由平面力偶系的合成知:

$$M_O = m_1 + m_2 + \cdots + m_n = m_O(\boldsymbol{F}_1) + m_O(\boldsymbol{F}_2) + \cdots + m_O(\boldsymbol{F}_n) = \sum m_O(\boldsymbol{F}) \qquad (5\text{-}3)$$

由此可知,**平面一般力系向作用面内任一点简化的结果是一个力和一个力偶。这个力称为原力系的主矢,它作用在简化中心,且等于原力系中各力的矢量和;这个力偶称为原力系对简化中心的主矩,它等于原力系中各力对简化中心力矩代数和。**

由于主矢等于原力系各力的矢量和,所以,它与简化中心的选择无关。而主矩等于原力系各力对简化中心的力矩的代数和,取不同的点为简化中心,各力的力臂将会改变,则各力对简化中心的矩也会改变,所以在一般情况下主矩与简化中心的选择有关。这样对于主矩,必须标明力系对于哪一点的主矩。

主矢描述原力系对物体的平移作用,主矩描述原力系对物体绕简化中心的转动作用,二者的作用总和才能代表原力系对物体的作用。因此,单独的主矢 $\boldsymbol{R}'$或主矩 M_O 并不与原力系等效,即主矢 $\boldsymbol{R}'$不是原力系的合力,主矩 M_O 也不是原力系的合力偶矩,而主矢 $\boldsymbol{R}'$和主矩 M_O 二者才与原力系等效。

应用上面的理论,现在把第二章第 1 节中固定端支座的约束反力作一分析,以图 5-8a)所示悬臂梁为例。墙对梁插入部分的约束反力在平面问题中构成一个平面一般力系[图 5-8b)]。将该力系向 A 点简化得到一个力 $\boldsymbol{R}_A$ 和一个力偶矩为 m_A 的力偶[图 5-8c)]。一般情况 $\boldsymbol{R}_A$ 的大小和方向以及 m_A 均为未知,通常用两个分力 $\boldsymbol{X}_A$、$\boldsymbol{Y}_A$ 来代替 $\boldsymbol{R}_A$,则梁在 A 端所受的约束反力为 $\boldsymbol{X}_A$、$\boldsymbol{Y}_A$ 和 m_A 如图 5-8d)所示。

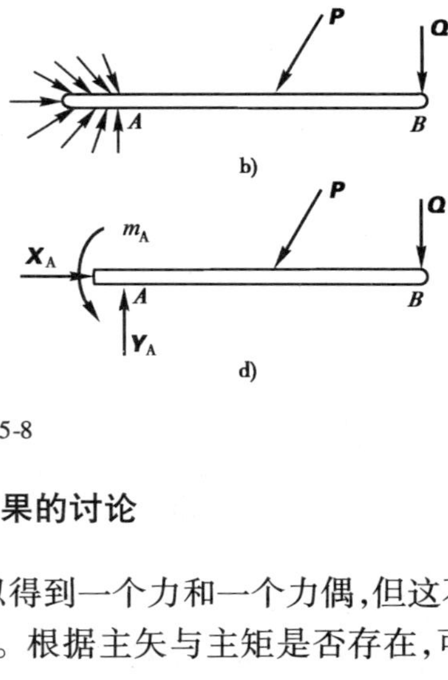

图 5-8

二、简化结果的讨论

平面一般力系向平面内一点简化,一般可以得到一个力和一个力偶,但这不是简化的最后结果,必须进一步合成,以便得到最简单的结果。根据主矢与主矩是否存在,可能出现下列四种情况:

(1)$\boldsymbol{R}' = 0, M'_O \neq 0$;

(2)$\boldsymbol{R}' \neq 0, M'_O = 0$;

(3)$\boldsymbol{R}' \neq 0, M'_O \neq 0$;

(4)$\boldsymbol{R}' = 0, M'_O = 0$。

下面对这几种情况作进一步的分析讨论。

1. 平面一般力系合成为一个力偶的情形

当 $\boldsymbol{R}'=0$，$M'_O \neq 0$ 时，说明力系与一个力偶等效，即原力系合成为一个合力偶，合力偶的力偶矩就等于原力系对简化中心的主矩，即

$$M'_O = \sum m_O(\boldsymbol{F})$$

由于力偶对于平面内任意一点的矩都相同，因此当力系合成为一个力偶时，主矩与简化中心的选择无关。

2. 平面一般力系合成为一个力的情形

当 $\boldsymbol{R}' \neq 0$，$M'_O=0$ 时，说明力系与通过简化中心的一个力等效，即原力系合成为一个合力，合力的大小、方向和原力系的主矢 $\boldsymbol{R}'$ 相同，作用线通过简化中心。

当 $\boldsymbol{R}' \neq 0$，$M'_O \neq 0$ 时，如图 5-9a）所示，将力偶矩为 M'_O 的力偶用两个反向平行力 $\boldsymbol{R}$、$\boldsymbol{R}''$ 表示，且使力的大小 $R=R''=R'$，如图 5-9b）所示，力 $\boldsymbol{R}''$ 与 $\boldsymbol{R}'$ 相互平衡，所以原力系合成为一个合力 $\boldsymbol{R}$，如图 5-9c）所示。合力 $\boldsymbol{R}$ 的大小、方向与原力系的主矢 $\boldsymbol{R}'$ 相同，合力的作用线到简化中心 O 的距离 d 为：

$$d=\frac{|M'_O|}{R'}=\frac{|M'_O|}{R}$$

合力 $\boldsymbol{R}$ 在 O 点的哪一侧，由 $\boldsymbol{R}$ 对 O 点的矩的转向应与主矩 M'_O 的转向相一致来确定。

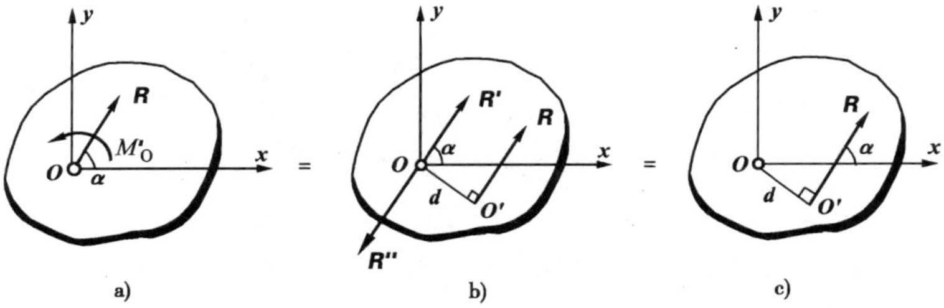

图 5-9

3. 平面一般力系平衡的情形

当 $\boldsymbol{R}'=0$ 和 $M'_O=0$ 时，力系平衡，这种情形将在下节详细讨论。

三、平面力系的合力矩定理

在第三章已讨论过平面汇交力系的合力矩定理，现在来推导平面一般力系的合力矩定理。

由图 5-9c）易见，合力 $\boldsymbol{R}$ 对 O 点的矩为：

$$M_O(\boldsymbol{R})=R \cdot d=M_O$$

而主矩 M_O 等于原力系中各力对 O 点的矩的代数和，即：

$$M_O=\sum m_O(\boldsymbol{F})$$

因此可得：

$$M_O(\boldsymbol{R})=\sum m_O(\boldsymbol{F}) \tag{5-4}$$

由于简化中心 O 是任意选取的，故上式有普遍意义，于是可得**平面力系的合力矩定理：平面一般力系的合力对作用面内任一点的矩，等于力系中各力对同一点矩的代数和。**

平面力系的合力矩定理可应用于简化力矩的计算，以及求平面一般力系合力的作用线

位置。

例 5-1 已知挡土墙自重 G=400 kN,土压力 $P=320$kN,水压力 $Q=176$ kN,各力的作用线位置如图 5-10a)所示。试将这三个力向底面中心 O 点简化,并求简化的最后结果。

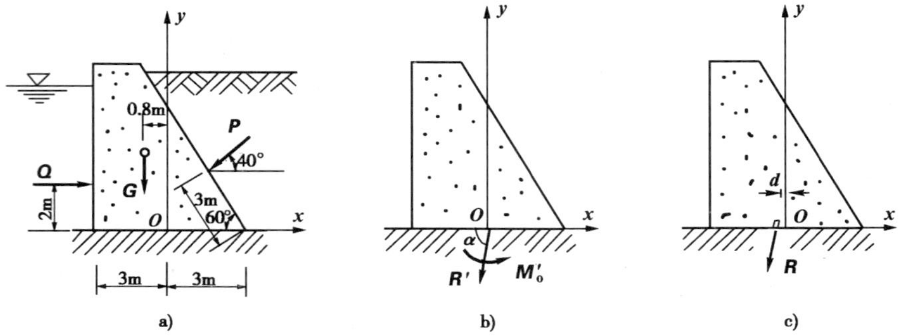

图 5-10

解 以底面中心 O 点为简化中心,取坐标系如图 5-10a)所示,由式(5-2)可求得主矢 $\boldsymbol{R}'$的大小和方向。由于

$$\sum X = Q - P\cos 40° = 176 - 320 \times 0.766 = -69 \text{ kN}$$

$$\sum Y = -P\sin 40° - G = -320 \times 0.643 - 400 = -606 \text{ kN}$$

所以

$$R' = \sqrt{(\sum X)^2 + (\sum Y)^2} = \sqrt{(-69)^2 + (-606)^2} = 610 \text{ kN}$$

$$\tan\alpha = \frac{|\sum Y|}{|\sum X|} = \frac{606}{69} = 8.78$$

$$\alpha = 83°30'$$

因为$\sum X$ 和$\sum Y$ 都是负值,故 $\boldsymbol{R}'$指向第三象限与 x 轴的夹角为 α。

再由式(5-3)可求得主矩为

$$\begin{aligned} M'_O &= \sum m_O(\boldsymbol{F}) = -Q \times 2 + P\cos 40° \times 3 \times \sin 60° - P\sin 40°(3 - 3\cos 60°) + G \times 0.8 \\ &= -176 \times 2 + 320 \times 0.766 \times 3 \times 0.866 - 320 \times 0.643 \times (3 - 3 \times 0.5) + 400 \times 0.8 \\ &= 296 \text{ kN·m} \end{aligned}$$

得正值表示M'_O 是逆时针转向。

因为主矢 $\boldsymbol{R}' \neq 0$,主矩 $M_O \neq 0$,如图 5-10b)所示,所以还可进一步合成为一个合力 $\boldsymbol{R}$。$\boldsymbol{R}$ 的大小、方向与 $\boldsymbol{R}'$相同,它的作用线与 O 点距离为

$$d = \frac{|M'_O|}{R'} = \frac{296}{610} = 0.485 \text{ m}$$

因M'_O 为正,故 $M_O(\boldsymbol{R})$也应为正,即合力 $\boldsymbol{R}$ 应在 O 点左侧,如图 5-10c)所示。

例 5-2 梁 AB 上作用有四个平行力,如图 5-11a)所示,求这四个力的合力。

解 这四个力组成平面平行力系,是平面一般力系的特殊情况,可以按照平面一般力系的合成方法求解。设坐标系 Axy 如图 5-11a),由于

$$\sum X = 0$$

$$\sum Y = -3 - 8 + 4 - 5 = -12 \text{ kN}$$

所以由式(5-2)可得合力 R 的大小为

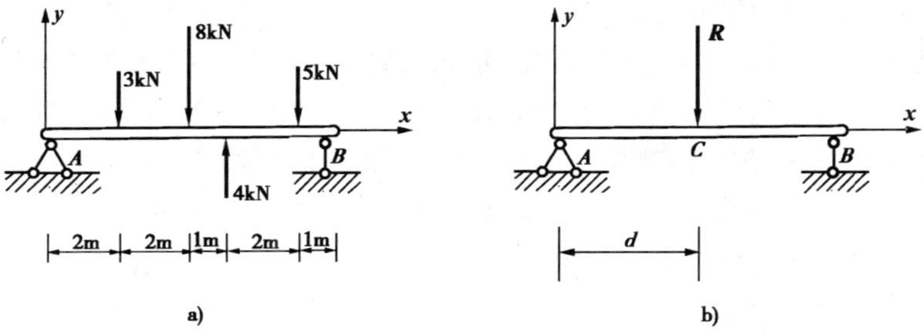

图 5-11

$$R = R' = \sqrt{(\sum X)^2 + (\sum Y)^2} = \sqrt{0 + (-12)^2} = 12\ \text{kN}$$

因$\sum X$为零,$\sum Y$为负值,故合力的方向为铅垂向下。

合力的作用线位置可以根据合力矩定理求得。取 A 点为矩心,因为

$$\sum m_A(\boldsymbol{F}) = -3\times2-8\times4+4\times5-5\times7 = -53\ \text{kN·m}$$

上式得负值,合力 $\boldsymbol{R}$ 对 A 点的矩也应该是负值,故它的作用线必在 A 点右侧[图 5-11b)],设与 A 点的距离为 d,则由

$$M_A(\boldsymbol{R}) = \sum m_A(\boldsymbol{F})$$

得

$$-Rd = -53$$

故

$$d = \frac{53}{R} = \frac{53}{12} = 4.42\ \text{m}$$

§5-4　平面一般力系的平衡方程

一、平衡方程的基本形式

平面一般力系向任一点简化得到主矢 $\boldsymbol{R}'$和主矩M'_O,如果主矢和主矩都等于零,表明简化后的汇交力系和附加力偶系都自成平衡,则原力系一定平衡,所以,主矢和主矩都等于零是平面一般力系平衡的充分条件。反之,如果主矢和主矩中有一个量或两个量不为零时,原力系中成为一个合力或一个力偶,力系就不平衡,所以,主矢和主矩都等于零也是力系平衡的必要条件。

于是,**平面一般力系平衡的必要和充分条件是:力系的主矢和力系对任一点的主矩都等于零**。即

$$\boldsymbol{R}' = 0 \qquad M'_O = 0$$

由于

$$R' = \sqrt{(\sum X)^2 + (\sum Y)^2} \qquad M'_O = \sum M_O(\boldsymbol{F}) = \sum M_O$$

于是平面一般力系的平衡条件为

$$\left.\begin{aligned}\sum X &= 0\\ \sum Y &= 0\\ \sum M_O &= 0\end{aligned}\right\} \tag{5-5}$$

式(5-5)说明**平面一般力系平衡的必要和充分条件为:力系中所有各力在两个坐标轴中每**

一轴上的投影的代数和都等于零;力系中所有各力对于任一点的力矩的代数和等于零。

式(5-5)称为**平面一般力系平衡方程的基本形式**。其中前两式称为**投影方程**,后一式称为**力矩方程**。对于投影方程可以理解为:物体在力系作用下沿 x 轴和 y 轴方向不可移动;对于力矩方程可以理解为:物体在力系作用下绕任一矩心都不能转动。当满足平衡方程时,物体既不能移动,也不能转动,物体就处于平衡状态。当物体在平面一般力系作用下处于平衡时,就可以应用这三个平衡方程求解三个未知量。

例 5-3 钢筋混凝土刚架,受荷载及支承情况如图 5-12a)所示。已知 P = 5 kN, $m = 2$ kN·m,刚架自重不计,求支座 A、B 的反力。

解 取刚架为研究对象,画其受力图如图 5-12b)所示。刚架上作用有集中力 $\boldsymbol{P}$ 和力偶 m,以及支座反力 $\boldsymbol{X}_A$、$\boldsymbol{Y}_A$、$\boldsymbol{R}_B$,各反力的指向都是假定的,它们组成平面一般力系。应用三个平衡方程可以求解三个未知反力。

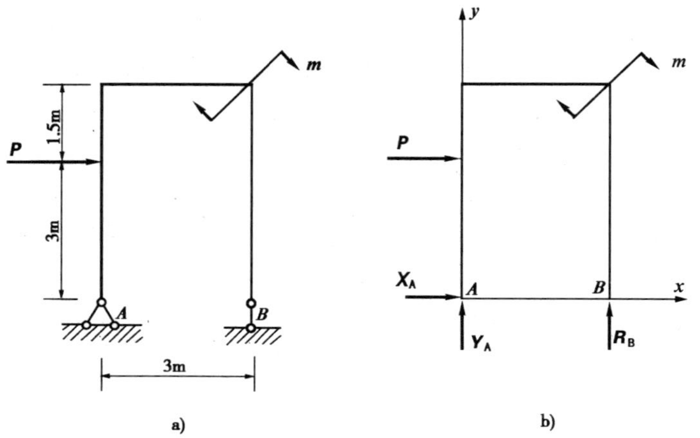

图 5-12

本题有一个力偶荷载,由于力偶在任一轴上投影都为零,故力偶在投影方程中不出现;由于力偶对平面内任一点之矩都等于力偶矩,而与矩心的位置无关,故在力矩方程中可直接将力偶矩列入。

设坐标系如图 5-12b),由

$$\sum X = 0 \qquad P + X_A = 0$$

得

$$X_A = -P = -5\ \text{kN}(\leftarrow)$$

由

$$\sum m_A = 0 \qquad -P \times 3 - m + R_B \times 3 = 0$$

得

$$R_B = \frac{3P + m}{3} = \frac{3 \times 5 + 2}{3} = 5.67\ \text{kN}(\uparrow)$$

由

$$\sum Y = 0 \qquad Y_A + R_B = 0$$

得

$$Y_A = -R_B = -5.67\ \text{kN}(\downarrow)$$

得数为正,说明原假设的指向正确;得数为负,说明原假设的指向错误,最后可将各反力正确的指向表示在答案后面的括号内。

例 5-4 如图 5-13a)所示悬臂梁。已知 $P = ql$,$\alpha = 45°$,梁自重不计,求支座 A 的反力。

解 取梁 AB 为研究对象，画其受力图如图 5-13b）所示，支座反力的指向是假定的。梁上所受荷载和支座反力组成平面一般力系。

梁上的均布荷载可先合成得合力 $\boldsymbol{Q}$。$Q=\dfrac{ql}{2}$，方向铅垂向下，作用在 AC 段的中点。

设坐标系如图 5-13b），由

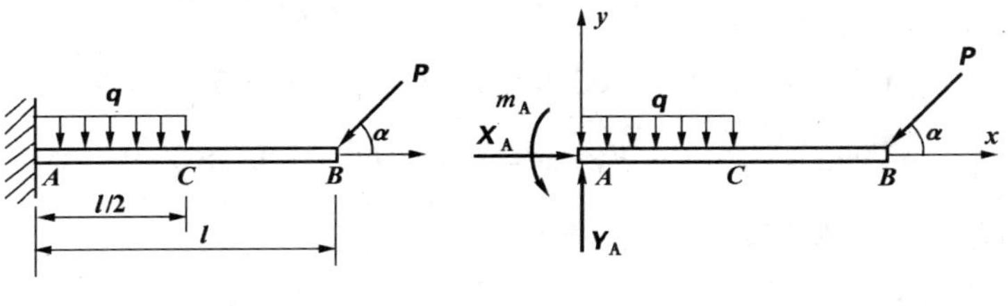

a)　　　　b)

图 5-13

$$\sum X=0 \qquad X_A-P\cos\alpha=0$$

得
$$X_A=P\cos\alpha=ql\cos45°=\frac{\sqrt{2}}{2}ql(\rightarrow)$$

由
$$\sum Y=0 \qquad Y_A-\frac{ql}{2}-P\sin\alpha=0$$

得
$$Y_A=\frac{ql}{2}+P\sin\alpha=\frac{ql}{2}\times\frac{\sqrt{2}}{2}=\frac{1+\sqrt{2}}{2}ql(\uparrow)$$

由
$$\sum m_A=0 \qquad m_A-\frac{ql}{2}\times\frac{l}{4}-P\sin\alpha\times l=0$$

得
$$m_A=\frac{ql^2}{8}+\frac{\sqrt{2}}{2}ql^2=\frac{1+4\sqrt{2}}{8}ql^2(\circlearrowleft)$$

力系既然平衡，则力系中各力在任一轴上的投影代数和必然等于零，力系中各力对于任一点的力矩代数和也必然等于零，因此，我们可再列出其他的平衡方程，用以校核计算有无错误。

校核：
$$\sum m_B=\frac{ql}{2}\times\frac{3}{4}l+m_A-Y_A\times l=\frac{3}{8}ql^2+\frac{1+4\sqrt{2}}{8}ql^2-\frac{1+\sqrt{2}}{2}ql^2=0$$

可见 Y_A 和 m_A 计算无误。

例 5-5 如图5-14a）所示混凝土浇灌器连同物料共重 $G=60$ kN，作用于 C 点，用绳索沿铅直导轨匀速吊起。已知 $a=300$ mm，$b=600$ mm，$\alpha=10°$，不计摩擦，求导轨对每对导轮 A 和 B 的约束反力及绳索中的拉力。

解 取混凝土浇灌器为研究对象。其受力图如图 5-14b）所示，在 A、B 处所受的约束相当于可动铰支座，故反力 $\boldsymbol{N}_A$、$\boldsymbol{N}_B$ 都与导轨垂直，绳索的拉力 $\boldsymbol{T}$ 沿绳索中心线，在 C 点还作用有重力 $\boldsymbol{G}$，这些力组成平面一般力系。

设坐标系如图 5-14b），由

$$\sum Y=0 \qquad T\cos\alpha-G=0$$

得
$$T=\frac{G}{\cos\alpha}=\frac{60}{0.985}=60.9\ \text{kN}$$

取 $\boldsymbol{T}$ 和 $\boldsymbol{N}_A$ 两力的作用线的交点 E 为矩心,列力矩方程

$$\sum m_E = 0 \qquad N_B(a+b) - G(a\tan\alpha) = 0$$

得
$$N_B = \frac{a\tan\alpha}{a+b}G = \frac{0.3\times 0.1763}{0.3+0.6}\times 60 = 3.53\ \text{kN}$$

由
$$\sum X = 0 \qquad N_A + N_B - T\sin\alpha = 0$$

得
$$N_A = T\sin\alpha - N_B = 60.9\times 0.1736 - 3.53 = 7.04\ \text{kN}$$

校核:
$$\sum m_D = N_B\times b - N_A\times a = 3.53\times 60 - 7.04\times 30 \approx 0$$

说明求得的 N_A 和 N_B 是正确的。

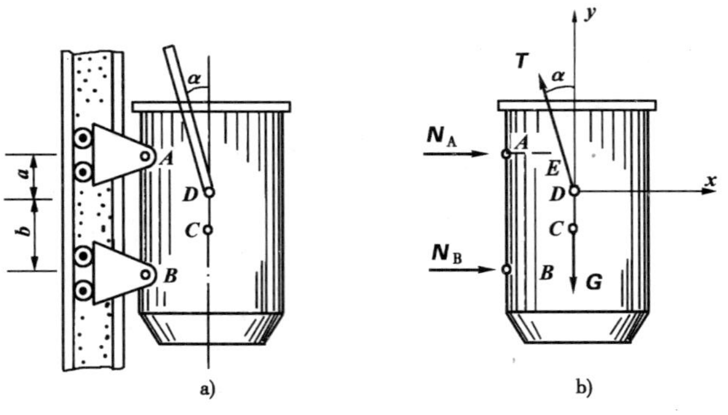

图 5-14

本题选投影轴 y 与两个未知力 $\boldsymbol{N}_A$、$\boldsymbol{N}_B$ 成垂直,使得投影方程 $\sum Y=0$ 中只包含一个未知量 T;选 $\boldsymbol{T}$ 与 $\boldsymbol{N}_A$ 的交点 E 为矩心,在力矩方程 $\sum m_E=0$ 中就只有一个未知量 N_B,这样选取投影轴和矩心,使得所列每个平衡方程中只包含一个未知量,便于计算。

二、平衡方程的其他形式

前面我们通过平面一般力系的平衡条件导出了平面一般力系平衡方程的基本形式,根据平衡条件还可以导出平衡方程的其他两种形式。

1. 二力矩形式的平衡方程

$$\left.\begin{aligned}\sum X &= 0\\ \sum m_A &= 0\\ \sum m_B &= 0\end{aligned}\right\} \tag{5-6}$$

式中 x 轴不与 A、B 两点的连线垂直(图 5-15)。

2. 三力矩形式的平衡方程

$$\left.\begin{aligned}\sum m_A &= 0\\ \sum m_B &= 0\\ \sum m_C &= 0\end{aligned}\right\} \tag{5-7}$$

式中 A、B、C 三点不在同一直线上(图 5-16)。

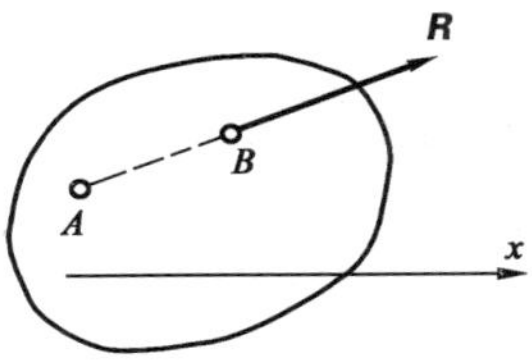

图 5-15

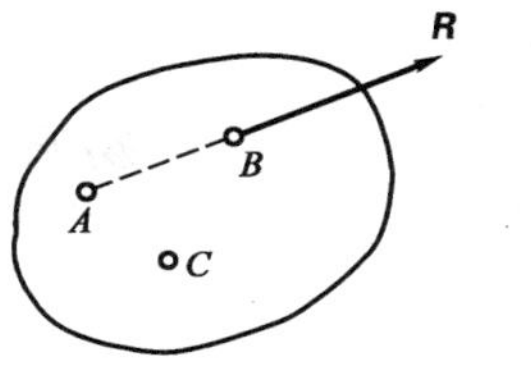

图 5-16

平衡方程虽然有三种形式,但不论采用哪种形式,都只能写出三个独立的平衡方程。因为当力系满足式(5-5),或式(5-6),或式(5-7)的三个平衡方程时,则力系一定平衡。因此,应用平面一般力系的平衡方程,只能求解三个未知量。

应用平面一般力系平衡方程解题的步骤如下:

(1)确定研究对象　根据题意分析已知量和未知量,选取适当的研究对象。

(2)画受力图　在研究对象上画出它受到的所有主动力和约束反力。约束反力根据约束类型来画。当约束反力的方向未定时,一般可用两个互相垂直的分反力表示;当约束反力的指向未定时,可以先假设其指向。如果计算结果为正,则表示假设的指向正确;如果计算结果为负,则表示实际的指向与假设的相反。

(3)列平衡方程　选取适当的平衡方程形式、投影轴和矩心。选取哪种形式的平衡方程,完全取决于计算的方便与否。通常力求在一个平衡方程中只包含一个未知量,以免求解联立方程。在应用投影方程时,投影轴尽可能选取与较多的未知力的作用线垂直;应用力矩方程时,矩心往往取在两个未知力的交点。计算力矩时,要善于运用合力矩定理,以便使计算简单。

(4)解平衡方程,求得未知量。

(5)校核列出非独立的平衡方程,以检查解题的正确与否。

例 5-6　梁 AB 的两端支承在墙内,受荷载如图 5-17a)所示。不计梁自重,求墙壁对梁 A、B 端的约束反力。

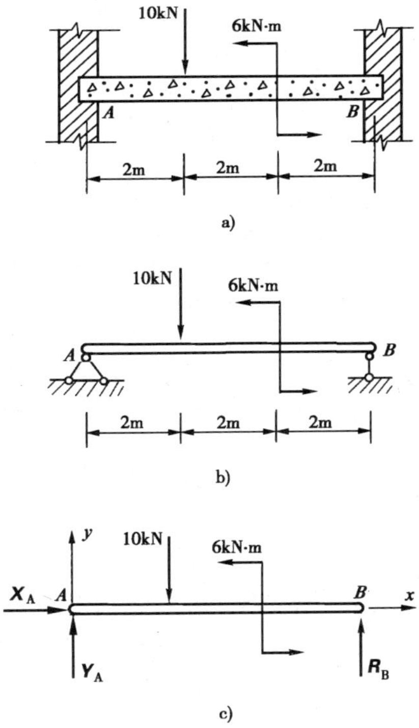

图 5-17

解　先考虑墙壁对梁的约束应简化为哪种形式的支座。当梁端伸入墙内的长度较短时,墙壁可限制梁沿水平和铅直方向的移动,而对梁端转动约束的能力很小,一般就不考虑阻止转动的约束性能,而将它简化为固定铰支座。在工程上,为了方便计算,通常又将两端墙体之一视为可动铰支座。同时,近似地取支承长度的中点作为支座处,这种两端分别支承在固定铰支座和可动铰支座上的梁,称为简支梁。如图 5-17b)所示。

再求梁的支座反力。取梁 AB 为研究对象,并画其受力图如图 5-17c)所示。梁上荷载和支座反力组成平面一般力系。设坐标系如图 5-17c),由

$$\sum m_A = 0 \qquad -10 \times 2 + 6 + 6R_B = 0$$

得

$$R_B = \frac{20-6}{6} = 2.33\ \text{kN}(\uparrow)$$

由

$$\sum m_B = 0 \qquad 10 \times 4 + 6 - 6Y_A = 0$$

得

$$Y_A = \frac{40+6}{6} = 7.67\ \text{kN}(\uparrow)$$

由

$$\sum X = 0$$

得

$$X_A = 0$$

校核：$\sum Y = Y_A + R_B - 10 = 7.67 + 2.33 - 10 = 0$
可见 Y_A、R_B 计算无误。

本题采用二力矩形式的平衡方程，所选 x 轴与两矩心 A、B 连线不垂直，符合平衡方程的限制条件，因而能将所有未知力求出。

例 5-7 如图5-18a）所示为一悬臂式起重机，A、B、C 处都是铰链连接。梁 AB 自重 $G=1$ kN，作用在梁的中点，提升重力 $P=8$kN，杆 BC 自重不计，求支座 A 的反力和杆 BC 所受的力。

解 取梁 AB 为研究对象，画其受力图如图 5-18b）所示。A 处为固定铰支座，其反力用两分反力 $\boldsymbol{X}_A$、$\boldsymbol{Y}_A$ 表示；杆 BC 为二力杆，它的约束反力沿 BC 线，并假设受拉。

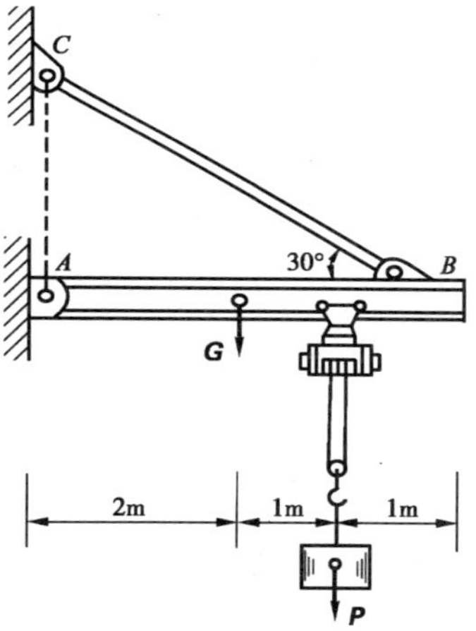

a)

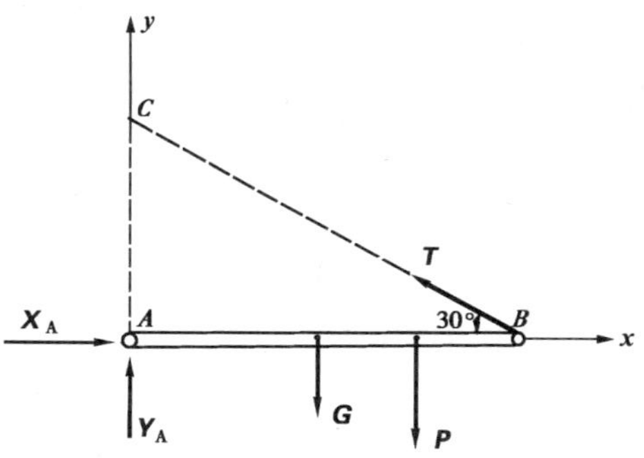

b)

图 5-18

梁 AB 所受各力组成平面一般力系，三个未知力两两相交于 A、B、C 三点，用三力矩形式的平衡方程可以求解这三个未知力。由

$$\sum m_A = 0 \qquad -G \times 2 - P \times 3 + T\sin 30^\circ \times 4 = 0$$

得

$$T = \frac{2G+3P}{4\sin 30^\circ} = \frac{2 \times 1 + 3 \times 8}{4 \times 0.5} = 13\ \text{kN}(\nwarrow)$$

由

$$\sum m_B = 0 \qquad -Y_A \times 4 + G \times 2 + P \times 1 = 0$$

得

$$Y_A = \frac{2G+P}{4} = \frac{2 \times 1 + 8}{4} = 2.5\ \text{kN}(\uparrow)$$

由 $$\sum m_C=0 \quad X_A\times 4\tan30°-G\times2-P\times3=0$$

得 $$X_A=\frac{2G+3P}{4\tan30°}=\frac{2\times1+3\times8}{4\times0.577}=11.26\ \text{kN}(\rightarrow)$$

校核:设坐标系如图5-18b),由

$$\sum X=X_A-T\cos30°=11.26-13\times0.866=0$$

$$\sum Y=Y_A-G-P+T\sin30°=2.5-1-8+13\times0.5=0$$

可见计算无误。

例5-8 如图5-19a)所示管道搁置在三角支架上,管道加在架上的荷载:大管 $P_1=12$ kN,小管 $P_2=7$ kN,架重不计。求 A、C 处的支座反力。

解 该支架在 A、C 两处都是用混凝土浇筑埋入墙内,D 处是利用连接钢板将角钢 AB 和 CD 焊接牢;一般可近似地将 A、C、D 处视为铰链连接;管道荷载视为集中力;于是画出支架的计算简图如图5-19b)所示。

(1)取 AB 梁为研究对象。

(2)画 AB 梁的受力图。

如图5-19c)所示,作用在 AB 梁上的力有:荷载 $\boldsymbol{P}_1$、$\boldsymbol{P}_2$;支座 A 的约束反力 $\boldsymbol{X}_A$、$\boldsymbol{Y}_A$、以及二力杆 CD 的约束反力 $\boldsymbol{S}$。$\boldsymbol{X}_A$、$\boldsymbol{Y}_A$、$\boldsymbol{S}$ 的指向均为假设。作用在 AB 梁上的力组成一平面一般力系。因未知力只有三个,故可解。

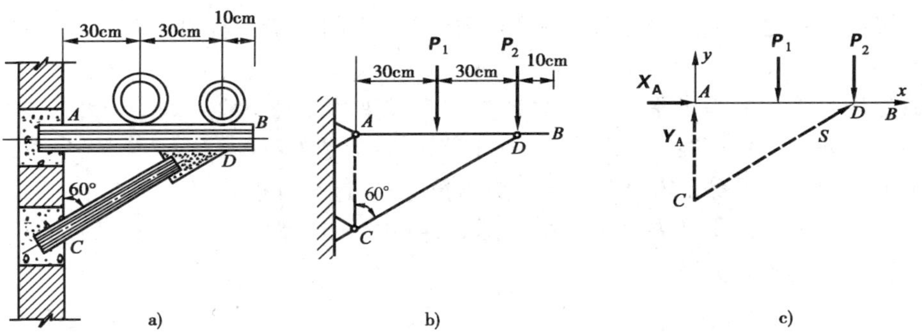

图 5-19

(3)选取矩心,列平衡方程求解。

以 A 点为矩心,由

$$\sum m_A(\boldsymbol{F})=0 \qquad -P_1\times30-P_2\times60+S\times\sin30°\times60=0$$

得

$$S=\frac{30P_1+60P_2}{0.5\times60}=\frac{12\times30+7\times60}{0.5\times60}=26\ \text{kN}(\nearrow)$$

以 D 点为矩心,由

$$\sum m_D(\boldsymbol{F})=0 \qquad P_1\times30-Y_A\times60=0$$

得 $$Y_A=\frac{30\times P_1}{60}=\frac{30\times12}{60}=6\ \text{kN}(\uparrow)$$

以 C 点为矩心，由

$$\sum m_C(\boldsymbol{F})=0 \qquad -P_1\times30-P_2\times60+X_A\cdot\frac{60}{\tan60°}=0$$

得
$$X_A=-\frac{30P_1+60P_2}{60}\tan60°=-\frac{30\times12+60\times7}{60}\times1.732=-22.5\ \mathrm{kN}(\leftarrow)$$

(4)校核。

取坐标系如图 5-19c)，由

$$\sum Y=Y_A-P_1-P_2+S\times\sin30°=6-12-7+26\times0.5=0$$

可见 Y_A、S 的计算无误。欲校核 X_A，可再列一平衡方程，由

$$\sum X=X_A+S\times\cos30°=-22.5+26\times0.866=0$$

可见 X_A 计算也无误。

求出 CD 杆对梁的约束力 $\boldsymbol{S}$ 后，再考虑 CD 杆的平衡，可知 C 处的支座反力 $\boldsymbol{R}_C$，大小等于 $\boldsymbol{S}$，方向沿 CD，并指向杆 D 点，见图 5-19c)，即：

$$R_C=S=26\ \mathrm{kN}(\nearrow)$$

§5-5　平面平行力系的平衡方程

平面平行力系是平面一般力系的一种特殊情况，它的平衡方程可以从平面一般力系的平衡方程导出。

设有作用物体上的一个平面平行力系如图 5-20 所示，取 x 轴垂直于力系中各力的作用线，y 轴与各力平行，不论力系是否平衡，各力在 x 轴上的投影恒等于零，即 $\sum X=0$ 成为恒等式，这一方程就可以从平面一般力系的平衡方程中除去。因此，由式(5-5)就可导出平面平行力系的平衡方程为

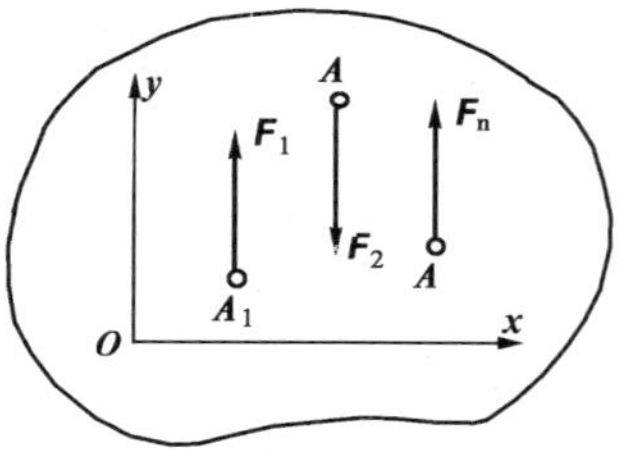

图 5-20

$$\left.\begin{aligned}\sum Y=0\\ \sum m_0(\boldsymbol{F})=0\end{aligned}\right\} \tag{5-8}$$

因为各力与 y 轴平行，所以 $\sum Y=0$ 就表明各力的代数和等于零。这样，**平面平行力系平衡的必要和充分条件是：力系中所有各力的代数和等于零；力系中各力对任一点的力矩的代数和等于零。**

同理，由平面一般力系平衡方程的二力矩形式(5-6)，可导出平面平行力系平衡方程的另一种形式为

$$\left.\begin{aligned}\sum m_A=0\\ \sum m_B=0\end{aligned}\right\} \tag{5-9}$$

式中 A、B 两点的连线不与各力的作用线平行。

平面平行力系只有两个独立的平衡方程，只能求解两个未知量。

例 5-9　一个桥梁桁架所受荷载如图5-21a)所示，求支座 A、B 的反力。

解 取整个桁架为研究对象,画其受力图如图 5-21b)所示。桁架上作用有集中荷载及支座反力 $\boldsymbol{R}_A$、$\boldsymbol{R}_B$ 由于荷载与 $\boldsymbol{R}_B$ 相互平行,故 $\boldsymbol{R}_A$ 必与各力平行,才能保持该力系为平衡力系。这样荷载与支座反力组成平面平行力系。可应用两个平衡方程求解两个未知量。

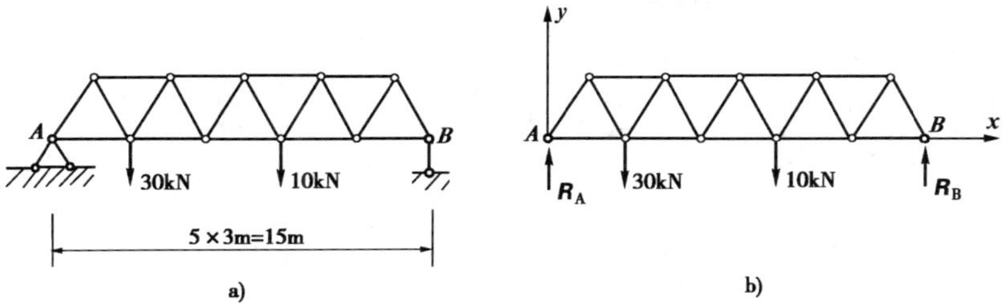

图 5-21

设坐标系如图 5-21b),由

$$\sum m_B = 0 \qquad 30 \times 12 + 10 \times 6 - R_A \times 15 = 0$$

得
$$R_A = \frac{360 + 60}{15} = 28\ \text{kN}(\uparrow)$$

由
$$\sum Y = 0 \qquad R_A + R_B - 30 - 10 = 0$$

得
$$R_B = 30 + 10 - R_A = 40 - 28 = 12\ \text{kN}(\uparrow)$$

例 5-10 某房屋的外伸梁的尺寸如图5-22a)所示。该梁的 AB 段受均布荷载 $q_1 = 20\ \text{kN/m}$,BC 段受均布荷载 $q_2 = 25\ \text{kN/m}$,求支座 A、B 的反力。

解 图 5-22a)外伸梁 AC 在 A、B 处的约束一般可以简化为固定铰支座和可动铰支座,如图 5-22b)所示。

取梁 AC 为研究对象,画其受力图如图 5-22c)所示。在竖向荷载 $\boldsymbol{q}_1$ 和 $\boldsymbol{q}_2$ 作用下,支座反力 $\boldsymbol{R}_A$、$\boldsymbol{R}_B$ 沿铅垂方向,它们组成平面平行力系。

应用二个力矩式平衡方程可求解二个未知力,由

$$\sum m_B = 0 \qquad q_1 \times 5 \times 2.5 - q_2 \times 2 \times 1 - R_A \times 5 = 0$$

得 $$R_A = \frac{12.5 \times q_1 - 2q_2}{5} = \frac{12.5 \times 20 - 2 \times 25}{5} = 40\ \text{kN}(\uparrow)$$

由 $$\sum m_A = 0 \qquad R_B \times 5 - q_1 \times 5 \times 2.5 - q_2 \times 2 \times 6 = 0$$

得 $$R_B = \frac{12.5q_1 + 12q_2}{5} = \frac{12.5 \times 20 + 12 \times 25}{5} = 110\ \text{kN}(\uparrow)$$

校核:设坐标系如图 5-22c)

$$\sum Y = R_A + R_B - q_1 \times 5 - q_2 \times 2 = 40 + 110 - 20 \times 5 - 25 \times 2 = 0$$

说明计算无误。

例 5-11 塔式起重机的机身总重力 $G = 220\ \text{kN}$,作用线通过塔架的中心,最大起重量 $P = 50\ \text{kN}$,平衡重 $Q = 30\ \text{kN}$。试求满载和空载时轨道 A、B 的约束反力,并问此起重机在使用过程中会不会翻倒。

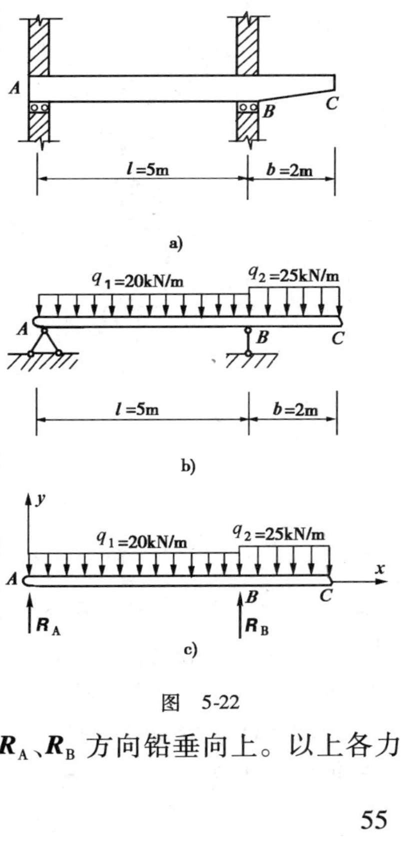

图 5-22

解 取起重机为研究对象,画其受力图如图 5-23 所示。作用在起重机上有重力 $\boldsymbol{G}$、$\boldsymbol{P}$、$\boldsymbol{Q}$ 及轨道的约束反力 $\boldsymbol{R}_A$、$\boldsymbol{R}_B$,$\boldsymbol{R}_A$、$\boldsymbol{R}_B$ 方向铅垂向上。以上各力

组成平面平行力系。分别以 B、A 两点为矩心，列出平衡方程

$$\sum m_B = 0 \qquad Q(6+2) + G\times 2 - P(12-2) - R_A \times 4 = 0$$

$$\sum m_A = 0 \qquad Q(6-2) - G\times 2 - P(12+2) + R_B \times 4 = 0$$

联立解得

$$R_A = 2Q + 0.5G - 2.5P$$

$$R_B = -Q + 0.5G + 3.5P$$

当满载时，$P = 50$ kN，代入得

$$R_A = 2\times 30 + 0.5\times 220 - 2.5\times 50 = 45 \text{ kN}(\uparrow)$$

$$R_B = -30 + 0.5\times 220 + 3.5\times 50 = 255 \text{ kN}(\uparrow)$$

当空载时，$P = 0$，代入得

$$R_A = 2\times 30 + 0.5\times 220 = 170 \text{ kN}(\uparrow)$$

$$R_B = -30 + 0.5\times 220 = 80 \text{ kN}(\uparrow)$$

满载时，为了保证起重机不致绕 B 点翻倒，必须使 $R_A > 0$；空载时，为了保证起重机不致绕 A 点翻倒，必须使 $R_B > 0$。由上述计算结果可知，满载时，$R_A = 45$ kN > 0；空载时，$R_B = 80$ kN > 0。因此，起重机在使用过程中不会翻倒。

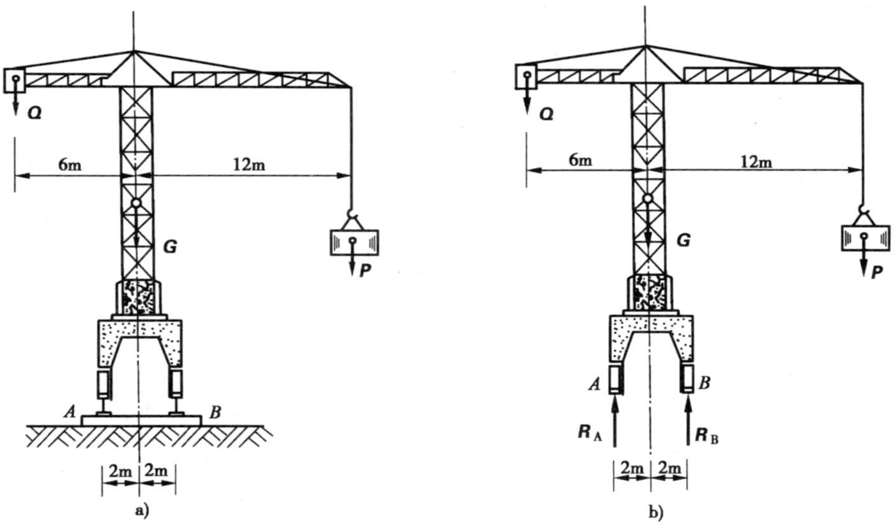

图 5-23

§5-6 物体系统的平衡

在工程中，常常遇到由几个物体通过一定的约束联系在一起的系统，这种系统称为**物体系统**。例如图 5-24a）所示的组合梁，就是由梁 AB 和梁 BC 通过铰 B 连接，并支承在 A、C 支座而组成的一个物体系统。所谓物体系统的平衡是指组成系统的每一物体及系统整体都处于平衡状态。

求解物体系统的平衡问题，就是计算出物体系统的内、外约束反力。解决问题的关键在于恰当地选取研究对象，一般有两种选取的方法：

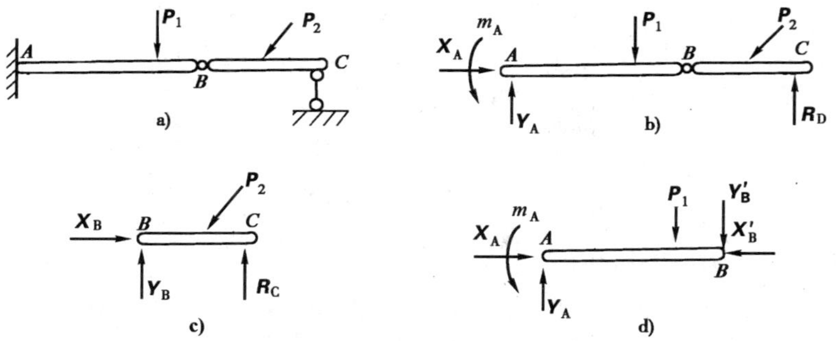

图 5-24

(1)先取整个物体系统作为研究对象,求得某些未知量;再取其中某部分物体(一个物体或几个物体的组合)作为研究对象,求出其他未知量。

(2)先取某部分物体作为研究对象,再取其他部分物体或整体作为研究对象,逐步求得所有的未知量。

不论取整个物体系统或是系统中某一部分作为研究对象,都可根据研究对象所受的力系的类别列出相应的平衡方程去求解未知量。例如要求图 5-24a)所示组合梁在 A、B、C 处的约束反力,可先取 BC 梁作为研究对象,画其受力图[图 5-24c)],所受各力组成平面一般力系,列出三个平衡方程,求得 $\boldsymbol{R}_C$、$\boldsymbol{X}_B$、$\boldsymbol{Y}_B$ 三个未知力;再取 AB 梁作为研究对象,由其受力图[图 5-24d)]可见所受各力也组成平面一般力系,而且$\boldsymbol{X'}_B$、$\boldsymbol{Y'}_B$ 与 $\boldsymbol{X}_B$、$\boldsymbol{Y}_B$ 是作用与反作用关系已经求得,这样,余下三个未知量 $\boldsymbol{X}_A$、$\boldsymbol{Y}_A$、m_A 可由三个平衡方程求解。一般说,系统由 n 个物体组成,而每个物体又都是受平面一般力系作用,则共可列出 $3n$ 个独立的平衡方程,从而可以求解 $3n$ 个未知量。如果系统中的物体受的是平面汇交力系或平面平行力系作用,则独立的平衡方程的个数将相应减少,而所能求的未知量的个数也相应减少。

下面举例说明求解物体系统平衡问题的方法。

例 5-12 组合梁受荷载如图5-25a)所示。已知 $q=5\ \text{kN/m}$,$P=30\ \text{kN}$,梁自重不计,求支座 A、B、D 的反力。

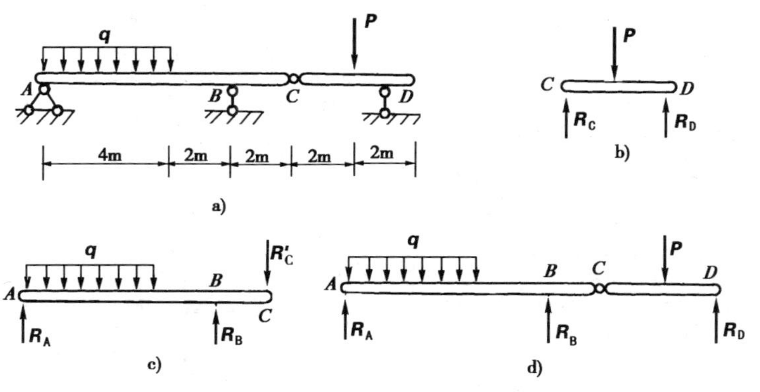

图 5-25

解 组合梁由两段 AC、CD 在 C 处用铰链连接并支承于三个支座上而构成。

若取整个梁为研究对象,画其受力图如图 5-25d)所示。由受力图可知,它在平面平行力系作用下平衡,有 $\boldsymbol{R}_A$、$\boldsymbol{R}_B$ 和 $\boldsymbol{R}_D$ 三个未知量,而独立的平衡方程只有两个,不能求解。因而需要将梁从铰 C 处拆开,分别考虑 CD 段和 AC 段的平衡,画出它们的受力图如图 5-25b)、c)所示。在梁 CD 段上,作用着平面平行力系,只有两个未知量,应用平衡方程可求得 $\boldsymbol{R}_D$,$\boldsymbol{R}_D$ 求出后，再考虑整体平衡[图 5-25d)]，$\boldsymbol{R}_A$、$\boldsymbol{R}_B$ 也可求出。

综上分析，求法如下：

(1)取梁 CD 段为研究对象[图 5-25b)]，由

$$\sum m_C = 0 \qquad R_D \times 4 - P \times 2 = 0$$

得

$$R_D = \frac{2P}{4} = \frac{2 \times 30}{4} = 15\ \text{kN}(\uparrow)$$

(2)取整个组合梁为研究对象[图 5-25d)]由，

$$\sum m_A = 0 \qquad R_B \times 6 + R_D \times 12 - q \times 4 \times 2 - P \times 10 = 0$$

得

$$R_B = \frac{8q + 10P - 12R_D}{6} = \frac{8 \times 5 + 10 \times 30 - 12 \times 15}{6} = 26.7\ \text{kN}(\uparrow)$$

由

$$\sum m_B = 0 \qquad q \times 4 \times 4 - P \times 4 - R_A \times 6 + R_D \times 6 = 0$$

得

$$R_A = \frac{16q - 4P + 6R_D}{6} = \frac{16 \times 5 - 4 \times 30 + 6 \times 15}{6} = 8.33\ \text{kN}(\uparrow)$$

校核：对整个组合梁，列出

$$\sum Y = R_A + R_B + R_D - q \times 4 - P = 8.33 + 26.7 + 15 - 5 \times 4 - 30 \approx 0$$

可见计算正确。

本题还可以先取梁 CD 段为研究对象，求解 $\boldsymbol{R}_C$ 和 $\boldsymbol{R}_D$；再取梁 AC 段为研究对象，求解 $\boldsymbol{R}_A$ 和 $\boldsymbol{R}_B$。但这一种解法不如上述解法简单。

例 5-13 钢筋混凝土三铰钢架受荷载如图 5-26 所示，已知 $P = 12$ kN，$q = 8$ kN/m，求支座 A、B 及顶铰 C 处的约束反力。

解 三铰拱由左、右两半拱组成。分别分析整个三铰拱和左、右两半拱的受力，画出它们的受力图，如图 5-26b)、c)、d)所示。由图可见，不论是整个三铰拱或是左、右半拱都各有四个

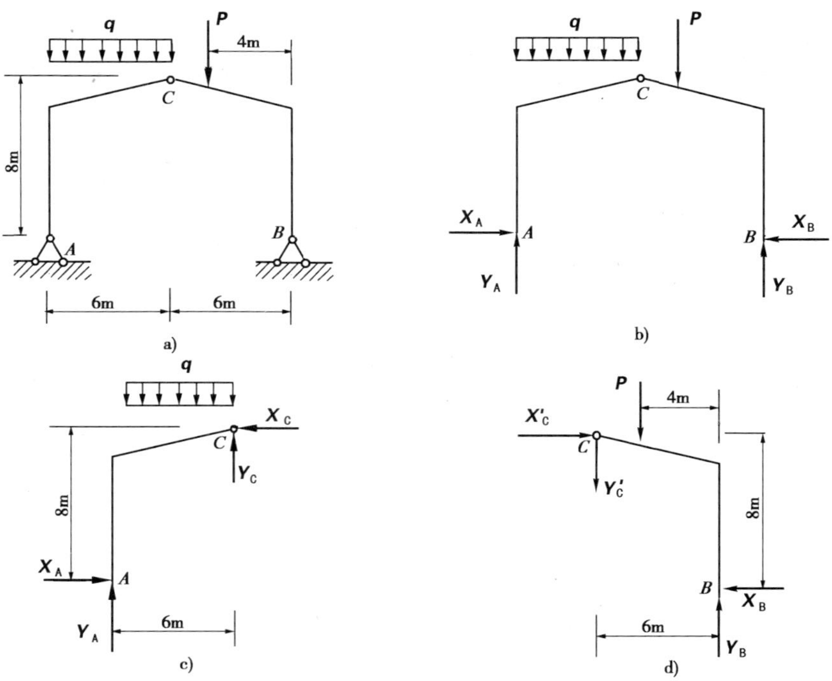

图 5-26

未知数，不过总的未知数个数只有六个。因而分别选取整体和左（或右）半拱为研究对象，列出六个平衡方程，可以求解六个未知数；也可以分别选取左、右两半拱为研究对象，求解六个未知数。但是，这样解法计算较繁。我们注意到整个三铰拱虽有四个未知力，但若分别以 A 和 B 为矩心，列出力矩方程，可以方便地求出 $\boldsymbol{Y}_B$ 和 $\boldsymbol{Y}_A$。然后，再考虑一个半拱的平衡，这时，每个半拱都只剩下三个未知力，问题就迎刃而解了。

综上分析，计算如下：

（1）取整个三铰拱为研究对象[图 5-26b)]，由

$$\sum m_A = 0 \qquad -q \times 6 \times 3 - P \times 8 + Y_B \times 12 = 0$$

得

$$Y_B = \frac{18q + 8P}{12} = \frac{18 \times 8 + 8 \times 12}{12} = 20 \text{ kN}(\uparrow)$$

由

$$\sum m_B = 0 \qquad q \times 6 \times 9 + P \times 4 - Y_A \times 12 = 0$$

得

$$Y_A = \frac{54q + 4P}{12} = 40 \text{ kN}(\uparrow)$$

由

$$\sum X = 0 \qquad X_A - X_B = 0$$

得

$$X_A = X_B \tag{a}$$

（2）取左半拱为研究对象[图 5-26c)]，由

$$\sum m_C = 0 \qquad X_A \times 8 - Y_A \times 6 + q \times 6 \times 3 = 0$$

得

$$X_A = \frac{6Y_A - 18q}{8} = \frac{6 \times 40 - 18 \times 8}{8} = 12 \text{ kN}(\rightarrow)$$

由

$$\sum X = 0 \qquad X_A - X_C = 0$$

得

$$X_C = X_A = 12 \text{ kN}$$

由

$$\sum Y = 0 \qquad Y_A + Y_C - q \times 6 = 0$$

得

$$Y_C = 6q - Y_A = 6 \times 8 - 40 = 8 \text{ kN}(\uparrow)$$

将 X_A 的值代入式(a)，可得

$$X_B = X_A = 12 \text{ kN}(\leftarrow)$$

校核：考虑右半拱的平衡，由于

$$\sum X = X'_C - X_B = X_C - X_B = 12 - 12 = 0$$

$$\sum Y = Y_B - Y'_C - P = Y_B - Y_C - P = 20 - 8 - 12 = 0$$

$$\sum m_C = -P \times 2 - X_B \times 8 + Y_B \times 6 = -12 \times 2 - 12 \times 8 + 20 \times 6 = 0$$

可见计算正确。

例 5-14 组合梁的支承及荷载情况如图5-27a)所示。设 $P_1 = 30$ kN，$P_2 = 20$ kN，试求支座 A、B、D 及铰 C 处的约束反力。

解 组合梁由 AC 和 CD 两段梁组成，两段梁均受到平面一般力系的作用，因此可列出六个独立的平衡方程。未知量有：固定铰支座 A 反力的两个未知量，可动铰支座 B 与 D 反力的各一个未知量和铰 C 处约束反力的两个未知量，共有六个未知量。六个独立的平衡方程能求解六个未知量。

整体梁、AC 梁以及 CD 梁的受力如图 5-27b)、c)、d)所示。考察三个受力图可见，在 CD 梁上只有三个未知力，而在 AC 梁与整体梁上都各有四个未知力。因此，应先取 CD 梁为研究对象，求出 $\boldsymbol{X}_C$、$\boldsymbol{Y}_C$、$\boldsymbol{R}_D$，然后再取 AC 梁或整体梁为研究对象，就能求出其余的未知力。

（1）取 CD 梁为研究对象

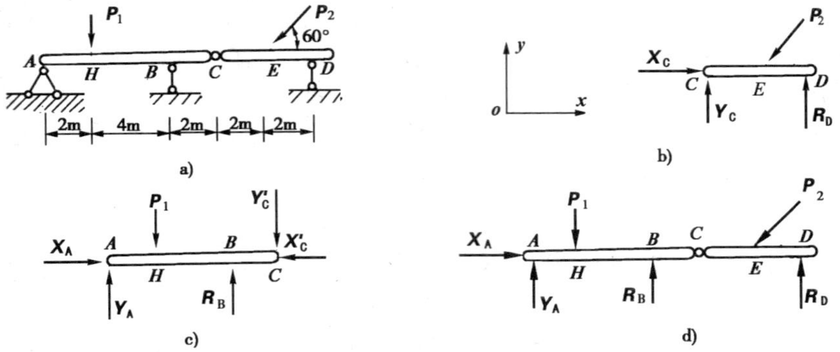

图 5-27

由 $$\sum m_C(\boldsymbol{F})=0\qquad -P_2\times 2\sin60^\circ+R_D\times 4=0$$

得 $$R_D=\frac{2P_2\times\sin60^\circ}{4}=\frac{20\times 0.866}{2}=8.66\ \text{kN}(\uparrow)$$

由 $$\sum X=0\qquad X_C-P_2\times\cos60^\circ=0$$

得 $$X_C=P_2\times\cos60^\circ=20\times 0.5=10\ \text{kN}(\rightarrow)$$

由 $$\sum Y=0\qquad Y_C+R_D-P_2\sin60^\circ=0$$

得 $$Y_C=P_2\sin60^\circ-R_D=20\times 0.866-8.66=8.66\ \text{kN}(\uparrow)$$

(2)取 AC 梁为研究对象

由 $$\sum m_A(\boldsymbol{F})=0\qquad -P_1\times 2-Y'_C\times 8+R_B\times 6=0$$

得 $$R_B=\frac{2P+8Y'_C}{6}=\frac{2\times 30+8\times 8.66}{6}=21.5\ \text{kN}(\uparrow)$$

由 $$\sum X=0\qquad X_A-X'_C=0$$

得 $$X_A=X'_C=10\ \text{kN}(\rightarrow)$$

由 $$\sum Y=0\qquad Y_A+R_B-P_1-Y'_C=0$$

得 $$Y_A=P_1+Y'_C-R_B=30+8.66-21.5=17.16\ \text{kN}(\uparrow)$$

(3)校核

再以整体为研究对象,所列的平衡方程就不是独立的,但这些方程可作为校核用。对于整体梁,列平衡方程:

$$\sum X=X_A-P_2\times\cos60^\circ=10-20\times 0.5=0$$

$$\begin{aligned}\sum Y&=Y_A+R_B+R_D-P_1-P_2\sin60^\circ\\&=17.16+21.5+8.66-30-20\times 0.866=0\end{aligned}$$

$$\begin{aligned}\sum m_E(\boldsymbol{F})&=P_1\times 8-Y_A\times 10-R_B\times 4+R_D\times 2\\&=30\times 8-17.16\times 10-21.5\times 4+8.66\times 2=0\end{aligned}$$

可见解题正确。

例 5-15 由三根杆组成的构架如图5-28 所示。B、D、E 处都是铰链连接,A 处为固定端支座,在 C 处挂一重物,重力 $G=4$ kN,各杆自重不计,求支座 A 的反力、铰链 B 的约束反力及杆 DE 所受的力。

解 构架由三根杆组成,杆 DE 两端铰接,中间没有荷载,故为二力杆。

若取整个构架连重物为研究对象,画受力图如图 5-28b)所示。构架所受各力组成平面一般力系,可列出三个平衡方程求解三个未知量 $\boldsymbol{X}_A$、$\boldsymbol{Y}_A$ 和 m_A。考虑重物的平衡(图 5-28d)可得绳索的拉力 $T=G=4$ kN。要求铰链 B 的约束反力和杆 DE 所受的力,可取杆 BC 为研究对象,由它的受力图[图5-28c)]可知，杆上各力组成平面一般力系，只有三个未知量可求得。

根据以上分析，计算如下：

(1)取整个构件为研究对象[图5-28b)]。设坐标系如图，由

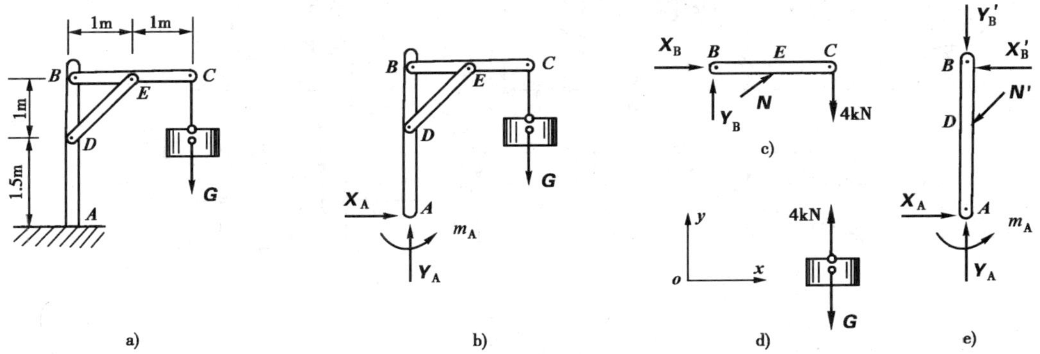

图 5-28

$$\sum X=0$$

得
$$X_A=0$$

由
$$\sum Y=0 \qquad Y_A-G=0$$

得
$$Y_A=G=4\ \text{kN}(\uparrow)$$

由
$$\sum m_A=0 \qquad m_A-G\times 2=0$$

得
$$m_A=2G=2\times 4=8\ \text{kN/m}(\circlearrowright)$$

(2)取杆 BC 为研究对象[图5-28c)]。由

$$\sum m_B=0 \qquad -4\times 2+N\sin 45^\circ=0$$

得
$$N=\frac{8}{\sin 45^\circ}=\frac{8}{0.707}=11.32\ \text{kN}(\nearrow)$$

得正号表示原假设杆 DE 受压是正确的。由

$$\sum X=0 \qquad X_B+N\cos 45^\circ\times 1=0$$

得
$$X_B=-N\cos 45^\circ=-11.32\times 0.707=-8\ \text{kN}(\leftarrow)$$

由
$$\sum Y=0 \qquad Y_B+N\sin 45^\circ-4=0$$

得
$$Y_B=4-N\sin 45^\circ=4-11.32\times 0.707=-4\ \text{kN}(\downarrow)$$

X_B、Y_B 得负号，表示实际指向应与原假设的相反。

校核：考虑杆 AB 的平衡作为校核，画其受力图如图5-28e)所示。由于

$$\sum X=X_A-X'_B-N'\cos 45^\circ=0-(-8)-11.32\times 0.707=0$$

$$\sum Y=Y_A-Y'_B-N'\sin 45^\circ=4-(-4)-11.32\times 0.707=0$$

$$\sum m_D=X'_B\times 1+X_A\times 1.5+m_A=-8\times 1+0+8=0$$

可见计算正确。

例 5-16 如图5-29a)所示是一多跨梁的计算简图。试求该梁的支座反力。

解 整体梁由 AC、CE 梁组成，两段梁均受平面一般力系的作用，因此可以列出六个独立的平衡方程，未知量有：固定铰支座 A 反力的两个未知量，可动铰支座 B 和 D 的反力各一个未知量以及铰 C 的约束反力的两个未知量，共有六个未知量。六个独立的平衡方程式可解六个未知量。在具体解题时，由题意知，只需求四个未知量。下面我们分别用三种不同的方法选取研究对象求解。

方法一　先以整体为研究对象，其受力如图 5-29b）所示，整体受平面一般力系作用，只有三个独立的平衡方程，而未知量有四个。

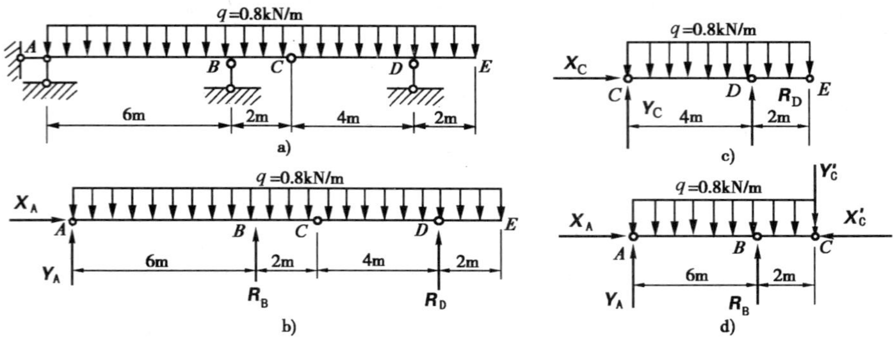

图 5-29

$$\sum X=0 \qquad X_A=0 \tag{a}$$

由

$$\sum Y=0 \qquad Y_A+R_B+R_D-q\times 14=0 \tag{b}$$

$$\sum m_A(\boldsymbol{F})=0 \qquad R_B\times 6+R_D\times 12-q\times 14\times 7=0 \tag{c}$$

只解得 $X_A=0$，剩下的三个未知量，不论选取怎样的投影轴和矩心，所建立的每一个平衡方程中至少有两个未知量，而且不可能解联立方程求得任一未知量，故需再取部分为研究对象，求解其余未知量。

取 CDE 梁为研究对象，其受力图如图 5-29c）所示，梁上受平面一般力系的作用。根据题意，在此只需求 R_D。由

$$\sum m_C(\boldsymbol{F})=0 \qquad R_D\times 4-q\times 6\times 3=0$$

得

$$R_D=\frac{0.8\times 6\times 3}{4}=3.6\ \text{kN}(\uparrow)$$

将 R_D 的值代入（c）式可得：

$$R_B=\frac{0.8\times 14\times 7-3.6\times 12}{6}=5.87\ \text{kN}(\uparrow)$$

将 R_D、R_B 的值代入（b）式可得：

$$Y_A=0.8\times 14\times 7-5.87-3.6=1.74\ \text{kN}(\uparrow)$$

再以整体为研究对象，列平衡方程校核。

$$\begin{aligned}\sum m_E(\boldsymbol{F}) &= -Y_A\times 14-R_B\times 8-R_D\times 2+q\times 14\times 7\\ &= -1.74\times 14-5.87\times 8-3.6\times 2+0.8\times 14\times 7\\ &=0\end{aligned}$$

可见所求得的 Y_A、R_B、R_D 之值正确。

方法二　先取 CDE 为研究对象，由

$$\sum m_C(\boldsymbol{F})=0 \qquad R_D\times 4-q\times 6\times 3=0$$

得

$$R_D=\frac{0.8\times 6\times 3}{4}=3.6\ \text{kN}(\uparrow)$$

再取整体为研究对象，由

$$\sum m_A(\boldsymbol{F})=0 \qquad R_B\times 6+R_D\times 12-q\times 14\times 7=0$$

得

$$R_B=\frac{0.8\times 14\times 7-3.6\times 12}{6}=5.87\ \text{kN}(\uparrow)$$

由 $$\sum Y=0 \qquad Y_A+Y_B+R_D-q\times 14=0$$

得 $$Y_A=0.8\times 14-5.87-3.6=1.74\ \text{kN}(\uparrow)$$

由 $$\sum X=0$$

得 $$X_A=0$$

校核同上。

方法三 先取 CDE 梁为研究对象，由

$$\sum m_C(\boldsymbol{F})=0$$

得 $$R_D=3.6\ \text{kN}(\uparrow)$$

由 $$\sum X=0$$

得 $$X_C=0$$

由 $$\sum Y=0 \quad Y_C+R_D-q\times 6$$

得 $$Y_C=0.8\times 6-3.6=1.2\ \text{kN}(\uparrow)$$

再取 ABC 梁为研究对象，受力图如图 5-29d) 所示，由

$$\sum X=0 \qquad X_A-X'_C=0$$

得 $$X_A=X'_C$$

由 $$\sum m_A(\boldsymbol{F})=0 \qquad -Y'_C\times 8+R_B\times 6-q\times 8\times 4=0$$

得 $$R_B=\frac{0.8\times 8\times 4+1.2\times 8}{6}=5.87\ \text{kN}(\uparrow)$$

由 $$\sum Y=0 \qquad Y_A+R_B-Y'_C-q\times 8=0$$

得 $$Y_A=1.2+0.8\times 8-5.87=1.74\ \text{kN}(\uparrow)$$

校核同上。

比较上面三种解题方法，显然方法二较简便、快捷。由此可知，物体系统平衡问题解题技巧性很强，其求解的顺序应先从符合可解条件的研究对象入手，将求出的未知力作为另一分离体的已知力，逐步扩大可解范围直至全部求出所有未知力。

通过以上例题的分析，可将物体系统平衡问题解题步骤及注意事项归纳如下：

(1)判断问题是否能用平衡方程求解全部未知力。分析物体系由几个物体组成，其中有几个未知力，可建立几个独立平衡方程。若未知力的数目等于独立平衡方程数，应用平衡方程则能求出所有未知力。

(2)选取研究对象，根据题目要求，先考虑解题的途径，然后适当选取研究对象。研究对象可取整个物体系统，也可取物体系统中的一部分或单个物体。选取的原则是尽量使求解简便。一般解题先从符合可解条件的物体入手。

(3)画受力图，画出研究对象所受的全部外力，不画研究对象中各物体之间的相互作用的内力。此外，在受力图上，各物体间相互作用的力一定要符合作用与反作用公理。

(4)列平衡方程求解，为了使求解简便，在建立平衡方程时，应妥善地选择投影轴和矩心，尽可能避免解联立方程。

(5)校核，检查解题是否正确。

* §5-7 考虑摩擦时物体的平衡

摩擦是生产和生活实践中经常遇到的现象。但在前面对物体进行受力分析时，总是将

摩擦力作为次要因素而略去不计，这是因为实际上许多物体的相互接触面确实比较光滑，或有良好的润滑条件，以致摩擦力与物体所受的其他力比较的确很小，它对所研究的问题无明显影响。为便于抓住主要矛盾，进行这样的简化是必要的，也常为工程实际所允许。但在某些问题中，摩擦力对物体的平衡或运动起着重要作用，这时不仅不能忽略，而且还应作为重要因素来考虑它。例如，没有摩擦，人不能走路，车辆不能行驶。又如重力式挡土墙就依靠墙的底部与地基之间的摩擦力以防止墙身在土压力作用下的滑动。此外，车辆的制动器利用摩擦来煞车，胶带运输机利用摩擦来送料，胶带轮利用摩擦来传动等，都是利用摩擦的例子。当然，摩擦也有其不利的一面。例如，摩擦使机器上的零件磨损、发热，消耗能量，降低效率等。因此，对摩擦现象的本质和规律应有一定的认识，才能充分利用它有利的一面和尽量避免它不利的一面。

按照两接触物体之间相对运动的形式，摩擦可分为滑动摩擦和滚动摩擦两种。当两个接触物体沿接触面有相对滑动或有相对滑动的趋势时，在接触处就彼此阻碍滑动，或阻碍滑动的发生，这种现象称为**滑动摩擦**。当两物体有相对滚动或有相对滚动的趋势时，物体间会产生阻碍滚动的现象，称为**滚动摩擦**。

本节只讨论滑动摩擦的一些规律。

一、滑 动 摩 擦

当两个相互接触的物体有相对滑动或滑动趋势时，在两物体接触面间产生阻碍物体相对滑动的力，称为**滑动摩擦力**，简称**摩擦力**。由于摩擦力阻碍两物体的相对滑动，因此它的方向总是与两物体的相对滑动或相对滑动的趋势方向相反。

首先了解静滑动摩擦力和静滑动摩擦定律。

为了了解滑动摩擦力的性质，我们做一个实验。实验装置如图 5-30a）所示。重力为 $\boldsymbol{G}$ 的物体 A 放在固定水平面上，绳子的一端与物体相连，另一端绕过滑轮与装有砝码的盘子相连。如略去绳重和滑轮阻力，则绳子对物体的拉力 $\boldsymbol{T}$ 的大小就等于盘子和砝码的重力 $\boldsymbol{Q}$。

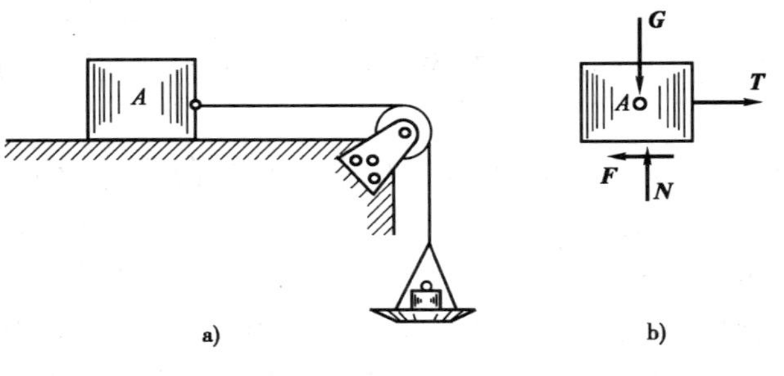

图 5-30

当 $\boldsymbol{T}=0$ 时，物体没有沿接触面滑动的趋势。此时，物体在自重 $\boldsymbol{G}$ 与法向反力 $\boldsymbol{N}$ 作用下平衡，滑动摩擦力为零。逐步增加砝码，当力 $\boldsymbol{T}$ 不大时，物体保持静止不动。分析此时物体 A 的受力情况，画其受力图如图 5-30b）所示。主动力有重力 $\boldsymbol{G}$ 和绳的拉力 $\boldsymbol{T}$，拉力 $\boldsymbol{T}$ 有使物体沿水平面滑动的趋势，而物体保持不动，说明固定面的约束反力除法向反力 $\boldsymbol{N}$ 以外，还有切向的摩擦力 $\boldsymbol{F}$，此力 $\boldsymbol{F}$ 是在物体尚未滑动时产生的，称为**静滑动摩擦力**，简称**静摩擦力**。当拉力 $\boldsymbol{T}$ 增大时，静摩擦力 $\boldsymbol{F}$ 也相应地增大。当拉力 $\boldsymbol{T}$ 达到某一临界值时，物体处于即将开始滑动的临界状态，这时静摩擦力达到最大值，称为**最大静摩擦力 $\boldsymbol{F}_{max}$**。如果拉力 $\boldsymbol{T}$ 再有微小的增大，物体就由静止变为滑动。

可见，**静摩擦力的方向与物体相对滑动的趋向相反；静摩擦力的大小是随主动力的变化而变化，变化范围在零与最大静摩擦力之间**。即

$$0 \leqslant F \leqslant F_{max} \tag{5-10}$$

大量实验证明：**最大静摩擦力与两物体接触面积的大小无关；而与两物体间的正压力（或法向反力）成正比**，即

$$F_{max} = f \times N \tag{5-11}$$

这就是**静滑动摩擦定律**（又称**库仑定律**）。式中 f 是比例常数，称为**静滑动摩擦系数**，简称**静摩擦系数**。这个系数的大小与相互接触物体的材料、表面粗糙度、湿度、温度等有关。其数值由实验测定。表 5-1 列出部分材料的 f 值，供参考。

几种材料的静摩擦系数

表 5-1

材　料	f 值	材　料	f 值
钢 对 钢	0.1 ~ 0.2	混凝土对岩石	0.5 ~ 0.8
铸铁对木材	0.4 ~ 0.5	混凝土对砖	0.7 ~ 0.8
铸铁对橡胶	0.5 ~ 0.7	混凝土对土	0.3 ~ 0.4
铸铁对皮革	0.3 ~ 0.5	土对木材	0.3 ~ 0.7
砖（石）对砖	0.5 ~ 0.7	木材对木材	0.4 ~ 0.6

二、动滑动摩擦力和动滑动摩擦定律

在图 5-30a）所示的实验装置中，当所加的力 $\boldsymbol{T}$ 的值超过最大静摩擦力 F_{max} 时，物体就产生滑动，滑动时沿接触面所产生的摩擦力 $\boldsymbol{F}'$，称为**动滑动摩擦力**，简称**动摩擦力**。

根据大量的实验可得出**动滑动摩擦定律：动摩擦力的大小与两物体间的正压力（或法向反力）成正比**。即

$$F' = f'N \tag{5-12}$$

式中 f' 称为**动滑动摩擦系数**，简称**动摩擦系数**，它的值与接触物体的材料及接触面情况有关，在速度不大时，可认为与运动速度无关。f' 略小于 f，在工程计算中，通常近似地认为 f' 与 f 相同。

三、摩擦角与自锁现象

物体所受来自支承面的法向反力 $\boldsymbol{N}$ 和摩擦力 $\boldsymbol{F}$ 都属于支承面对物体的约束反力，它们的合力 $\boldsymbol{R}$［图 5-31a）］称为支承面对物体的**约束全反力**。在图 5-31a）中，如垂直于支承面的主动力 $\boldsymbol{Q}$ 不变，则在物体开始滑动前，摩擦力 $\boldsymbol{F}$ 以及全反力 $\boldsymbol{R}$ 与支承面法线间的夹角 φ 均随平行于支承面的主动力 $\boldsymbol{P}$ 的增大而增大。设力 $\boldsymbol{P}$ 增大到 $\boldsymbol{P}_1$ 时，物体处于临界平衡状态，则这时的摩擦力为 $\boldsymbol{F}_{max}$；同时，角 φ 也达其最大值 φ_m，φ_m 称为**摩擦角**［图 5-31b）］。或者说，**摩擦角就是**

当静摩擦力达到最大值时,约束全反力与支承面法线间的夹角。显然有

$$0 \leqslant \varphi \leqslant \varphi_{m} \tag{5-13}$$

摩擦角的值与 $\boldsymbol{F}_{max}$ 的值相对应,因而也与静摩擦系数 f 有关。由图 5-31b)可知

$$\tan\varphi_{m} = \frac{F_{max}}{N} = f \tag{5-14}$$

即摩擦角的正切等于静摩擦系数。

由实验测出摩擦角 φ_m 之后即可根据式(5-12)计算出摩擦系数 f 之值。

摩擦角对应于临界平衡状态,它代表了物体由静止变成运动这一进程的转折点,在需要考虑静摩擦力的平衡问题中,它与最大静摩擦力具有同样重要的意义。

前已指出,静摩擦力 F 的值不能超过它的最大值 F_{max},所以约束全反力与支承面法线间的夹角也不可能大于摩擦角。因此,若作用于物体上的主动力的合力 $\boldsymbol{S}$ 的作用线与支承面法线间的夹角 θ 大于摩擦角 φ_m[图 5-32a)],则全反力 $\boldsymbol{R}$ 就不可能与 $\boldsymbol{S}$ 共线,从而它们不可能平衡,于是物体将发生滑动。反之,**若主动力的合力 $\boldsymbol{S}$ 的作用线与支承面法线间的夹角 θ 小于摩擦角 φ_m[图 5-32b)],则无论主动力 $\boldsymbol{S}$ 多大,只要支承面不被压坏,它总与全反力平衡,因而物体将静止不动**。这种只须主动力的合力作用线在摩擦角的范围内,物体依靠摩擦总能静止而与主动力大小无关的现象称为**自锁**。显然,若 $\theta = \varphi_m$[图5-32c)],则物体处于临界平衡状态。

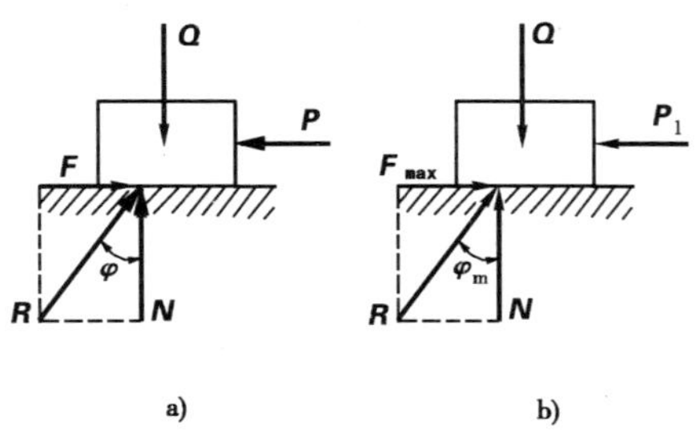

图 5-31

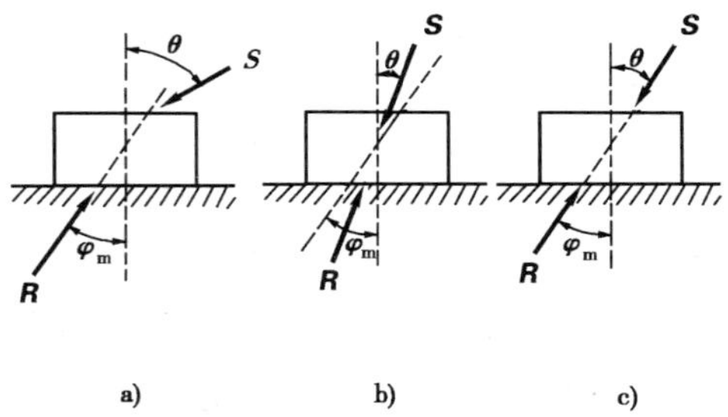

图 5-32

自锁现象在工程中有重要的应用。例如,用螺旋千斤顶顶起重物时就是借自锁以使重物不致因重力的作用而下落;用传送带输送物料时就是借自锁以阻止物料作相对于传送带的滑动等等。反之,在工程实际中有时又需避免自锁现象的发生。例如,当机器正常运转时,其运动的零、部件就不应出现自锁而卡住不动。

为使读者对自锁现象能有所体会,特再讨论楔块的自锁条件如下:

在现浇钢筋混凝土梁的施工过程中,模板需用立柱支承,并在立柱与底座间打入楔块 A 和 B 以便调节柱高而使它总能顶紧模板[图 5-33a)]。楔块 A 在上下两物体的法向压力下有往左滑出的趋势,故在其上下两接触面上就均受到沿接触面向右的摩擦力的作用。如以 $\boldsymbol{R}$ 和 $\boldsymbol{R}'$ 分别表示上下两物体对楔块 A 的约束全反力,则当不计楔块自重时,楔块 A 的受力图如图 5-33b)所示。要使楔块 A 不致滑出,则 $\boldsymbol{R}$ 与 $\boldsymbol{R}'$ 应等值、反向、共线,从而它们与铅垂线间的夹角应相等。于是,由图 5-33b)得

$$\alpha = \varphi + \varphi' \leqslant \varphi_m + \varphi'_m$$

式中 φ_m 和 φ'_m 分别为楔块 A 与上下两物体间的摩擦角。这就是楔块 A 自锁的条件。它指出,

要使楔块不会滑出，则楔块的顶角应小于（最多等于）它与上下两物体间的摩擦角之和。

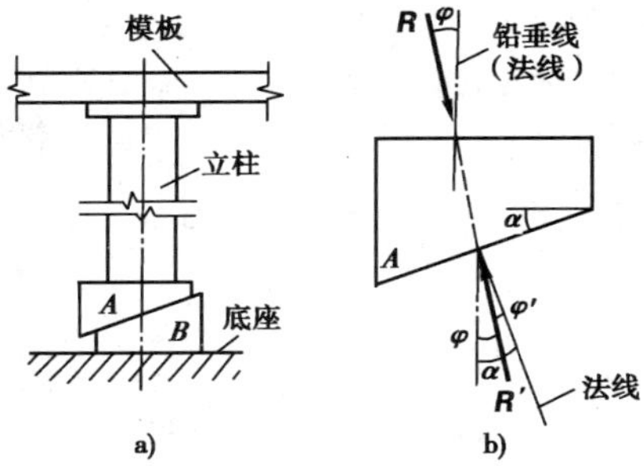

图 5-33

四、考虑摩擦时物体的平衡问题

考虑摩擦时物体的平衡问题与不计摩擦时物体的平衡问题的共同之处在于：它们都是平衡问题，因而作用在物体上的力系都满足力系平衡条件。但是它们也有不同之处，即在考虑摩擦时的平衡问题里，除约束反力中应包含有摩擦力之外，还须注意摩擦力的大小是可以在一定范围内变化的。摩擦力是未知力，一般地讲，其值应由主动力并根据平衡条件确定。但当物体处于临界平衡状态时，摩擦力应达其最大值 fN。至于摩擦力的方向，则恒与相对滑动趋势的方向相反，通常不能任意假设。由于摩擦力的大小可在一定范围内变化，所以这类平衡问题的解答不是一个确定的值，而是用不等式所表示的一个范围，称为**平衡范围**。前面所分析的楔块的自锁条件也就是它平衡时顶角 α 的值所应存在的范围。

下面分别举例说明。

例 5-17 用绳拉一个重力 $G=500$ N 的物体，绳与水平面的夹角 $\alpha=30°$[图 5-34a)]，物体与地面间的静摩擦系数 $f=0.2$，当绳的拉力 $T=100$N 时，问物体能否被拉动？并求此时的摩擦力。

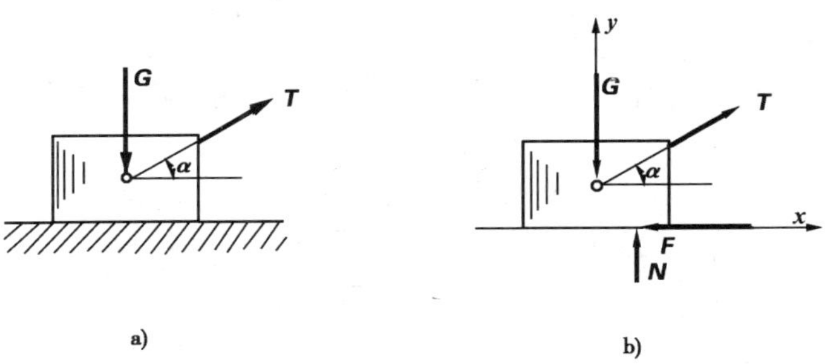

图 5-34

解 这是判断物体处于静止还是滑动状态的问题。求解这一类问题，我们可先假设物体处于静止状态，计算此时接触面上所具有的摩擦力的值 $\boldsymbol{F}$，将它与接触面可能产生的最大静摩擦力 $\boldsymbol{F}_{max}$ 比较，如果 $F \leqslant F_{max}$，则物体处于静止；如果 $F > F_{max}$，则物体处于滑动状态。

为此，取物体为研究对象，画其受力图如图 5-34b）所示。由

$$\sum X=0 \qquad T\cos 30°-F=0$$

得

$$F=T\cos 30°=100\times 0.866=86.6\ \text{N}$$

由

$$\sum Y=0 \qquad T\sin 30°+N-G=0$$

得

$$N=G-T\sin 30°=500-100\times 0.5=450\ \text{N}$$

接触面上可能产生的最大静摩擦力为

$$F_{max}=fN=0.2\times450=90\ \mathrm{N}$$

由于 $F<F_{max}$，所以物体处于静止状态。这时接触面上产生静摩擦力 $F=86.6\ \mathrm{N}$。

例 5-18 重力 $G=400\mathrm{N}$ 的物体，放在斜面上，如图 5-35a）所示。已知物体与斜面间的静摩擦系数 $f=0.2$，斜面的倾角 $\alpha=30°$，α 大于摩擦角 φ_m，为使物体不滑动，在物体上加一水平力 $\boldsymbol{P}$，求该力的最大值和最小值。

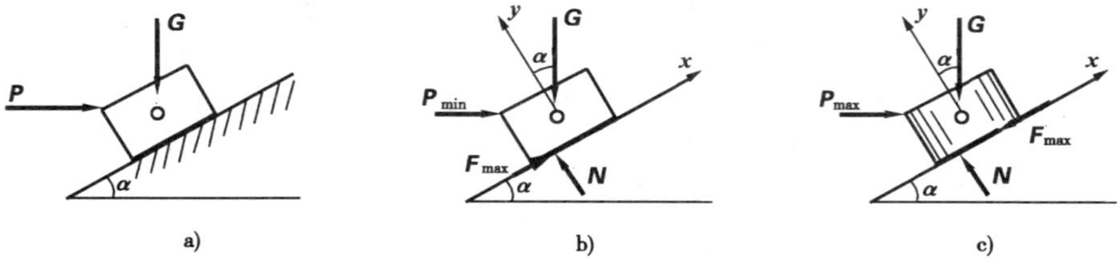

图 5-35

解 这是要保持物体静止求所加水平力 $\boldsymbol{P}$ 的值应具有的范围问题。求解这一类问题，通常使物体处于平衡的临界状态。这样接触面的摩擦力达到最大静摩擦力，它的方向永远与物体间相对滑动的趋向相反，不能任意假设。在判别相对滑动的趋向时，可暂不考虑接触面的摩擦力，根据题意和物体所受的主动力情况加以判断。

本题由于 $\alpha>\varphi_m$，所以当没有水平力 $\boldsymbol{P}$ 作用时，物体将沿斜面下滑，当水平力 $\boldsymbol{P}$ 太小时，物体也会下滑，如果水平力 $\boldsymbol{P}$ 太大时，物体将沿斜面上滑，因此，要使物体不滑动，水平力 $\boldsymbol{P}$ 的值应当在一定范围内。

（1）求力 $\boldsymbol{P}$ 的最小值 P_{min}

在水平力 P_{min} 作用下，物体应处于沿斜面即将下滑的临界状态，所以作用在物体上的摩擦力达到最大值，且方向沿斜面向上。取物体为研究对象，其受力图如图 5-35b）所示。列出平衡方程

$$\sum X=0\qquad P_{min}\cos\alpha+F_{max}-\sin\alpha=0\tag{a}$$

$$\sum Y=0\qquad -P_{min}\sin\alpha+N-G\cos\alpha=0\tag{b}$$

且有

$$F_{max}=fN\tag{c}$$

将式（b）代入式（c）可得

$$F_{max}=f(\cos\alpha+P_{min}\sin\alpha)\tag{d}$$

将式（d）代入式（a）即得

$$P_{min}=\frac{\sin\alpha-f\cos\alpha}{\cos\alpha+f\sin\alpha}G$$

将已知值代入得

$$P_{min}=\frac{0.5-0.2\cos30°}{\cos30°+0.2\sin30°}\times400=135.3\ \mathrm{N}$$

（2）求力 $\boldsymbol{P}$ 的最大值 P_{max}

力 $\boldsymbol{P}$ 由最小值逐渐加大时，物体将由向下滑动的趋势变为沿斜面向上滑动的趋势，当力 $\boldsymbol{P}$ 达最大值时，物体处于即将上滑的临界状态，所以静摩擦力也达到最大值，且方向沿斜面向下。物体的受力图如 5-35c）所示。列出平衡方程，由

$$\sum X=0\qquad P_{max}\cos\alpha-F_{max}-G\sin\alpha=0\tag{e}$$

$$\sum Y=0\qquad -P_{max}\sin\alpha+N-G\cos\alpha=0\tag{f}$$

且 $$F_{max} = fN \tag{g}$$

依照前面解法，将式(f)代入式(g)求出 F_{max}，再将 F_{max}值代入式(e)即得

$$P_{max} = \frac{\sin\alpha + f\cos\alpha}{\cos\alpha - f\sin\alpha}G$$

将已知值代入得

$$P_{max} = \frac{\sin30° + 0.2\cos30°}{\cos30° - 0.2\sin30°} \times 400 = 351.5 \text{ N}$$

(3)综上计算，保持物体不滑动，力 $\boldsymbol{P}$ 值的范围是

$$135.3 \text{ N} \leqslant P \leqslant 351.5 \text{ N}$$

例 5-19 如图5-36a)所示为一起重机制动装置。鼓轮与制动轮固结在一起。已知鼓轮半径为 r，制动轮半径为 R，制动杆长为 l，制动块与制动轮间的静摩擦系数为 f，起重力为 G，其他尺寸如图示。如要制动鼓轮，求作用在手柄上所需加的力 $\boldsymbol{P}$ 的最小值。

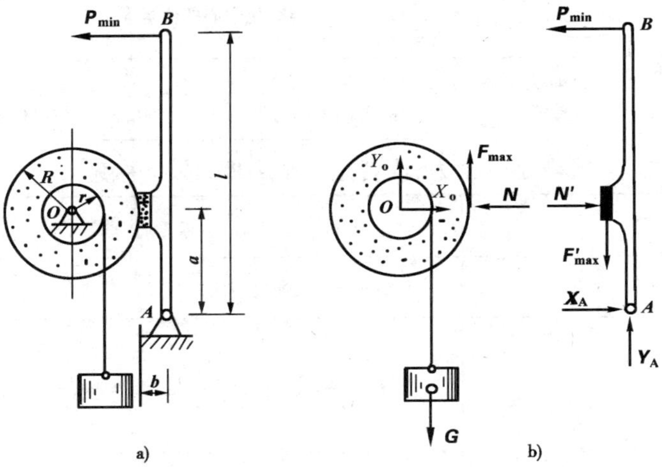

图 5-36

解 鼓轮所以能被制动，是由于制动块与制动轮间摩擦力的作用。当鼓轮恰能被制动时(即鼓轮处于平衡的临界状态)，所加的力 $\boldsymbol{P}$ 为最小，且静摩擦力达到最大值。

为了揭露出制动轮与制动块间的摩擦力，必须分别取制动轮和制动杆(包含制动块)为研究对象进行计算。

先取制动轮为研究对象，其受力图如图 5-36b)所示。列出平衡方程

$$\sum m_0 = 0 \qquad F_{max}R - Gr = 0 \tag{a}$$

且有 $$F_{max} = fN \tag{b}$$

联立解得 $$N = \frac{Gr}{fR}$$

再取制动杆为研究对象，其受力图如图 5-36c)所示。列出平衡方程

$$\sum m_A = 0 \qquad P_{min}l + F'_{max} \cdot b - N'a = 0 \tag{c}$$

将 $N' = N = \frac{Gr}{fR}$ $\quad F'_{max} = F_{max} = \frac{Gr}{R}$代入式(c)，求得

$$P_{min} = \frac{Gr}{Rl}\left(\frac{a}{f} - b\right)$$

小　　结

本章讨论了平面一般力系的简化和平衡条件。

一、力的平移定理

当一个力平行移动时，必须附加一个力偶才能与原力等效，附加力偶的力偶矩等于原力对新作用点的矩。力的平移定理是平面一般力系简化的依据。

二、平面一般力系向平面内任一点简化

1. 简化方法与结果

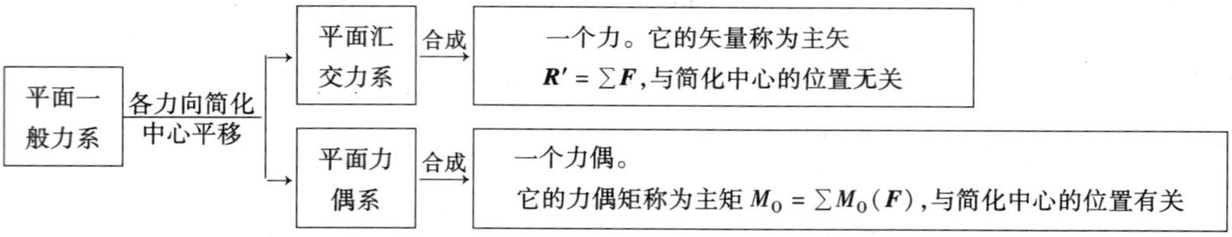

2. 简化的最后结果，或者是一个力，或者是一个力偶，或者平衡

情　　况	最　后　结　果
$\boldsymbol{R}' \neq 0, m'_O = 0$	一个力。作用线通过简化中心，$R = R'$
$\boldsymbol{R}' \neq 0, m'_O \neq 0$	一个力。作用线与简化中心相距 $d = \frac{\lvert m'_O \rvert}{R}$，$R = R'$
$\boldsymbol{R}' = 0, m'_O \neq 0$	一个力偶。$m = m'_O$，与简化中心位置无关
$\boldsymbol{R}' = 0, m'_O = 0$	平衡

三、平面力系的平衡方程

1. 各种力系的平衡方程

力系类别	平　衡　方　程	限　制　条　件	可求未知量数目
一般力系	(1)基本形式 $\sum X = 0$　$\sum Y = 0$　$\sum m_O = 0$		3
	(2)二力矩形式 $\sum X = 0$　$\sum M_A = 0$　$\sum m_B = 0$	x 轴不垂直于 AB 连线	3
	(3)三力矩形式 $\sum M_A = 0$　$\sum M_B = 0$　$\sum m_C = 0$	A、B、C 三点不共线	3

续上表

力系类别	平衡方程	限制条件	可求未知量数目
平行力系	(1) $\sum Y=0 \quad \sum m_O=0$		2
	(2) $\sum m_A=0 \quad \sum m_B=0$	AB 连线不平行于各力作用线	2
汇交力系	$\sum X=0 \quad \sum Y=0$		2
力偶系	$\sum m=0$		1

2. 平衡方程的应用

应用平面力系的平衡方程,可以求解单个物体及物体系统的平衡问题。求解时要通过受力分析,恰当地选取研究对象,画出其受力图。选取合适的平衡方程形式;选择好矩心和投影轴,力求做到一个方程只含有一个未知量,以便简化计算。

四、滑动摩擦

1. 滑动摩擦力

当两个物体相互接触面之间存在相对滑动趋势或发生相对滑动时,彼此之间产生阻碍滑动的力,称为滑动摩擦力。前者为静摩擦力,后者为动摩擦力。

静摩擦力的方向与接触面间相对滑动趋势的方向相反;其大小介于零与最大静摩擦力 F_{max}之间,具体可由平衡条件来确定。最大静摩擦力由静滑动摩擦定律确定,即 $F_{max}=fN$,其中 f 为静摩擦系数。

2. 摩擦角与自锁

当静摩擦力达到最大值时,全反力与接触面的法线间的夹角 φ_m,称为摩擦角。当作用于物体上的主动力的合力作用线在摩擦角范围内时,不论主动力合力的大小如何,物体总能保持平衡,称为自锁现象。

3. 摩擦时物体的平衡问题的解题特点

由于静摩擦力的大小有一定的范围,所以物体的平衡也有一定的范围。通常可按物体平衡的临界状态考虑,除列出平衡方程外,还可列出补充方程:$F_{max}=fN$,待求出结果后,再讨论平衡范围。最大静摩擦力方向总是与物体相对滑动的趋向相反,不能任意假设,物体的滑动趋向可根据主动力来观察。

习　题

5-1　某厂房柱,高 9m,柱上段 BC 重 $P_1=8$ kN,下段 CO 重 $P_2=37$ kN,柱顶水平力 $Q=6$kN,各力作用位置如题 5-1 图所示。以柱底中心 O 点为简化中心,求这三力的主矢和主矩。

5-2　图示等边三角形板 ABC,边长 a,今沿其边缘作用大小均为 P 的力,方向如题 5-2 图所示。试求这三力的合成结果。

5-3　重力坝受力情况如题 5-3 图所示。设坝的自重分别为 $G_1=9\,600$kN,$G_2=21\,690$ kN,水压力 $P=10\,120$ kN。试将这力系向坝底 O 点简化,并求其最后的简化结果。

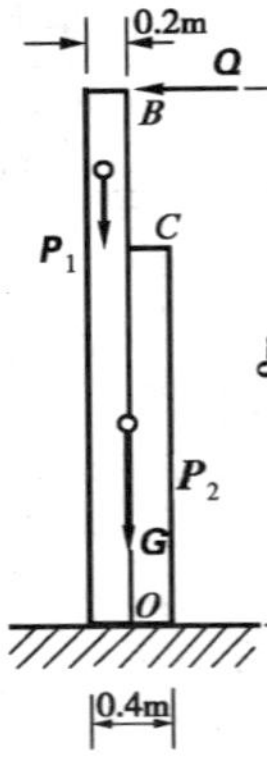

题 5-1 图

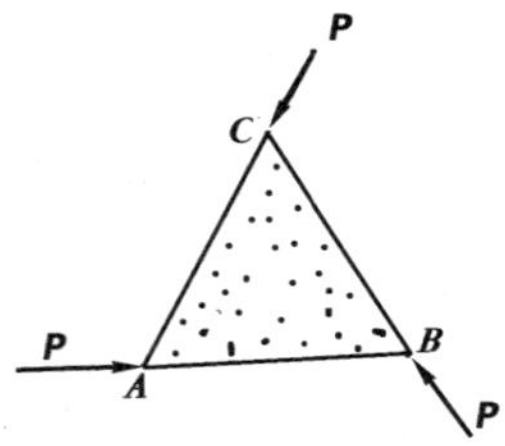

题 5-2 图

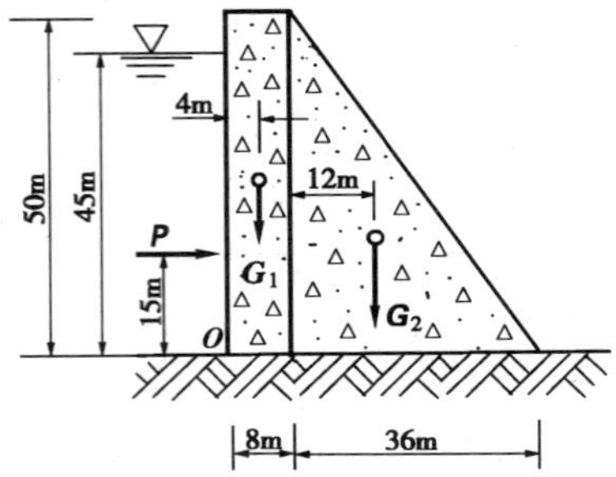

题 5-3 图

5-4　钢筋混凝土构件如题 5-4 图所示，已知各部分的重力为 $G_1=2$ kN，$G_2=G_4=4$kN，$G_3=8$ kN，试求这些重力的合力。

5-5　求题 5-5 图示各梁的支座反力。

5-6　求题 5-6 图示刚架的支座反力。

5-7　某厂房柱高 9 m，受力作用如题 5-7 图所示。已知 $Q=5$ kN，$P_1=20$ kN，$P_2=50$ kN，$q=4$ kN/m；力 $\boldsymbol{P}_1$、$\boldsymbol{P}_2$ 至柱轴线的距离分别为 e_1、e_2，$e_1=0.15$ m，$e_2=0.25$ m，试求固定端支座 A 的反力。

5-8　悬臂刚架受力如题 5-8 图。已知 $q=4$ kN/m，$P=54$ kN，$F=4$ kN。求固定端 A 的约束反力。

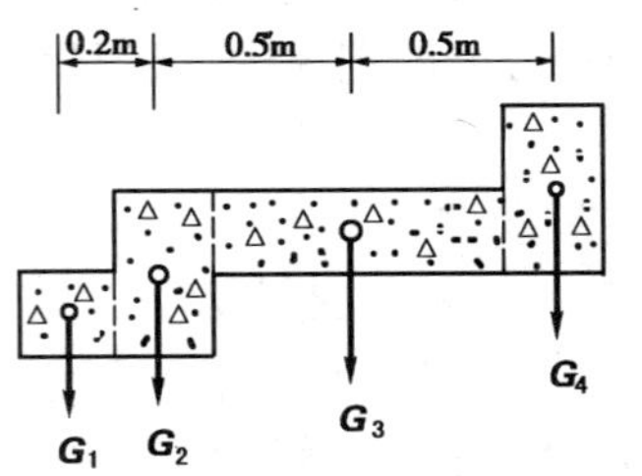

题 5-4 图

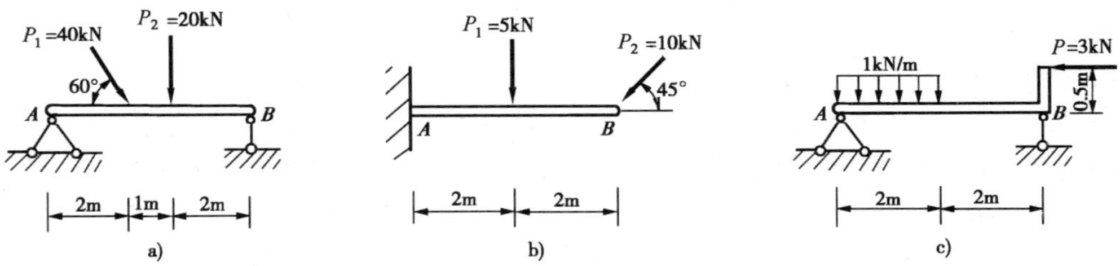

题 5-5 图

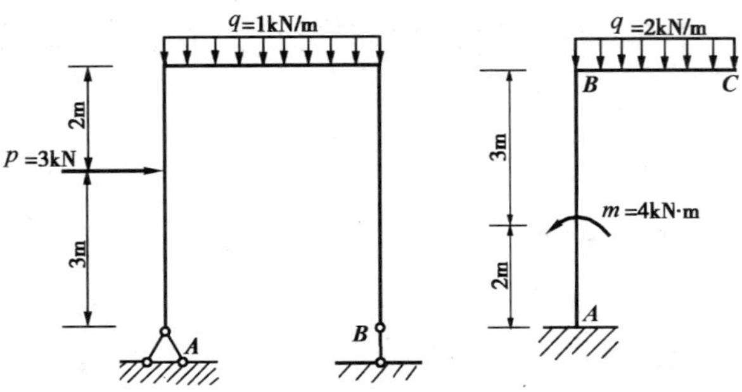

题 5-6 图

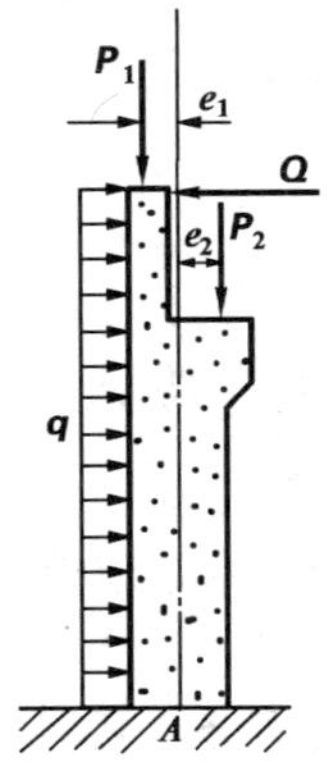

题 5-7 图

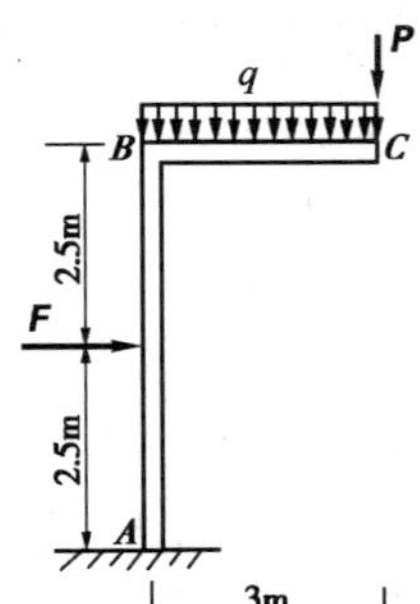

题 5-8 图

5-9　梁 AB 用三根连杆 a、b、c 支承，荷载如题 5-9 图所示。已知 $P=100\text{kN}$，$m=50\ \text{kN·m}$，求这三根连杆的反力。

5-10　拱形桁架的一端 A 为固定铰支座；另一端 B 为可动铰支座，其支承面与水平面成倾角 30°。桁架自重 $G=100\ \text{kN}$，风压力的合力 $Q=20\ \text{kN}$，其方向水平向左，试求支座反力。

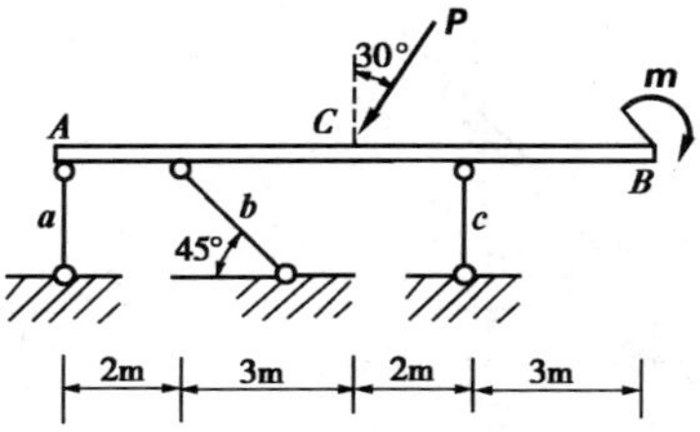

题 5-9 图

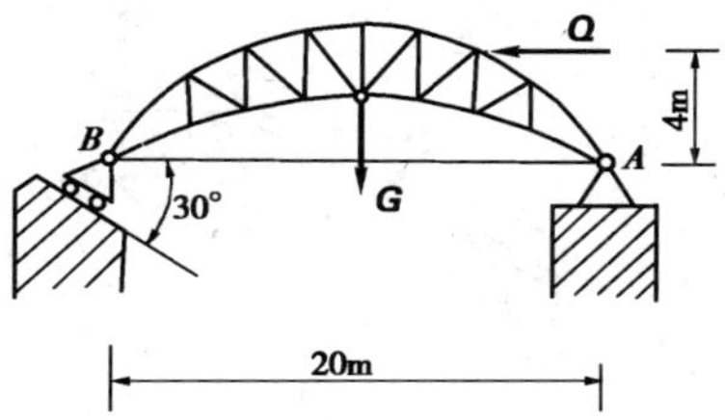

题 5-10 图

5-11　如图图示一个三角形支架的受力情况，已知 $P=10\text{kN}$，$q=2\ \text{kN/m}$，求铰链 A、B 处的约束反力。

5-12　AB 为匀质杆，长 l，重 G，在 A 点用固定铰支座支承，如图所示。A、C 两点在同一铅垂线上，且 $AC=AB$。绳索一端连接于杆的 B 点，另一端跨过滑轮 C 与重物 Q 相连。滑轮 C 的大小及轴承摩擦不计。求杆平衡时角度 α 的值。

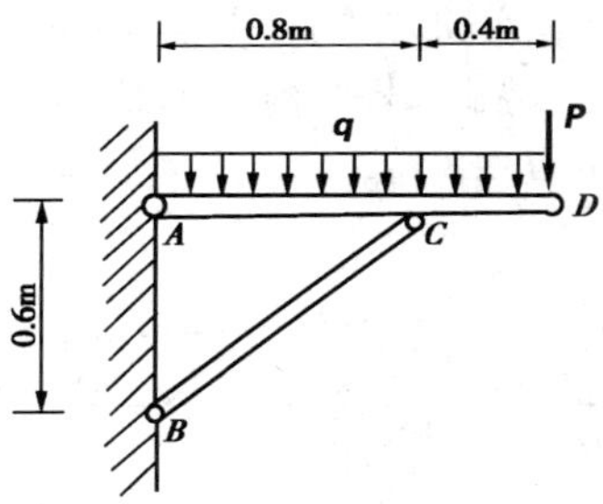

题 5-11 图

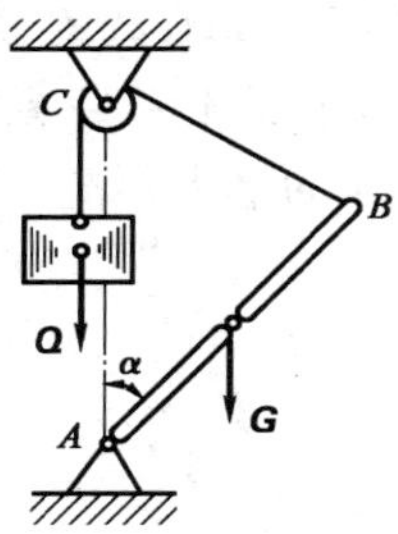

题 5-12 图

5-13　求图示各梁的支座反力。

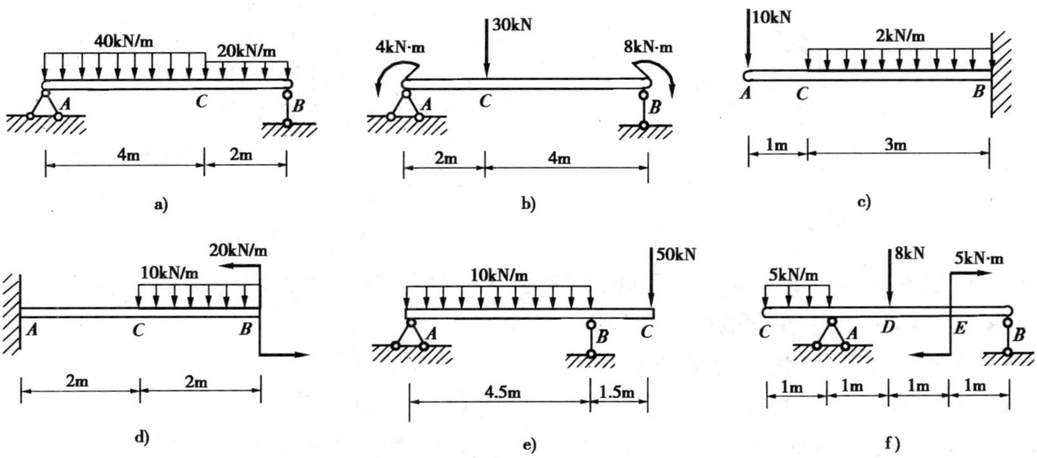

题 5-13 图

5-14　求图示各梁的支座反力。除图 a）斜梁 AC 上的均布荷载沿梁的长度分布外，其余的均布荷载都是沿水平方向分布的。

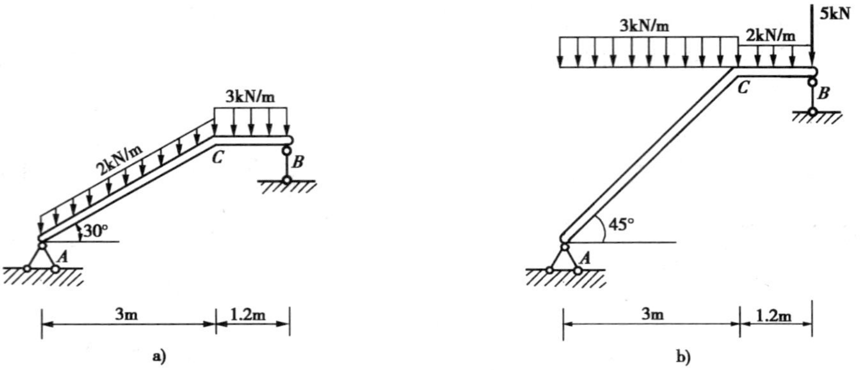

题 5-14 图

5-15　匀质折杆 ABC 挂在绳索 AD 上而平衡，如图所示。已知 AB 段长为 l，重为 G；BC 段长为 $2l$，重为 $2G$，$\angle ABC = 90°$，求 α 角。

5-16　塔式起重机，重 $G = 500$ kN（不包括平衡锤重 $\boldsymbol{Q}$）作用于 C 点，如图所示。跑车 E 的最大起重量 $P = 250$ kN，离 B 轨最远距离 $l = 10$m，为了防止起重机左右翻倒，需在 D 处加一平衡锤。要使跑车在满载或空载时，起重机在任何位置都不致翻倒，求平衡锤的最小重力 $\boldsymbol{Q}$ 和平衡锤到左轨 A 的最大距离 x。跑车自重不计，且 $e = 1.5$ m，$b = 3$ m。

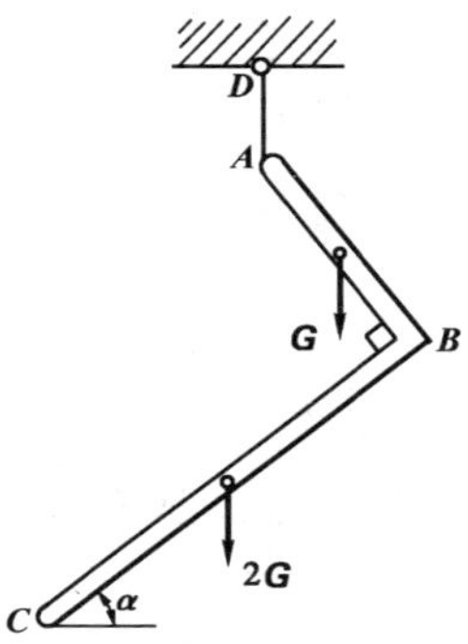

题 5-15 图

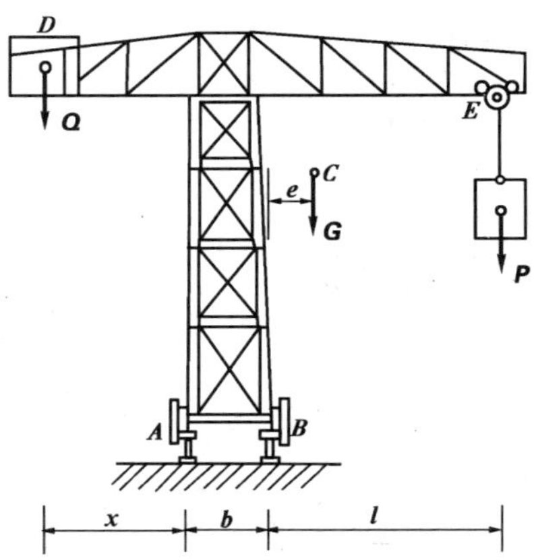

题 5-16 图

5-17　如图所示起重机重 $G = 50$ kN，搁置在水平梁上，其重力作用线沿 CD；起吊重力 $P = 10$ kN；梁重 30 kN，作用在梁的中点。试求：

（1）当起重机的 CD 线通过梁的中点时，支座 A、B 的反力；

（2）CD 线离开支座 A 多远时，支座 A、B 的反力相等。

5-18　杠杆扩力机如图所示。它利用两个同样的杠杆 AB 和 CD 来增加工件的压紧力。工作时，压力 $\boldsymbol{P}$ 经过两个杠杆压到工件 F 上。已知 $P = 100$ N，$l_1 = 50$ mm，$l_2 = 200$ mm，试求对工件的压紧力。

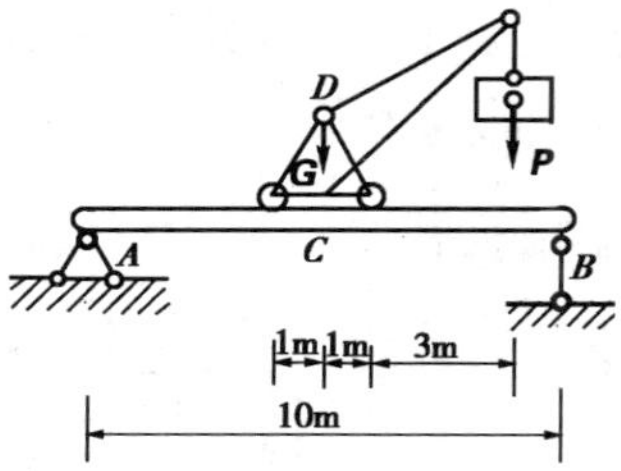

题 5-17 图

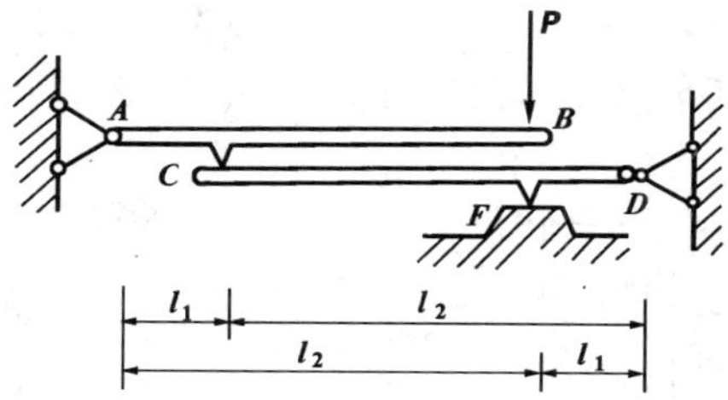

题 5-18 图

5-19　求图示多跨梁的支座反力。

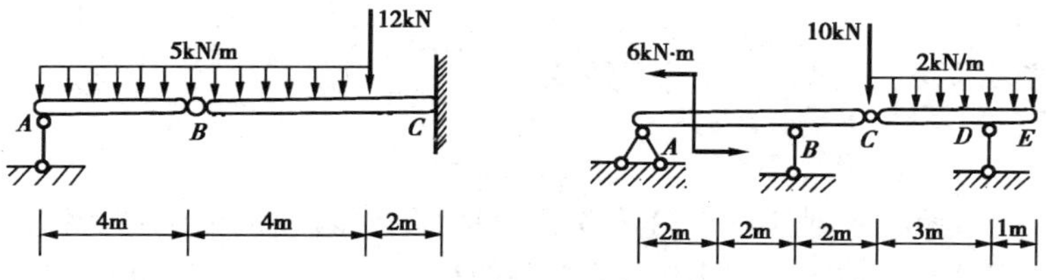

a)　　　　b)

题 5-19 图

5-20　一滑轮组布置如图示，各段绳索都是铅垂的。已知 $G_1=1.2$ kN，求平衡时 G_2 的值。

5-21　如图所示起重机在多跨静定梁上，载有重物 $P=10$ kN，起重机重 $G=50$ kN，其重心位置于铅垂线 EC 上。梁自重不计，求支座 A、B 和 D 的反力。

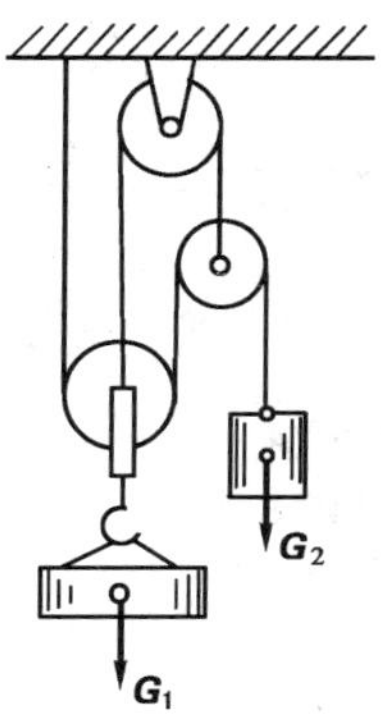

题 5-20 图

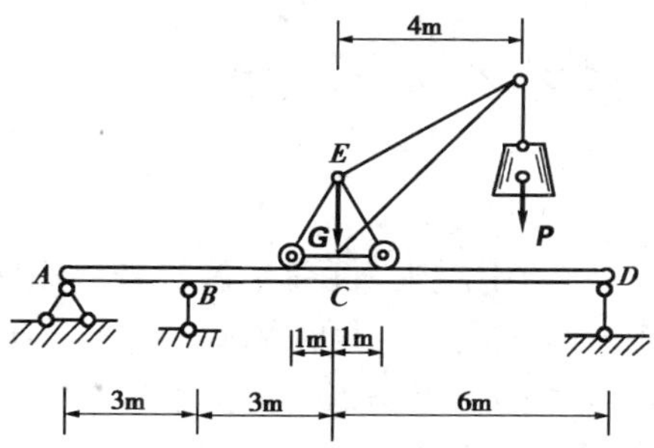

题 5-21 图

5-22　求图示两跨刚架支座 A、B 和 C 的反力。

5-23　如图所示三铰拱，求其支座 A、B 的反力及铰链 C 的约束反力。

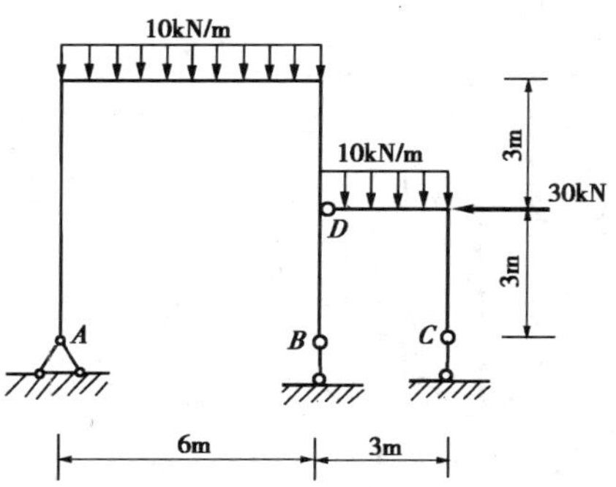

题 5-22 图

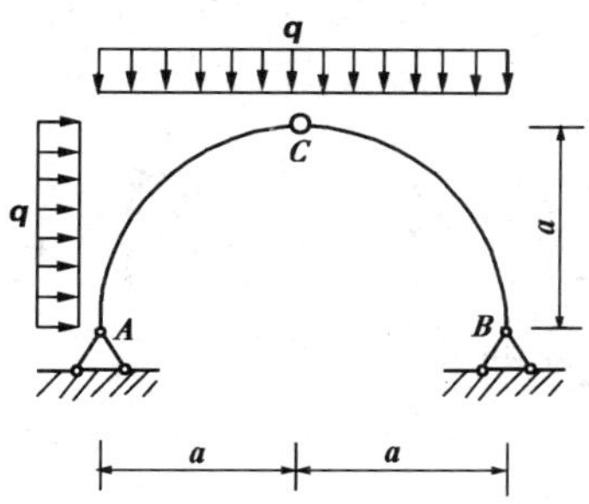

题 5-23 图

5-24　一个重 $G=4$ kN 的物体，按图示三种方式悬挂在支架上。已知滑轮直径 $d=300$ mm，其余尺寸如图 a 所示。求这三种情况下立柱固定端支座 A 的反力及连杆 DE 所受的力。

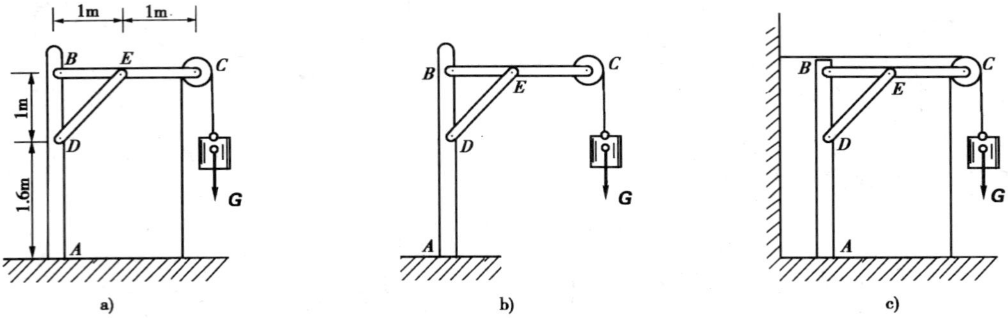

题 5-24 图

5-25　如图所示无底的圆柱形空筒放在光滑地面上，内放两个圆球，每个球重为 Q，半径为 r，筒的半径为 R，摩擦不计。求圆筒不致翻倒的最小重力 $G_{\min}$。已知 $r<R<2r$。

5-26　图示多跨梁，AB 段和 BC 段用铰链 B 连接，并支承于连杆 1、2、3、4 上。已知 $AD=EC=6$ m，$AB=BC=8$ m，$a=4$ m，$\alpha=60°$，$P=150$ kN，求各连杆的反力。

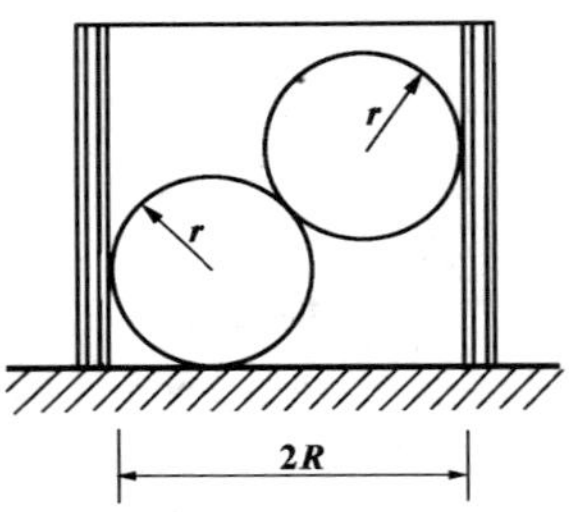

题 5-25 图

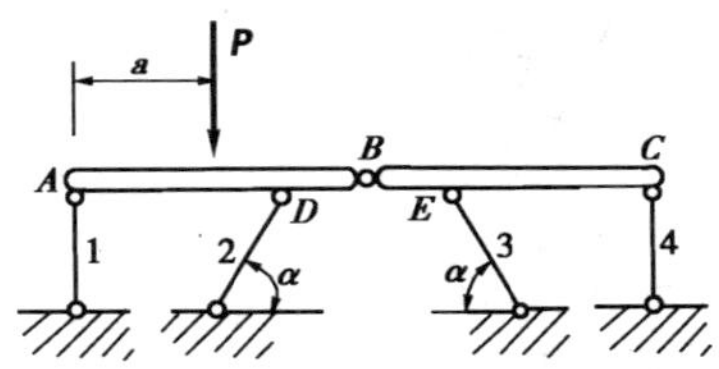

题 5-26 图

5-27　判断图中物体能否平衡？并求物体所受摩擦力的大小和方向。

(1)图 a)物体重 $G=200$ N，拉力 $P=5$ N，$f=0.25$；

(2)图 b)物体重 $G=20$ N，压力 $P=50$ N，$f=0.3$。

5-28　混凝土坝的横断面如图所示，坝高 50 m，底宽 44 m。设 1 m 长的坝受到水压力 $P=9930$ kN，混凝土的容重 $\gamma=22$ kN/m^3，坝与地面的静摩擦系数 $f=0.6$。问：

(1)此坝是否会滑动？

(2)此坝是否会绕 B 点而翻倒？

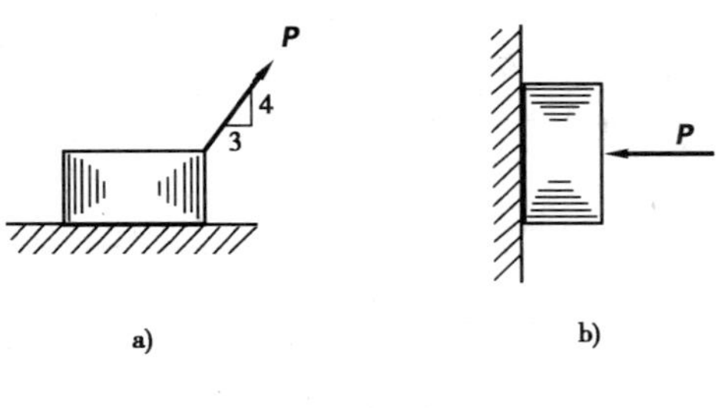

题 5-27 图

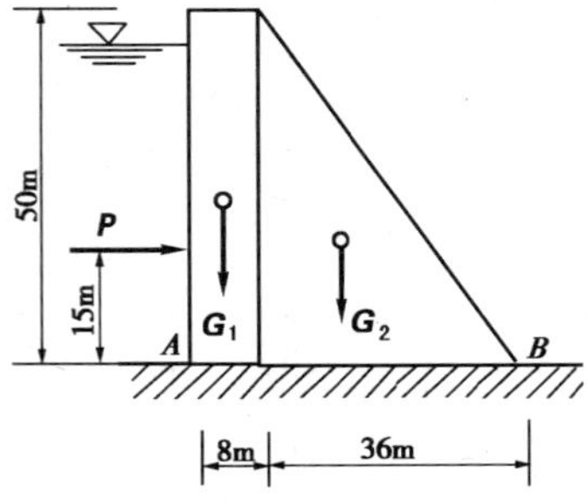

题 5-28 图

5-29 图示一挡土墙，它的单位长度(1m)所受的重力为 $\boldsymbol{G}$，土压力为 $\boldsymbol{P}$，力 $\boldsymbol{P}$ 与水平线成 α 角。要使挡土墙不滑动，问墙的底部与地基之间的静摩擦系数 f 最小应为多少？

5-30 如图所示在轴上作用着一个力偶，力偶矩 $m=1\ \mathrm{kN\cdot m}$。轴上固连着直径 $d=0.5\ \mathrm{m}$ 的制动轮，轮缘与制动块间的静摩擦系数 $f=0.25$。问制动块应对制动轮加多大的压力 $\boldsymbol{Q}$，才能使轴不转动？

5-31 尖劈顶重装置如图所示。尖劈 A 的顶角为 α，在 B 块上有重力为 Q 的重物作用。A 块与 B 块之间的摩擦系数 $f=\tan\varphi_m$(其他有滚珠处表示光滑接触)，不计 A 块、B 块的重力，求：

(1)刚好顶住重物所需之力 $\boldsymbol{P}$ 的值；

(2)使重物刚好不会向上移动所需之力 $\boldsymbol{P}$ 的值。

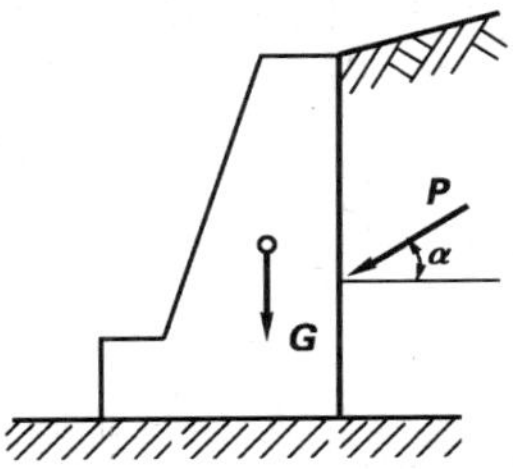

题 5-29 图

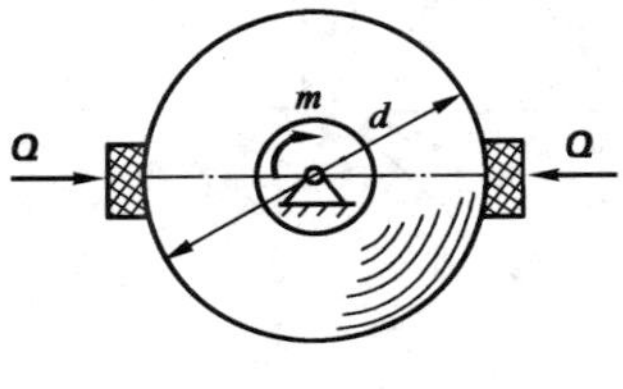

题 5-30 图

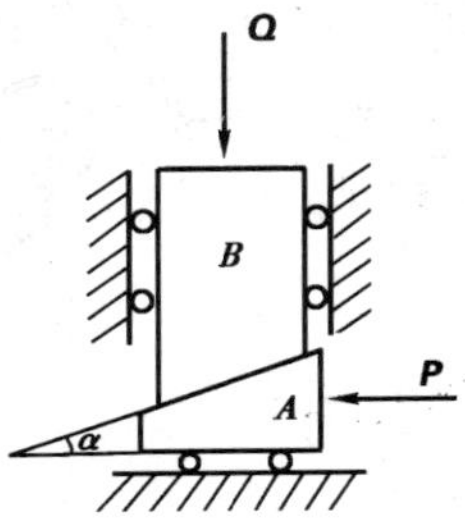

题 5-31 图

第六章 空间力系 重心

如果力系中各力的作用线不在同一平面内，这种力系称为空间力系。

§6-1 工程中的空间力系问题

空间力系根据各力作用线的相对位置又可分为三类：

1. 力系中各力的作用线都汇交于一点的，称为空间汇交力系，如图 6-1a)、b)所示。

2. 力系中各力的作用线都互相平行的，称为空间平行力系，如图 6-1c)、d)所示。

3. 力系中各力的作用线在空间任意分布的，称为空间一般力系，如图 6-1e)、f)所示。

在工程实践中，物体所受的力系都是空间力系。在很多情况下，我们可将实际的空间力系简化为平面力系来处理。但对有些工程问题，却必须按空间力系来计算，如图 6-1a)所示的三脚架与图 6-1e)所示的起重吊架等。

本章讨论空间力系的合成和平衡问题。

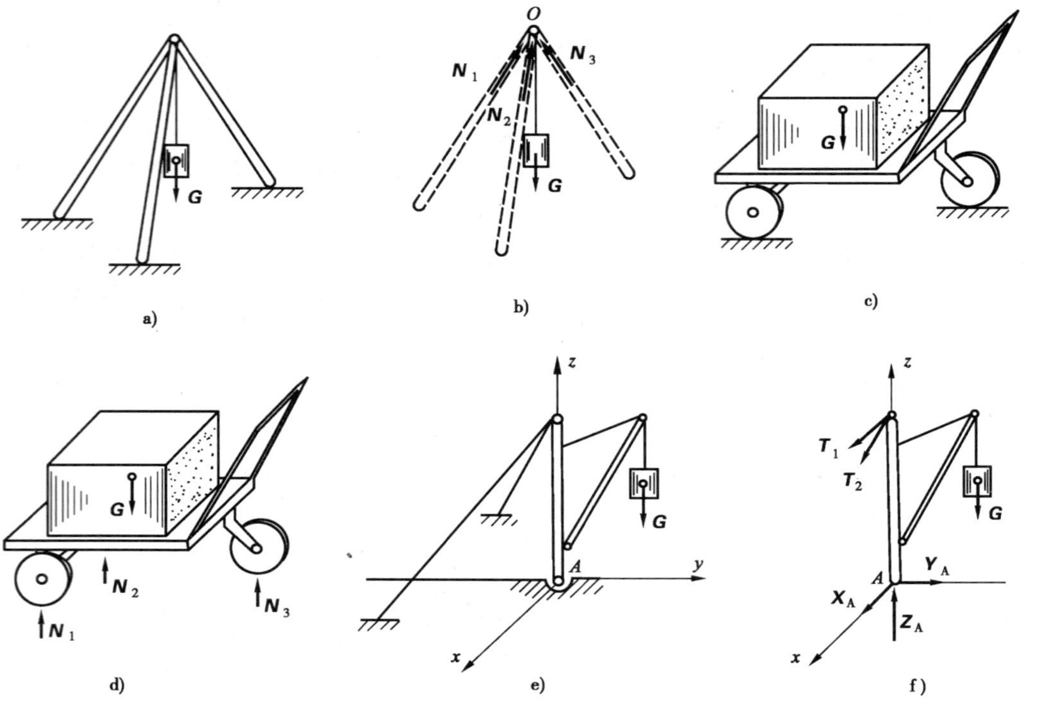

图 6-1

§6-2 空间汇交力系

用解析法讨论空间力系的合成和平衡问题，必须会计算力在空间直角坐标轴上的投影，因此，我们先讨论这个问题。

一、力在空间直角坐标轴上的投影

求力在空间直角坐标轴上的投影有两种方法：一次投影法和二次投影法。

1. 一次投影法

设有一力 $\boldsymbol{F}$ 作用于物体的 O 点（图 6-2），力 $\boldsymbol{F}$ 与直角坐标轴 x、y、z 的正向之间的夹角分别为 α、β、γ。从力 $\boldsymbol{F}$ 的末端 A 作三个分别与三个坐标轴垂直的平面，这三个平面在三个轴上所截的线段并加上正号或负号，就是力 $\boldsymbol{F}$ 在这三个坐标轴上的投影 X、Y、Z。由图可见，三角形 OAB 为一直角三角形（$\angle OBA = 90°$），因而可得

$$Y = F\cos\beta$$

同理可得出 X 与 Z。于是力 $\boldsymbol{F}$ 在三个直角坐标轴上的投影为

$$\left.\begin{aligned} X &= F\cos\alpha \\ Y &= F\cos\beta \\ Z &= F\cos\gamma \end{aligned}\right\} \tag{6-1}$$

当力 $\boldsymbol{F}$ 与三个坐标轴的夹角 α、β、γ 已知时，可用这种方法求投影。

2. 二次投影法

如图 6-3 所示，如果力 $\boldsymbol{F}$ 与坐标轴 z 的夹角 γ 已知，则可将该力先投影到轴 z 与坐标面

Oxy 上，在 Oxy 面上的投影为矢量 $\boldsymbol{F}_{xy}$（力在平面上的投影是矢量），其大小

$$F_{xy}=F\sin\gamma$$

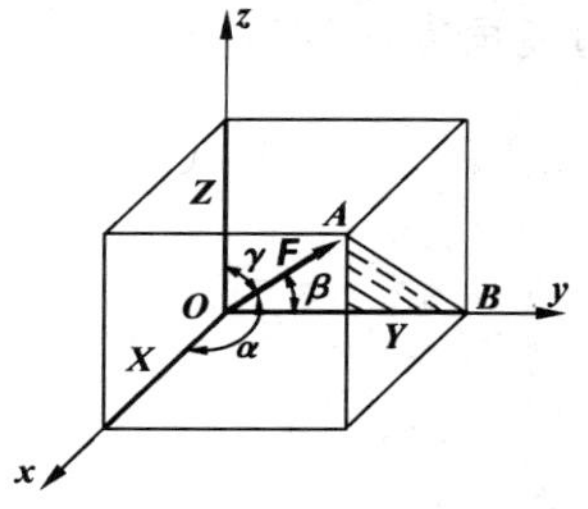

图 6-2

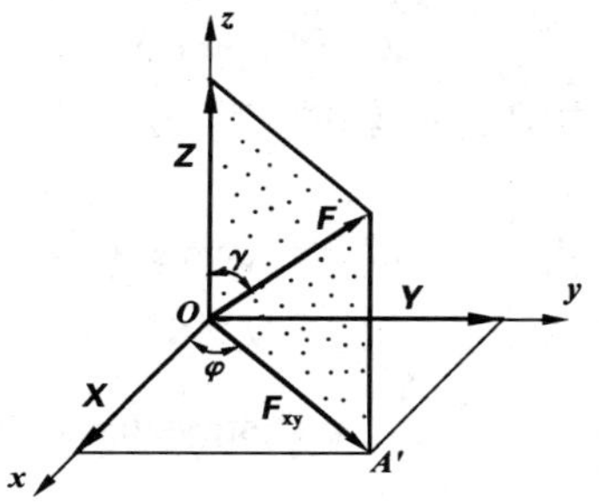

图 6-3

然后再将 $\boldsymbol{F}_{xy}$ 投影到 x、y 轴上。设 $\boldsymbol{F}_{xy}$ 与 x 轴的夹角为 φ，于是力 $\boldsymbol{F}$ 在三个坐标轴上的投影为

$$\left.\begin{aligned}X&=F\sin\gamma\cos\varphi\\Y&=F\sin\gamma\sin\varphi\\Z&=F\cos\gamma\end{aligned}\right\}\tag{6-2}$$

当角度 γ、φ 已知或容易求得时，可用这种方法求投影。通常应用这种方法计算投影比较方便。在计算时，一般取力 $\boldsymbol{F}$ 与 z 轴的夹角 γ 以及 $\boldsymbol{F}_{xy}$ 与 x 轴的夹角 φ 为锐角，而 X、Y、Z 三个投影的正负号由直观判断。即力 $\boldsymbol{F}$ 在某轴投影的指向与该轴的正向一致时，投影为正；反之，为负。

如果已知一个力 $\boldsymbol{F}$ 在三个坐标轴上的投影 X、Y、Z，则由图 6-2 可求得该力的大小和方向余弦为

$$\left.\begin{aligned}F&=\sqrt{X^2+Y^2+Z^2}\\\cos\alpha&=\frac{X}{F}\\\cos\beta&=\frac{Y}{F}\\\cos\gamma&=\frac{Z}{F}\end{aligned}\right\}\tag{6-3}$$

例 6-1 在一立方体上作用有三个力 $\boldsymbol{P}_1$、$\boldsymbol{P}_2$、$\boldsymbol{P}_3$，如图 6-4 所示。已知 $P_1=2$ kN，$P_2=1$ kN，$P_3=5$ kN，试分别计算这三个力在坐标轴 x、y、z 上的投影。

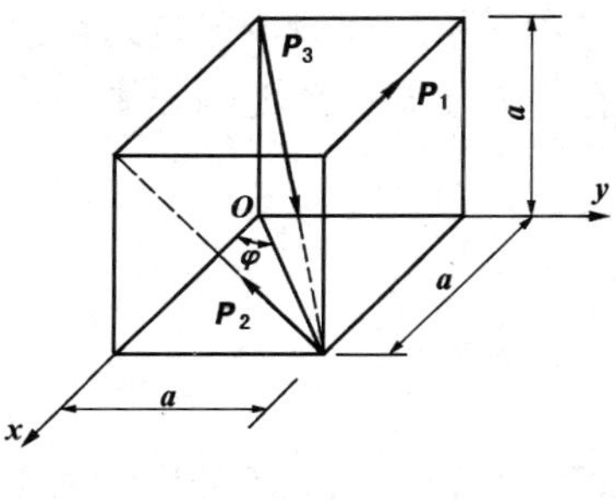

图 6-4

解 力 $\boldsymbol{P}_1$ 的作用线与 x 轴平行，与坐标面 Oyz 垂直，与 y、z 轴也成垂直，根据力在轴上的投影的定义可得

$$X_1=-P_1=-2\ \text{kN}$$
$$Y_1=0$$
$$Z_1=0$$

力 $\boldsymbol{P}_2$ 的作用线与坐标面 Oyz 平行，与 x 轴垂直，先将此力投影在 x 轴和 Oyz 面上，在 x 轴上投影为零，在 Oyz 面上投影

P_{2yz}就等于此力本身；然后再将 $\boldsymbol{P}_{2yz}$投影到 y、z 轴上。于是可得

$$X_2=0$$

$$Y_2=-P_{2yz}\cos45°=-P_2\cos45°=-1\times0.707=-0.707\ \text{kN}$$

$$Z_2=P_{2yz}\sin45°=P_2\sin45°=1\times0.707=0.707\ \text{kN}$$

设力 $\boldsymbol{P}_3$ 与 z 轴的夹角为 γ，它在 Oxy 面上的投影与 x 轴的夹角为 φ，则由式(6-2)可得

$$X_3=P_3\sin\gamma\cos\varphi=P_3\frac{\sqrt{2}a}{\sqrt{3}a}\cdot\frac{a}{\sqrt{2}a}=\frac{5}{\sqrt{3}}=2.89\ \text{kN}$$

$$Y_3=P_3\sin\gamma\sin\varphi=P_3\frac{\sqrt{2}a}{\sqrt{3}a}\cdot\frac{a}{\sqrt{2}a}=\frac{5}{\sqrt{3}}=2.89\ \text{kN}$$

$$Z_3=-P_3\cos\gamma=-5\cdot\frac{a}{\sqrt{3}a}=\frac{5}{\sqrt{3}}=-2.89\ \text{kN}$$

二、力沿空间直角坐标轴的分解

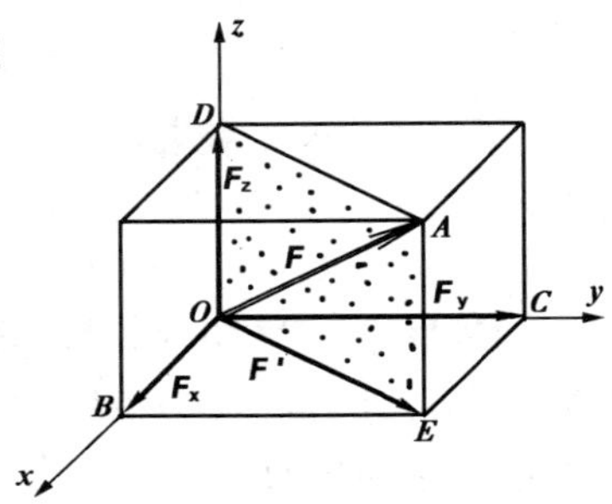

图 6-5

设有一个力 $\boldsymbol{F}$ 作用于物体的 O 点，取坐标系如图 6-5 所示，求力 $\boldsymbol{F}$ 沿三个坐标轴方向的分力。应用力的平行四边形公理，先作力的平行四边形 $OEAD$，将力 $\boldsymbol{F}$ 分解为沿 z 轴方向以及在 Oxy 面上的两个分力 $\boldsymbol{F}_z$ 和 $\boldsymbol{F}'$，然后再作力的平行四边形 $OBEC$，将力 $\boldsymbol{F}'$分解为沿 x 轴和 y 轴方向的两个分力 $\boldsymbol{F}_x$ 和 $\boldsymbol{F}_y$。显然 $\boldsymbol{F}_x$、$\boldsymbol{F}_y$、$\boldsymbol{F}_z$ 就是力 $\boldsymbol{F}$ 沿空间直角坐标轴方向的三个分力。

将力沿三个坐标轴的分力与力在该三个轴上的投影比较可知，力 $\boldsymbol{F}$ 沿直角坐标轴分力的大小，分别等于该力在相应坐标轴上的投影的绝对值，即

$$F_x=|X|\qquad F_y=|Y|\qquad F_z=|Z|$$

而且，投影为正时，相应的分力指向坐标轴的正向；投影为负时，则指向负向。因此，力沿直角坐标轴的分力，可以通过该力在相应轴上的投影来求，但对分力要明确其作用线位置。

三、空间汇交力系的合成

设在物体上作用有空间汇交力系 $\boldsymbol{F}_1$、$\boldsymbol{F}_2$、…、$\boldsymbol{F}_n$[图 6-6a)]，现求其合成的结果。

用解析法求空间汇交力系的合成，同平面汇交力系一样也是以合力投影定理为依据。第二章介绍的合力投影定理可以推广到空间汇交力系：即合力在任一轴上的投影，等于力系中所有各力在同一轴上的投影的代数和。取空间直角坐标系[图 6-6a)]，根据合力投影定理有

$$\left.\begin{aligned}R_x&=\sum X\\R_y&=\sum Y\\R_z&=\sum Z\end{aligned}\right\}\qquad(6\text{-}4)$$

式中$\sum X$、$\sum Y$、$\sum Z$ 分别为力系中各力在坐标轴 x、y、z 上的投影代数和，R_x、R_y、R_z 为其合力在相应坐标轴上的投影。如果已知 R_x、R_y、R_z[图 6-6b)]，应用式(6-3)，就可以求得合力 $\boldsymbol{R}$ 的大小和方向余弦为

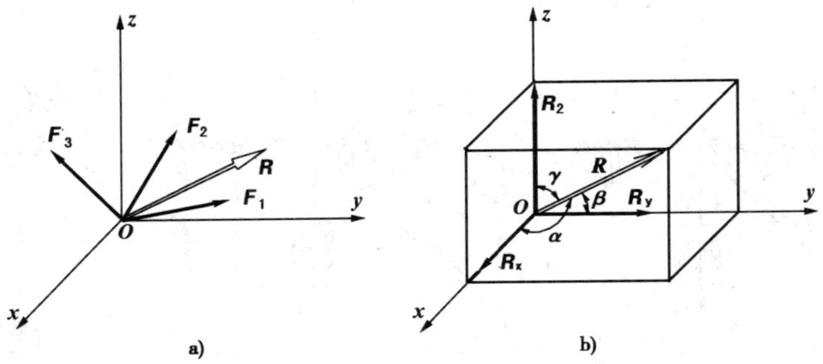

图 6-6

$$\left.\begin{aligned}R&=\sqrt{R_x^{\ 2}+R_y^{\ 2}+R_z^{\ 2}}=\sqrt{(\sum X)^2+(\sum Y)^2+(\sum Z)^2}\\ \cos\alpha&=\frac{R_x}{R}=\frac{\sum X}{R}\\ \cos\beta&=\frac{R_y}{R}=\frac{\sum Y}{R}\\ \cos\gamma&=\frac{R_z}{R}=\frac{\sum Z}{R}\end{aligned}\right\}\tag{6-5}$$

合力的作用线通过原力系的汇交点 O。

四、空间汇交力系的平衡条件

由于空间汇交力系可以合成为一个合力，因此，**空间汇交力系平衡的必要和充分条件是：该力系的合力等于零**，即

$$R=\sqrt{(\sum X)^2+(\sum Y)^2+(\sum Z)^2}=0$$

要使上式成立，必须同时满足

$$\left.\begin{aligned}\sum X&=0\\ \sum Y&=0\\ \sum Z&=0\end{aligned}\right\}\tag{6-6}$$

于是可得结论：**空间汇交力系平衡的必要和充分条件是：力系中所有各力在三个坐标轴中每一轴上的投影的代数和分别等于零。**式(6-6)称为**空间汇交力系的平衡方程**。利用这三个平衡方程，可求解三个未知量。求解空间汇交力系平衡问题的步骤，与平面汇交力系问题相同。

例 6-2 空间支架如图6-7 所示。杆 CD 自重不计，D 端用球形铰链与铅直墙连接，C 端用两根水平绳 AC 和 BC 拉住。A、B、D 三点在同一铅直面内，D 点在 AB 中点 E 的正下方。如在 C 点挂一重物 $G=1$ kN，求两根绳子和杆 CD 所受的力。已知 $AE=EB=120$ mm，$EC=ED=240$ mm。

解 先讨论球形铰链约束，它的结构简图如图 6-8 所示，是由固定于一物体上的圆球嵌入球窝内而构成，且接触面光滑。这种约束只能限制物体沿任何方向的移动，而不能限制物体绕球心的转动，因此，**它的约束反力通过球心，而方向未定，通常用沿空间直角坐标轴的三个分反力 X_A、Y_A、Z_A 表示**，如图 6-9 所示。

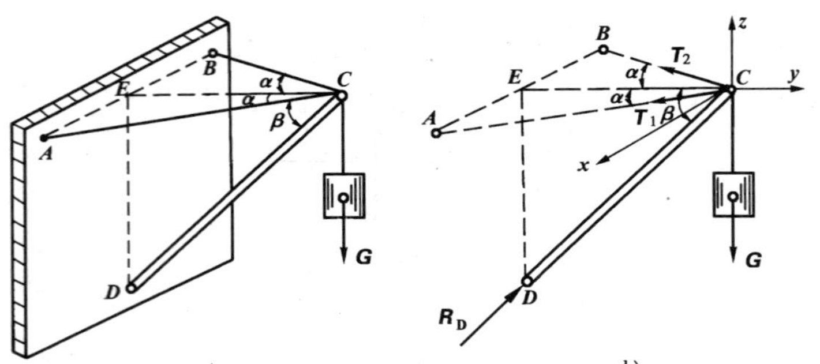

图 6-7

图 6-8

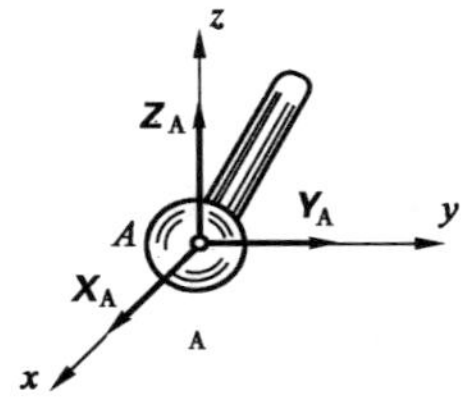

图 6-9

现在讨论图6-7a)的支架，取杆 CD 为研究对象。因为杆 CD 的重量不计，又只在两端受力，所以杆 CD 为二力杆，球铰 D 对杆 CD 的反力 $\boldsymbol{R}_D$ 必沿 CD 直线，杆在 C 端受绳拉力 $\boldsymbol{T}_1$、$\boldsymbol{T}_2$ 作用，重物受重力 $\boldsymbol{G}$ 作用，画出受力图如图6-7b)所示，这四个力组成空间汇交力系。

设坐标系如图所示。已知 $\angle ECD=\beta=45°$，并令 $\angle ACE=\angle ECB=\alpha$，列出平衡方程

$$\sum X=0 \qquad T_1\sin\alpha-T_2\sin\alpha=0 \tag{a}$$

$$\sum Y=0 \qquad R_D\cos\beta-T_1\cos\alpha-T_2\cos\alpha=0 \tag{b}$$

$$\sum Z=0 \qquad R_D\sin\beta-G=0 \tag{c}$$

由式(c)解得

$$R_D=\frac{G}{\sin\beta}=\frac{1}{\sin45°}=1.414\ \text{kN}$$

得正号表示方向假设正确，即杆 CD 受压。联立式(a)、(b)求解，得

$$T_1=T_2=\frac{R_D\cos\beta}{2\cos\alpha}$$

由已知条件又知

$$\cos\alpha=\frac{CE}{AC}=\frac{24}{\sqrt{12^2+24^2}}=0.894$$

将 R_D、β、α 的值代入，得

$$T_1=T_2=0.559\ \text{kN}$$

例6-3 正方形匀质平板的重力 $G=16$ kN，其重心在 O 点。平面由三根绳子悬挂着并保持水平，如图6-10a)所示，求各绳的拉力。

解 由整体平衡，可知吊钩的拉力 $\boldsymbol{T}$ 的大小等于板的重力，即

$$T=G=16\ \text{kN}$$

取吊钩 D 为研究对象，作用在吊钩上的四个拉力：$\boldsymbol{T}$、$\boldsymbol{T}_A$、$\boldsymbol{T}_B$ 和 $\boldsymbol{T}_C$ 组成空间汇交力系[图6-10b)]。

设坐标系如图所示，列出平衡方程

$$\sum X=0 \qquad T_A\cos45°\sin45°-T_B\cos45°\sin45°=0 \tag{a}$$

$$\sum Y=0 \qquad -T_A\cos45°\cos45°-T_B\cos45°\cos45°+T_C\cos60°=0 \tag{b}$$

$$\sum Z=0 \qquad T-T_A\sin45°-T_B\sin45°-T_C\sin60°=0 \tag{c}$$

由式(a)得

$$T_A=T_B \tag{d}$$

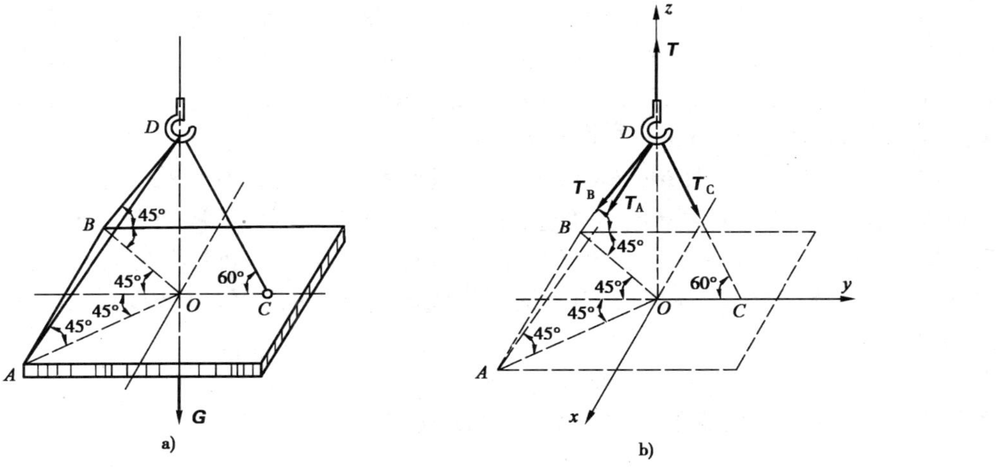

图 6-10

将式(d)代入式(b)得
$$T_C = 2T_A \tag{e}$$
$$T_A = T_B = 5.09\text{kN}$$
$$T_C = 10.17\text{kN}$$

§6-3 空间一般力系

一、力对轴的矩

在实践中,经常遇到物体绕固定轴转动的情况。力使物体绕某轴转动的效应,由力对该轴的矩来量度。现以开门为例来说明这个问题。

设有一扇可绕固定轴 z 转动的门,如果在门上 A 点作用一个与 z 轴平行的力 $\boldsymbol{F}_1$[图 6-11a)]或与 z 轴相交的力 $\boldsymbol{F}_2$[图6-11b)],从经验知,这些力都不能使门绕 z 轴转动。由此可知:当所加的力与转动轴 z 平行或相交时,即力与 z 轴共面时,这个力不能使物体绕 z 轴转动。或者说,这个力对 z 轴的矩等于零。

如果像图 6-12 所示,在门上 A 点加一力 $\boldsymbol{F}$,此力作用在与 z 轴垂直的平面 M 内,这时,门就能绕 z 轴转动。转动的效应不仅与力的大小成正比,而且还与 z 轴与 M 平面的交点 O 到该力作用线的垂直距离 d 成正比。因此,可用乘积 $F \cdot d$ 来量度转动的效应。

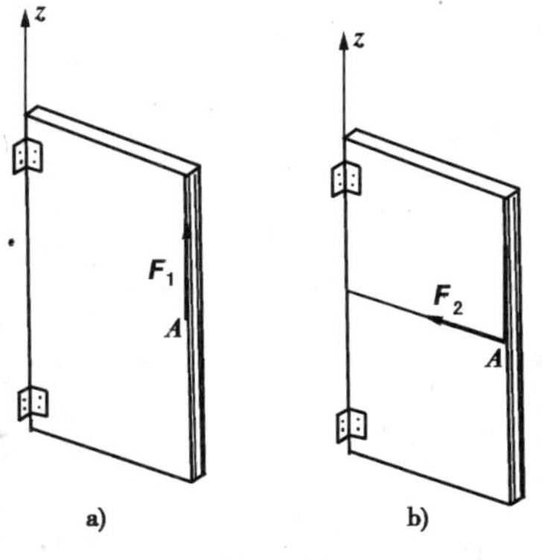

图 6-11

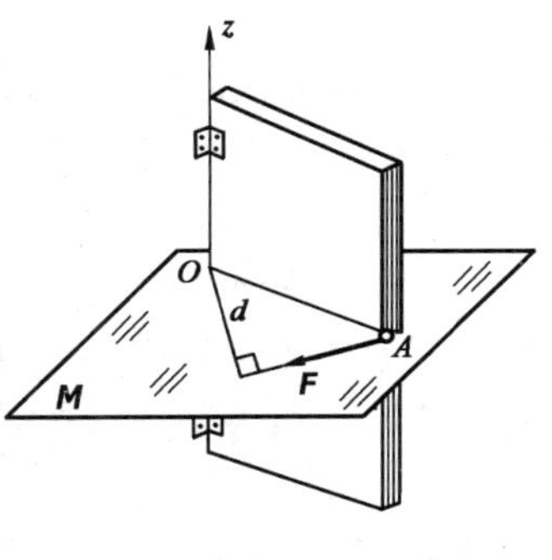

图 6-12

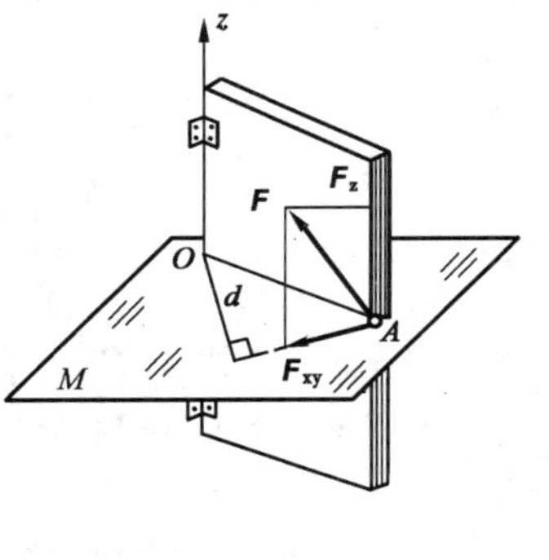

图 6-13

一般情况下，在门上加一个任意方向的力 $\boldsymbol{F}$，如图 6-13 所示。为了确定力使门绕 z 轴转动的效应，可将该力分解为两个分力 $\boldsymbol{F}_z$ 和 $\boldsymbol{F}_{xy}$，其中 $\boldsymbol{F}_z$ 与 z 轴平行，$\boldsymbol{F}_{xy}$ 在与 z 轴垂直的 M 平面内。分力 $\boldsymbol{F}_z$ 不能使门转动，分力 $\boldsymbol{F}_{xy}$ 使门转动的效应，取决于 $\boldsymbol{F}_{xy}$ 的大小与 O 点到 $\boldsymbol{F}_{xy}$ 的垂直距离 d 的乘积，即可用力 $\boldsymbol{F}_{xy}$ 对 O 点的矩来量度。

综上所述，可知**力对某轴的矩，等于力在与轴垂直平面上的分力对轴与该平面交点的矩。**由物体绕轴转动时，有两种转向，我们可用正号或负号来表示。一般用右手法则确定，即以右手四指表示物体绕 z 轴转动的方向，如大拇指指向与 z 轴正向相同，则为正号[图 6-14a)]；反之，为负号[图 6-14b)]。所以，力对轴的矩为代数量。如以 $m_z(\boldsymbol{F})$ 或 m_z 表示力 $\boldsymbol{F}$ 对 z 轴的矩，则有

$$m_z(\boldsymbol{F}) = m_O(\boldsymbol{F}_{xy}) = \pm F_{xy} \cdot d \tag{6-7}$$

力对轴的矩和力对点的矩单位相同，常用 N·m 或 kN·m。

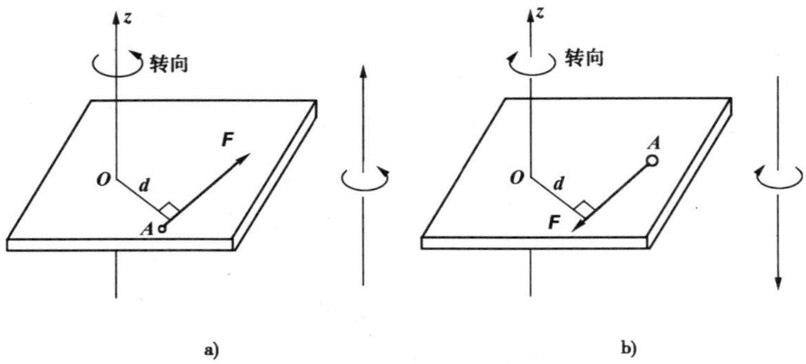

图 6-14

与平面力系的合力矩定理相似，**空间力系的合力矩定理可叙述为：空间力系若有合力，则合力对某轴的矩等于各分力对该轴的矩的代数和。**合力矩定理常用来简化力对轴的矩的计算。

例 6-4 手柄 $ABCD$ 在平面 Axy 上，在 D 处作用一铅垂力 $P = 500\text{N}$，如图 6-15 所示，求此力对轴 x、y 和 z 的力矩。

解 由式(6-7)可得力 $\boldsymbol{P}$ 对 x 轴的矩为

$$m_x(\boldsymbol{P}) = -P(0.3 + 0.2) = -500 \times 0.5 = -250\ \text{N·m}$$

力 $\boldsymbol{P}$ 对 y 轴的矩为

$$m_y(\boldsymbol{P}) = -P \times 0.36 = -500 \times 0.36 = -180\ \text{N·m}$$

由于力 $\boldsymbol{P}$ 与 z 轴平行，故

$$m_z(\boldsymbol{P}) = 0$$

例 6-5 托架 $ABCD$ 套在转轴 z 上，D 点在水平面 Axy 上(图 6-16)。在 D 点作用一力 $\boldsymbol{P}$，其大小 $P = 200$ N，作用线平行于平面 Axz，且与水平面夹角 $\alpha = 30°$，求力 $\boldsymbol{P}$ 对三个坐标轴的矩。

解 本题应用合力矩定理求解较方便。为此，将力 $\boldsymbol{P}$ 在 D 点沿坐标轴 x、z 方向分解为两个分力 $\boldsymbol{P}_x$ 和 $\boldsymbol{P}_z$，这两个分力的大小为

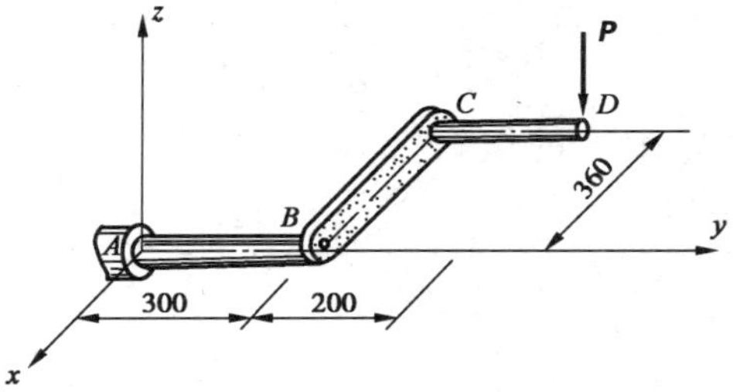

图 6-15 （尺寸单位：cm）

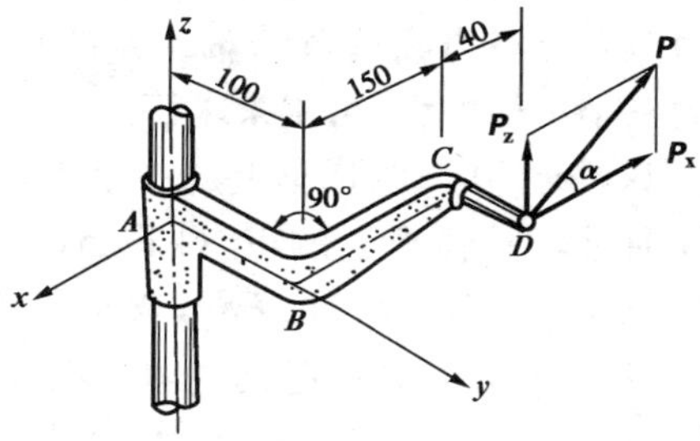

图 6-16 （尺寸单位：cm）

$$P_x = P\cos\alpha = 200\cos30° = 173.2\ \text{N}$$

$$P_z = P\sin\alpha = 200\sin30° = 100\ \text{N}$$

由合力矩定理可得力 $\boldsymbol{P}$ 对 x 轴的矩为

$$m_x(\boldsymbol{P}) = m_x(\boldsymbol{P}_x) + m_x(\boldsymbol{P}_z) = 0 + P_z(0.1 + 0.04) = 100 \times 0.14 = 14\ \text{N·m}$$

力 $\boldsymbol{P}$ 对 y 轴的矩为

$$m_y(\boldsymbol{P}) = m_y(\boldsymbol{P}_x) + m_y(\boldsymbol{P}_z) = 0 - P_z \times 0.15 = -100 \times 0.15 = -15\ \text{N·m}$$

力 $\boldsymbol{P}$ 对 z 轴的矩为

$$m_z(\boldsymbol{P}) = m_z(\boldsymbol{P}_x) + m_z(\boldsymbol{P}_z) = P_x(0.1 + 0.04) + 0 = 173.2 \times 0.14 = 24.2\ \text{N·m}$$

二、空间一般力系的平衡方程

要使物体在空间不移动也不转动，换句话说，就是使物体沿三个坐标轴的方向都不能移动，同时，绕三个坐标轴也都不能转动，这就需要**力系中所有各力在三个坐标轴上每一轴的投影的代数和都等于零，以及力系的各力对这三个坐标轴的矩的代数和也都等于零。**

$$\left.\begin{aligned}\sum X &= 0\\ \sum Y &= 0\\ \sum Z &= 0\\ \sum m_x &= 0\\ \sum m_y &= 0\\ \sum m_z &= 0\end{aligned}\right\} \tag{6-8}$$

反之，如果力系满足式(6-8)六个条件，则物体一定处于平衡状态。所以，式(6-8)是**空间一般力系平衡的必要和充分条件，称为空间一般力系的平衡方程。**

应用这六个平衡方程求解空间一般力系的平衡问题时，可以解出六个未知量。

空间一般力系是力系的一般情形，其他力系都是它的特例。所以，这些力系的平衡方程都可以由空间一般力系的平衡方程式(6-8)导出。下面推导空间平行力系的平衡方程。如图6-17所示，一物体受空间平行力系作用，取 z 轴与各力平行，则 $\sum X \equiv 0$，$\sum Y \equiv 0$，$\sum m_z \equiv 0$，即不论力系是否平衡，上列三式总是满足的。因此，空间平行力系的平衡方程为

$$\left.\begin{aligned}\sum Z &= 0\\ \sum m_x &= 0\\ \sum m_y &= 0\end{aligned}\right\} \tag{6-9}$$

即空间平行力系平衡的必要和充分条件是：力系中所有各力在与力的作用线平行的坐标轴上的投影的代数和等于零，以及这些力对两个与力线垂直的轴之矩的代数和等于零。空间平行力系的三个平衡方程，可用来求解三个未知量。

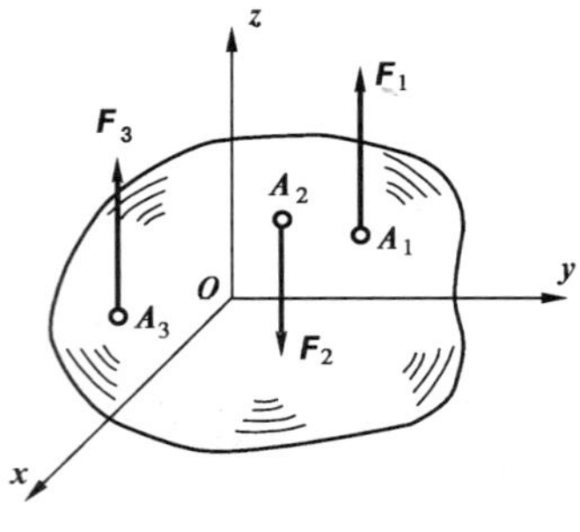

图 6-17

例 6-6 在三轮货车上放一重 $P=1$ kN 的货物，重力 $\boldsymbol{P}$ 的作用线通过矩形底板上的点 K[图 6-18a)]。已知 $O_1O_2=1$ m，$O_3D=1.6$ m，$O_1E=0.4$ m，$EK=0.6$ m，D 点是线段 O_1O_2 的中点，$EK\perp O_1O_2$求由力 $\boldsymbol{P}$ 引起的 A、B、C 三处地面的铅直反力。

解 取货车为研究对象，画其受力图如图 6-18b)所示，货车受重力 $\boldsymbol{P}$ 与地面铅直反力 $\boldsymbol{N}_A$、$\boldsymbol{N}_B$、$\boldsymbol{N}_C$ 作用而处于平衡，这四个力组成空间平行力系。应用三个平衡方程，可以求解三个未知量。

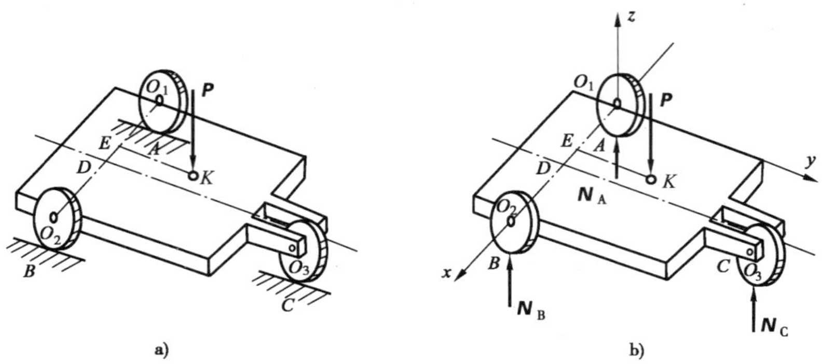

图 6-18

设坐标系如图示，列出平衡方程

$$\sum Z=0 \qquad N_A+N_B+N_C-P=0 \tag{a}$$

$$\sum m_x=0 \qquad N_C\times 1.6-P\times 0.6=0 \tag{b}$$

$$\sum m_y=0 \qquad P\times 0.4-N_B\times 1-N_C\times 0.5=0 \tag{c}$$

由式(b)解得

$$N_C=\frac{0.6}{1.6}P=\frac{0.6}{1.6}\times 1=0.375\ \text{kN}$$

将 N_C 值代入式(c)得

$$N_B=P\times 0.4-N_C\times 0.5=1\times 0.4-0.375\times 0.5=0.213\text{kN}$$

将 N_C、N_B 值代入式(a)得

$$N_A=P-N_B-N_C=1-0.213-0.375=0.412\text{kN}$$

例 6-7 装有两个带轮 C 和 D 的水平传动轴 AB，支承于径向轴承 A、B 上[图 6-19a)]，轮的半径 $r_1=200$mm，$r_2=250$mm，距离 $a=b=500$mm，$c=1\,000$mm。已知轮 C 上胶带拉力的方向成水平，其大小 $T_2=2T_1=5$kN；轮 D 上两边的胶带互相平行，并与铅垂线夹角 $\alpha=30°$，其拉力大小 $T_3=2T_4$。不计轮和轴的重力，试求在平衡状态下胶带拉力 $\boldsymbol{T}_3$、$\boldsymbol{T}_4$ 及轴承 A、B 的约束反力。

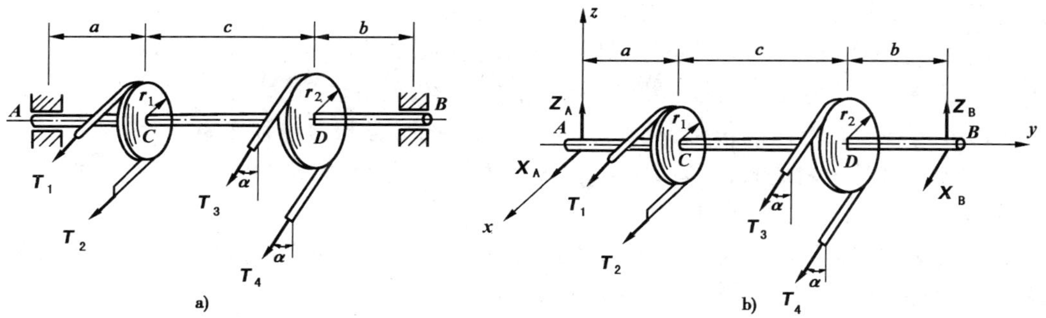

图 6-19

解 先讨论**径向轴承**的约束反力，图 6-20a）表示径向轴承的构造，图 6-20b）是它的简图。径向轴承的约束性能与固定铰支座相同，轴承只能限制轴沿径向移动，而不能限制轴绕轴线的转动及沿轴线方向的移动。所以，**它的约束反力在垂直于轴线的径向平面内并通过轴心，方向未定，通常用两个互相垂直的分力 X_A 和 Z_A 表示**，如图 6-20c）。

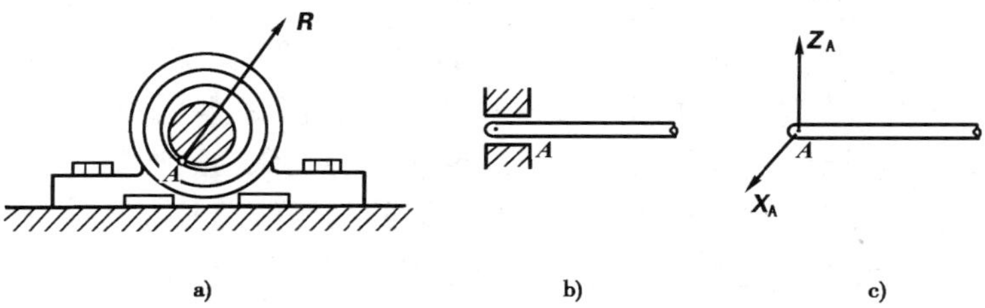

图 6-20

现在讨论图 6-19a）所示的传动轴。取轴与轮整体作为研究对象。作用在研究对象上有胶带拉力 $\boldsymbol{T}_1$、$\boldsymbol{T}_2$、$\boldsymbol{T}_3$、$\boldsymbol{T}_4$ 和 A、B 轴承反力 $\boldsymbol{X}_A$、$\boldsymbol{Z}_A$、$\boldsymbol{X}_B$、$\boldsymbol{Z}_B$，其受力图如图 6-19b）所示。

取坐标系如图示，由于所有的力都与 y 轴垂直，故 $\sum Y \equiv 0$，根据空间一般力系的平衡条件可写出五个独立的平衡方程，连同式 $T_3 = 2T_4$，可求解六个未知量 X_A、Z_A、X_B、Z_B、T_3、T_4。列平衡方程

$$\sum X = 0 \qquad X_A + X_B + T_1 + T_2 + (T_3 + T_4)\sin\alpha = 0 \tag{a}$$

$$\sum Z = 0 \qquad Z_A + Z_B - (T_3 + T_4)\cos\alpha = 0 \tag{b}$$

$$\sum m_x = 0 \qquad Z_B(a + b + c) - (T_3 + T_4)\cos\alpha(a + c) = 0 \tag{c}$$

$$\sum m_y = 0 \qquad (T_3 - T_4)r_2 - (T_2 - T_1)r_1 = 0 \tag{d}$$

$$\sum m_z = 0 \qquad -X_B(a + b + c) - (T_1 + T_2)a - (T_3 + T_4)\sin\alpha(a + c) = 0 \tag{e}$$

$$T_3 = 2T_4 \tag{f}$$

由式（d）与（f）联立解得

$$T_3 = 4\ \text{kN} \qquad T_4 = 2\ \text{kN}$$

将 T_3、T_4 值代入式（e）与（c）解得

$$X_B = -4.13\text{kN} \qquad Z_B = 3.90\text{kN}$$

再由式（a）（b）得

$$X_A = -6.37\text{kN} \qquad Z_A = 1.30\text{kN}$$

X_A、X_B 得负值，表明反力 X_A、X_B 的指向应与图示的相反。

通过上述各例可见，空间力系平衡问题的求解方法和步骤，与平面力系基本相同。首先是确定研究对象，画受力图；然后建立坐标系列平衡方程，解出未知量。但空间力系应注意：

(1)弄清各力在空间的位置，正确计算力在轴上的投影和力对轴之矩。

(2)计算力对轴之矩时，常借助于合力矩定理，即通过计算该力的分力对同一轴之矩的代数和来求得该力对该轴之矩。

(3)投影轴和力矩轴的选取应尽量使建立的平衡方程所包含的未知量最少，最好是一个方程只包含一个未知量，这样可避免解联立方程。

§6-4 重　　心

一、重心的概念

在地球表面附近的物体，都受到地球的引力作用，这个引力称为物体的重力。

我们分析物体的重力时，可将物体看作是由许多微小部分组成的，在地面及其附近的物体，它的各微小部分都受着重力的作用。这些重力汇交于地心，但因地球较一般的物体为大，故物体上各点到地心的连线几乎平行，因此可以足够精确地认为这些重力组成一个空间平行力系。无论将物体怎样放置，这个空间平行力系合力的作用线总是通过物体上的一个确定的点，这个点就是物体的**重心**。由此可见，通过找出此空间平行力系合力作用线的位置可以确定物体重心的位置。

在工程实践中，确定物体重心的位置具有重要意义。例如，挡土墙或起重机重心的位置若超出某一范围，受荷载后就不能保证挡土墙或起重机的平衡。又如混凝土振捣器、振动打桩机等，转动部分的重心又必须偏离转轴，才能发挥预期的作用。至于求平面图形的重心，更是力学中常遇到的问题。

二、重心和形心的坐标公式

1. 一般物体重心的坐标公式

设有一物体(图 6-21)，将它分成许多微小部分，各微小部分受到的重力以 $\Delta \boldsymbol{G}_1$、$\Delta \boldsymbol{G}_2$、…、$\Delta \boldsymbol{G}_n$ 表示。则物体的重力为

$$G = \Delta G_1 + \Delta G_2 + \cdots + \Delta G_n$$

即

$$G = \sum \Delta G$$

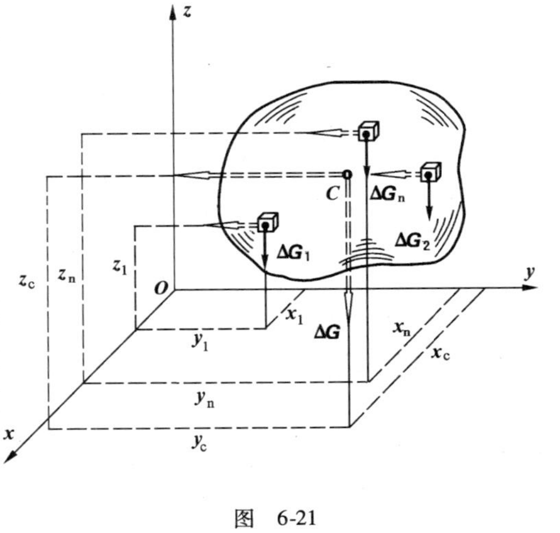

图　6-21

取坐标系 $Oxyz$，各微小部分重力作用点的坐标为 (x_1, y_1, z_1)、(x_2, y_2, z_2)、…、(x_n, y_n, z_n)，物体重心 C 点的坐标为 (x_c, y_c, z_c)。对 y 轴应用合力矩定理有

$$M_y(G) = \sum m_y(\Delta G)$$

即

$$G \cdot x_c = \Delta G_1 \cdot x_1 + \Delta G_2 \cdot x_2 + \cdots + \Delta G_n \cdot x_n = \sum \Delta G \cdot x$$

故

$$x_c = \frac{\sum \Delta G \cdot x}{G}$$

同理对 x 轴取矩可得

$$y_c = \frac{\sum \Delta G \cdot y}{G}$$

将物体连同坐标轴转过90°而使坐标面 Oxy 成为水平面，由重心的概念可知，此时物体重心的位置 C 不变。再对 x 轴应用合力矩定理，可得

$$z_c = \frac{\sum \Delta G \cdot z}{G}$$

因此，**一般物体重心的坐标公式为**

$$\left.\begin{aligned} x_c &= \frac{\sum \Delta G \cdot x}{G} \\ y_c &= \frac{\sum \Delta G \cdot y}{G} \\ z_c &= \frac{\sum \Delta G \cdot z}{G} \end{aligned}\right\} \tag{6-10}$$

2. 匀质物体重心的坐标公式

许多物体可以看为匀质的，即物体每单位体积的重力 γ 是常量。设匀质物体各微小部分的体积为 ΔV_1、ΔV_2、…、ΔV_n，整个物体的体积为 V，则有

$$\Delta G_1 = \gamma \cdot \Delta V_1 \cdot \Delta G_2 = \gamma \cdot \Delta V_2 \cdots, \Delta G_n = \gamma \cdot \Delta V_n,$$

$$G = \gamma \cdot V$$

代入式(6-10)，并消去分子、分母中共同的因子 γ，就得**匀质物体的重心的坐标公式为**

$$\left.\begin{aligned} x_c &= \frac{\sum \Delta V \cdot x}{V} \\ y_c &= \frac{\sum \Delta V \cdot y}{V} \\ z_c &= \frac{\sum \Delta V \cdot z}{V} \end{aligned}\right\} \tag{6-11}$$

由上式可知，匀质物体的重心位置完全决定于物体的几何形状，而与物体的质量无关。由物体的几何形状和尺寸所决定的物体的几何中心，称为**形心**。所以，式(6-11)也是**体积形心的坐标公式**。对于匀质物体来说，形心和重心是重合的。

3. 匀质薄板重心的坐标公式

如物体为匀质等厚的薄平板，取平板对称面为坐标面 Oxy（图6-22），因为每一微小部分的 z_i 为零，所以 z_c 也等于零。薄平板的重心就在其对称面内，因此，其重心坐标只有 x_c 和 y_c 两值，又因等厚平板的面积与其体积成正比，故式(6-11)中的体积可以面积来代换，由此可得**匀质薄板重心的坐标公式为**

$$
\left.\begin{aligned}
x_c &= \frac{\sum \Delta A \cdot x}{A} \\
y_c &= \frac{\sum \Delta A \cdot y}{A}
\end{aligned}\right\} \tag{6-12}
$$

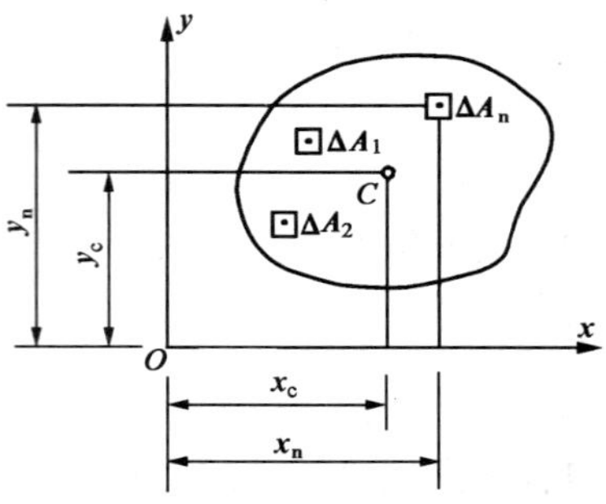

图 6-22

由于等厚匀质薄平板的形心坐标只与板的平面形状有关，而与板的厚度无关，故式(6-12)也是面积形心的坐标公式。

三、匀质物体重心的求法

确定匀质物体的重心位置，也就是确定其形心位置。工程上常见的匀质物体很多是简单形体，或由几个简单形体组成的组合形体。简单形体的形心位置可从有关工程手册中查到，现将几种常见的简单形体的形心位置列成表 6-1，以供参考。

组合形体的形心求法介绍如下：

简单形体的形心位置 表 6-1

图　　形	形　心　位　置	面积或体积
直角三角形 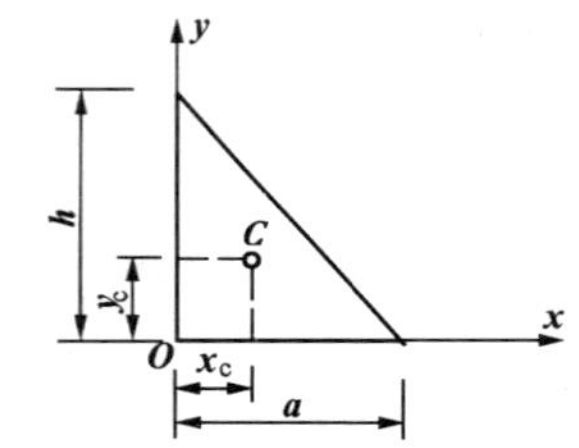	$x_c = \frac{a}{3}$ $y_c = \frac{h}{3}$	$A = \frac{ah}{2}$
三角形 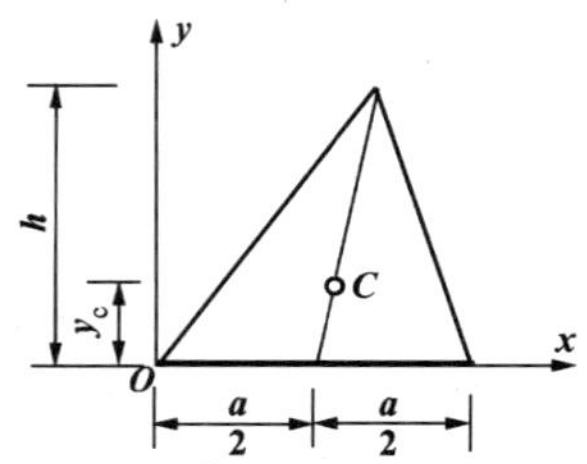	在三中线的交点 $y_c = \frac{h}{3}$	$A = \frac{ah}{2}$
梯形 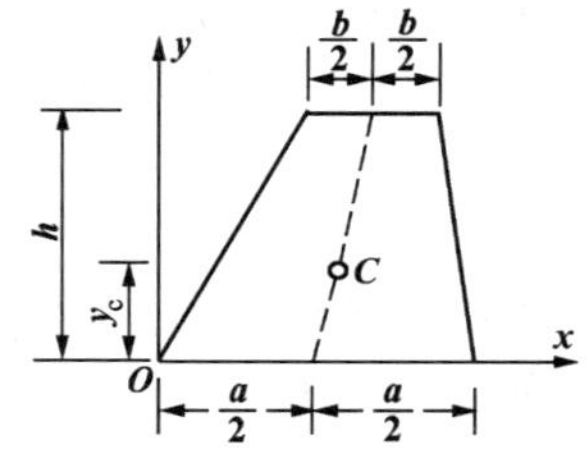	在上、下底中点的连线上 $y_c = \frac{h}{3} \cdot \frac{a+2b}{a+b}$	$A = \frac{ah}{2}(a+b)$

续上表

图　　形	形 心 位 置	面积或体积
半圆形 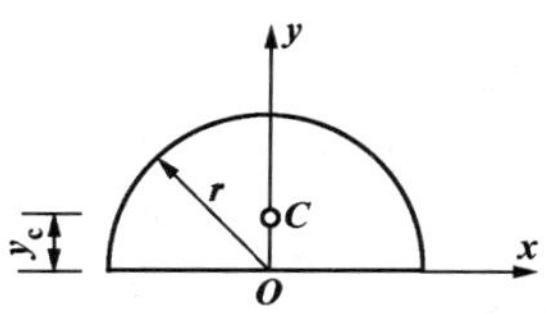	$y_c = \frac{4r}{3\pi}$	$A = \frac{\pi r^2}{2}$
扇形 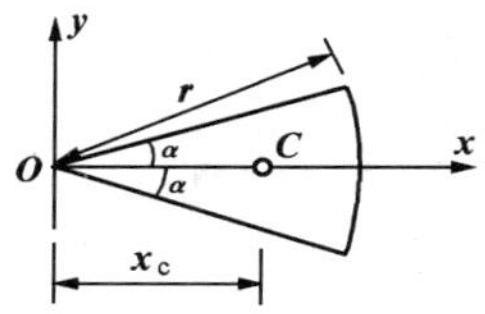	$x_c = \frac{2}{3} \cdot \frac{r\sin\alpha}{a}$	$A = ar^2$
弓形 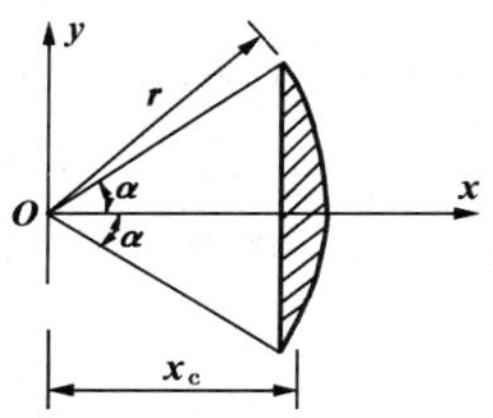	$x_c = \frac{2}{3} \cdot \frac{r_3 \sin^3\alpha}{A}$	$A = \frac{r^2 - (2a - \sin2\alpha)}{2}$
二次抛物线(1) 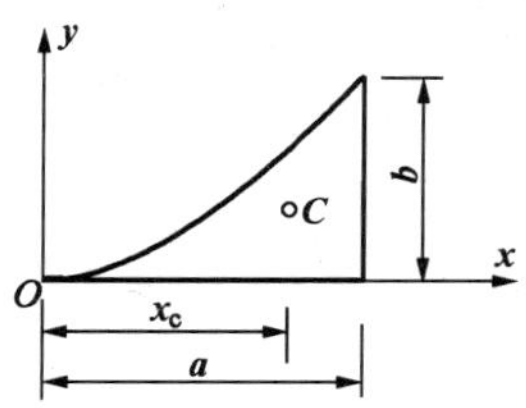	$x_c = \frac{3}{4}a$	$A = \frac{1}{3}ab$
二次抛物线(2) 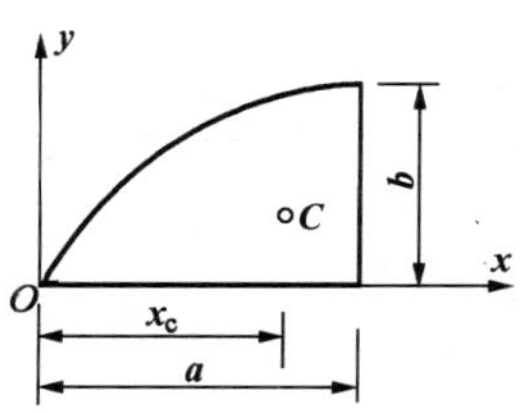	$x_c = \frac{5}{8}a$	$A = \frac{2}{3}ab$

续上表

图　　形	形　心　位　置	面积或体积
半球体 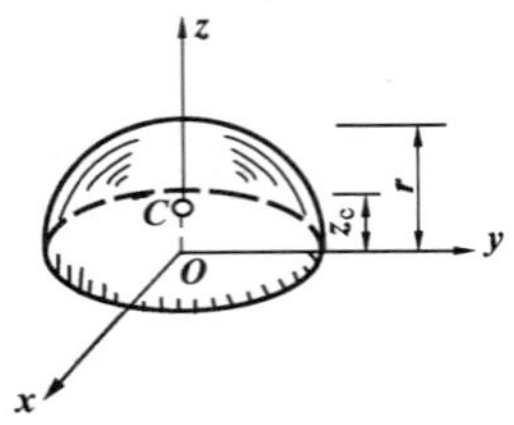	$z_c=\frac{3}{8}r$	$V=\frac{2}{3}r^3$
正锥体（圆锥、棱锥） 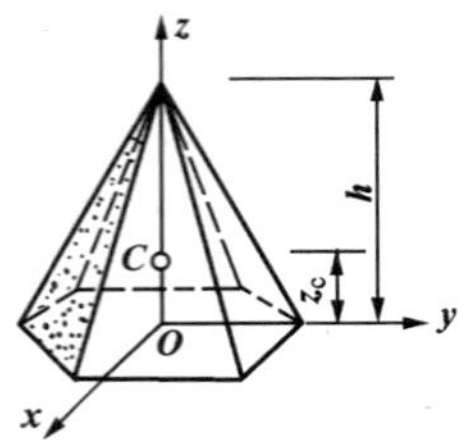	$z_c=\frac{h}{4}$	$V=\frac{1}{3}hA_{底}$

1. 对称法

在工程实践中，经常遇到具有对称面或对称轴或对称中心的形体，这种形体的形心一定在对称面或对称轴或对称中心上。例如圆球的形心在其对称中心（球心）上［图 6-23a）］，T 形薄板的形心在其对称轴上［图 6-23b）］，管道的形心在其对称面和对称轴的交点 C 上［图 6-23c）］等。

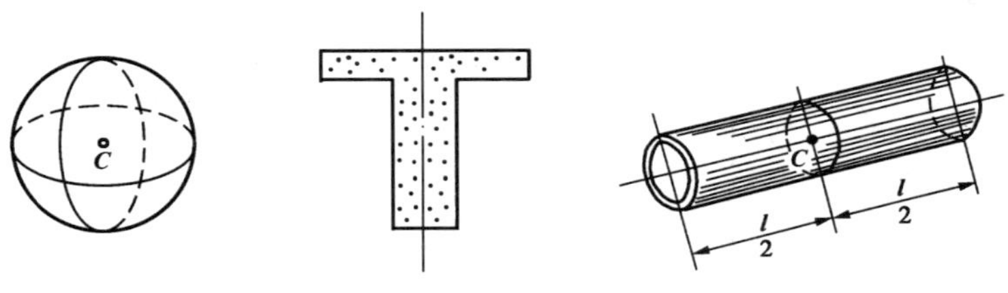

a)　　b)　　c)

图　6-23

2. 分割法和负面积法（或负体积法）

求组合形体的形心时，可将其分割成几个简单的形体，而各简单形体的形心容易确定，则组合形体的形心可按公式(6-11)、(6-12)求得。这时，公式中的 ΔV 或 ΔA 为所分割的简单形体的体积或面积，而 x、y、z 为其相应的形心坐标。这种求形心的方法称为**分割法**。

例 6-8　试求图6-24所示 Z 形平面图形的形心。

解　将 Z 形图形分割成三个矩形，以 C_1、C_2、C_3 分别表示这些矩形的形心。取坐标系如图示，各矩形的面积和形心坐标为

$$A_1=30\times10=300\ \text{mm}^2$$

$$A_2=50\times10=500\ \text{mm}^2$$

$$A_3=20\times10=200\ \text{mm}^2$$

$$x_1=-15\ \text{mm}\qquad x_2=5\ \text{mm}\qquad x_3=20\ \text{mm}$$

$$y_1 = 45\ \text{mm} \qquad y_2 = 25\ \text{mm} \qquad y_3 = 5\ \text{mm}$$

应用公式(6-12)可得 Z 形图形的形心坐标为

$$x_c = \frac{A_1x_1 + A_2x_2 + A_3x_3}{A_1 + A_2 + A_3} = \frac{300(-15) + 500\times5 + 200\times20}{300+500+200} = 2\ \text{mm}$$

$$y_c = \frac{A_1y_1 + A_2y_2 + A_3y_3}{A_1 + A_2 + A_3} = \frac{300\times45 + 500\times25 + 200\times5}{300+500+200} = 27\ \text{mm}$$

有些组合形体,可以看成从某个简单形体中挖去另一个简单形体而成。要求这类组合形体的形心时,仍可应用分割法,不过,挖去的面积(或体积)应作为负值。这种求形心的方法 称为**负面积法(或负体积法)**。

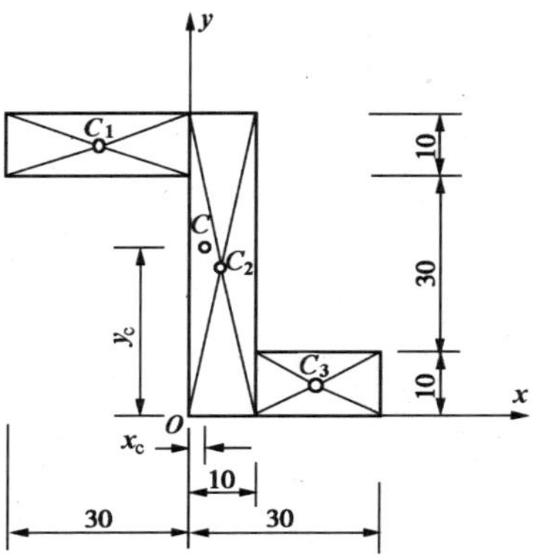

图 6-24

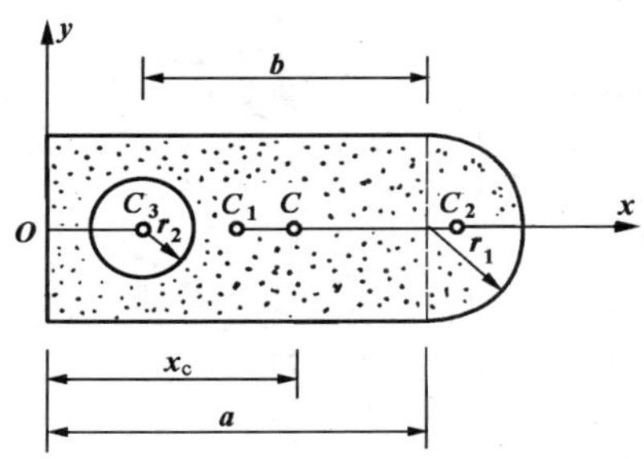

图 6-25

例 6-9 求图6-25所示平面图形的形心。已知 $a = 400$ mm, $b = 300$ mm, $r_1 = 100$ mm, $r_2 = 50$ mm。

解 取图形的对称轴为 x 轴,则图形的形心必在 x 轴上。y 轴与图形左侧铅直线重合,这样各形心的 x 坐标都是正值。

将平面图形看为由一个矩形和一个半圆形组合后再挖去一个圆孔而成。因而圆孔的面积应作为负值。各简单图形的形心分别为 C_1、C_2、C_3。各简单图形的面积和形心坐标为

$$A_1 = a\cdot 2r_1 = 400\times2\times100 = 8\times10^4\ \text{mm}^2$$

$$A_2 = \frac{\pi}{2}\cdot r_1^2 = \frac{\pi}{2}\times100^2 = 1.57\times10^4\ \text{mm}^2$$

$$A_3 = -\pi r_2^2 = -\pi\times50^2 = -0.785\times10^4\ \text{mm}^2$$

$$x_1 = \frac{a}{2} = 200\ \text{mm}$$

$$x_2 = a + \frac{4r_1}{3\pi} = 400 + \frac{4\times100}{3\pi} = 443\ \text{mm}$$

$$x_3 = a - b = 400 - 300 = 100\ \text{mm}$$

应用公式(6-12)可得平面图形的形心坐标为

$$x_c = \frac{A_1x_1 + A_2x_2 + A_3x_3}{A_1 + A_2 + A_3}$$

$$= \frac{8\times10^4\times200 + 1.57\times10^4\times443 + (-0.785\times10^4)\times100}{8\times10^4 + 1.57\times10^4 - 0.785\times10^4} = 252\ \text{mm}$$

$$y_c = 0$$

小　　结

本章讨论了空间力系的平衡问题和物体重心位置的求法。

一、空间力系的平衡问题

1. 力在空间直角坐标轴上的投影

方　　法	投影计算		适用条件
一次投影法	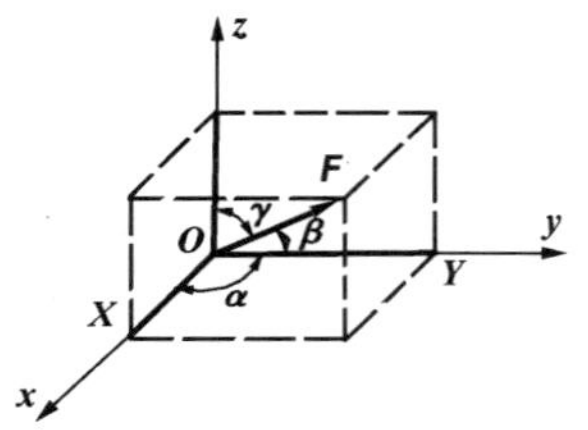	$X=F\cos\alpha$ $Y=F\cos\beta$ $Z=F\cos\gamma$	α、β、γ 都是已知时
二次投影法	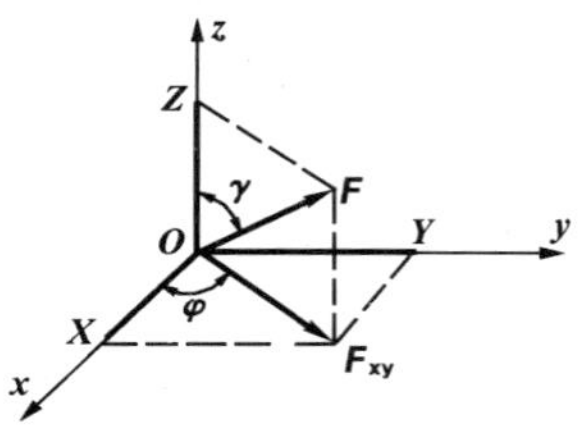	$X=\pm F\sin\gamma\cos\varphi$ $Y=\pm F\sin\gamma\sin\varphi$ $Z=\pm F\cos\gamma$ （γ、φ 取锐角）	γ、φ 已知时

2. 力对轴的矩是力使物体绕轴转动效应的度量

方　　法	力矩计算		力矩为零的情况
按定义求	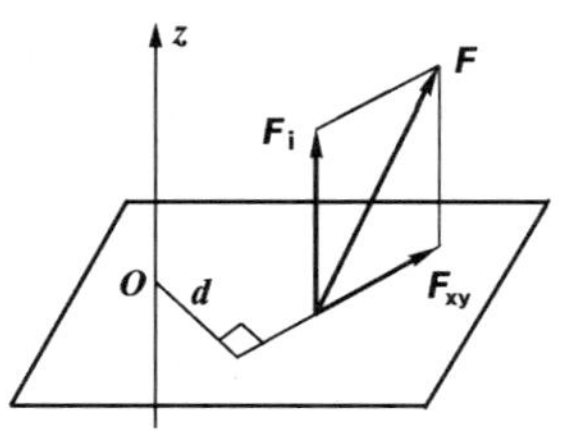	$M_z=\pm F_{xy}\cdot d$	力与轴相交或平行时
按合力矩定理求	将力沿空间直角坐标分解为三个分力，根据合力矩定理计算		

3. 空间力系的平衡方程

力系类别	平衡方程	可求未知量的数目
汇交力系	$\sum X=0$　$\sum Y=0$　$\sum Z=0$	3
平行力系	$\sum Z=0$　$\sum m_x=0$　$\sum m_y=0$ （力线平行于 z 轴）	3
一般力系	$\sum X=0$　$\sum Y=0$　$\sum Z=0$ $\sum m_x=0$　$\sum m_y=0$　$\sum m_z=0$	6

二、物体的重心

1. 重心和形心的概念

物体的重心是物体各微小部分的重力所组成的空间平行力系的合力作用点。形心是物体几何形状的中心。匀质物体的重心与形心相重合。

2. 重心和形心的坐标公式

物 体 类 别	重心或形心坐标公式
非匀质体的重心	$x_c=\frac{\sum\Delta G\cdot x}{G}$ $y_c=\frac{\sum\Delta G\cdot y}{G}$ $z_c=\frac{\sum\Delta G\cdot z}{G}$
匀质体的重心(几何形体的形心)	$x_c=\frac{\sum\Delta V\cdot x}{V}$ $y_c=\frac{\sum\Delta V\cdot y}{V}$ $z_c=\frac{\sum\Delta V\cdot z}{V}$
匀质薄板的重心(平面图形的形心)	$x_c=\frac{\sum\Delta A\cdot x}{A}$ $y_c=\frac{\sum\Delta A\cdot y}{A}$

3. 组合图形的形心的求法

(1)对称法;

(2)分割法和负面积法。

习　　题

6-1　试分别求出图示各力在三个坐标轴上的投影。

(1)题 6-1a)图中 $P_1=200\ \text{N}$,$P_2=150\ \text{N}$,$P_3=250\ \text{N}$;

(2)题 6-1 图 b)中 $P_1=200\ \text{N}$,$P_2=150\ \text{N}$。

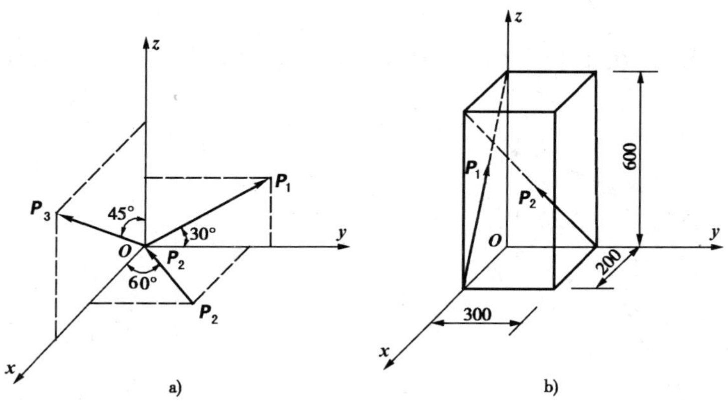

题 6-1 图

6-2　试求图示三个力的合力的大小和方向:

(1)题 6-2a)所示,已知 $\boldsymbol{P}_1$、$\boldsymbol{P}_2$、$\boldsymbol{P}_3$ 三力互相垂直,且 $P_1=200\ \text{N}$,$P_2=200\ \text{N}$,$P_3=100\ \text{N}$;

(2)题 6-2b)所示,已知 $P_1=P_2=400\ \text{N}$,$P_3=500\ \text{N}$,且 $\boldsymbol{P}_2$、$\boldsymbol{P}_3$ 作用在 Oxy 面内,各力方向如图示。

6-3　如图所示,已知$\angle CBA=\angle BCA=60°$,$\angle EAD=30°$,物体重 $G=3\text{kN}$,平面 ABC 是水平的,A、B、C 三点都是铰接。试求撑杆 AB 和 AC 所受的力及绳索 AD 的拉力。

6-4　重 $\boldsymbol{G}$ 的球,用绳索 AD 挂在房间的墙角 A 点上,绳与铅垂线夹角 γ,如图所示。求绳索的拉力、C 处墙对球的约束反力。

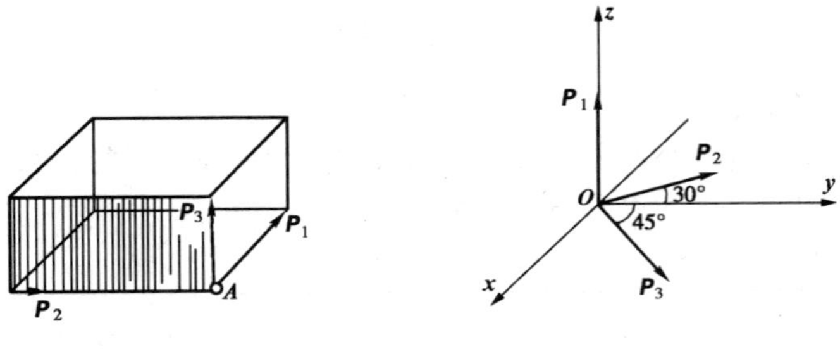

a) b)

题 6-2 图

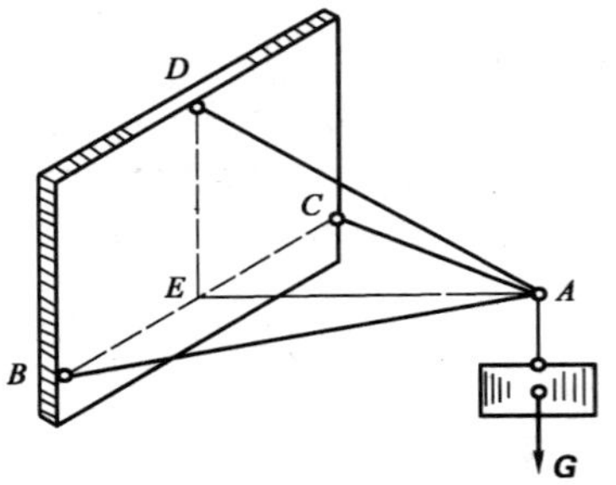

题 6-3 图

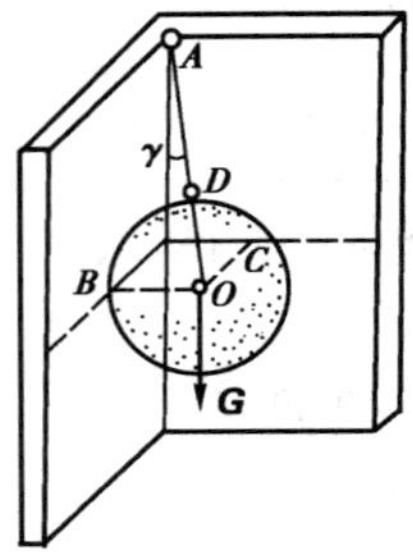

题 6-4 图

6-5 图示支架由六根杆铰接组成。等腰三角形 EAK、FBM 和 NDB，$\angle EAK=\angle FBM=\angle NDB=90°$，且杆 1、2、4、5 等长，现在节点 A 上于平面 $ABCDE$ 内作用一力 $P=20$ kN，求各杆所受的力。

6-6 图示柱截面，在 A 点受铅垂力 $\boldsymbol{P}$ 作用。已知 $P=100$ kN，求该力对三个坐标轴的矩。

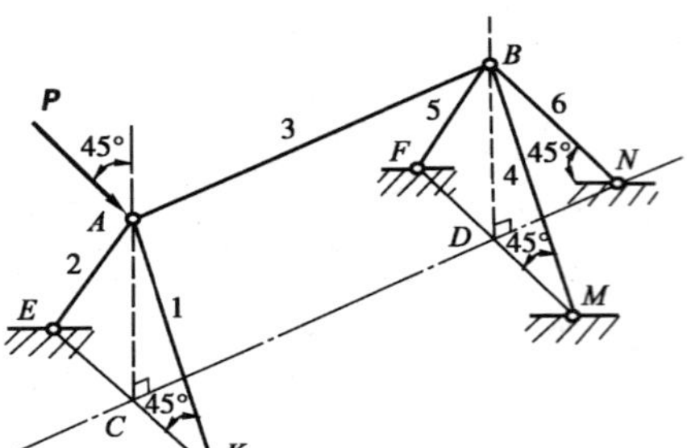

题 6-5 图

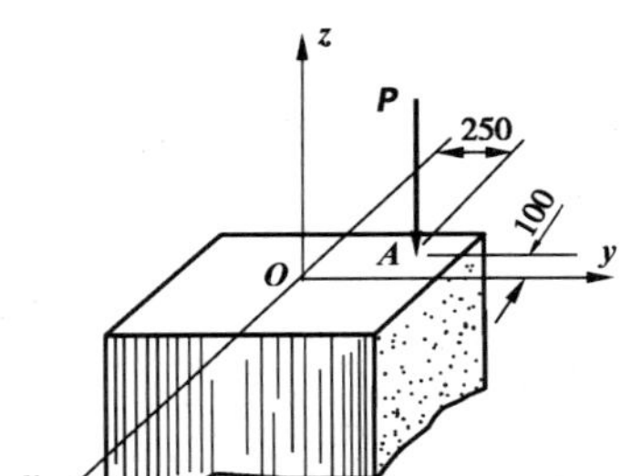

题 6-6 图

6-7 试分别求题 6-1 图 b) 中力 $\boldsymbol{P}_1$、$\boldsymbol{P}_2$ 对三个坐标轴的矩。

6-8 在三轮货车的底板上 D 处放一重 $P=1$ kN 的货物。D 点的坐标为 $x=1.1$ m，$y=1.5$ m。略去货车本身的重力不计，求每一轮子对地面的压力。设 $AC=BC=1$ m，$CE=0.2$ m，$CD=2.2$ m。

6-9 搁板 $ABCD$ 可绕轴 AB 转动，用杆 DE 支撑在水平位置，如图所示。杆 DE 两端都是铰接，搁板连同其上重物的重力等于 800 N，且作用在矩形 $ABCD$ 两对角线的交点上。已知 $AB=1.5\ m$，$BC=0.6\ m$，$AK=BH=0.25\ m$，杆长 $ED=0.75\ m$。杆重不计，求杆所受的力及蝶铰链 H、K 的约束反力。

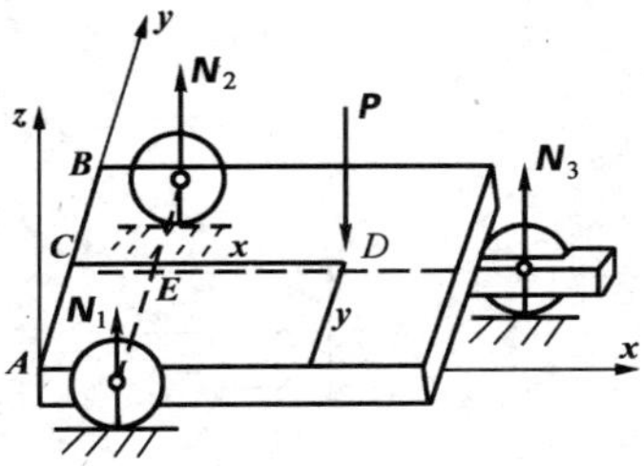

题 6-8 图

提示：蝶铰链的约束反力可分解为沿着 x、z 轴的两个分力。

6-10　设计机组的基础必须知道机组重力的合力及其作用线的位置。已知机组有四个集中重力，分别为 $P_1=2\ kN$，$P_2=5\ kN$，$P_3=3\ kN$，$P_4=10\ kN$，它们的作用位置如图所示。试求这机组重力的合力的大小及其作用线的位置（x_c、y_c）。

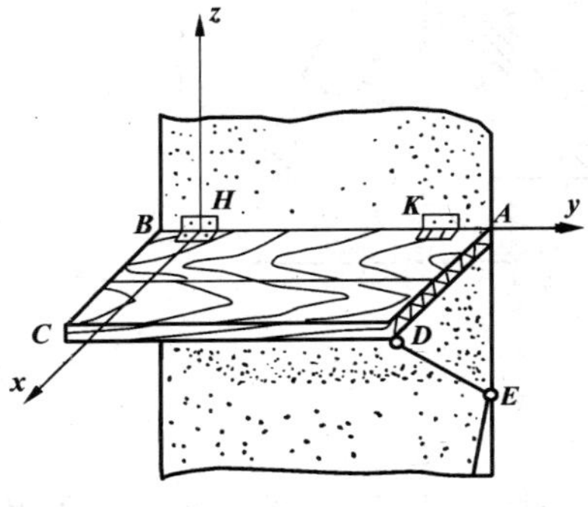

题 6-9 图

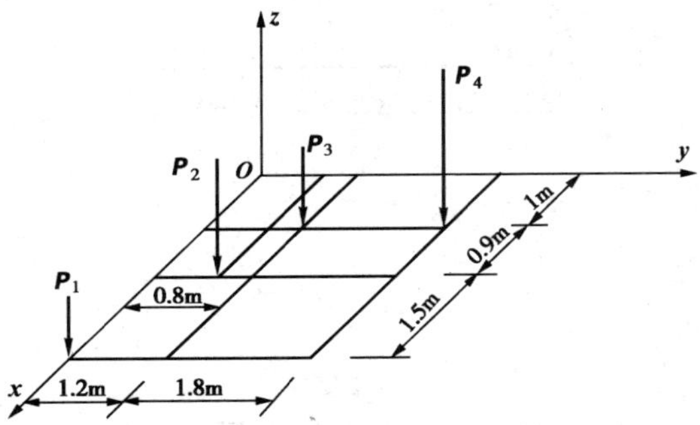

题 6-10 图

6-11　求图示各平面图形的形心位置。

6-12　挡土墙截面如图所示，求截面的形心位置。

6-13　求图示各阴影面积的形心位置。

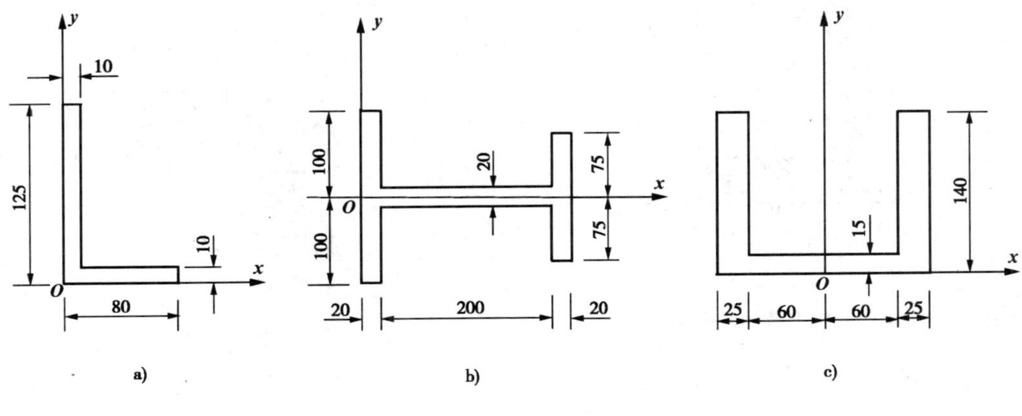

题 6-11 图

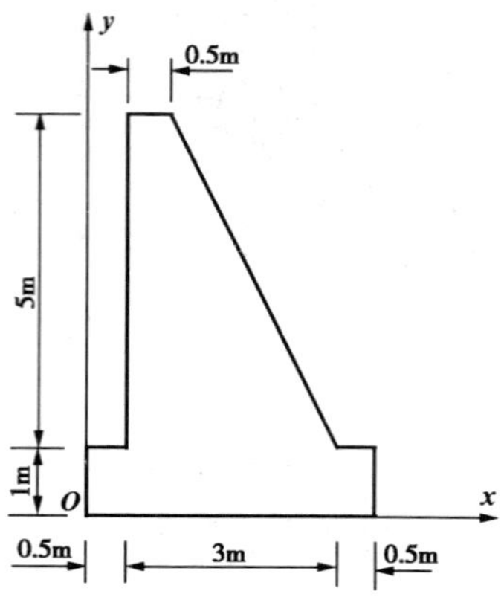

题 6-12 图

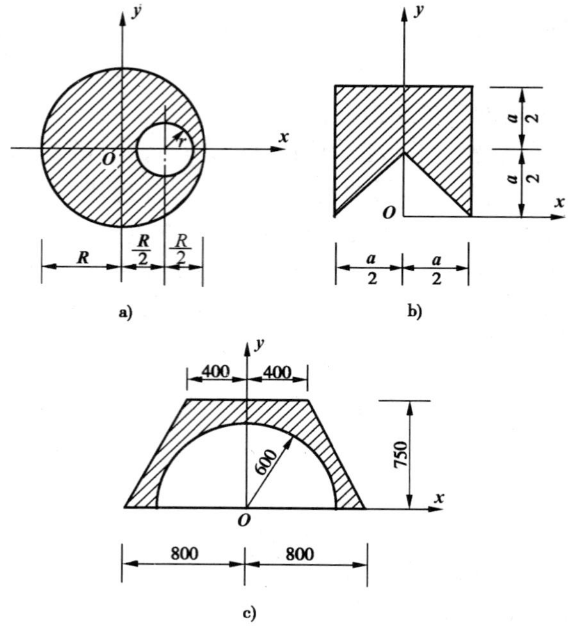

题 6-13 图

6-14　预应力混凝土吊车梁的截面如图所示，试求此截面的形心位置。图中圆孔直径 $d=48\text{mm}$。

6-15　求图示匀质混凝土基础重心的位置。

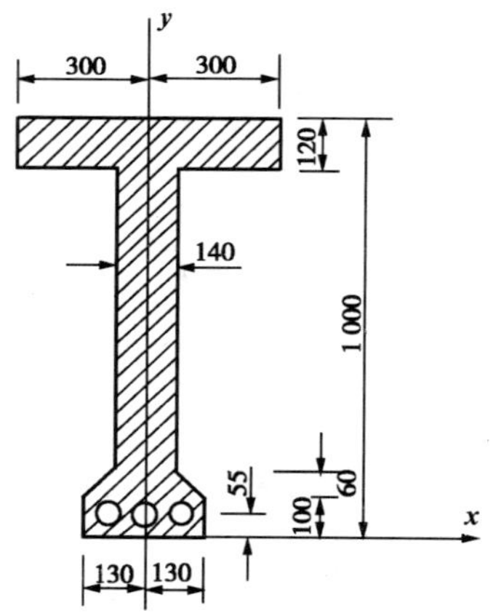

题 6-14 图(尺寸单位:mm)

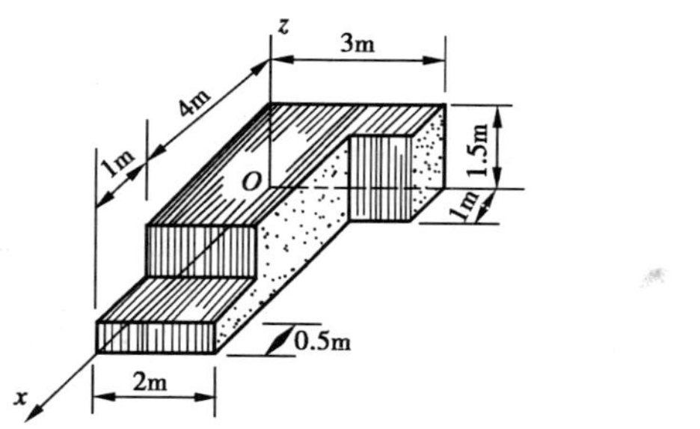

题 6-15 图

第二篇　材料力学

引　言

静力学在研究作用于物体上各种力系的平衡条件时，略去了物体的变形，将物体看作是刚体。本篇将进一步研究物体在力作用下的变形和破坏规律。变形成为主要的研究内容，因此，就不能再视物体为刚体，而必须如实地将物体视为变形固体。

任何结构或机械都是由一些被称为构件的单元所组成。任一构件都是由某种材料制成的，通常它们在荷载作用下，几何形状及尺寸大小会产生一定程度的改变，这种几何形状及尺寸的改变称**变形**。变形时，构件内部各质点间的相对位置将有变化，各部分之间产生相互作用力，这种内部作用力称**内力**。荷载增加时，变形也增大，相应地，内力也增大。但荷载作用下构件所产生的变形与内力是有一定限度的。一旦超过这种限度，构件就会破坏。要保证结构或机械能安全、正常地工作，必须保证每一个构件具有足够的承载能力。构件的承载能力主要由以下三方面来衡量。

1. 要求构件有足够的强度　比如梁桥的梁在正常的汽车荷载作用下，不应该折断。储气罐在规定的压力下，不允许爆炸。可见，所谓强度是指构件在荷载作用下抵抗破坏的能力。材料的强度有高低之分，在相同的条件下，说强度高，是指这种材料比较坚固，不易破坏。反之亦然，钢材比木材的强度高。

2. 要求构件有足够的刚度　任何工程构件都是由可变形材料制成的，在荷载作用下，它的形状及尺寸或大或小都会产生变化，即发生变形。但变形不得超过允许的限度，否则，将不能正常工作。例如在汽车作用下的桥梁，即使有足够的强度，若变形过大，仍会影响汽车的平稳行驶，引起较大的冲击、振动。再如，楼板梁在荷载作用下产生的变形太大时，下面的抹灰层就会开裂、脱落，机床主轴变形太大，工件的加工精度就会大打折扣。因而，所谓刚度是指构件在外力作用下抵抗变形的能力。刚度应以大小区分。

3. 要求构件要有足够的稳定性　例如房屋建筑及桥梁中经常使用的桁架的压杆、柱子，当压力不大时，杆可以保持原来直线状态的平衡。当压力增大超过一定限度时，杆会从原来的直线状态突然变成弯曲状态，从而丧失承载能力。这种现象称为丧失稳定，简称失稳。为了正常工作，要求它们始终保持直线形式，即要求原有的直线平衡形态保持不变。所以，所谓稳定性是指构件保持其原有平衡形态的能力。

一个合理的构件设计，不但应满足强度、刚度、稳定性的要求以保证构件的安全可靠，还应该符合经济原则。为了安全，要选用较好的材料或采用较大的截面尺寸；为了经济，则要求选用廉价材料或减小截面尺寸以节省材料用量。显然两者是矛盾的。

材料力学就是为合理地解决这一矛盾,提供计算的基本原理和方法的一门科学。所以,材料力学的任务是:

(1)研究构件在荷载作用下所产生的内力、变形规律;

(2)建立满足强度、刚度、稳定性要求所需的条件,为设计构件提供科学的计算方法。

构件的强度、刚度、稳定性与构件材料的**力学性能有关**,而材料的力学性能需要通过试验来测定。此外,工程上还存在着单靠理论分析尚难解决的复杂问题,需要依靠实验来解决。比如,现代流行的大跨度的吊桥、斜拉桥需做风洞实验。所以说理论分析和实验研究在材料力学中得到了最好的融合,二者同为完成材料力学任务的重要手段。

第七章 材料力学的基本概念

§7-1 变形固体及基本假设

通常工程构件都由固体材料制成。在外荷载作用下固体都将发生变形,统称为变形固体。变形固体的性质是多方面的,针对构件的强度、刚度、稳定性研究时,略去一些次要性质,根据其主要性质作一些假设,将它们抽象为一种理想模型,以便进行分析、简化计算。在材料力学中对变形固体所作的基本假设是:

1. 连续性 即认为组成物体的物质毫无空隙地充满了整个物体的几何容积。事实上,组成物体的各粒子间并不连续,但其间的空隙与材料力学所研究的构件尺寸相比,极其微小,可以忽略不计,如此就可认为物体在其几何容积内是连续的。

2. 均匀性 即认为在物体内,各处的性质完全相同。就金属而言,其实各个晶粒的力学性质并不完全相同。但因材料力学所研究的构件或其部分,所包含的粒子为数极多,而且无规则地排列,其力学性质是所有各粒子性质的统计平均值,可以认为构件内各部分性质是均匀的。

实践证明,在工程中将构件抽象为均匀、连续的理想模型,所得的结果是令人满意的。由于采用了均匀连续假设,我们就可以从物体中截取任意微小的部分进行研究,并将结果推广到整个物体;同时亦可将用大尺寸试件在实验中获得的材料性质,用到任何微小部分上去。

3. 各向同性 即认为物体在各个方向上具有完全相同的力学性质。工程中常用的钢、铸铜以及混凝土等都可认为是各向同性材料。材料沿不同方向具有不同的力学性质,则称为各向异性材料。如胶合板、木材等。材料力学主要限于各向同性材料。

4. 小变形条件 材料力学所研究的构件的变形的大小,限于远小于构件原始尺寸的情况。如此,在研究平衡问题(如求约束反力)时,就可使用刚体静力学的结论。至于大变形问题,一般不属于材料力学的范围。

实验指出:工程中常用的各种材料在外力作用下所产生的变形,当外力不超过一定限度时,绝大多数材料在外力解除后都可恢复原状。随外力解除而消失的变形称为弹性变形;当外力超过一定的限量,虽解除外力,但只能部分复原,而遗留下一部分不能消失的变形,此种变形称为塑性变形,也称残余变形或永久变形。一般情况下,要求构件只发生弹性变形,而不允许发生塑性变形。

§7-2　杆件变形的基本形式

工程构件的几何形状多种多样,材料力学以工程中最基本的构件“杆件”为主要研究对象,所谓杆件是指横截面尺寸远小于长度的构件。轴线(横截面形心连线)为直线的杆称为直杆,若直杆横截面形状大小不变,则称为等直杆。轴线为曲线的杆称为曲杆。

除杆件外,工程中常见的构件还有板、壳等。

杆件在不同形式的外力作用下,将发生不同形式的变形。杆件变形的基本形式有下列四种:

1. 轴向拉伸或压缩[图 7-1a)、b)]　由一对大小相等、方向相反、作用线与杆轴线重合的外力作用下,杆件将产生长度的改变(伸长或缩短)。

2. 剪切[图 7-1c)]　由一对相距很近、大小相等、方向相反、作用线垂直于杆轴线的外力(称横向力)作用下,杆件的横截面将沿外力方向发生相对错动。

3. 扭转[图 7-1d)]　由一对大小相等、转向相反、位于垂直于杆轴线的两平面内的力偶作用下,杆的任意两横截面将发生相对转动。

4. 弯曲[图 7-1e)]　由一对大小相等、转向相反、位于杆的纵向平面内的力偶作用下,杆的轴线由直线弯曲成曲线。

工程实际中的杆件,可能同时承受各种外力而发生复杂的变形,但都可以看作是上述基本变形的组合。

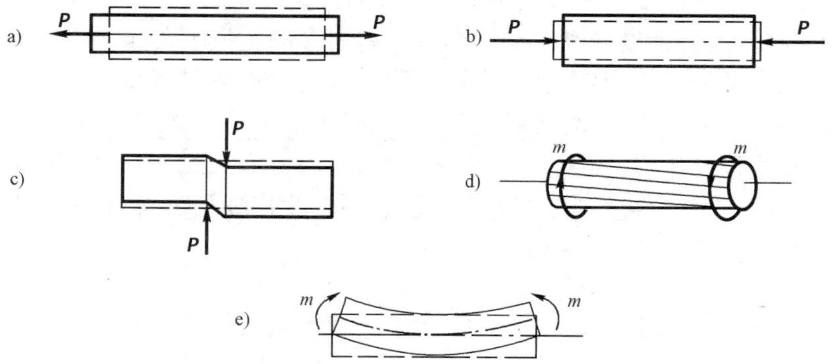

图　7-1

第八章　轴向拉伸与压缩

§8-1　轴向拉(压)的概念

沿杆件轴线作用一对大小相等、方向相反的外力,杆件将发生轴向伸长(或缩短)变形,这种变形称为轴向拉伸(或压缩)[图 8-1a)、b)]。产生轴向拉伸或压缩的杆件称为拉杆或压杆。

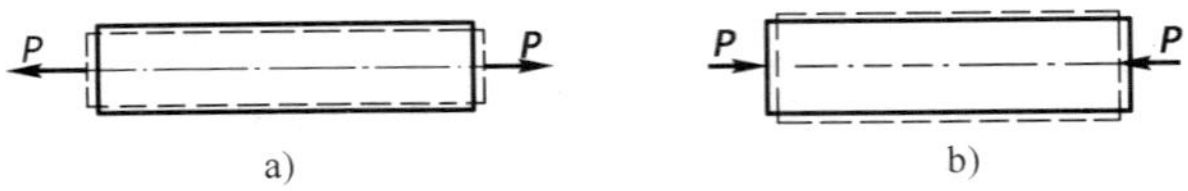

图 8-1

工程结构中,拉杆和压杆是常见的。如图 8-2 所示的三角支架中,杆 AB 是拉杆,杆 BC 是压杆。又如图 8-3 所示的屋架,上弦杆是压杆,下弦杆是拉杆。

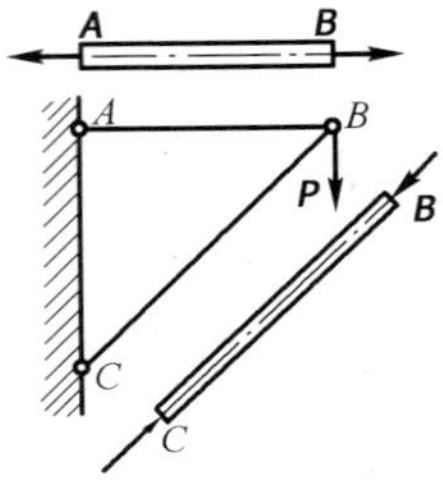

图 8-2

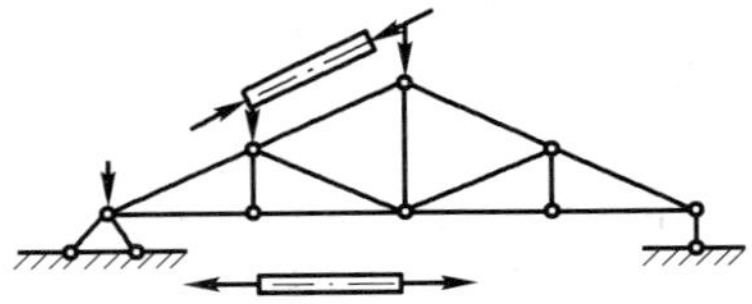

图 8-3

§8-2 轴向拉(压)杆横截面上的内力

一、内力的概念

在静力学中已经讨论了杆件所受的外力(荷载与支座反力)。但仅知道杆件上所受到的外力,还不能对杆件进行强度和刚度的计算,所以,需要进一步研究杆件的内力。

材料力学研究的内力是指:在外力作用下所引起的杆件内部各部分之间相互作用的内力的改变量。这种由外力引起的物体内部各部分之间相互作用力,称为内力。

内力是由外力而产生,外力越大,内力也越大,当内力增大到一定程度时,杆件就会发生破坏。因此,内力与杆件的强度、刚度有着密切的联系。我们要研究杆件的强度和刚度的问题,必须先计算杆件在外力作用下的内力。

二、截面法　轴力

1. 截面法

截面法是显示和确定内力的基本方法。

如图 8-4a)所示拉杆,欲求该杆任一截面 m-m 上的内力,可沿此截面将杆件假想地截分为 A 和 B 两部分,任取其中一部分(如 A 部分)为研究对象[图 8-4b)],将弃去的部分 B 对保留部分 A 的作用力以内力 N 来代替。由于杆件原来处于平衡状态,故截开后各部分仍应保持平衡状态,由平衡方程

$$\sum X=0, N-P=0$$

得

$$N=P$$

如果取杆的 B 部分为研究对象[图 8-4c)],求同一截面 m-m 上的内力时,可得相同的结果。

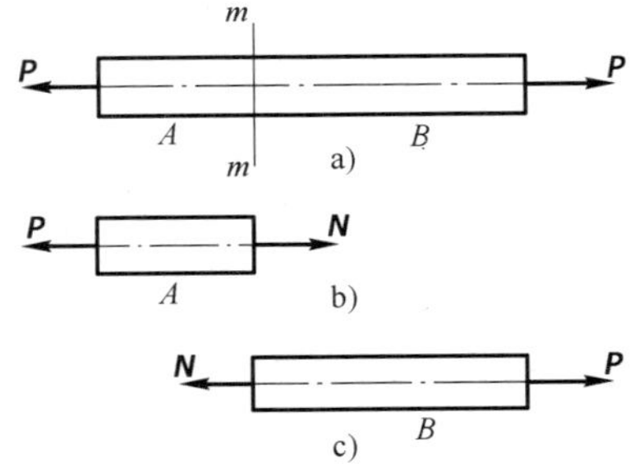

图 8-4

$$\sum X=0, N'=P$$

这种显示与确定内力的方法称为截面法。

综上所述，截面法求内力的步骤可以归纳为四个字，即：截、取、代、平。

截：用一假想截面，将杆件沿需求内力的截面处截为两部分；

取：取其中任一部分为研究对象；

代：用内力来代替弃去部分对选取部分的作用；

平：用静力平衡条件，求出内力。

需要指出，截面上的内力是分布在整个截面上的，利用截面法求出的内力是这些分布内力的合力。

2．拉（压）杆件的内力——轴力

由于拉（压）杆件的外力沿轴向作用，内力必须也沿轴线作用，故拉（压）杆的内力称为轴力。

轴力符号规定：以产生拉伸变形时的轴力为正，产生压缩变形时的轴力为负。

例 8-1 设一直杆 AB 沿轴向受 P_1、P_2、P_3 力的作用，如图 8-5a）所示，试求杆各段轴力。

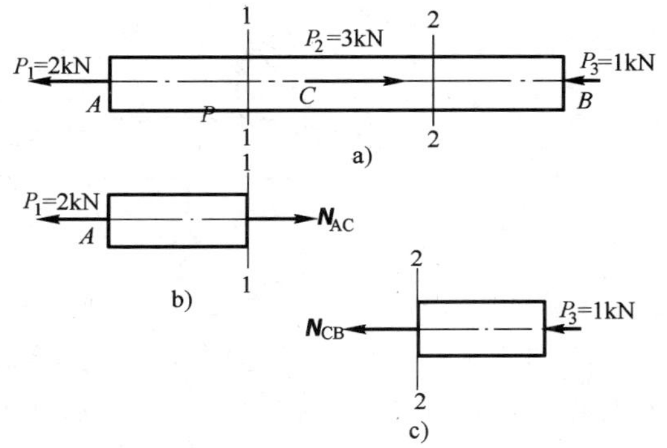

图 8-5

解 由于在截面 C 处作用有外力 P_2，杆件 AC 段和 CB 段的轴力将不相同，因而需要分段研究。

（1）在 AC 段内用 1-1 截面将杆截开，取左段为研究对象，将右段对左的作用以内力 N_{AC} 代替（均假定内力为拉力），如图 8-5b）所示。由平衡方程

$$\sum X = 0, N_{AC} - P_1 = 0$$

得

$$N_{AC} = P_1 = 2\text{kN}(\text{拉力})$$

（2）求 CB 段的轴力，用截面 2-2 假想地将杆截开，取右段为研究对象，将左段对右段的作用以内力 N_{CB} 代替［图 8-5c）］，由平衡方程

$$\sum X = 0, N_{CB} + P_3 = 0$$

得

$$N_{CB} = -P_3 = -1\text{kN}(\text{压力})$$

根据上例，在计算轴力时应注意：

（1）通常选取受力简单的部分为研究对象；

（2）计算杆件某一段轴力时，不能在外力作用点处截开；

（3）通常截面上的轴力假设为正。当计算结果为正时，既说明假设方向正确，又说明轴力为拉力；若计算结果为负时，既说明与假设方向相反，又说明轴力为压力。

例 8-2 图示起重机起吊一预制梁处于平衡状态［图 8-6a）］。已知预制梁重 $G = 20\text{kN}$，$\alpha = 45°$，不计吊索和吊钩的重力，试求斜吊索 AC、BC 所受的力。

解：用 1-1 和 2-2 两个截面将吊索截开，取吊钗 C 为研究对象［图 8-6b）］，两斜吊索的拉力分别为 N_{CA}、N_{CB}，由平衡条件

$$\sum X=0, N_{CB}\sin 45°-N_{CA}\cos 45°=0$$

$$N_{CB}=N_{CA}$$

$$\sum Y=0, 20-N_{CA}\cos 45°-N_{CB}\cos 45°=0$$

即 $$20-2N_{CA}\cos 45°=0$$

得 $$N_{CA}=N_{CB}=\frac{20}{2\cos 45°}=\frac{20}{2\times 0.707}=14.1\text{kN}$$

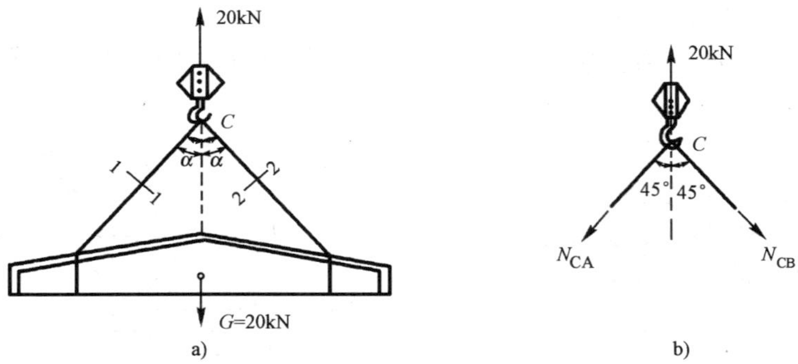

图 8-6

必须指出:在计算杆件内力时,不能随意使用力的可传性和力偶的可移性原理,这些原理只有在研究力和力偶对物体的运动效果时才适用,而在研究物体的变形时就不能用。

三、轴 力 图

工程中常有一些杆件,其上受到多个轴向外力作用,这时不同横截面上轴力将不相同。表明沿杆长各横截面轴力变化规律的图形称为轴力图。以平行于杆轴线的坐标 x 表示杆件横截面的位置,以垂直于杆轴线的坐标 N 表示轴力的数值,将各截面的轴力按一定比例画在坐标图上,正轴力绘在 x 轴上方,负轴力绘在 x 轴下方,并连以直线,就得到轴力图。轴力图可以形象地表示轴力沿杆长变化情况,可明显地找到最大轴力所在位置和数值。

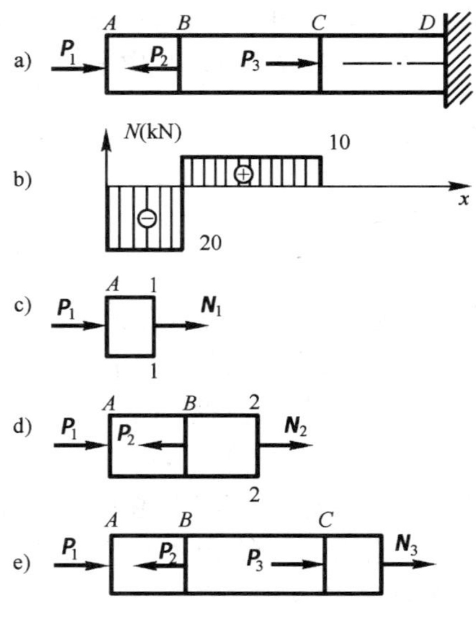

图 8-7

例 8-3 杆件受力如图 8-7a)所示,已知 $P_1=20\text{kN}, P_2=30\text{kN}, P_3=10\text{kN}$,试画出杆的轴力图。

解 (1)计算各段杆的轴力

AB 段:用 1-1 截面在 AB 段内将杆截开,取左段为研究对象[图 8-7c)],以 N_1 表示截面上的轴力,并假设为拉力。写出平衡方程

$$\sum X=0, N_1+P_1=0$$

得 $$N_1=-P_1=-20\text{kN}$$

负号表示 AB 段轴力 N_1 实际为压力。

BC 段:类似上述步骤[8-7d)],写出平衡方程:

$$\sum X=0, N_2+P_1-P_2=0$$

得
$$N_2=-P_1+P_2=-20+30=10\text{kN}$$

正号表示 BC 段轴力 N_2 实际为拉力。

CD 段:同理[图 8-7e)]可得

$$N_3=-P_1+P_2-P_3=-20+30-10=0$$

CD 段轴力 N_3 为零。

(2)画轴力图

以平行于杆轴的 x 轴为横坐标,垂直于杆轴的 N 轴为纵坐标,按一定比例将各段轴力标在坐标上,可作出轴力图如图 8-7b)所示。

§8-3 轴向拉(压)时横截面上的应力

一、应力的概念

利用截面法,可以求出杆件的内力,但要研究杆件的强度问题只知道内力的大小是不够的。例如有两根材料相同的拉杆,一根较粗,一根较细,在相同的轴力作用下,细杆会先被拉断。这说明构件的危险程度不但与内力有关,而且与内力在横截面上的聚集程度有关。所以,在讨论构件的强度问题时,必须知道内力在截面上的聚集程度。我们把分布内力的集度,称为一点处的应力。垂直于截面的应力称为正应力。用 σ 表示;与截面相切的应力称为剪应力,用 τ 表示。

应力的单位是帕斯卡,简称帕,符号为为 Pa,1 帕 =1 牛/米^2(1Pa=1N/m^2)。由于工程中应力数值较大,常以千帕(kPa)、兆帕(1MPa=1N/mm^2)或吉帕(1GPa=1kN/mm^2)为单位。

二、拉(压)杆件横截面上的正应力

求出杆件轴力后,要解决强度问题还需要进一步研究横截面上的应力。应力的分布情况不能直接观察出来,但内力与变形有关,因此,可以通过变形来推测应力的分布。

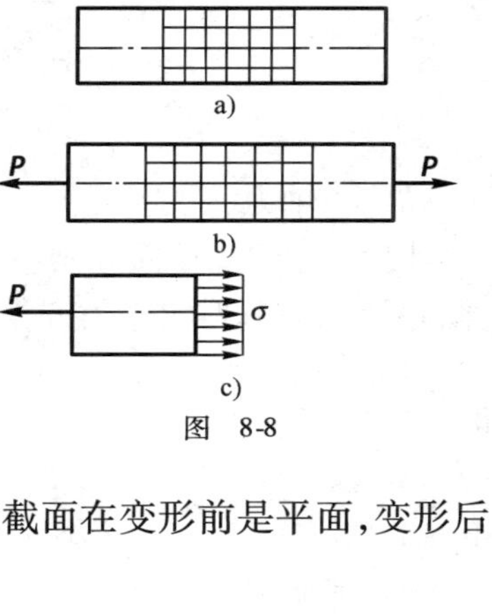

图 8-8

取一橡胶制成的等直杆,在它的表面均匀地画上若干与轴线平行的纵线及与轴线垂直的横线[图 8-8a)],使杆的表面形成许多大小相同的方格。然后在两端施加一对轴向拉力 P[图 8-8b)],可以观察到,所有的小方格都变成了长方格,所有纵线都伸长了,但仍互相平行。所有的横线仍保持为直线,且仍垂直于杆轴,只是相对距离增大了。

根据上述现象,可作如下假设。

(1)平面假设。若将各条横线看作是一个横截面,则杆件横截面在变形前是平面,变形后仍保持平面,并且仍垂直于杆轴,只是沿杆轴作相对移动。

(2)设想杆件是由许多纵向纤维组成的，根据平面假设可知，任意两横截面之间所有纤维都伸长了相同的长度。

根据材料的均匀连续假设，当变形相同时，受力也相同，因而知道横截面上的内力是均匀分布的，且方向垂直于横截面。由上可得结论：轴向拉伸时，**杆件横截面上各点处产生正应力，且大小相等**。若用 A 表示杆件横截面面积，N 表示该截面的轴力，则等直杆轴向拉伸时横截面上的正应力 σ 计算公式为

$$\sigma = \frac{N}{A} \tag{8-1}$$

当杆受轴向压缩时，情况完全类似，所得结果(8-1)式仍然适用，只需将轴力连同负号一并代入公式计算即可。

正应力的正负号规定为：拉应力为正，压应力为负。

三、正应力公式的适用条件

从上面所述可知，正应力公式(8-1)必须符合下列两个条件，才可使用：

(1)等截面直杆；

(2)外力(或外力的合力)的作用线与杆轴线重合或杆件横截面上的内力只有轴力 N。

例 8-4 图 8-9 为一方形截面砖柱，上段柱边长 $a_1 = 240\text{mm}$，下段柱边长 $a_2 = 370\text{mm}$。荷载 $P_1 = 50\text{kN}$，$P_2 = 90\text{kN}$。不计自重。试画出柱的轴力图并求各段柱横截面上的正应力。

解 荷载 P_1 和 P_2 的作用线与柱的轴线重合，故 AB 和 BC 两段柱都是轴向压缩。

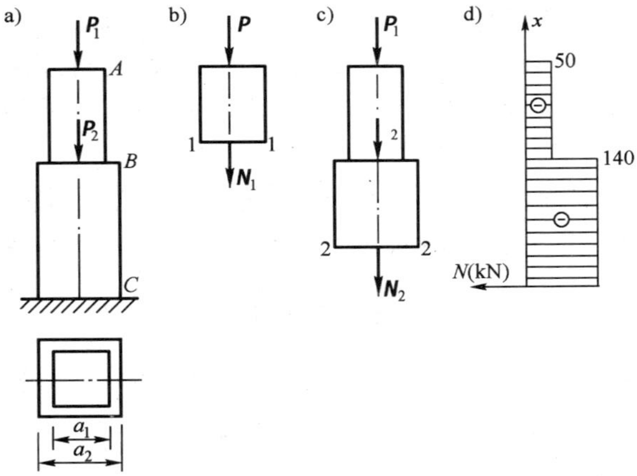

图 8-9

(1)求轴力

用 1-1 和 2-2 截面分别将柱在 AB 及 BC 段内截开，取上部分为研究对象，画出受力图[图 8-9b)、c)]，写出平衡方程并解出轴力：

AB 段： $\sum X = 0 \quad -P_1 - N_1 = 0$

得 $N_1 = -P_1 = -50\text{kN}$(压力)

BC 段： $\sum X = 0 \quad -P_1 - P_2 - N_2 = 0$

得 $N_2 = -P_1 - P_2 = -50 - 90 = -140\text{kN}$(压力)

(2)画轴力图

取平行于柱轴线的 x 轴及垂直于轴线的 N 轴，按一定比例画出轴力图如图 8-9d)所示。

(3)求正应力

AB 段：截面面积 $A_1=240\times240=5.76\times10^4\text{mm}^2$

$$\sigma_1=\frac{N_1}{A_1}=\frac{-50\times10^3}{5.76\times10^4}=-0.868\text{N/mm}^2=-0.868\text{MPa}(\text{压应力})$$

BC 段：截面面积 $A_2=370\times370=1.37\times10^5\text{mm}^2$

$$\sigma_2=\frac{N_2}{A_2}=\frac{-140\times10^3}{1.37\times10^5}=-1.023\text{N/mm}^2=-1.023\text{MPa}(\text{压应力})$$

例 8-5 图 8-10a)为一三角支架，杆 AB 为圆钢杆，直径 $d=16\text{mm}$；杆 BC 为正方形截面木杆，边长 $a=100\text{mm}$。已知荷载 $P=30\text{kN}$，求各杆横截面上的正应力。

解 由于支架在 A、B、C 处为铰接，杆中间不受外力作用，故杆 AB、BC 均为二力杆，即为轴向拉压杆。

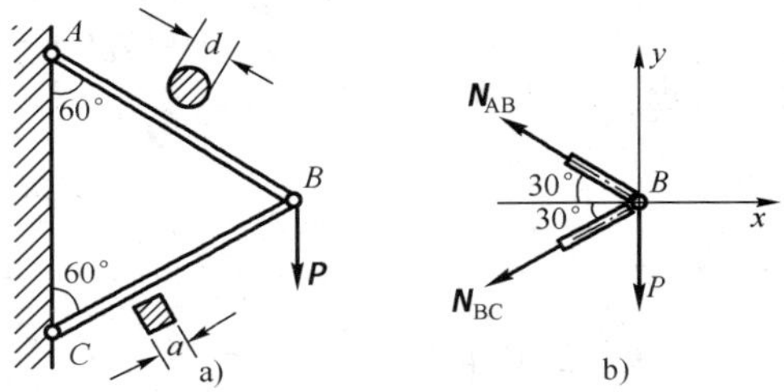

图 8-10

(1)求各杆轴力

用截面 1-1 截取节点 B 为研究对象，并假设各杆受拉[图 8-10b)]，列出平衡条件：

$$\sum X=0\qquad -N_{AB}\cos30°-N_{BC}\cos30°=0\tag{a}$$

$$\sum Y=0\qquad N_{AB}\sin30°-N_{BC}\sin30°-P=0\tag{b}$$

联立解得 $N_{AB}=P=30\text{kN}(\text{拉力}),N_{BC}=-P=-30\text{kN}(\text{压力})$

(2)求各杆正应力

AB 杆：截面面积 $A_{AB}=\frac{\pi d^2}{4}=\frac{\pi}{4}\times16^2=201\text{mm}^2$

$$\sigma_{AB}=\frac{N_{AB}}{A_{AB}}=\frac{30\times10^3}{201}=149.3\text{N/mm}^2=149.3\text{MPa}(\text{拉应力})$$

BC 杆：截面面积 $A_{BC}=a^2=100^2=1\times10^4\text{mm}^2$

$$\sigma_{BC}=\frac{N_{BC}}{A_{BC}}=\frac{-30\times10^3}{10^4}=-3\text{N/mm}^2=-3\text{MPa}(\text{压应力})$$

§8-4　直杆轴向拉压时斜截面的应力

实验表明，拉压杆的破坏并不完全都是发生在横截面上，而有时是沿斜截面破坏的。为了更加全面地研究拉压杆的强度问题，有必要进一步研究斜截面上的应力。

设直杆的轴向拉力为 P[图 8-11a)]，横截面积为 A，由公式(8-1)知横截面上的正应力为

$$\sigma=\frac{N}{A}=\frac{P}{A}$$

围绕杆件内任一点 A 截取微单元如图 8-11b）。再从微单元体中沿 k-k 截面截取隔离体如图 8-11c）所示。设斜截面面积为 $\mathrm{d}A$，依据 σ_α 方向和 τ_α 方向的平衡条件可得

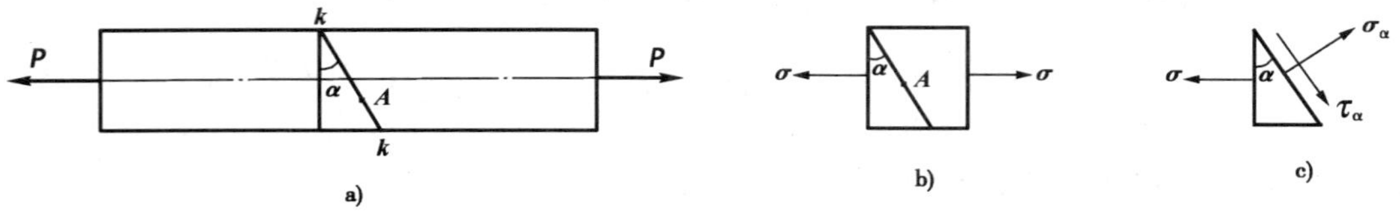

图 8-11

$$\begin{cases}\sigma_\alpha \mathrm{d}A - \sigma \mathrm{d}A\cos\alpha\cos\alpha = 0 \\ \tau_\alpha \mathrm{d}A - \sigma \mathrm{d}A\cos\alpha\sin\alpha = 0\end{cases} \tag{a}$$

由(a)得

$$\sigma_\alpha = \sigma\cos^2\alpha \tag{8-2}$$

$$\tau_\alpha = \frac{\tau}{2}\sin2\alpha \tag{8-3}$$

从以上公式看出，σ_α 和 τ_α 都是 α 的函数，所以斜截面的方位不同，截面上的应力也就不同。当 $\alpha = 0$ 时，斜截面变成了横截面，σ_α 达到最大值，且

$$\sigma_{\alpha\max} = \sigma$$

当 $\alpha = 45°$，τ_α 达到最大值，且

$$\tau_{\alpha\max} = \frac{\sigma}{2}$$

因此，轴向拉压时，杆件横截面上，正应力最大，而剪应力为零；而与杆轴线成45°的斜截面上剪应力为最大值，且为最大正应力之半，正应力并不为零。此外，当 $\alpha = 90°$时，$Z_\alpha = \sigma_\alpha = 0$，这表示在纵向截面上无任何应力。

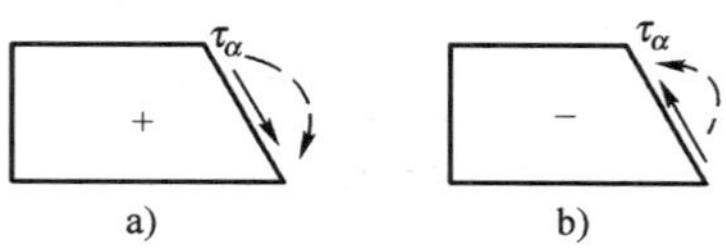

图 8-12

剪应力 τ_α 的正负号规定如下：凡剪应力使研究对象绕其中任意一点有顺时针方向转动趋势时为正[图 8-12a)]；反之为负[图 8-12b)]。

§8-5　轴向拉(压)杆的变形・胡克定理

杆受轴向力作用时，沿杆轴方向会产生伸长（或缩短），称为纵向变形；同时杆的横向尺寸将减小（或增大），称为**横向变形**。如图 8-13a)、b)所示。

一、纵 向 变 形

设杆件变形前长为 l，变形后长为 l_1，则杆件的纵向变形为 $l_1 - l$，拉伸时纵向变形为正，压缩时纵向变形为负。纵向变形 Δl 的单位是米（m）或毫米（mm）。

纵向变形的大小与杆的原长 l 有关，为了度量杆的变形程度，需用单位长度的变形量。单位长度的变形称纵向线应变，简称线应变，以 ε 表示。对于轴力为常量的等截面直杆，其纵向变形在杆内分布均匀，故线应变为

$$\varepsilon = \frac{\Delta l}{l} \tag{8-4}$$

拉伸时 ε 为正，压缩时 ε 为负。线应变是无单位的量。

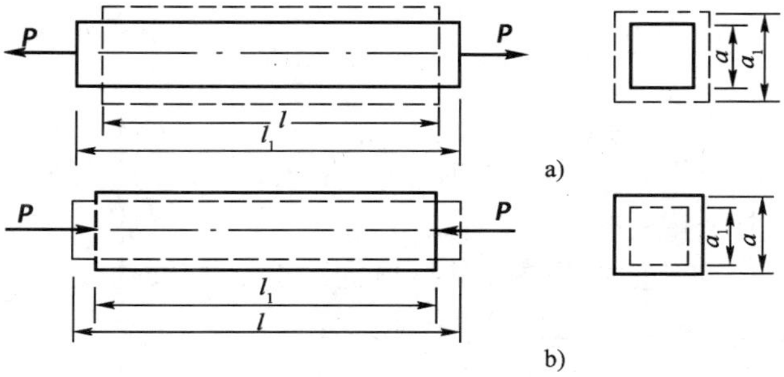

图 8-13

二、胡 克 定 律

实验证明，当杆的应力未超过某一限度时，纵向变形 Δl 与外力 P、杆长 l 及横截面面积 A 之间存在着如下的比例关系：$\Delta l \propto \frac{Pl}{A}$。

引进比例系数 E，得到

$$\Delta l = \frac{Pl}{EA} \tag{8-5}$$

在内力不变的杆段中，$N = P$，可将上式改写为用内力表达的形式

$$\Delta l = \frac{Nl}{EA} \tag{8-6}$$

式(8-6)称胡克定律，表明当杆件应力不超过某一限度时，其纵向变形与轴力及杆长成正比，与横截面面积成反比。

将$\frac{\Delta l}{l} = \varepsilon$ 及$\frac{N}{A} = \sigma$ 代入式(8-6)，可得

$$\sigma = E \cdot \varepsilon \tag{8-7}$$

式(8-7)是胡克定律的另一表达形式，它表明当应力不超过某一限度时，应力与应变成正比。

比例系数 E 称为材料的弹性模量，从式(8-6)知，当其他条件相同时，材料的弹性模量越大，则变形越小，这说明弹性模量反映了材料抵抗弹性变形的能力。弹性模量的单位与应力的单位相同。

各种材料的 E 值由试验测定。

EA 称为杆件的抗拉(压)刚度，它反映了杆件抵抗拉伸(压缩)变形的能力。EA 越大，杆件的变形就越小。

需特别注意：(1)胡克定律只适用于杆内应力未超过某一限度，此限度称为比例极限(在下一节将作进一步说明)；(2)当用于计算变形时，在杆长 l 内，它的轴力 N、材料 E 及截面面积 A 都应是常数。

三、横 向 变 形

拉(压)杆产生纵向变形时，横向也产生变形。设杆件变形前的横向尺寸为 a，变形后为 a_1[图 8-13a)、b)]，则横向变形为

$$\Delta a = a_1 - a$$

横向应变 ε' 为

$$\varepsilon' = \frac{\Delta a}{a} \tag{8-8}$$

杆件伸长时，横向减小，ε' 为负值；杆件压缩时，横向增大，ε' 为正值。因此，拉(压)杆的线应变 ε 与横向应变 ε' 的符号总是相反的。

试验证明，当杆件应力不超过比例极限时，横向应变 ε' 与线应变 ε 的绝对值之比为一常数。此比值称为横向变形系数或泊松比，用 μ 表示。

$$\mu = \left|\frac{\varepsilon'}{\varepsilon}\right| \tag{8-9}$$

μ 是无单位的量，各种材料的 μ 值可由试验测定。

E 与 μ 都是反映材料弹性性能的常数。表 8-1 列出几种材料的 E 和 μ 值。

几种常见材料的 E 和 μ 约值 表 8-1

材料名称	E(GPa)	μ
低碳钢	190 ~ 200	0.25 ~ 0.33
合金钢	190 ~ 220	0.24 ~ 0.33
灰口铸铁	80 ~ 150	0.23 ~ 0.27
锡	72	0.33
混凝土	14.6 ~ 36	0.16 ~ 0.18
木材(顺纹)	10 ~ 12	

例 8-6 图 8-14 所示为一两层的木排架，作用在横木上的荷载传给立柱，其中一根柱子的受力图如图 8-14b) 所示，$P_1 = 30\text{kN}$，$P_2 = 50\text{kN}$。柱子为圆截面，直径 $d = 150\text{mm}$。木材的弹性模量 $E = 10\text{GPa}$。求木柱的总变形。

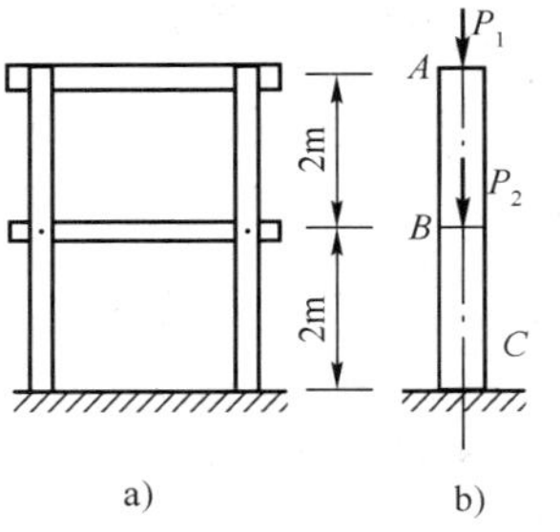

图 8-14

解：木柱 AB 和 BC 两段轴力不同，应分别求出两段变形，然后求其总和。

(1)求轴力

$$N_{AB} = -P_1 = -30\text{kN}(\text{压力})$$

$$N_{BC} = -P_1 - P_2 = -30 - 50 = -80\text{kN}(\text{压力})$$

(2)求变形

截面面积 $A = \dfrac{\pi d^2}{4} = \dfrac{\pi 50^2}{4} = 1.767 \times 10^4 \text{mm}^2$

$$l_{AB} = \frac{N_{AB} \cdot l_{AB}}{EA} = \frac{-30 \times 10^3 \times 2 \times 10^3}{10 \times 10^3 \times 1.767 \times 10^4} = -3.40 \times 10^{-1}\text{mm}$$

$$\Delta l_{BC} = \frac{N_{BC} l_{AC}}{EA} = \frac{-80 \times 10^3 \times 2 \times 10^3}{10 \times 10^3 \times 1.767 \times 10^4} = -9.05 \times 10^{-1}\text{mm}$$

$$l = \Delta l_{AB} + \Delta l_{BC} = -3.40 \times 10^{-1} - 9.05 \times 10^{-1} = -1.245\text{mm}$$

例 8-7 一钢制阶梯杆如图 8-15 所示。已知 $P_1 = 50\text{kN}$，$P_2 = 20\text{kN}$，杆长 $l_1 = 120\text{mm}$，$l_2 = l_3 = 100\text{mm}$，横截面面积 $A_1 = A_2 = 500\text{mm}^2$，$A_3 = 250\text{mm}^2$，弹性模量 $E = 200\text{GPa}$。试求杆各段的

纵向变形、线应变和 B 截面的位移。

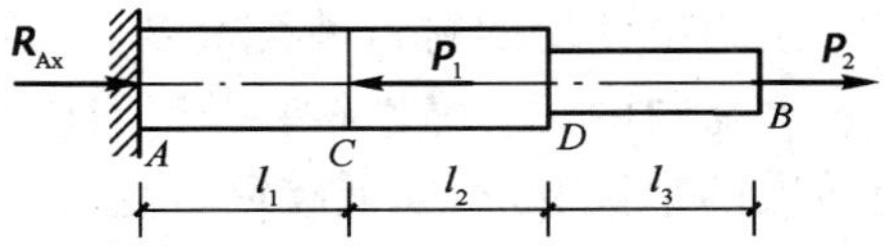

图 8-15

解 (1)计算杆各段的轴力

$$N_1 = N_{AC} = 20 - 50 = -30\text{kN}$$

$$N_2 = N_{CD} = 20\text{kN}$$

$$N_3 = N_{DB} = 20\text{kN}$$

(2)计算杆各段的纵向变形

$$\Delta l_1 = \frac{N_1 l_1}{E_1 A_1} = -\frac{30 \times 10^3 \times 120}{200 \times 10^3 \times 500} = -0.036\text{mm}$$

$$\Delta l_2 = \frac{N_2 l_2}{E_2 A_2} = \frac{20 \times 10^3 \times 100}{200 \times 10^3 \times 500} = 0.02\text{mm}$$

$$\Delta l_3 = \frac{N_3 l_3}{E_3 A_3} = \frac{20 \times 10^3 \times 100}{200 \times 10^3 \times 250} = 0.04\text{mm}$$

(3)求 B 截面位移　B 截面的位移为杆的总变形量 Δl_{AB} 等于杆各段变形量的代数和。

$$\Delta l_{AB} = \Delta l_1 + \Delta l_2 + \Delta l_3 = -0.036 + 0.02 + 0.04 = 0.024\text{mm}$$

(4)计算杆各段的线应变

$$\varepsilon_1 = \frac{\Delta l_1}{l_1} = -\frac{0.036}{120} = -3.0 \times 10^{-4}$$

$$\varepsilon_2 = \frac{\Delta l_2}{l_2} = \frac{0.02}{100} = 2.0 \times 10^{-4}$$

$$\varepsilon_3 = \frac{\Delta l_3}{l_3} = \frac{0.04}{100} = 4.0 \times 10^{-4}$$

本题也可根据每段杆的轴力，由公式 $\sigma = \frac{N}{A}$ 计算出相应的应力，再由公式 $\varepsilon = \frac{\sigma}{E}$ 和 $\Delta l = \varepsilon l$ 计算出各段杆的应变值和纵向变形。

例如 AC 段
$$\sigma_1 = \frac{N_1}{A_1} = \frac{-30 \times 10^3}{500} = -60\text{MPa}$$

$$\varepsilon_1 = \frac{\sigma_1}{E_1} = -\frac{60}{200 \times 10^3} = -3.0 \times 10^{-4}$$

$$\Delta l_1 = \varepsilon l_1 = -30 \times 10^{-4} \times 120 = -0.036\text{mm}$$

所得结果与前种解法的结果相同。

§8-6　材料在拉伸与压缩时的力学性能

一、材料力学性能的概念

前面讨论了拉(压)杆的应力和变形，涉及的弹性模量、泊松比，这些指标都属于材料的力学性能。材料的力学性能是指：材料受力时力与变形之间的关系所表现出来的性能指标。材料的力学性能是根据材料的拉伸、压缩试验来测定的。本节讨论材料在常温、静载作用下的力学性能。

工程中使用的材料种类很多，习惯上根据试件在拉断时塑性变形的大小，区分为塑性材料和脆性材料两类。脆性材料拉断时塑性变形很小，如石料、铸铁、混凝土等；塑性材料拉断时具有较大的塑性变形，如低碳钢、合金钢、铜、铅等。这两类材料的力学性能有明显的差别。实验研究中，常把塑性材料低碳钢的拉伸试验和脆性材料铸铁的压缩试验作为两类材料的代表性试验。

二、材料拉伸时的力学性能

试验时采用国家规定的标准试件。金属材料试件如图 8-16a)、b)所示。试件中间部分是工作长度 l，称标距。规定圆形截面试件，标距 l 与直径 d 的比例为 $l=10d$ 或 $l=5d$；矩形截面试件标距 l 与截面面积 A 的比例为 $l=11.3\sqrt{A}$或 $l=5.65\sqrt{A}$。

(一)低碳钢的拉伸试验

1．拉伸图是应力应变图

将低碳钢的标准试件夹在试验机上，开动试验机后，试件受到由零缓慢增加的拉力 P，同时试件逐渐伸长。记录各时刻的拉力 P 以及标距 l 段相应的纵向伸长 Δl，直至拉断为止。以拉力 P 为纵坐标，Δl 为横坐标，将 P 和 Δl 的关系按一定比例绘制成的曲线，称为**拉伸图**(或 $P-\Delta l$ 曲线)如图 8-17 所示。一般试验机上均有自动绘图装置，试件拉伸过程中能自动绘出拉伸图。

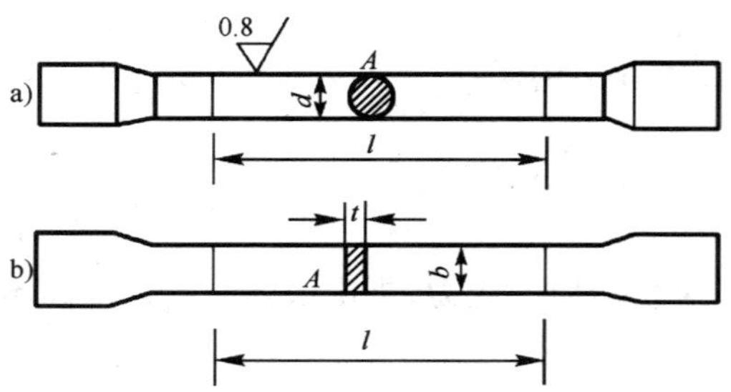

图 8-16

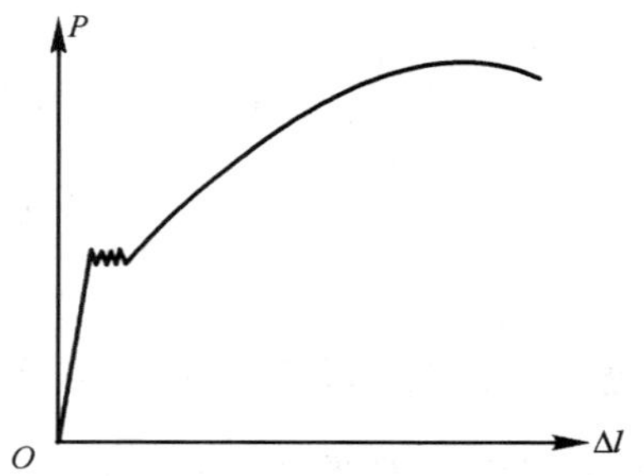

图 8-17

由于 Δl 与试件的标距 l 及横截面面积 A 有关，因此，即使是同一材料，当试件尺寸不同，其拉伸图也不同。为消除试件尺寸的影响，反映材料本身的性质，将纵坐标 P 除以试件横截面的原始面积 A，用应力 $\sigma=\dfrac{P}{A}$表示；将横坐标 Δl 除以原标距 l，用线应变 $\varepsilon=\dfrac{\Delta l}{l}$表示，这样画出的曲线称为应力—应变图($\sigma$-$\varepsilon$ 曲线)，如图 8-18 所示。

2．拉伸过程的四个阶段

低碳钢在拉伸过程中可分为四个阶段，现据应力应变图来说明各阶段中出现的力学性能：

(1)弹性阶段(图 8-18 中 Ob 段)　在试件的应力不超过 b 点所对应的应力时，材料的变形全部是弹性的，即卸除荷载时，试件的变形将全部消失。弹性阶段最高点 b 相对应的应力值 σ_e 称为材料的**弹性极限**。

在弹性阶段内，初始一段是直线 Oa，它表明应力与应变成正比，材料服从胡克定律。过 a 点后，应力应变图开始微弯，表示应力与应变不再成正比。应力与应变成正比关系最高点 a 相对应的应力值 σ_p，称为材料的比例极限。建筑工程中最常用的 A3 钢，比例极限约为 200MPa。

图中直线 Oa 与横坐标 ε 间的夹角为 α，材料的弹性模量 E 可由夹角的正切表示，即

$$E = \frac{\sigma}{\varepsilon} = \tan\alpha \tag{8-10}$$

弹性极限 σ_e 和比例极限 σ_p 两者意义虽然不同,但数值非常接近,工程上对它们不加严格区分,常近似地认为在弹性范围内材料服从胡克定律。

(2)屈服阶段(图 8-18 中 bc 段)　当应力超过 b 点对应的应力后,应变增加很快,应力仅在很小范围内波动,在 σ-ε 图上呈现出接近于水平的"锯齿"形段 bc。这种应力基本不变、应变显著增加,好像材料对外力屈服了一样,故此阶段称屈服阶段(也称流动阶段)。屈服阶段中的最低应力称为**屈服极限**,用 σ_s 表示。A3 钢的屈服极限约为 240MPa。

材料到达屈服阶段时,如果试件表面光滑,则在试件表面上可以看到大约与试件轴线成 45°的斜线(图 8-19),这种斜线称为滑移线。这是由于在 45°斜面上存在最大剪应力,造成材料内部晶粒之间相互滑移所致。

(3)强化阶段(图 8-18cd 段)　屈服阶段以后,材料重新产生了抵抗变形的能力,图 8-18 中向上凸的曲线 cd 表明若要试件继续变形,必须增加应力,这一阶段称**强化阶段**。曲线最高点 d 所对应的应力称为**强度极限**,以 σ_b 表示。A3 钢的强度极限约为 400MPa。

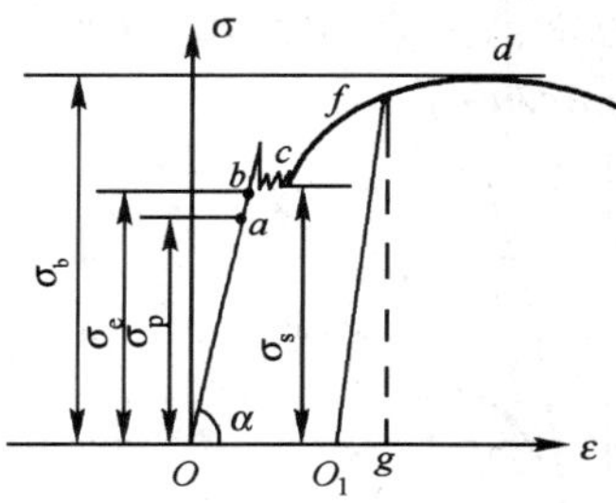

图　8-18

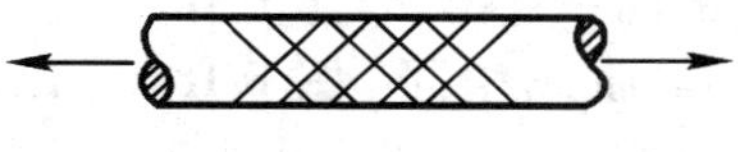

图　8-19

(4)颈缩阶段(图 8-18de 段)　当应力到达强度极限之后,在试件薄弱处将发生急剧的局部收缩,出现"颈缩"现象(图 8-20)。由于颈缩处截面面积迅速减小,试件继续变形所需的拉力 P 也相应减少,用原始截面面积 A 算出的应力值也随之下降,曲线出现了 de 段形状。至 e 点试件被拉断。

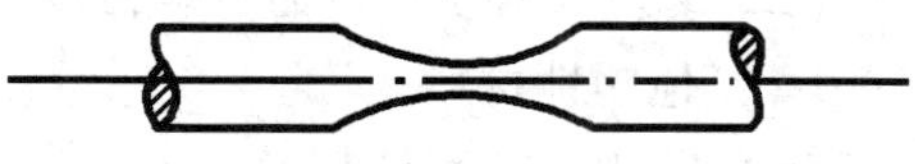

图　8-20

上述低碳钢拉伸的四个阶段中,有三个有关强度性质的指标,即比例极限 σ_p、屈服极限 σ_s 和强度极限 σ_b,σ_p 表示了材料的弹性范围;σ_s 是衡量材料强度的一个重要指标,当应力达到 σ_s 时,杆件产生显著的塑性变形,使得无法正常使用;σ_b 是衡量材料强度的另一个重要指标,当应力达到 σ_b 时,杆件出现颈缩并很快被拉断。

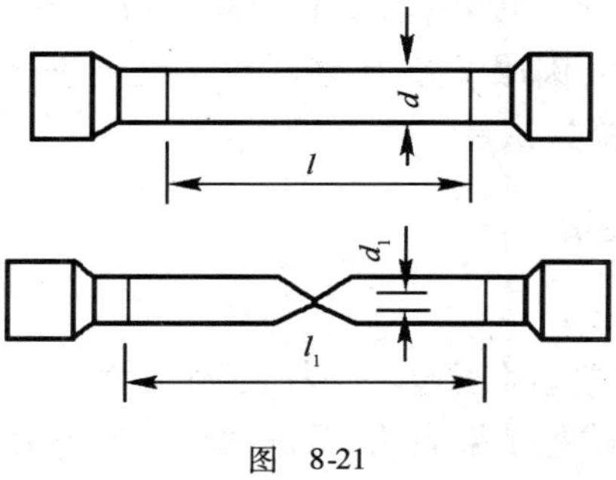

图　8-21

3. 塑性指标

试件断裂后,变形中的弹性部分随着荷载的消失而消失了,塑性变形残余了下来。试件断裂后所遗留下的塑性变形大小,常用来衡量材料的塑性性能。塑性性能指标有两个:

(1)延伸率

试件拉断后的标距长度 l_1 减去原来的标距长度 l(图 8-21),除以 l 后的百分比,称为材料的延伸率 δ,即

$$\delta = \frac{l_1 - l}{l} \times 100\% \tag{8-11}$$

A_3 钢的延伸率 δ 约为 20% ~30% 。

工程中常按延伸率的大小将材料分为两类。$\delta \geqslant 5\%$ 的材料,如低碳钢、铝、铜等,称**塑性材料**;$\delta < 5\%$ 的材料,如铸铁、石料、混凝土等,称为**脆性材料**。

(2)截面收缩率

试件拉断后断裂处的最小横截面面积用 A_1 表示,则比值

$$\psi = \frac{A - A_1}{A} \times 100\% \tag{8-12}$$

称为截面收缩率。A_3 钢的截面收缩率 ψ 约为 60% ~70% 。

4. 冷作硬化

在试验过程中,如加载到强化阶段某点 f 时(图 8-18),将荷载逐渐减小到零,可以看到,卸载过程中应力与应变仍保持直线关系,且卸载直线 fO_1 基本上与弹性阶段,直线 Oa 平行。f 点对应的总应变为 Og,回到 O_1 时所消失的部分 O_1g 为弹性应变,不能消失的部分 OO_1 为塑性应变。

如果卸载后立即再加荷载,则 σ-ε 曲线将基本上沿着卸载时的同一直线 O_1f 上升到 f 点,f 点以后的曲线与原来的 σ-ε 曲线相同(图 8-18)。比较图 8-18 中的 $oabcfde$ 和 O_1fde 两条曲线,可见卸载后再加载,材料的比例极限与屈服极限都得到了提高,而塑性将下降。这种将材料预拉到强化阶段,然后卸载,当再加载时,比例极限和屈服极限得到提高,塑性降低的现象,称为**冷作硬化**。该现象经退火后又可以消除。工程中常利用冷作硬化来提高钢筋的屈服极限,用以提高强度。

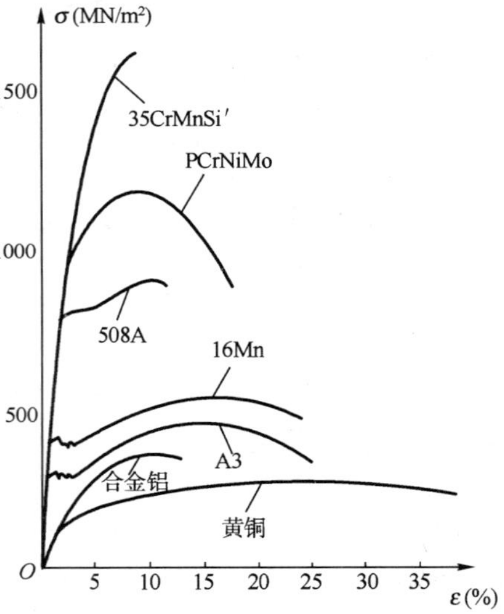

图 8-22

(二)其他材料拉伸时的力学性能

1. 其他塑性材料

图 8-22 为几种塑性材料的 σ-ε 曲线图。它们的共同特点是延伸率较大。有些金属材料没有明显的屈服阶段,对这些塑性材料,通常规定:卸载后试件残留的塑性应变达 0.2% 时对应的应力值作为材料的**名义屈服极限**(图 8-23)用 $\sigma_{0.2}$ 表示。

2. 铸铁

灰口铸铁拉伸时的 σ-ε 图是一段微弯的曲线(图 8-24),没有明显的直线部分。灰口铸铁在较小的拉力下就被拉断,没有屈服和颈缩现象。只有一个强度特征,即断裂时的应力(强度极限 σ_b)其值约为 120 ~150MPa。断裂时的总变形很小,肉眼几乎观察不到。延伸率 δ = 0.4% ~0.5% ,远小于 5% ,是典型的脆性材料,不宜作为受拉试件。

三、材料压缩时的力学性质

1. 低碳钢的压缩试验

金属材料的压缩试件,通常做成很短的圆柱,以免试验时压弯。圆柱的高度为直径的 1.5 ~3 倍。低碳钢压缩时的 $\sigma-\varepsilon$ 曲线如图 8-25 所示。试验结果表明:低碳钢压缩时的弹性

模量 E,屈服极限 σ_s 都与拉伸基本相同。屈服后,试件越压越扁,抗压能力继续提高,因而无强度极限。低碳钢的力学性能,通过拉伸试验都可测定,一般不需作压缩试验。

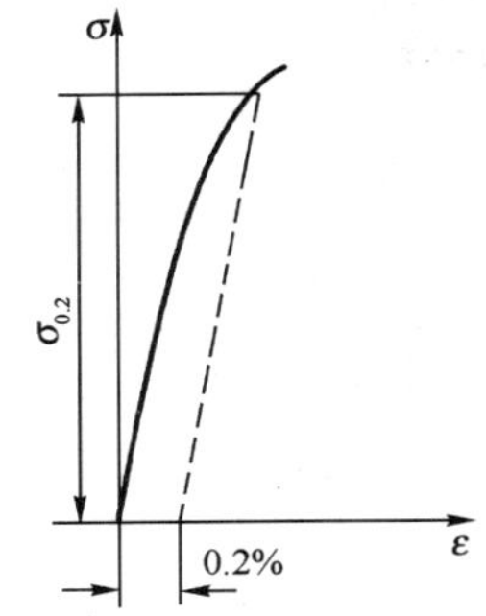

图 8-23

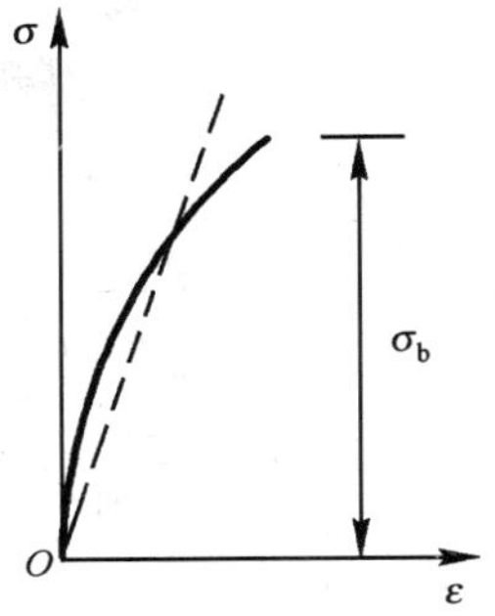

图 8-24

2. 铸铁的压缩试验

图 8-26 所示为脆性材料铸铁压缩时 $\sigma-\varepsilon$ 曲线。试件仍然在较小的变形下突然破坏,破坏断面与轴线大致成 45°~55°的倾角。这表示沿这些斜截面试件因剪切而破坏。铸铁的抗压强度极限比拉伸时高达 4~5 倍,其他脆性材料,如混凝土、石料等抗压强度也远高于抗拉强度。

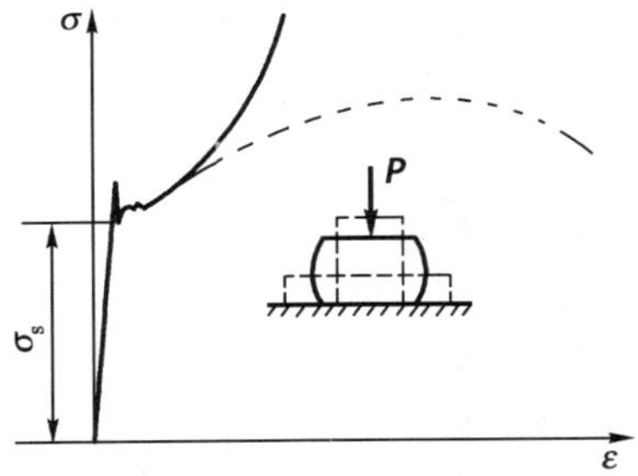

图 8-25

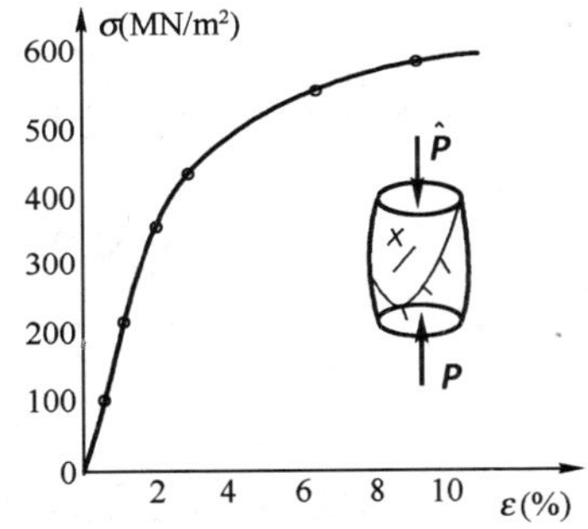

图 8-26

脆性材料抗拉强度低塑性性能差;但抗压能力强,而且价格低廉。在桥梁、房建、水工建筑中得到广泛地应用。

综上所述,衡量材料力学性质的指标有;σ_p、σ_s、σ_b、E、δ、ψ 等。对很多金属来说,这些量中除弹性模量 E 较为稳定外,其它大多受热处理条件的影响。另外,材料工作的温度、时间、加力速度等都会对其力学性能产生影响。所以查用有关数据时应注意条件。表 8-2 中列出了几种常用材料在常温静载下 σ_s、σ_b 和 δ 的数据。

几种常用材料的主要力学性质 表 8-2

材 料 名 称	牌 号	σ_s(MN/m²)	σ_b(MN/m²)	δ_5(%)
普通碳素钢	A2	186~216	333~412	31
	A3	216~235	373~461	24-27
	A5	255~274	490~608	19-21
优质结构钢	15	225	373	27
	40	333	569	19
	45	353	598	16

续上表

材料名称	牌号	σ_s(MN/m²)	σ_b(MN/m²)	δ_5(%)
普通低合金结构钢	12Mn	274～294	432～441	19-21
	16Mn	274～343	471～510	19-21
	15MnV	333～412	490～549	17-19
	18MnMoNb	441～510	588～637	16-17
合金结构钢	40Cr	785	981	9
	50Mn2	785	932	9
碳素铸钢	ZG15	196	392	25
	ZG35	274	490	16
可锻铸铁	KTZ45-5	274	441	5
	KTZ70-2	539	687	2
球墨铸铁	QT40-10	294	392	10
	QT45-5	324	441	5
	QT60-2	412	588	2
灰铸铁	HT15-33		98.1～274(压)	
	HT30-54		235～294(压)	

注:表中 δ_5 是 $l=5d$ 的标准试件的延伸率。

§8-7 安全系数和容许应力

一、极限应力与容许应力

前面我们在研究材料的力学性能时,当塑性材料达到屈服极限时,有较大的塑性变形;脆性材料达到强度极限时,会引起断裂。构件在工作时,这两种情况都是不允许的。我们把构件发生显著变形或断裂时的最大应力,称为极限应力,用 σ° 表示。因此

塑性材料以屈服极限为极限应力。即

$$\sigma^{\circ} = \sigma_s$$

脆性材料以强度极限为极限应力。即

$$\sigma^{\circ} = \sigma_b$$

为了保证构件安全、正常工作,仅把工作应力限制在极限应力以内是不够的。因实际构件的工作条件受许多外界因素及材料本身素质的影响,故必须把工作应力限制在更小的范围,以保证有必要的强度储备。

我们把保证构件安全、正常工作所允许承受的最大应力,称为容许应力,用[σ]表示。即

$$[\sigma] = \frac{\sigma^{\circ}}{K} \tag{8-13}$$

式中:[σ]——材料的容许应力;

σ°——材料的极限应力;

K——安全系数,$K>1$。

二、安全系数 K

确定安全系数 K 时，主要应考虑的因素有：材料质量的均匀性，荷载估计的准确性，计算方法的准确性，构件在结构中的重要性及工作条件等。安全系数的选取涉及许多方面的问题。目前，国内有关部门编制了一些规范和手册（如《公路桥涵设计规范》和《公路桥涵设计手册》），可供选取安全系数时参考。一般构件在常温、静载条件下：

塑性材料　$K_s = 1.5 \sim 2.5$

脆性材料　$K_b = 2 \sim 3.5$

容许应力 $[\sigma]$ 是强度计算中的重要指标，其值取决于极限应力 $\sigma°$ 及安全系数 K：

塑性材料 $[\sigma] = \dfrac{\sigma_s}{K_s}$ 或 $[\sigma] = \dfrac{\sigma_{0.2}}{K_s}$

脆性材料 $[\sigma] = \dfrac{\sigma_b}{K_b}$

安全系数的选取和容许应力的确定，关系到构件的安全与经济两个方面。这两个方面往往是互相矛盾的，应该正确处理好它们之间的关系。片面地强调任何一方面都是不妥当的。如果片面地强调安全，采用的安全系数过大，不仅浪费材料，而且会使设计的结构物变得笨重；相反，如不适当地强调经济，采用的安全系数过小，则不能保证构件安全，甚至会造成事故。

§8-8　拉（压）杆的强度条件和强度计算

拉（压）杆横截面上的正应力为 $\sigma = \dfrac{N}{A}$，这是拉（压）杆件工作时由荷载所引起的应力，故又称工作应力。为保证杆件的安全正常工作，杆内最大工作应力不得超过材料的容许应力，即拉（压）杆件的强度条件为：

$$\sigma_{max} = \frac{N_{max}}{A} \leqslant [\sigma] \tag{8-14}$$

式中：σ_{max}——最大工作应力；

N_{max}——杆件横截面上的最大轴力；

A——杆件的横截面面积；

$[\sigma]$——材料的容许应力。

对等直杆讲，轴力最大的截面就是危险截面；对轴力不变而杆截面变化的杆，则横截面积最小的截面是危险截面。

根据强度条件式(8-14)可以解决工程实际中有关构件强度的三类问题：

1. 强度校核

已知构件的材料、横截面尺寸和所受荷载，校核构件是否安全。

即
$$\sigma_{max} = \frac{N_{max}}{A} \leqslant [\sigma]$$

2. 设计截面

已知构件承受的荷载及所用材料，确定构件横截面尺寸

即
$$A \geqslant \frac{N_{max}}{[\sigma]}$$

由上式可算出横截面面积,再根据截面形状确定其尺寸。

3. 确定许可荷载

已知构件的材料和尺寸,可按强度条件确定构件能承受的最大荷载。

即
$$N_{max} \leqslant A \cdot [\sigma]$$

由 N_{max} 再根据静力平衡条件,确定构件所能承受的最大荷载。

例 8-8 如图 8-27 所示支架,钢杆 AB 为直径 $d=12$mm 的圆截面杆,容许应力 $[\sigma]=140$MPa;木杆 BC 为边长 $a=8$cm 的正方形截面杆,$[\sigma]=4.5$MPa,在结点 B 处挂一重物 $Q=36$kN。试校核支架的强度。若强度不够,则另选截面尺寸。

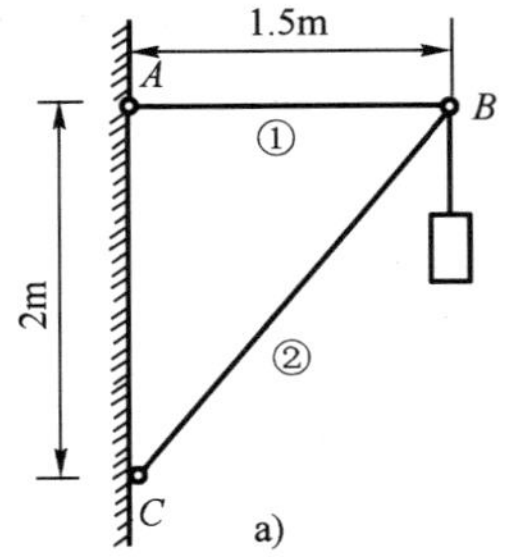

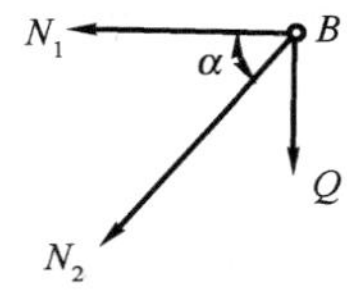

图 8-27

解 (1)计算杆的内力,取 B 节点为研究对象[图 8-27b)]。由平衡条件

$$\sum X=0 \qquad N_1+N_2\cos\alpha=0 \tag{a}$$

$$\sum Y=0 \qquad Q+N_2\sin\alpha=0 \tag{b}$$

由几何关系得

$$\sin\alpha=\frac{2}{\sqrt{2^2+1.5^2}}=0.8 \qquad \cos\alpha=\frac{1.5}{\sqrt{2^2+1.5^2}}=0.6$$

代入(b)式得

$$N_2=-\frac{Q}{\sin\alpha}=-\frac{36}{0.8}=-45\text{kN}$$

(2)校核杆的强度

代入(a)式得

$$N_1=-N_2\cos\alpha=-(-45)\times 0.6=27\text{kN}$$

AB 杆
$$\sigma_{AB}=\frac{N_1}{A_1}=\frac{4\times 27\times 10^3}{\pi\times 12^2}=239\text{MPa}>[\sigma]$$

AB 杆不满足强度条件,需要新选择截面尺寸。

由
$$A_1\geqslant\frac{N_1}{[\sigma]}=\frac{27\times 10^3}{140}=193\text{mm}^2$$

得
$$d=\sqrt{\frac{4A_1}{\pi}}\geqslant\sqrt{\frac{4\times 193}{\pi}}=15.7\text{mm}$$

取
$$d=16\text{mm}$$

BC 杆
$$\sigma_{BC}=\frac{N_2}{A_2}=\frac{45\times 10^3}{80^2}=7\text{MPa}>[\sigma]$$

BC 杆为压杆,也不满足强度条件,需要新选择截面尺寸。

由 $$A_2 \geqslant \frac{|N_2|}{|\sigma|} = \frac{45\times10^2}{4.5} = 10^4\text{mm}^2$$

故截面边长

$$a = \sqrt{A_2} = \sqrt{10^4} = 100\text{mm}$$

取 $a = 100\text{mm}$。

例 8-9 图示8-28为一木构架，在 D 点承受集中荷载 $P = 10\text{kN}$。已知斜杆 AB 为正方形截面的木杆，材料容许应力$[\sigma] = 6\text{MPa}$。求斜杆的截面尺寸。

解 (1)计算斜杆内力因 A、B 处为铰接，斜杆 AB 为二力杆。用假想截面 1-1 将构架截为两部分，取上部为研究对象[图 8-28b)]，由平衡方程

$$\sum M_C = 0,\quad -P\times2 - N\times1\times\sin45° = 0$$

得 $$N = -\frac{2P}{\sin45°} = -\frac{2\times10}{\sin45°} = -28.3\text{kN}(\text{压力})$$

(2)确定截面尺寸。按强度条件，斜杆的截面面积为

$$A \geqslant \frac{|N|}{[\sigma]} = \frac{28.3\times10^3}{6} = 4\,720\text{mm}^2$$

故截面边长 $$a = \sqrt{A} \geqslant \sqrt{4\,720} = 68.7\text{mm}$$

取 $a = 70\text{mm}$。

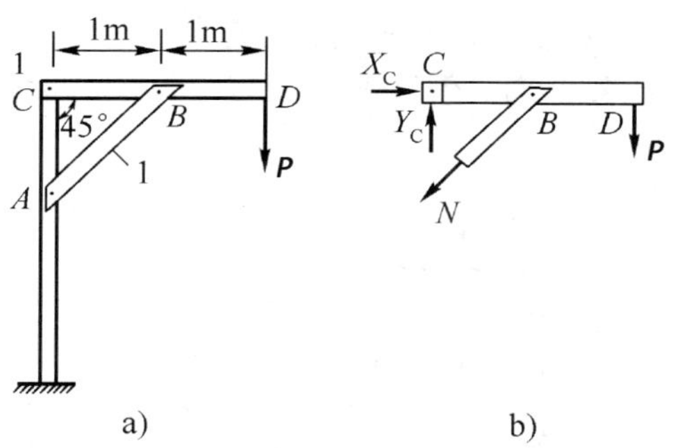

图 8-28

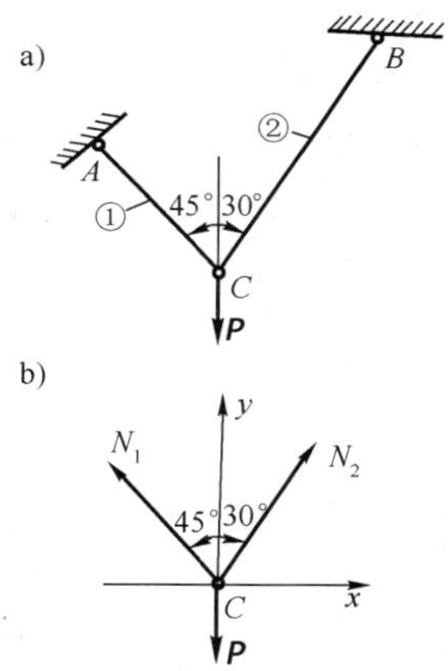

图 8-29

例 8-10 图 8-29 示支架，杆①的容许应力$[\sigma]_1 = 100\text{MPa}$，杆②的容许应力$[\sigma]_2 = 160\text{MPa}$，两杆截面面积均为 $A = 200\text{mm}^2$，求许用荷载$[P]$。

解 (1)计算杆的轴力 截取节点 C 为研究对象[图 8-29b)]。列平衡方程

$$\sum X = 0 \qquad N_2\sin30° - N_1\sin45° = 0$$

$$\sum Y = 0 \qquad N_2\cos30° + N_1\cos45° - P = 0$$

联立解得 $$N_1 = 0.518P, N_2 = 0.732P$$

(2)计算许用荷载 先根据杆①的强度条件计算杆①的许用轴力

$$[N_1] = A[\sigma]_1 = 200\times100 = 20\times10^3N = 20\text{kN}$$

而 $$[N_1] = 0.518[P]$$

所以
$$[P]=\frac{[N_1]}{0.518}=\frac{20}{0.518}=38.6\text{kN}$$

再根据杆②的强度条件计算杆②的许用轴力

$$[N_2]=A[\sigma]_2=200\times160=32\times10^3\text{N}=32\text{kN}$$

而
$$[N_2]=0.732[P]$$

所以
$$[P]=\frac{[N_2]}{0.732}=\frac{32}{0.732}=43.7\text{kN}$$

比较两次所得的许用荷载,取其较小者。所以整个结构的许用荷载为$[P]=38.6\text{kN}$。

§8-9 应力集中的概念

等截面直杆受轴向拉伸或压缩时,横截面上的应力是均匀分布的。如果截面尺寸有突然的变化,则在截面突变处应力就不是均匀分布了。例如开有圆孔的直杆受到轴向拉伸时[图8-30a)、图8-31a)],在圆孔附近的局部区域内,应力的数值剧烈增加,而在离开这一区域稍远的地方,应力迅速降低而趋于均匀[图8-30b)、图8-31b)]。这种由于杆件外形的突然变化而引起局部应力急剧增大的现象,称为应力集中。

试验表明:截面尺寸改变越剧烈,孔越小,角越尖,应力集中的程度就越严重。

关于应力集中的数值确定,超出了本课程的任务范围。但在实际工程计算中一般都仅仅计算其平均应力。

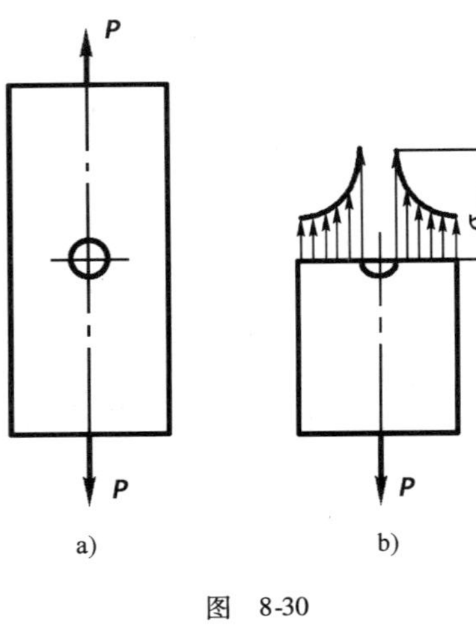

a) b)

图 8-30

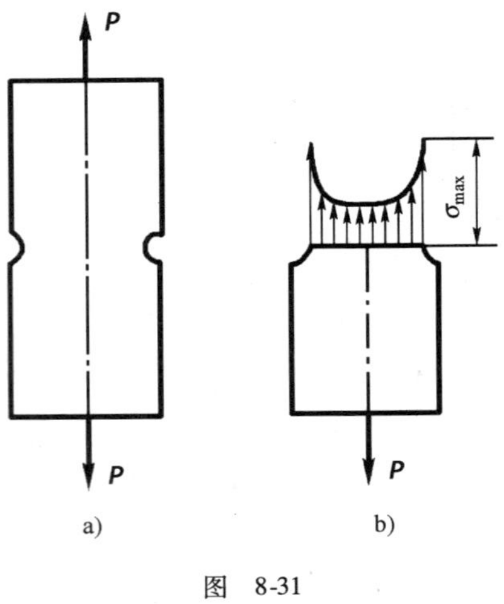

a) b)

图 8-31

§8-10 剪切的概念

前已指出,剪切变形是构件基本变形之一。它是指杆件受到一对大小相等、方向相反、作用线垂直于杆件轴线且相距很近的力的作用,两力间的横截面发生相互错动。该面称为剪切面。所谓错动即滑移、剪切变形。如错动过大,杆件就会被剪断。

工程中，剪切变形的构件很多，特别是杆件之间的连接件，比如：螺栓连接、铆钉连接[图8-32a)]、焊接、键连接、木工中使用的榫接等。

根据实验及理论分析，在外力作用下，连接件中的螺栓、销钉等除发生剪切变形外，还有其它形式的变形。在它们的内部所引起的应力，不论其性质、分布规律及大小等都很复杂。用理论的方法计算往往非常困难，而且也不切实际。因此，工程中都是以经验为基础，采用近似但切于实际的实用计算方法。

§8-11 剪切的实用计算

图8-32a)表示两块钢板由铆钉连接的情况。此时铆钉的受力情况如图8-32b)所示。

现在我们来研究剪切的内力。在图8-32b)中，沿截面 m-m 假想地将铆钉切成两部分，任取其中一部分为研究对象[图8-32c)]。根据平衡条件可知，在截面 m-m 上的分布内力系的合力必然是一个平行于 P 的 Q 力，由 $\sum X=0$，得

$$Q-P=0$$

$$Q=P$$

Q 与截面相切，称为截面 m-m 上的剪力。

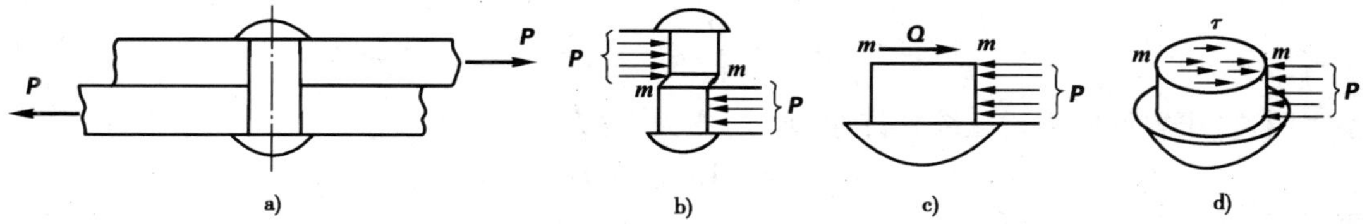

图 8-32

类似拉、压问题，求得剪力 Q 后，应进一步确定剪切面上的应力。其实我们是通过观察实验现象，作出平面假设，得出应变规律，又根据胡克定律得出应力分布规律。在此，采用切于实际的实用计算法，该方法假设应力在剪切面内均匀分布[图8-32d)]。即

$$\tau=\frac{Q}{A} \tag{8-15}$$

A 为 m-m 截面面积。τ 与 Q 平行。

在确定容许剪应力[τ]时，用试验的方法，使试件受力情况尽可能的类似实际零件的受力情况，以求得试件破坏时的荷载。然后，也用实用计算公式(8-15)，求出极限应力 τ，除以安全系数 n，得到[τ]。于是建立剪切实用计算的强度条件如下：

$$\tau=\frac{Q}{A}\leqslant[\tau] \tag{8-16}$$

运用上面的强度条件，也可以解决强度校核、确定许可荷载、设计截面尺寸三类问题。

[τ]值可从有关资料中查取。一般说，剪切容许应力[τ]与拉伸容许应力[σ]之间，有以下大约关系：

塑性材料　$[\tau]=(0.6-0.8)[\sigma]$

脆性材料　$[\tau]=(0.8-1.0)[\sigma]$

最后指出：图8-32所示实例只有一个剪切面，称为单剪。实际问题中有些零件往往有两

个剪切面,称为双剪。

§8-12　挤压及其实用计算

连接件受剪的同时,还会受到挤压。即连接件与被连接件的接触面上,因传递压力而相互压紧的现象称为挤压。如图8-33所示的铆接中的一块钢板与铆钉的挤压情况。图a)表示板在孔边被挤压坏而发皱的情况;图b)表示铆钉被挤压坏而变扁的情况。

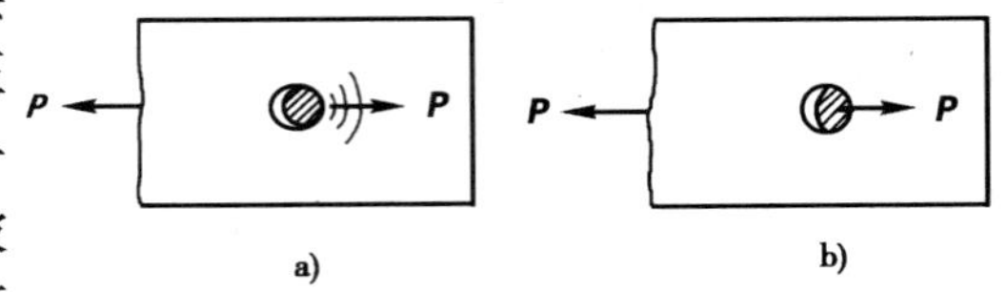

图　8-33

连接件与被连接件因相互压紧而在接触面上产生挤压应力,用σ_{jy}表示。挤压应力与直杆压缩中的压应力不同,压应力遍及整个杆件的内部,在横截面上是均匀分布的。挤压应力则只限于接触面附近的区域,在接触面上的分布也比较复杂。像剪切的实用计算一样,在工程上也采用实用计算法,即假定在挤压面上应力是均匀分布的。如以P表示挤压面上的作用力,A_{jy}表示挤压面面积,则

$$\sigma_{jy}=\frac{P}{A_{jy}} \tag{8-17}$$

强度条件为

$$\sigma_{jy}=\frac{P}{A_{jy}}\leqslant[\sigma_{jy}] \tag{8-18}$$

试验表明,挤压容许应力比压缩容许应力$[\sigma]$要大,约为

$$[\sigma_{jy}]=(1.7\sim2)[\sigma]$$

需要时,可从有关设计手册中查到。

关于挤压面面积的计算,要根据接触面的情况而定。如图8-34a)所示的键连接,其接触面是平面,就以接触面面积为挤压面面积,$A_{jy}=\frac{h}{2}\times l$。螺栓、销钉、铆钉等和被它所连接的构件的接触面是圆柱面的一部分,板与钉之间挤压应力的分布情况如图8-34b)所示。最大应力发生于圆柱接触面的中点。若以圆孔或圆钉的直径平面面积[图8-34c)](画阴影线的面积)$A_{jy}=d\times t$除以挤压力,所得应力与接触面上实际最大应力大致相等。

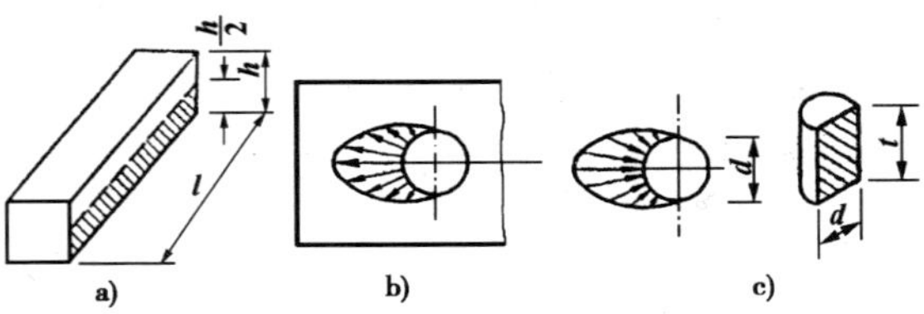

图　8-34

例8-11　图8-35a)示某起重机具,它由销轴将吊钩的上端与吊板联结而成,起吊重物$P=40\text{kN}$,销轴直径$d=22\text{mm}$,吊钩厚度$t=20\text{mm}$,销轴容许应力:$[\tau]=60\text{MPa}$,$[\sigma_{jy}]=120\text{MPa}$。试校核销轴的强度。

解　(1)剪切强度校核

销轴受力如图b所示,双剪,剪切面为mn和op。取$mnop$为隔离体[图8-35c)],两剪切面上的剪力各为Q,由$\sum Y=0$,得

$$Q=\frac{P}{2}$$

由公式(8-15)

$$\tau=\frac{Q}{A}\leqslant[\tau]$$

将有关数据代入，得

$$\tau=\frac{P}{2A}=\frac{P}{2\times\frac{\pi d^2}{4}}=\frac{4\times10^3}{2\times\frac{3.14}{4}\times22^2}=52.6\text{MPa}<[\tau]$$

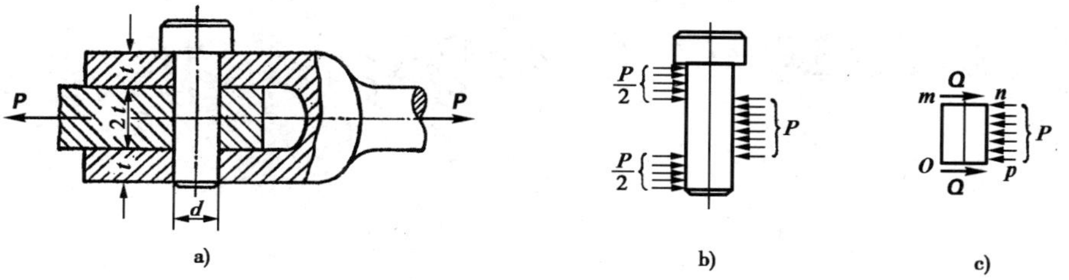

图 8-35

(2)挤压强度校核

销轴与吊板及吊钩均有接触，所以销轴上、下两侧面上都有挤压应力。设吊板两板厚度之和大于吊钩的厚度，所以只要校核销轴与吊钩之间的挤压应力即可。

由公式(8-17)

$$\sigma_{jy}=\frac{P}{A_{jy}}\leqslant[\sigma_{jy}]$$

将有关数据代入，得

$$\sigma_{jy}=\frac{P}{dt}=\frac{40\times10^3}{22\times20}=91\text{MPa}\leqslant[\sigma_{jy}]$$

所以销轴安全。

例 8-12 图 8-36a)、b)示用螺栓将两块钢板联结在一起的普通螺栓连接头，受拉力 P 的作用。已知：拉力 $P=100\text{kN}$，钢板厚 $\delta=8\text{mm}$，宽 $b=100\text{mm}$，螺栓直径 $d=16\text{mm}$，螺栓容许应力 $[\tau]=145\text{MPa}$，$[\sigma_{jy}]=340\text{MPa}$；钢板容许应力 $[\sigma]=170\text{MPa}$。试对该接头进行强度校核。

解 (1)螺栓剪切校核

隔离体如图 8-36c)所示。设螺栓所受剪力相等，所以

$$Q=\frac{P}{4}$$

据公式(8-15)

$$\tau=\frac{Q}{A}\leqslant[\tau]$$

将有关数据代入，得

$$\tau=\frac{P}{4\times\frac{\pi d^2}{4}}=\frac{100\times10^3}{4\times\frac{3.14\times16^2}{4}}=124\text{MPa}<[\tau]$$

(2)螺杆挤压校核

据公式(8-17)

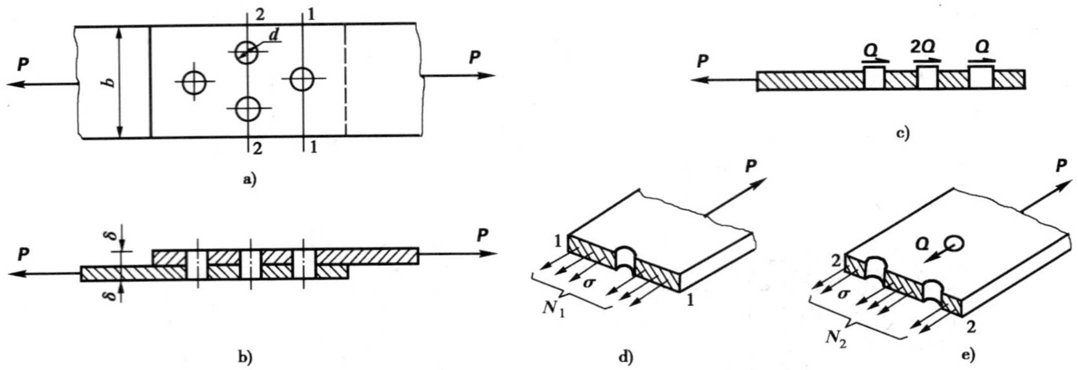

图 8-36

$$[\sigma_{jy}] = \frac{P}{A_{jy}} \leqslant [\sigma_{jy}]$$

将有关数据代入，得

$$[\sigma_{jy}] = \frac{P/4}{d \cdot \delta} = \frac{100 \times 10^3}{16 \times 8} = 195\text{MPa} < [\sigma_{jy}]$$

(3)板的拉断校核

由于板的圆孔对板截面的削弱，故须对板进行拉断校核。先校核 1-1 截面，其隔离体如图 8-36d)所示。忽略应力集中的影响。由平衡条件知

$$N_1 = P$$

据公式 $\sigma = \dfrac{N_1}{A_1} \leqslant [\sigma]$

代入有关数据，得

$$\sigma_1 = \frac{P}{\delta(b-d)} = \frac{100 \times 10^3}{8 \times (100-16)} = 149\text{MPa} < [\sigma]$$

再校核 2-2 截面，隔离体如图 8-36e)所示。由平衡条件知

$$N_2 = P - Q = P - \frac{P}{4} = \frac{3}{4}P$$

于是

$$\sigma_2 = \frac{N_2}{A_2} = \frac{3P/4}{\delta(b-2d)} = \frac{3 \times 100 \times 10^3}{4 \times 8 \times (100 - 2 \times 16)} = 138\text{MPa}$$

所以，该接头安全。

小　　结

轴向拉伸、压缩变形，虽为材料力学的一类基本变形，但其解决问题的思维模式亦体现于扭转、弯曲问题当中，所以深入研究拉、压问题，将会为材料力学的学习打下稳固的基础，下面通过框图加以示意。

拉、压问题中有两个基本公式：

$$\sigma = \frac{N}{A}; \qquad \Delta l = \frac{Nl}{EA}$$

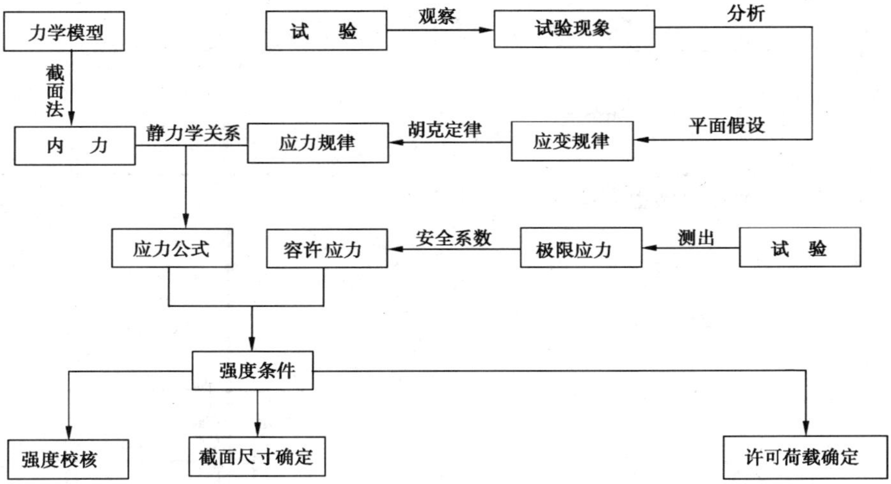

图 8-37

一个重要公式：

$$\frac{N}{A} = \sigma \leqslant [\sigma]$$

强度条件的三种应用是重点。

对材料力学性能的认识是材料力学的一个重要方面。材料力学性能要依靠试验来确定，其中拉伸试验和压缩实验是最重要也是最基本的试验。

本章我们还研究了另一类基本变形——剪切。正确分析、确定剪切和挤压面积是解决问题的关键。

习 题

8-1 试求图示各杆 1-1、2-2、3-3 截面上的轴力，并作轴力图。

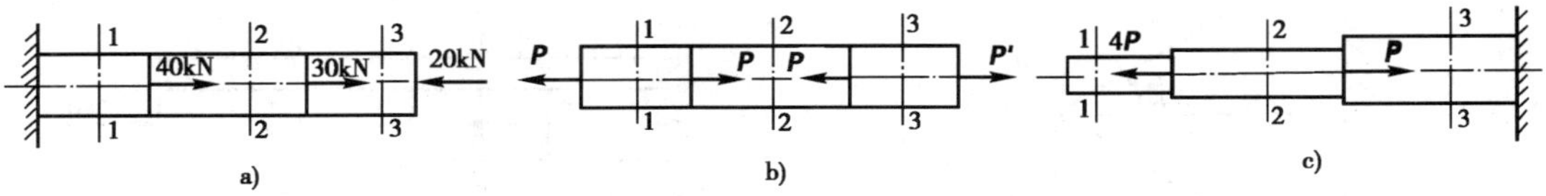

题 8-1 图

8-2 钢板受拉如图，板上有铆钉圆孔三个，孔的直径是 20mm，钢板厚 10mm，宽 200mm，拉力为 14kN。试求危险面上的平均应力。

8-3 简易起重设备的计算简图如图所示。已知斜杆 *AB* 用两根不等边角钢 63×40×4 组成。如钢的容许应力$[\sigma]=170$MPa。问这个起重设备在提起重力为 $W=15$kN 的重物时，斜杆 *AB* 是否能满足强度条件。

8-4 用绳索起吊钢筋混凝土管子如图所示。如管子的重力 $W=10$kN，绳索直径 $d=40$mm，容许应力$[\sigma]=10$MPa，试校核该绳索的强度。绳索的直径 d 应为多大则更经济。

8-5 图示构架承受外力 $P=100$kN 和 $W=400$kN。设 *AB*、*BD*、*CD* 各杆材料相同，容许应力$[\sigma]=100$MPa。试求各杆所需的面积。

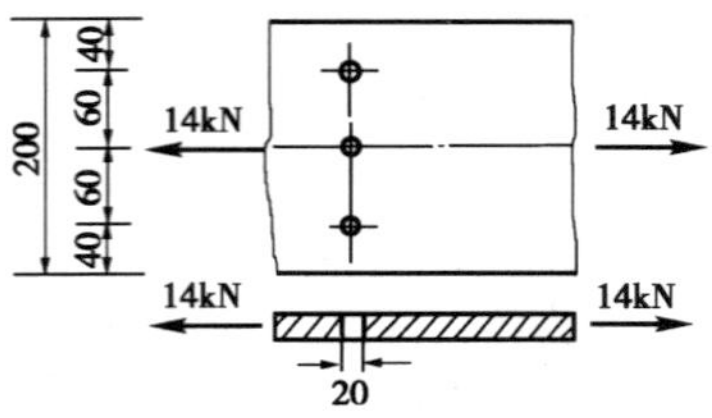

题 8-2 图

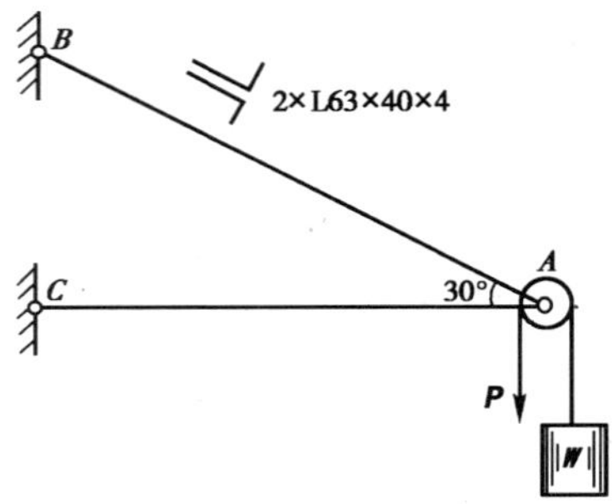

题 8-3 图

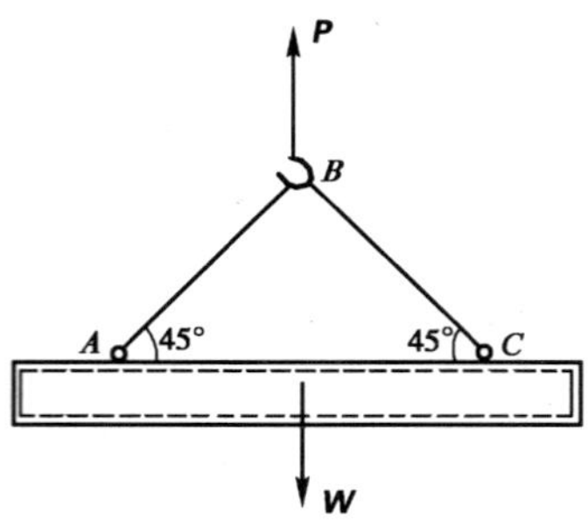

题 8-4 图

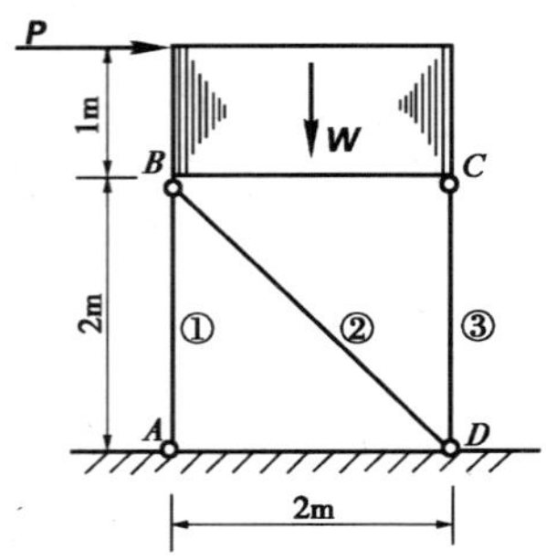

题 8-5 图

8-6　三角架 ABC 系由 AC 和 BC 二杆组成。杆 AC 由两根 No12.6 的槽钢组成，其容许应力为$[\sigma]=160\text{MPa}$。杆 BC 由一根 No22a 的工字钢组成。其容许应力为$[\sigma]=100\text{MPa}$。求荷载 P 的许可值$[P]$。

8-7　图示钢杆横截面面积为 10cm^2，钢的弹性模量 E 为 200GPa，求各段的应变、变形及全杆的总变形。

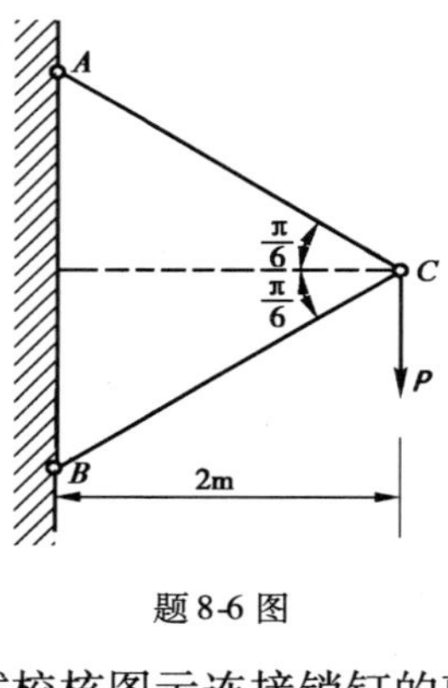

题 8-6 图

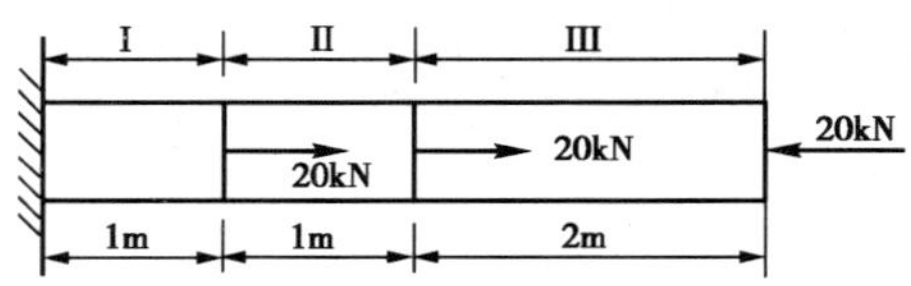

题 8-7 图

8-8　试校核图示连接销钉的剪切强度。已知 $P=100\text{kN}$，销钉直径 $d=30\text{mm}$，材料容许应力$[\tau]=60\text{MPa}$。若强度不够，应改用多大直径的销钉？

8-9　一螺栓将拉杆与厚为 8mm 的两块盖板相连接。各零件材料相同，其容许应力均为$[\sigma]=80\text{MPa}$，$[\tau]=60\text{MPa}$，$[\sigma_{jy}]=160\text{MPa}$。若拉杆的厚度 $t=15\text{mm}$，拉力 $P=120\text{kN}$。试设计螺栓直径 d 及拉杆宽度 b。

8-10　图示螺钉在拉力 P 作用下。已知材料的剪切容许应力$[\tau]$和拉伸容许应力$[\sigma]$之间的关系约为：$[\tau]=0.6[\sigma]$，试求螺钉直径 d 与钉头高度 h 的合理比值。

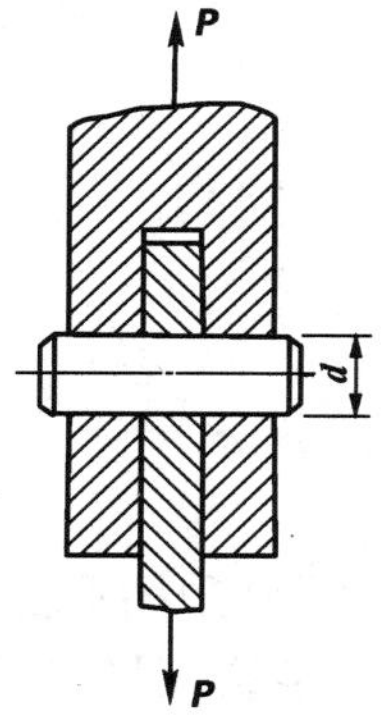

题 8-8 图

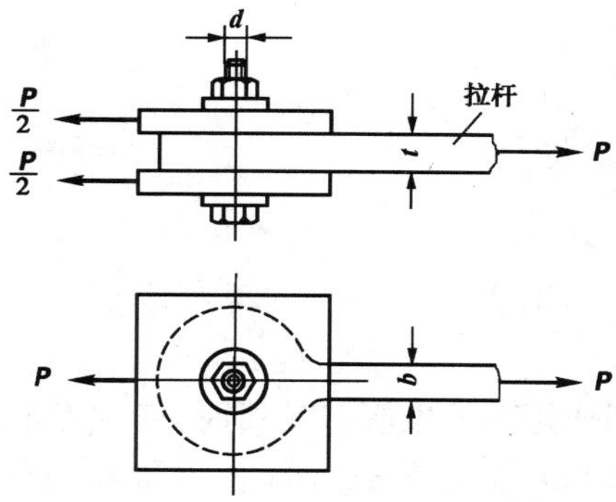

题 8-9 图

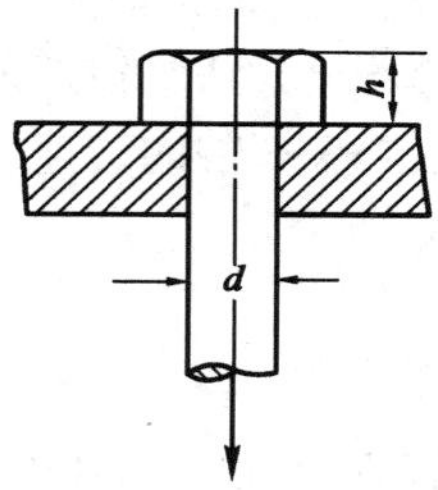

题 8-10 图

第九章 扭　　转

§9-1 扭转的概念及工程实例

扭转变形是杆件的基本变形之一。其受力特征是：在杆件上作用着大小相等，转向相反、作用面与杆轴线垂直的两组力偶系（图 9-1）。其变形特征是：当杆件发生扭转变形时，任意两个横截面都绕杆轴线作相对转动而产生相对角位移。该角位移称为扭转角，用 φ 表示（图 9-1）。在产生扭转角的同时，杆件表面上的纵向线也旋转了一个角度 γ，成为螺旋线，γ 称为剪切角。

工程实际中，把主要发生扭转变形的构件习惯上称为轴。例如，汽车方向盘的转向轴（操纵杆），主传动轴，各种机械的传动轴、钻机的钻头、钻杆等。土木工程中的梁也不同程度存在扭转问题。

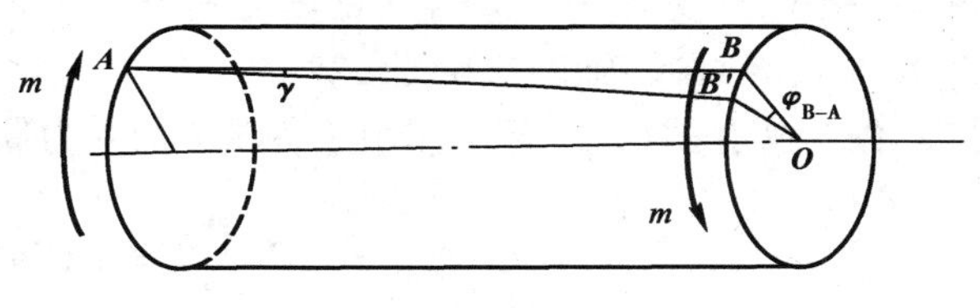

图 9-1

本章以研究等直圆杆的扭转问题为主，这也是机械工程中最常见的情况。对非圆截面的扭转问题只作一些概略性的介绍。

研究扭转问题，首先要计算出作用于杆件上的外力偶矩，然后才能进一步研究杆件截面上的内力、应力、变形等。传动轴的外力偶矩通常并非直接给出，而是在机械的铭牌上标明功率、转速等。根据理论力学的结论，功率、转速与外力偶矩的关系是：

$$M = 9\,549\frac{N_k}{n} \quad (\mathrm{N \cdot m}) \tag{9-1}$$

$$M = 7\,024\frac{N_P}{n} \quad (\mathrm{N \cdot m}) \tag{9-2}$$

式中：M——力偶矩；

N_k——轴所传递的功率(kW)；

N_P—— 轴所传递的功率(马力)；

n—— 轴的转速(r/min)。

§9-2　扭矩·扭矩图

现在来研究当杆件受外力偶作用而发生扭转变形时，横截面上的内力，仍然采用截面法。以图9-2为例，如假想地将圆轴沿 mm 截面分成两部分，并取部分I作为研究对象[图9-2b)]。

由于整个轴是平衡的，所以部分I也处于平衡状态，这就要求截面 mm 上的内力系必须归结为一个内力偶矩 M_n，且由部分I的平衡条件 $\sum M_x=0$ 求出

$$M_n - M = 0$$

$$M_n = M$$

M_n 称为 mm 截面上的扭矩，它是I、II两部分在 mm 截面上互相作用的内力系的合成结果。

如取部分II来研究[图9-2c)]，仍可求得 M_n 的结果。其方向则与用部分I求出的扭矩相反。为了获得相同的结果，把扭矩的符号规定如下：若按右手螺旋法则把 M_n 表示为矢量，则矢量方向与截面外法线方向一致时，M_n 为正；反之，为负。据此，图9-2中，mm 截面上的扭矩无论部分I或II，都为正。

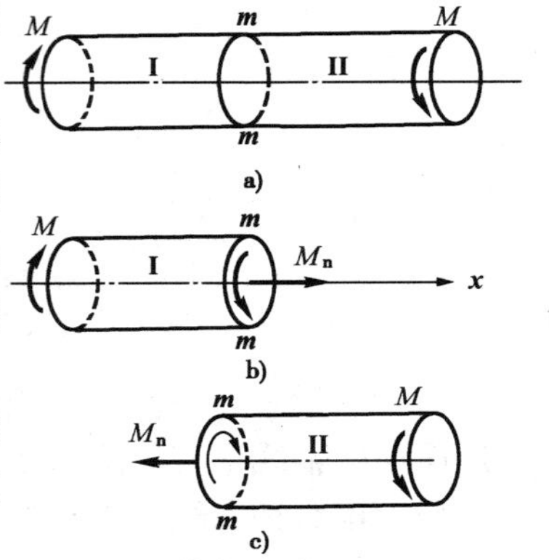

图　9-2

若作用于轴上的外力偶是两个以上，与拉(压)问题中画轴力图相同，用扭矩图来表示扭矩沿轴线变化的规律。扭矩图以横轴表示截面的位置，纵轴表示相应截面上的扭矩。

例9-1　传动轴如图9-3a)所示，主动轮 A 输入功率 $N_A=50\times735$W，从动轮 B、C、D 输出功率分别为 $N_B=N_C=15\times735$W，$N_D=20\times735$W，轴的转速为300r/min。试画出轴的扭矩图。

解　按公式(9-2)算出作用于各轮上的外力偶矩

$$M_A = 7\,024\frac{N_A}{n} = 7\,024\frac{50}{300} = 1\,170\text{N}\cdot\text{m}$$

$$M_B = M_C = 7\,024\frac{15}{300} = 351\text{N}\cdot\text{m}$$

$$M_D = 7\,024\frac{20}{300} = 468\text{N}\cdot\text{m}$$

以力偶作用面为分界面，将轴分为 BC、CA、AD 三段，在每一段落内扭矩都按照同一规律变化。现在用截面法，根据平衡条件计算每一段轴上任意截面的扭矩。

在 BC 段内，以 M_{nI} 表示任意截面I-I上的扭矩，设 M_{nI} 为正，如图9-3b)所示。根据平衡条件

$$M_{nI} + M_B = 0$$

$$M_{nI} = -M_B = -351\text{N}\cdot\text{m}$$

负号仅说明假设方向与实际扭矩相反。此段内扭矩处处皆为 $-351\mathrm{N\cdot m}$。所以扭矩图在此段内为一水平线[图 9-3e)]。同理，在 CA 段内，由图 9-3c)

$$M_{nII}+M_C+M_B=0$$

$$M_{nII}=-M_C-M_B=-702\mathrm{N\cdot m}$$

在 AD 段内[图 9-3d)]

$$M_{nIII}-M_D=0$$

$$M_{nIII}=M_D=468\mathrm{N\cdot m}$$

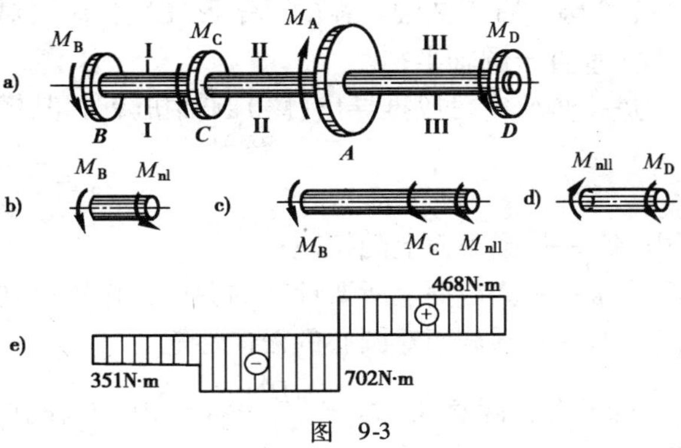

图 9-3

根据所得数据，把各截面上扭矩沿轴线变化的情况，用图 9-3e)表示出来，就是扭矩图。从图中可看出，最大扭矩发生于 CA 段内，且 $M_{nmax}=702\mathrm{N\cdot m}$。

设若将主动轮 A 与从动轮 D 对调位置，扭矩图会怎样？最大扭矩是多少？与原图比较轮位是否合理？请读者解决以上问题。

§9-3 圆轴扭转时的应力及强度条件

一、圆轴扭转时横截面上的剪应力

1. 观察变形现象

取一实心圆轴，在其表面上画出圆周线和纵向平行线如图 9-4a)所示。在圆轴两端垂直于轴线的平面内施加一对大小相等，转向相反的外力偶矩 M，使其产生扭转变形如图 9-4b)所示。可以看到在弹性范围内，有如下现象：

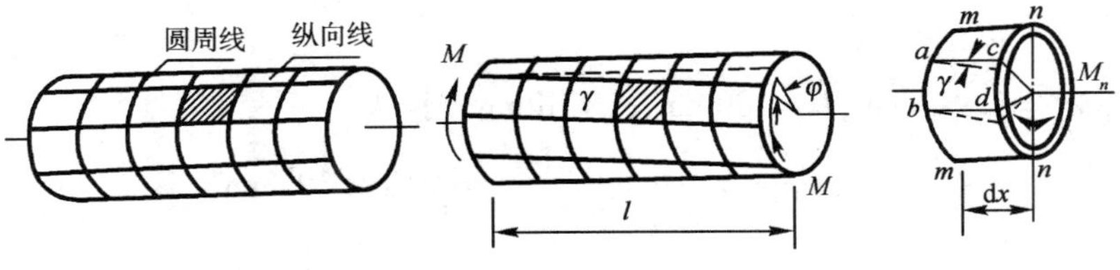

a) b) c)

图 9-4

(1)各圆周线都程度不同地绕轴线转了一个角度，但形状、大小及两圆周线间的距离均未变；

(2)各纵向线仍为直线，但都倾斜了同一角度 γ。原来的小矩形歪斜成了平行四边形。

2. 平面假设

根据以上现象(1)可假设：变形前为平面的横截面，变形后仍为平面，且形状和大小不变。这个假设称为平面假设。

3. 推理

由圆轴扭转时的变形现象及提出的假设可以推论

(1)因任意两圆周线间的距离不变，所以圆轴横截面上没有正应力 σ；

(2)因垂直于圆轴半径的小矩形发生相对错对,所以圆轴横截面上必有剪应力 τ 的存在;其方向垂直于圆轴半径。

进一步研究可以推导出(略)圆轴扭转时,其横截面上任一点处的应力计算公式为

$$\tau_{\rho} = \frac{M_n \rho}{I_P} \tag{9-3}$$

式中:M_n——圆截面上的扭矩;

ρ——圆截面上所要计算的剪应力作用点到圆心的距离;

I_P——圆截面对圆心的极惯性矩。

对于实心圆截面,$I_P = \frac{\pi D^4}{32}$;对于内、外径比 d/D 的空心圆截面,$I_P = \frac{\pi}{32}(D^4 - d^4) = \frac{\pi D^4}{32}(1-\alpha^4)$,其中 $\alpha = d/D$。极惯性矩的单位为 m^4、cm^4 或 mm^4。极惯性矩的概念与计算将在第十章中论述。

公式(9-3)式表明,剪应力 τ_{ρ} 的大小与该截面上的扭矩 M_n 和该剪应力作用点到圆心的距离 ρ 成正比,与极惯性矩 I_P 成反比。由于在某一确定的圆截面上,M_n、I_P 为常量,因此 τ_{ρ} 的大小仅正比于 ρ。即剪应力大小沿半径方向按直线规律变化;剪应力方向垂直于半径,指向与截面的扭矩转向相对。横截面上的剪应力分布规律如图 9-5 所示。

例 9-2 如图 9-6 所示,圆轴直径 $D = 100$mm,传递的扭矩 $M_n = 1.9$kN·m,试计算横截面上 A 点处的剪应力的大小。A 点距圆心 40mm。

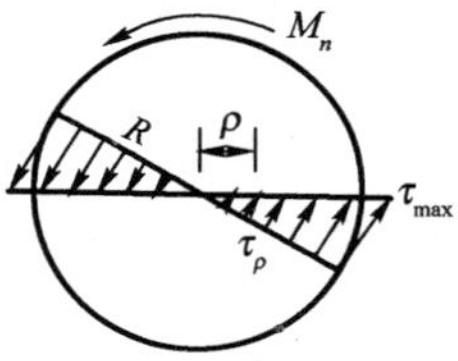

图 9-5

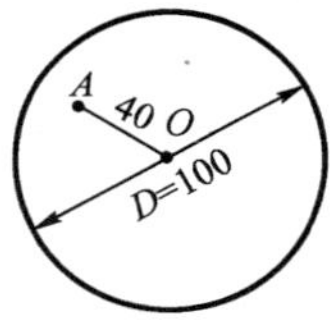

图 9-6

解 已知 $M_n = 1.9$kN·m,$D = 100$mm,$\rho_A = 40$mm 则

$$I_P = \frac{\pi D^4}{32} = \frac{3.14 \times 100^4}{32} = 9.8 \times 10^6 \text{mm}^4$$

代入公式(9-3)

$$\tau_A = \frac{M_n P_A}{I_P} = \frac{1.9 \times 10^6 \times 40}{9.8 \times 10^6} = 7.76\text{MPa}$$

二、圆轴扭转时的强度条件与强度计算

1. 圆轴扭转时的强度条件

图 9-5 为圆轴扭转时横截面上的剪应力 τ 的分布规律图。由图可知,若取 $\rho = \rho_{max} = R$,代入(9-3)式,则可得圆轴横截面上的最大剪应力为

$$\tau_{max} = \frac{M_n R}{I_P}$$

令 $W_P = I_P/R$,最大剪应力可写成

$$\tau_{max} = \frac{M_n}{W_P} \tag{9-4}$$

W_P 称为抗扭截面系数，常用单位 mm^3 或 cm^3。对实心圆截面 $W_P=\frac{\pi D^3}{16}$；对内径为 d，外径为 D 的空心圆截面 $W_P=\frac{\pi D^3}{16}(1-\alpha^4)$。

当等直圆轴上有多个外力偶作用时，轴各段上的扭矩值一般不相同，轴的最大剪应力将发生在最大扭矩 M_{nmax} 所在的截面上。

$$\tau_{max}=\frac{M_{nmax}}{W_P}$$

为了保证轴的正常工作，轴内最大剪应力应不超过材料的容许剪应力，所以圆轴扭转时的强度条件为

$$\tau_{max}=\frac{M_{nmax}}{W_P}\leqslant[\tau] \tag{9-5}$$

式中 $[\tau]$ 为材料的容许剪应力。各种材料的容许剪应力可查阅有关手册。根据实验，对于塑性材料，一般可采用：

$$[\tau]=(0.5\sim0.6)[\sigma]$$

式中：$[\sigma]$——相同材料的容许拉应力。

2. 圆轴扭转时的强度计算

根据强度条件，可以对轴进行强度校核、截面尺寸的设计和确定许可荷载。

例 9-3　如图 9-7 所示传动轴，横截面上的最大扭矩 $M_{nmax}=1.5kN\cdot m$，材料的容许剪应力 $[\tau]=50MPa$。试求：(1)若用实心轴，确定其直径 D_1；(2)若改用空心轴，且 $\alpha=\frac{d}{D}=0.9$，确定其内径 d 和外径 D；(3)比较空心轴和实心轴的质量。

解　由强度条件得传动轴所需抗扭截面系数为

$$W_P\geqslant\frac{M_{nmax}}{[\tau]}=\frac{1.5\times10^6}{50}=3\times10^4mm^3$$

(1)确定实心轴的直径 D

由 $W_P=\frac{\pi D_1^3}{16}$

$$D_1=\sqrt[3]{\frac{16W_P}{\pi}}\geqslant\sqrt[3]{\frac{16\times3\times10^4}{3.14}}=53.5mm$$

取

$$D_1=54mm$$

(2)确定空心轴的内、外径 d 和 D

由空心轴

$$W_P=\frac{\pi D^3}{16}(1-\alpha^4)$$

得

$$D=\sqrt[3]{\frac{16W_P}{\pi(1-\alpha^4)}}\geqslant\sqrt[3]{\frac{16\times3\times10^4}{3.14(1-0.9^4)}}=76mm$$

$$d=\alpha\cdot D=0.9\times76=68.4mm$$

取

$$D=76mm,d=68mm$$

(3)质量比较　两根长度和材料都相同的轴，它们的质量比等于它们横截面面积的比，即

$$质量比=\frac{A_{空}}{A_{实}}=\frac{\pi}{4}(D^2-d^2)/\frac{\pi}{4}D_1^2=\frac{76^2-68^2}{54^2}=0.395$$

上例表明，当两轴具有相同的承载能力时，空心轴比实心轴轻，可以节约大量材料，减轻自重。这是因为采用实心轴仅在圆截面边缘处的剪应力达到容许剪应力值，而在圆心附近的剪应力很小[图 9-7a)]，这部分材料没有得到充分利用，若将这部分材料移到离圆心较远的位置，使其成为空心轴[图 9-7b)]，这样便提高了材料的利用率，并增大了抗扭截面系数 W_P，从而提高圆轴的承载能力。

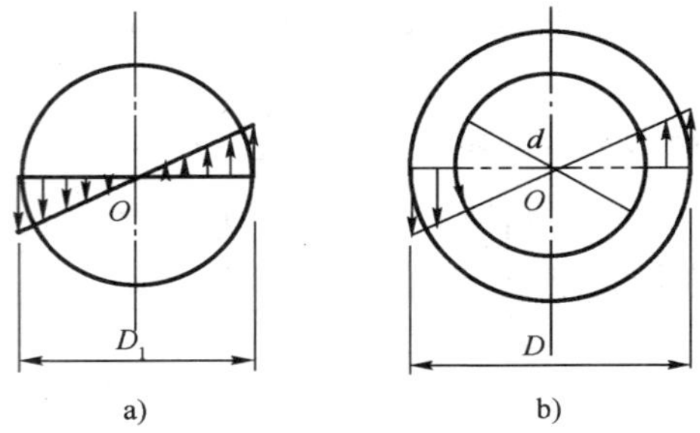

图 9-7

§9-4 圆轴扭转时的变形与刚度计算

一、扭 转 角

圆轴的扭转变形用扭转角 φ 来度量[图 9-4b)]。扭转角的计算公式（推导略）为

$$\varphi = \frac{M_n l}{G I_P} \tag{9-6}$$

式中：M_n——圆截面上的扭矩；

l——轴的长度；

G——材料的剪切弹性模量；

I_P——圆截面对圆心的极惯性矩。

由(9-6)式可以看出，扭转角 φ 与 GI_P 成反比，GI_P 愈大，轴的变形愈小，故 GI_P 称为圆轴的抗扭刚度。

由于 φ 的大小与轴长 l 有关，为了消除 l 的影响，将式(9-6)等号两边同除以轴长 l。则

$$\theta = \frac{\varphi}{l} = \frac{M_n}{G I_P} \tag{9-7}$$

式中 θ 称为单位长度扭转角，其单位为弧度/米（rad/m）。

工程中，常以度/米（°/m）来表示扭转角，故将(9-7)式右边乘以 $\frac{180°}{\pi}$，可得单位长度扭转角用度/米的表达式

$$\theta = \frac{M_n}{G I_P} \times \frac{180°}{\pi} \tag{9-8}$$

二、刚度条件及刚度计算

圆轴除应具有足够的强度外，还应将扭转角限制在一定范围内，即满足刚度要求，其刚度条件为

$$\theta_{max} = \frac{M_{nmax}}{G I_P} \times \frac{180°}{\pi} \leqslant [\theta] \tag{9-9}$$

[θ]为单位长度的容许扭转角，其单位为度/米(°/m)，具体数值可从有关手册中查到。下面给出几个参考数据：一般传动轴[θ] = (0.5 ~1)°/m、精密机械轴[θ] = (0.25 ~0.5)°/m。

例 9-4 图 9-8 所示一传动轴，其转速为 208 转/分，主动轮 A 输入的功率 $N_A = 6\text{kW}$，两个从动轮 B、C 输出的功率分别为 $N_B = 4\text{kW}$，$N_C = 2\text{kW}$。已知轴的容许剪应力[τ] = 30MPa，容许扭转角[θ] = 1°/m，剪切弹性模量 $G = 80\text{GPa}$。试按强度条件和刚度条件设计轴的直径 d。

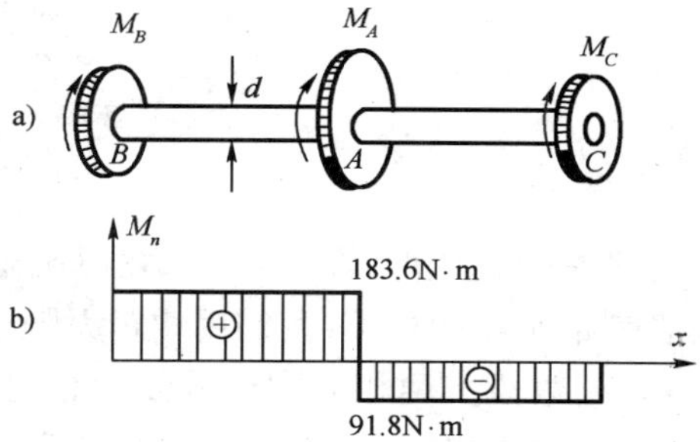

图 9-8

解 (1)计算外力偶矩、作扭矩图

$$M = 9549\frac{N}{n}(\text{N}\cdot\text{m})$$

$$M_A = 9549\times\frac{6}{208} = 275.4\text{N}\cdot\text{m}$$

$$M_B = 9549\times\frac{4}{208} = 183.6\text{N}\cdot\text{m}$$

$$M_C = 9549\times\frac{2}{208} = 91.8\text{N}\cdot\text{m}$$

求出轴各段的扭矩

AB 段 $$Mn_{AB} = 183.6\text{N}\cdot\text{m}$$

AC 段 $$Mn_{AC} = 183.6 - 275.4 = -91.8\text{N}\cdot\text{m}$$

作轴的扭矩图[图 9-8b)]。

(2)按强度条件设计轴的直径

由扭矩图可知，最大扭矩为 $M_{nmax} = 183.6\text{N}\cdot\text{m}$，根据扭转强度条件

$$\tau_{max} = \frac{M_{nmax}}{W_P} = \frac{16M_{nmax}}{\pi d^3} \leqslant [\tau]$$

得 $$d \geqslant \sqrt[3]{\frac{16M_{nmax}}{\pi[\tau]}} \geqslant \sqrt[3]{\frac{16\times183.6\times10^3}{\pi\times30}} = 31.5\text{mm}$$

(3)按刚度条件设计轴的直径

根据刚度条件

$$\theta_{max} = \frac{M_{nmax}}{GI_P}\times\frac{180°}{\pi} = \frac{32M_{nmax}}{G\pi d^4}\times\frac{180°}{\pi} \leqslant [\theta]$$

得 $$d \geqslant \sqrt[4]{\frac{32M_{nmax}\times180°}{G\pi^2[\theta]}} \geqslant \sqrt[4]{\frac{32\times183.6\times10^3\times180}{80\times10^3\times\pi^2\times10^{-3}}} = 34\text{mm}$$

为了同时满足强度和刚度的要求，应选直径较大者，即选轴的直径为 34mm。

§9-5 剪应变、剪应力互等定理

一、剪 应 变

观察扭转变形[图9-4b)],可见圆轴各纵向线都倾斜了同一角度γ,圆轴表面原来的小矩形歪斜成平行四边形,我们用相距无限小的两个横截面m-m和n-n从圆轴上截取微段dx[图9-4c)],微段上两相邻圆周线发生相对转动,使得垂直于半径的小矩形$abcd$的两侧ab和cd沿圆周线方向发生相对错动。这种相对错动的变形,称为剪切变形。错动使纵向倾斜的微小角度,即小矩形原直角的改变量,称为剪应变,并用γ表示。

二、剪切互等定理

在图9-4c)中,用两纵向截面ac和bd从圆轴表面截取尺寸为dx和dy、厚度为t的微小六面体(图9-9),称为单元体。由图可见,单元体上ab和cd两侧面位于圆轴横截面上,只有剪应力τ,下面来证明一个重要的性质。

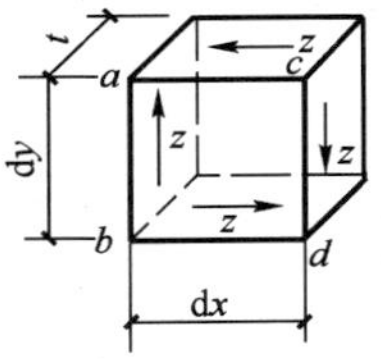

图 9-9

如图9-9,ab和cd两侧面上的剪力均等于$\tau t\mathrm{d}y$,它们组成一顺时针转动的力偶。又由平衡关系,必然在ac和bd面上也存在剪应力τ',其上剪力均为$\tau' t\mathrm{d}x$,组成逆时针转动的力偶与之平衡,即有

$$(\tau t\mathrm{d}y)\mathrm{d}x = (\tau' t\mathrm{d}x)\mathrm{d}y$$

得

$$\tau = \tau' \tag{9-10}$$

上式表明,对于一个单元体,在两个互相垂直的截面上,垂直于该两截面交线的剪应力大小相等,方向都指向或都背离这一交线。这一关系称为剪应力互等定理。

该定理具有普遍性,不仅对只有剪应力的单元体正确,对以后讲到的同时有正应力作用的单元体,亦是正确的。

剪应力的符号规定:使单位体产生顺时针方向转动的剪应力为正,反之为负。如图9-9中,τ为正,τ'为负。

三、剪切胡克定律

通过圆轴的扭转实验,还可以得到剪切的另一些重要性质。如图9-10是低碳钢扭转时的τ-γ曲线。在τ-γ曲线中,OA段为直线,A点的纵坐标为剪切比例极限τ_P。

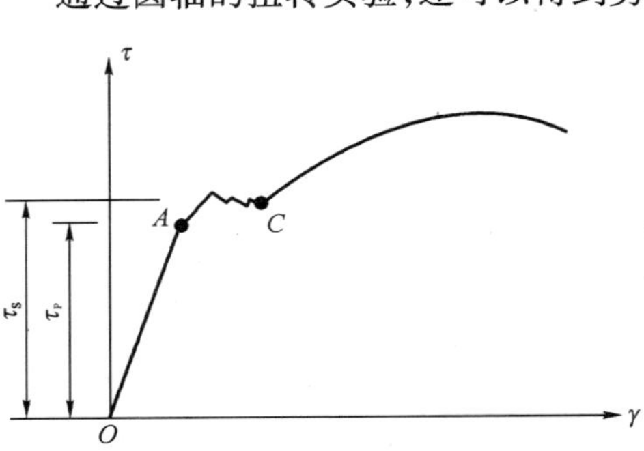

图 9-10

试验表明,当剪应力不超过剪切比例极限时,剪应力与剪应变成正比。这个关系称为剪切胡克定律,表达式为

$$\tau = G \cdot \gamma \tag{9-11}$$

G为材料的剪切弹性模量,单位与拉(压)弹性模量E相同,为GPa。表9-1中给出了常用材料的G值。

常用材料的剪切弹性模量 G 表 9-1

材　　料	G(GPa)	材　　料	G(GPa)	材　　料	G(GPa)
钢	80～81	铜	40～46	木材	0.55
铸铁	45	铝	26～27		

根据理论研究和实验证实，在弹性范围内，剪切弹性模量 G 与拉(压)弹性模量 E、泊松比 μ 之间存在下列关系：

$$G = \frac{E}{2(1+\mu)} \tag{9-12}$$

三个弹性常数中，只要知道其中两个，便可求出第三个。

§9-6　矩形截面杆扭转简介

前面在推导圆截面杆的应力和变形的公式时，是根据实验现象作了平面假设才得到的，但是在研究矩形截面杆的扭转时，通过类似的实验观察到，所有的横截面在扭转后不再保持为平面了。例如，图 9-11a)示一矩形等截面杆，设两端无约束(称为自由扭转)，变形前，在它的表面上刻上一系列的纵向直线和横向直线，变形后所有横向线都变为曲线[图 9-11b)]，这说明原来为平面的横截面变形后成为曲面。对这曲面形状要作简单的假设是困难的。因此，用材料力学的方法不能解决这一问题，而须用弹性力学的方法研究。下面仅将由弹性力学研究的主要结果简述于下：

(1)矩形截面杆在自由扭转时横截面上只有剪应力而无正应力。

(2)剪应力的方向在靠近周边平行。在对称轴上垂直于该轴，在其他各点都是斜方向的，如图 9-12 所示。

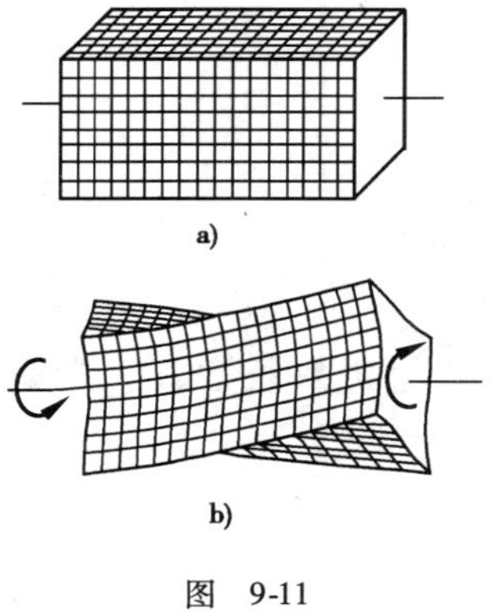

图　9-11

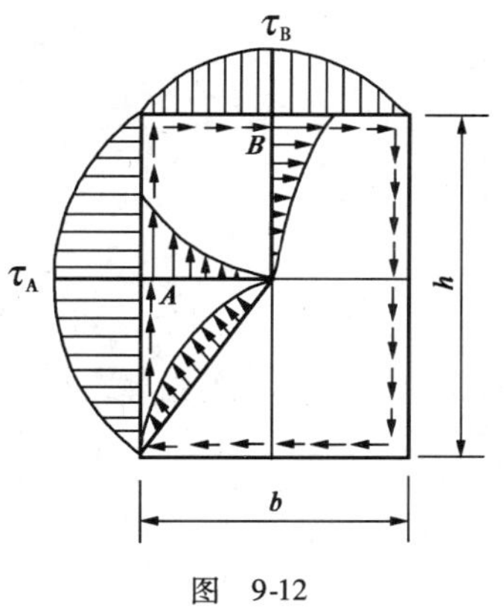

图　9-12

(3)在截面的四个角点和中心，剪应力等于零。

(4)最大剪应力 τ_{max} 发生在截面长边的中点，此外，短边的中点亦较大，分别为：

$$\tau_A = \tau_{max} = \frac{M_n}{W_k} = \frac{M_n}{\beta b^3} \tag{9-13}$$

$$\tau_B = \gamma \cdot \tau_{max} \tag{9-14}$$

式中:β 和 γ 为系数,其值与截面的长边 h 对短边 b 的比值h/b有关,在表9-1中有它们的数值。

(5)单位扭转角 θ 为

$$\theta = \frac{M_n}{GI_k} = \frac{M_n}{G\alpha b^4} \tag{9-15}$$

式中:α 亦为系数,与h/b值有关,亦列于表9-2中。

表 9-2

h/b	1.0	1.2	1.5	2.0	2.5	3.0	4.0	6.0	8.0	10.0
α	0.14	0.199	0.294	0.457	0.622	0.790	1.123	1.789	2.456	3.123
β	0.208	0.263	0.346	0.493	0.645	0.801	1.150	1.789	2.456	3.123
γ	1.000	/	0.858	0.796	/	0.753	0.745	0.743	0.743	0.743

当 $h/b > 10$ 时,

$$\left.\begin{aligned} I_k &\approx \frac{1}{3}hb^3 \\ W_k &\approx \frac{1}{3}hb^2 \end{aligned}\right\} \tag{9-16}$$

(6)对于工程中常遇到的一些开口薄壁截面杆(图9-13),在自由扭转时,最大剪应力 τ_{max} 和扭转角 φ 的计算公式如下:

图 9-13

$$\tau_{max} = \frac{M_n}{I_k} \cdot b_{max} \tag{9-17}$$

$$\varphi = \frac{M_k l}{GI_k} \tag{9-18}$$

式中:

$$I_k = \frac{1}{3}(h_1 b_1^3 + h_2 b_2^3 + \cdots) = \frac{1}{3}\sum_{i=1}^{n} h_i b_i^3 \tag{9-19}$$

上式中,h_i 和 b_i 分别为组成截面的每个矩形部分的长边和短边的长度,b_{max} 为诸短边中最大者。

小　　结

本章的主要内容是研究圆轴受扭时的内力、应力、变形的分析方法及其强度和刚度的计算。对于非圆截面杆的扭转问题只作简要的介绍并给出结论。

研究圆轴扭转问题的模式与研究受拉、压杆件的模式是一样的。所不同的是:

(1)外力偶往往并非直接给出,而需根据机械的功率、转速计算。

(2)剪应力沿半径按线性规律分布。圆心处为零,边缘处最大。

(3)对于轴,刚度问题也上升到了与强度同等重要的位置,不可忽视。

习 题

9-1 作扭矩图，并指出 1-1、2-2、3-3 截面上的扭矩，且标示该截面上扭矩的转向。

9-2 图示圆轴受外力偶 M 作用，A-A 面为横截面，1-1、2-2 为通过轴线的两个纵向截面。试沿半径 0-1、0-2 画出在纵向截面和横截面上剪应力分布图。

9-3 直径 $D=5\text{cm}$ 的圆轴，受到扭矩 $M_n=2.15\text{kN}\cdot\text{m}$ 的作用，试求距轴心 1cm 处的剪应力，并求横截面上的最大剪应力。

9-4 图示一传动轴，主动轮 I 传递外扭矩 $1\text{kN}\cdot\text{m}$，从动轮 II 传递外扭矩 $0.4\text{kN}\cdot\text{m}$，从动轮 III 传递外扭矩 $0.6\text{kN}\cdot\text{m}$，已知轴的直径 $d=4\text{cm}$，各轮间距 $l=50\text{cm}$，剪切弹性模量 $G=8\text{GPa}$。

（1）合理布置各轮的位置；

（2）求出合理轮位时轴的 τ_{max} 和 φ_{max}。

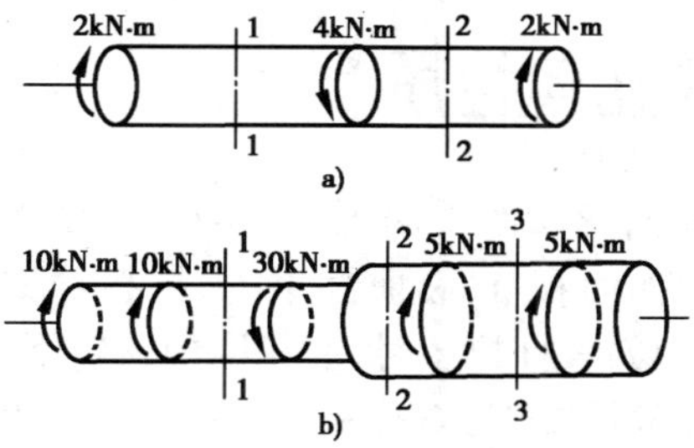

题 9-1 图

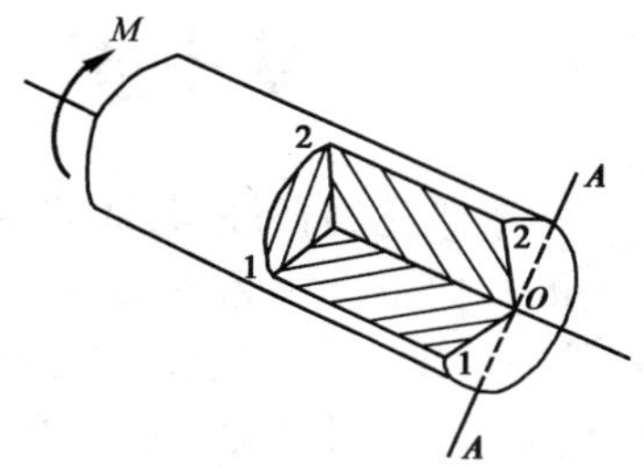

题 9-2 图

9-5 一空心圆轴和实心圆轴用法兰联结。已知轴的转速 $n=100\text{r/min}$，传递功率 $N=15\text{kW}$，容许应力 $[\tau]=30\text{MPa}$。试根据强度条件确定直径 d、d_1、d_2（$d_1/d_2=1/2$）的值。

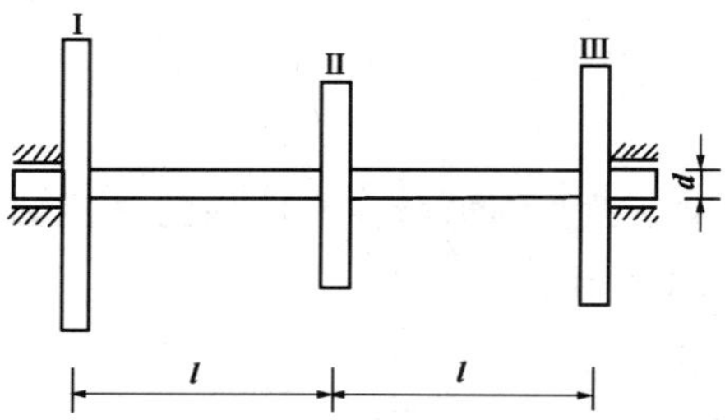

题 9-4 图

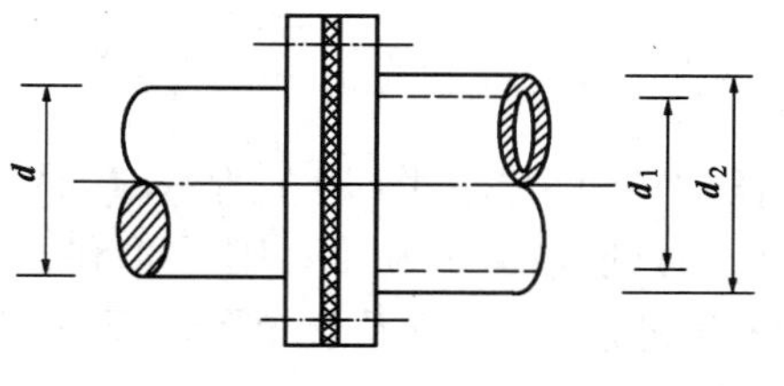

题 9-5 图

9-6 阶梯形圆轴直径分别为 $d_1=4\text{cm}$，$d_2=7\text{cm}$，轴上装有三个皮带轮如题 9-6 图所示。已知由轮 3 输入的功率 $N_3=30\text{kW}$，轮 1 输出的功率为 $N_1=13\text{kW}$，轴作匀速转动，转速 $n=200\text{r/min}$，材料的容许应力 $[\tau]=60\text{MPa}$，$G=80\text{GPa}$，容许扭转角 $[\theta]=0.035\text{rad/m}$。试校核轴的强度和刚度。

9-7 圆截面杆 AB 的左端固定，承受一集度为 m_k 的均布力偶矩作用。试导出计算截面 B 的扭转角的公式。

9-8 图示一矩形截面杆，两端受集中外扭矩 $M=12\text{N}\cdot\text{m}$ 的作用，沿杆的全长受均布外扭矩作用，其集度 $m_k=10\cdot\text{m/m}$。已知：$l=2.4\text{m}$，$b=0.2\text{m}$，$h=0.3\text{m}$。试求：

（1）作扭矩图；

（2）最大剪应力 τ_{max}。

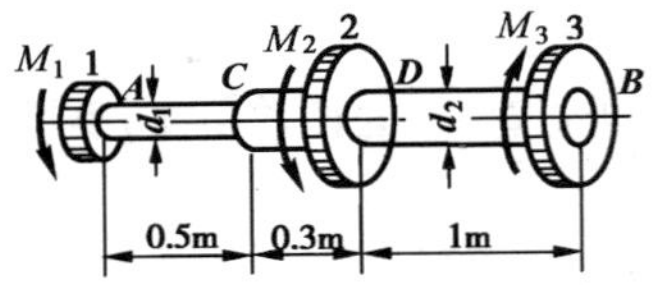

题 9-6 图

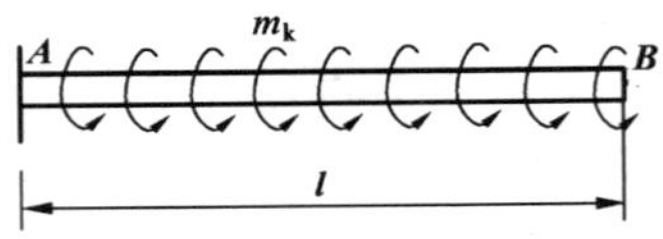

题 9-7 图

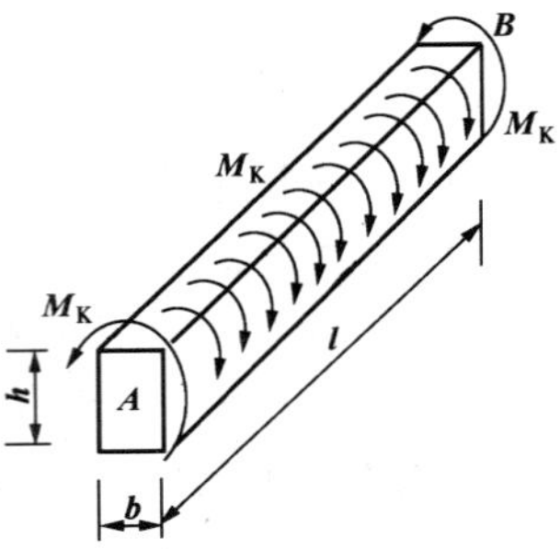

题 9-8 图

第十章　平面图形的几何性质

材料力学所研究的杆件，其横截面都是具有一定几何形状的平面图形。与平面图形形状及尺寸有关的几何量统称为平面图形的几何性质。例如面积 A、极惯性矩 I_P、抗扭截面系数 W_P 等。杆件的强度、刚度与这些几何性质密切相关。例如直杆拉压时，在相同的材料下，截面面积越大，就越能承受拉压力；杆件受扭时，在面积相同的情况下，空心圆截面的抗扭截面系数 W_P 较实心圆截面大，空心圆较实心圆能承受更大的扭矩。以后在弯曲等其他问题的讨论中，还将遇到平面图形的另外一些几何性质。本章集中讨论这些平面图形几何性质的概念和计算方法。

§10-1　静　　矩

任意平面图形如图 10-1 所示，其面积为 A。y 轴和 z 轴为图形所在平面内的坐标轴。在坐标(y,z)处，取微面积 $\mathrm{d}A$，则 $y\mathrm{d}A$ 和 $z\mathrm{d}A$ 分别称为 $\mathrm{d}A$ 对于 z 轴和 y 轴的静矩；而遍及整个图形面积 A 的积分

$$\left.\begin{aligned}S_z &= \int_A y\mathrm{d}A\\ S_y &= \int_A z\mathrm{d}A\end{aligned}\right\}\tag{10-1}$$

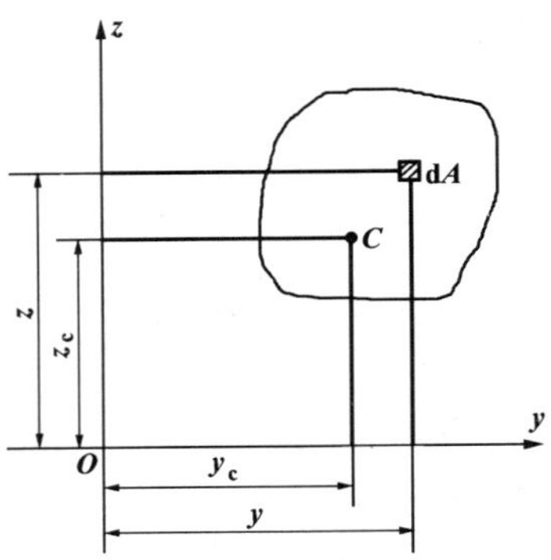

图　10-1

则分别定义为图形对于 z 轴和 y 轴的静矩。

平面图形的静矩是对某一坐标轴而言的，同一图形对不同的坐标轴，其静矩也就不同。静矩的数值可能为正，可能为负，也可能为零。量纲是长度的三次方。

根据静力学的结论，均质等厚薄板的重心在 yz 坐标系中的坐标是

$$y_c = \frac{\int_A y\mathrm{d}A}{A} \qquad z_c = \frac{\int_A z\mathrm{d}A}{A} A \tag{10-2}$$

而薄板重心和薄板的平面图形的形心是重合的。所以式(10-2)也就是平面图形的形心坐标公式。

由式(10-1)和(10-2),得

$$S_z = Ay_c \qquad S_y = Az_c \tag{10-3}$$

可见,平面图形对 z 轴和 y 轴的静矩,分别等于图形的面积 A 乘以图形的形心坐标 y_c 和 z_c。

另外可见:若图形对某一轴的静矩为零,则该轴必通过图形的形心。反之,若轴通过形心,则图形对该轴的静矩等于零。

例 10-1 矩形截面尺寸如图 10-2 所示,求该矩形对 z 轴和 y 轴的静矩 S_z、S_y。

解 由式(10-3)可得:

$$S_z = Ayc = bh \cdot \frac{h}{2} = \frac{bh^2}{2}$$

$$S_y = Azc = bh \cdot \frac{h}{2} = \frac{b^2h}{2}$$

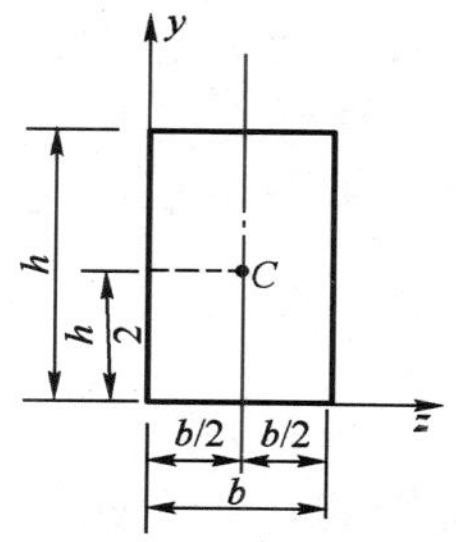

图 10-2

当一个平面图形是由若干个简单图形(矩形、圆形、三角形等)组成时,由静矩的定义可知,图形各组成部分对某一轴的静矩的代数和,等于整个图形对同一轴的静矩。由于图形的每一组成部分都是简单图形,其形心位置容易确定,因此,可按式(10-3)算出图形每一组成部分的静矩。故有

$$S_z = \sum_{i=1}^{n} A_i y_{ci} \qquad S_y = \sum_{i=1}^{n} A_i z_{ci} \tag{10-4}$$

式中:A_i和y_{ci}、z_{ci}分别代表任一简单图形的面积及其形心在 $y-z$ 坐标系中的坐标。n 为组成整个图形的简单图形的个数。

将式(10-4)代入式(10-2)中,得组合图形的形心坐标计算公式:

$$y_c = \frac{\sum_{i=1}^{n} A_i y_{ci}}{\sum A_i}, \qquad z_c = \frac{\sum_{i=1}^{n} A_i z_{ci}}{\sum A_i} \tag{10-5}$$

例 10-2 试确定图10-3所示图形的形心位置。

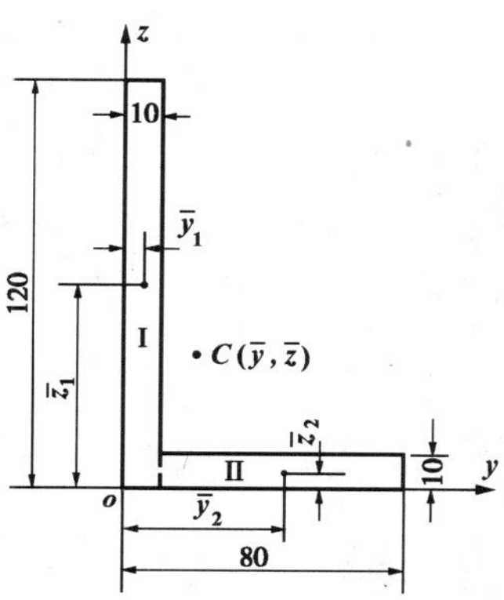

图 10-3 (尺寸单位:mm)

解 将图形分割成 I、II 两个矩形,坐标系如图所示。每一矩形的面积及形心位置分别为:

矩形 I $A_1 = 120 \times 10 = 1\ 200\text{mm}^2$

$y_{c1} = 5\text{mm}, z_{c1} = 60\text{mm}$

矩形 II $A_2 = 70 \times 10 = 700\text{mm}^2$

$y_{c2} = 45\text{mm} \qquad z_{c2} = 5\text{mm}$

将以上数据代入公式(10-5),得

$$y_c = \frac{A_1 y_{c1} + A_2 y_{c2}}{A_1 + A_2} = \frac{1\ 200 \times 5 + 700 \times 45}{1\ 200 + 700} = 19.7\text{mm}$$

$$z_c = \frac{A_1 z_{c1} + A_2 z_{c2}}{A_1 + A_2} = \frac{1\ 200 \times 60 + 700 \times 5}{1\ 200 + 700} = 39.7\text{mm}$$

§10-2 惯性矩和惯性积

任意平面图形如图 10-4 所示，其面积为 A，y 轴和 z 轴为图形在平面的坐标轴。在坐标为 (y,z) 处取微面积 $\mathrm{d}A$，则 $z^2\mathrm{d}A$ 和 $y^2\mathrm{d}A$ 分别称为 $\mathrm{d}A$ 对 y 轴和 z 轴的惯性矩；而遍及于整个图形的面积 A 的积分

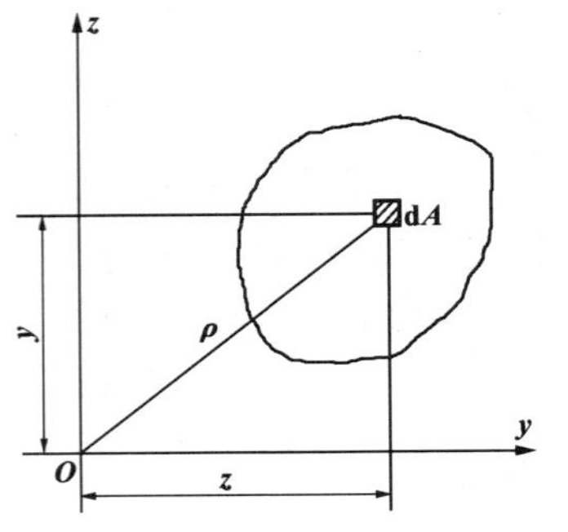

图 10-4

$$\left.\begin{aligned} I_y &= \int_A z^2\mathrm{d}A \\ I_z &= \int_A y^2\mathrm{d}A \end{aligned}\right\} \tag{10-6}$$

则分别定义为图形对 y 轴和 z 轴的惯性矩。

惯性矩恒为正，量纲是长度的四次方。

力学计算中，有时用到惯性半径的概念，它是

$$i_y = \sqrt{\frac{I_y}{A}}\ ,\quad i_z = \sqrt{\frac{I_z}{A}} \tag{10-7}$$

其量纲就是长度。

用 ρ 表示微面积 $\mathrm{d}A$ 到坐标原点 O 的距离，下列积分

$$I_P = \int_A \rho^2\mathrm{d}A \tag{10-8}$$

定义为图形对坐标原点 O 的极惯性矩。由图 10-4 可以看出，$\rho^2 = y^2 + z^2$，于是有

$$I_P = \int_A \rho^2\mathrm{d}A = \int_A (y^2 + z^2)\mathrm{d}A = \int_A y^2\mathrm{d}A + \int_A z^2\mathrm{d}A = I_z + I_y \tag{10-9}$$

上式表明：图形对任意一对互相垂直的轴的惯性矩之和，等于它对该两轴交点的极惯性矩。

微面积与它到两轴的距离的乘积 $yz\mathrm{d}A$ 称为 $\mathrm{d}A$ 对二轴的惯性积；而把积分

$$I_{zy} = \int_A yz\mathrm{d}A \tag{10-10}$$

则定义为图形对 z、y 轴的惯性积。

惯性积可大于零，也可小于零，也可等于零。量纲为长度的四次方。

下面讨论 I_{zy} 为零的情况。z 轴为图形的对称轴，在 z 轴两侧对称位置取相同的微面积 $\mathrm{d}A$（图 10-5）。由于处在对称位置的 $zy\mathrm{d}A$ 值大小相等、符号相反，因此该二微面积对 z、y 轴的惯性积之和等于零。由此推广到整个图形，则

$$I_{zy} = \int_A yz\mathrm{d}A = 0$$

这说明：只要 z、y 轴之一为图形的对称轴，则图形对该二轴的惯性积一定等于零。

例 10-3 试计算图10-6示矩形对其对称轴 y 和 z 的惯性矩。

解 先求对 y 轴的惯性矩。取平行于 y 轴的细长条作为微面积 $\mathrm{d}A$，则

$$\mathrm{d}A = b\mathrm{d}z$$

$$I_y = \int_A z^2 \mathrm{d}A = \int_{-\frac{h}{2}}^{\frac{h}{2}} bz^2 \mathrm{d}z = \frac{bh^3}{12}$$

同法可得

$$I_z = \frac{hb^3}{12}$$

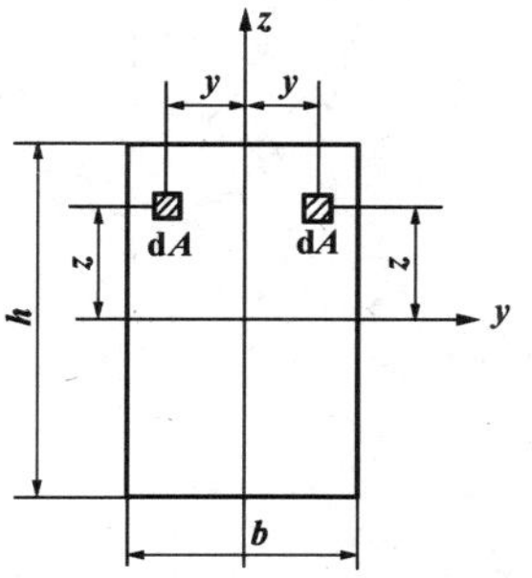

图 10-5

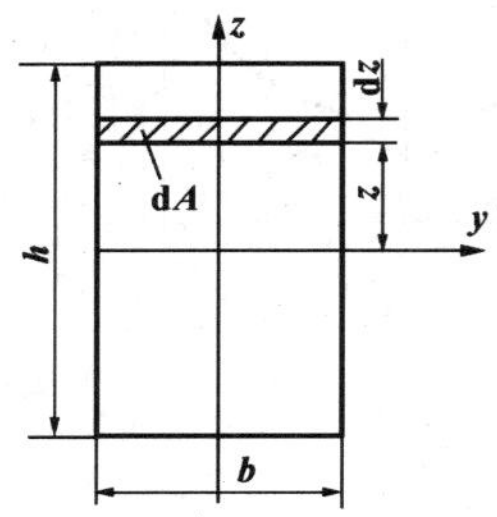

图 10-6

例 10-4 计算圆形对其形心轴的惯性矩及对圆心的极惯性矩。

解 取微面积如图 10-7a)中的阴影线面积,则

$$\mathrm{d}A = 2\sqrt{R^2 - z^2}\mathrm{d}z$$

$$I_y = \int_A z^2 \mathrm{d}A = 2\int_{-R}^{R} z^2\sqrt{R^2 - z^2}\mathrm{d}z = \frac{\pi R^4}{4} = \frac{\pi D^4}{64}$$

根据对称,必有 $I_z = I_y = \frac{\pi D^4}{64}$。

由式(10-9),显然可得

$$I_P = I_y + I_z = \frac{\pi D^4}{32}$$

求 I_P 亦可用图 10-7b)中阴影线所示的微面积,则

$$\mathrm{d}A = 2\pi\rho\mathrm{d}\rho$$

$$I_P = \int_A \rho^2 \mathrm{d}A = \int_0^R 2\pi\rho^3 \mathrm{d}A = \frac{\pi R^4}{2} = \frac{\pi D^4}{32}$$

当一个平面图形是由若干个简单图形组成时,根据惯性矩定义,可先算出每一个简单图形对某一轴的惯性矩,然后求其总和,即等于整个图形对于同一轴的惯性矩。即

$$I_y = \sum_{i=1}^{n} I_{yi}$$

$$I_z = \sum_{i=1}^{n} I_{zi} \tag{10-11}$$

例如可以把图 10-7c)所示空心圆,看作是由直径为 D 的实心圆减去直径为 d 的圆(负面积法),并使用例 10-4 所得结果,即可求得

$$I_y = I_z = \frac{\pi D^4}{64} - \frac{\pi d^4}{64} = \frac{\pi D^4}{64}\left(1 - \frac{d^4}{D^4}\right)$$

$$I_P = \frac{\pi D^4}{32} - \frac{\pi d^4}{32} = \frac{\pi D^4}{32}\left(1 - \frac{d^4}{D^4}\right)$$

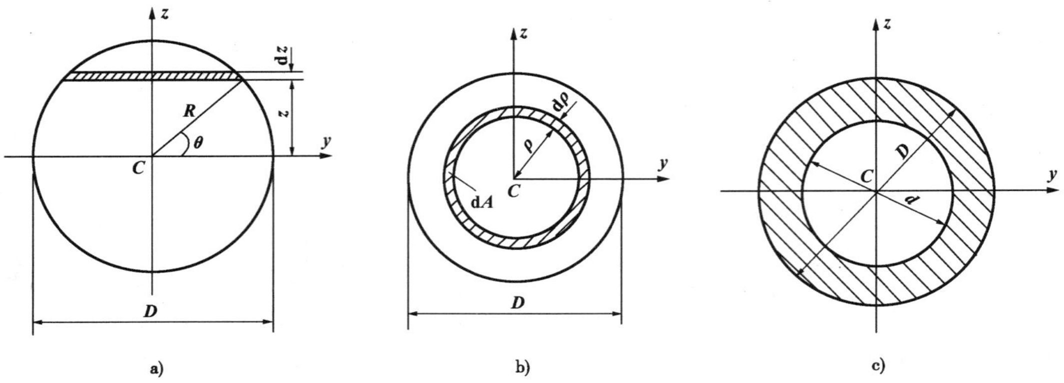

图 10-7

§10-3 平行移轴公式

一、平行移轴公式

同一平面图形对于平行的两对坐标轴的惯性矩和惯性积，并不相同。当其中一对轴是图形的形心轴时，它们之间有比较简单的关系。现在来讨论这种关系。

在图 10-8 中，c 为图形的形心，y_c 轴和 z_c 轴为图形的形心轴。图形对形心轴 y_c 和 z_c 的惯性矩和惯性积分别是

$$I_{yc}=\int_A z_c^2\mathrm{d}A \quad I_{zc}=\int_A y_c^2\mathrm{d}A \quad I_{y_cz_c}=\int_A y_cz_c\mathrm{d}A \qquad \text{(a)}$$

y 轴平行 y_c 轴，且两者的距离为 a；z 轴平行 z_c 轴，且两者的距离为 b。图形对 y 轴和 z 轴的惯性矩和惯性积是

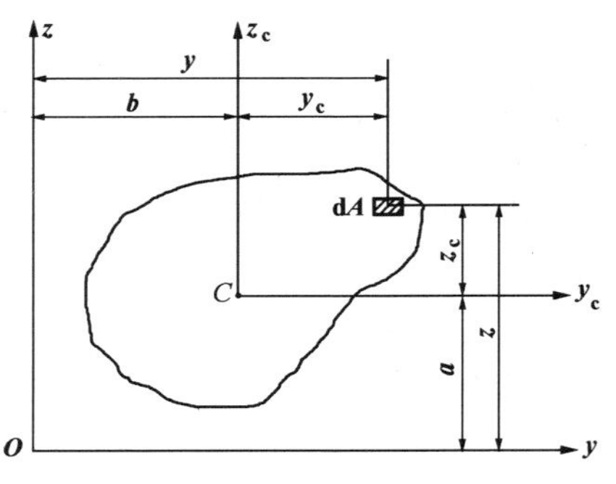

图 10-8

$$I_y=\int_A z^2\mathrm{d}A \quad I_z=\int_A y^2\mathrm{d}A \quad I_{yz}=\int_A yz\mathrm{d}A \qquad \text{(b)}$$

由图 10-8，显见

$$y=y_c+b \qquad z=z_c+a \qquad \text{(c)}$$

将(c)式代入(b)式，得

$$I_y=\int_A z^2\mathrm{d}A=\int_A (z_c+a)^2\mathrm{d}A=\int_A z_c^2\mathrm{d}A+2a\int_A z_c\mathrm{d}A+a^2\int_A \mathrm{d}A$$

$$I_z=\int_A y^2\mathrm{d}A=\int_A (y_c+b)^2\mathrm{d}A=\int_A y_c^2\mathrm{d}A+2b\int_A y_c\mathrm{d}A+b^2\int_A \mathrm{d}A$$

$$I_{yz}=\int_F yz\mathrm{d}A=\int_A (y_c+b)(z_c+a)\mathrm{d}A=\int_A y_cz_c\mathrm{d}A+a\int_A y_c\mathrm{d}A+b\int_A z_c\mathrm{d}A+ab\int_A \mathrm{d}A$$

在以上三式中：$\int_A z_c\mathrm{d}A$ 和 $\int_A y_c\mathrm{d}A$ 分别为图形对形心轴 y_c 和 z_c 的静矩，其值为零。

$\int_A \mathrm{d}A = A$。如再应用(a)式,则上列三式简化为:

$$\left.\begin{aligned} I_y &= I_{yc} + a^2 A \\ I_z &= I_{zc} + b^2 A \\ I_{yz} &= I\,y_c z_c + abA \end{aligned}\right\} \tag{10-12}$$

这就是惯性矩和惯性积的平行移轴公式。

二、组合截面惯性矩的计算

由于简单截面对形心轴的惯性矩常为已知,常用型钢截面的几何性质可查阅表附 I。工程实际中构件的截面常由简单截面组合而成,和用平行移轴公式计算组合截面的惯性矩十分方便。

例 10-5 试计算图10-9所示图形对其形心轴 y_c 的惯性矩 I_{yc}。

解 把原图形分割成 I、II 两个矩形。图形的形心必在对称轴上。通过矩形 II 的形心取平行于底边的参考轴 y,确定形心的位置。

$$\bar{z} = \frac{20 \times 140 + 100 \times 20 \times 0}{20 \times 140 + 100 \times 20} = \frac{140}{3}\mathrm{mm}$$

形心位置确定后,使用平行移轴公式,分别算出矩形 I 和 II 对 y_c 轴的惯性矩,它们是

$$I_{y_c}^{\mathrm{I}} = \frac{20 \times 140^3}{12} + \left(80 - \frac{140}{3}\right)^2 \times 20 \times 140 = 7.69 \times 10^{-6}\mathrm{m}^4$$

$$I_{y_c}^{\mathrm{II}} = \frac{100 \times 20^3}{12} + \left(\frac{140}{3}\right)^2 \times 20 \times 100 = 4.43 \times 10^{-6}\mathrm{m}^4$$

整个图形对 y_c 轴的惯性矩为

$$I_{y_c} = I_{y_c}^{\mathrm{I}} + I_{y_c}^{\mathrm{II}} = 7.69 \times 10^{-6} + 4.43 \times 10^{-6} = 12.12 \times 10^{-6}\mathrm{m}^4$$

例 10-6 计算图10-10所示图形对 y、z 轴的惯性矩 I_y 和 I_z

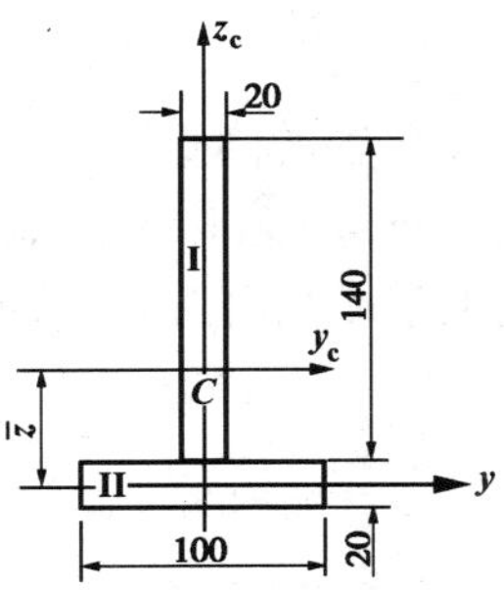

图 10-9 (尺寸单位:mm)

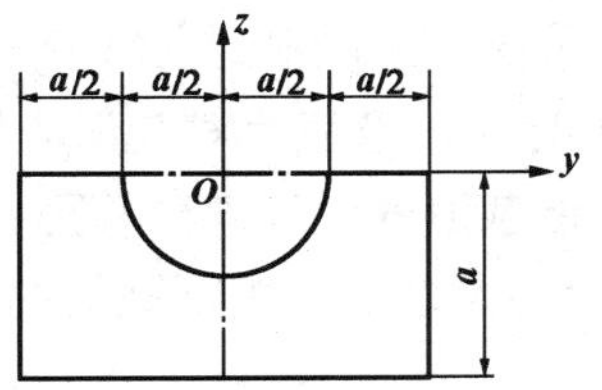

图 10-10

解 采用负面积法。将原图形看作是由矩形 I 挖去半圆 II 后而得到。于是

$$I_y = I_y^{\mathrm{I}} - I_y^{\mathrm{II}} = \frac{2a \cdot a^3}{12} + \left(\frac{a}{2}\right)^2 \cdot a \cdot 2a - \frac{\pi \cdot (a)^4}{128}$$

$$= 0.642a^4$$

$$I_z = \frac{a \cdot (2a)^3}{12} - \frac{\pi\,(a)^4}{128} = 0.642a^4$$

§10-4　形心主惯性轴和形心主惯性矩的概念

图 10-11 所示图形，对通过 O 点的任意两根正交坐标轴 z、y 的惯性积 I_{zy} 可由式(10-10)确定，当这两根坐标轴同时绕其交点 O 转动时，显然，惯性积会随之而变化。当 α 角在 $0°\sim360°$之间变化时，惯性积则在正值和负值之间变化，若 $\alpha=\alpha_0$，即坐标轴转到 z_0、y_0 轴位置时，图形的惯性积 $I_{z0y0}=0$，则这对坐标 z_0、y_0 称为图形通过 O 点的主惯性轴，简称主轴。截面对主惯性轴的惯性矩称为主惯性矩，简称主惯矩。如果坐标原点 O 选在截面形心，那么通过形心也能找到一对惯性积为零的主惯性轴，这时通过形心的主惯性轴，称为形心主惯性轴，简称形心主轴。图形对形心主轴的惯性矩称为形心主惯性矩，简称形心主惯矩。

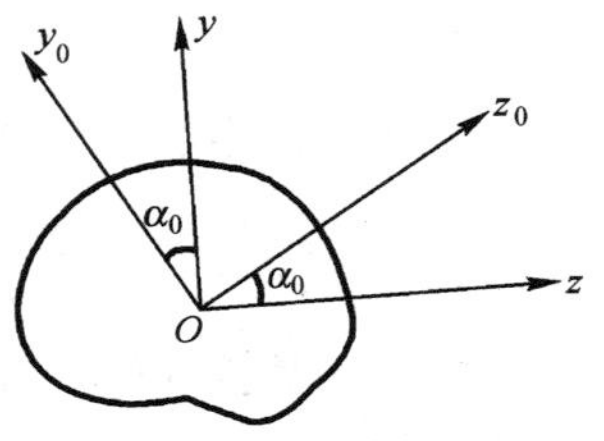

图　10-11

如果图形有一根对称轴，则此对称轴及过形心与此轴垂直的轴就是图形的形心主轴。图形对这两根的惯性矩就是形心主惯矩。

可以证明：形心主惯矩是图形对通过形心各轴的惯性矩中的最大者和最小者。

习　　题

10-1　试计算图示各截面图形对 z_1 轴的静矩。

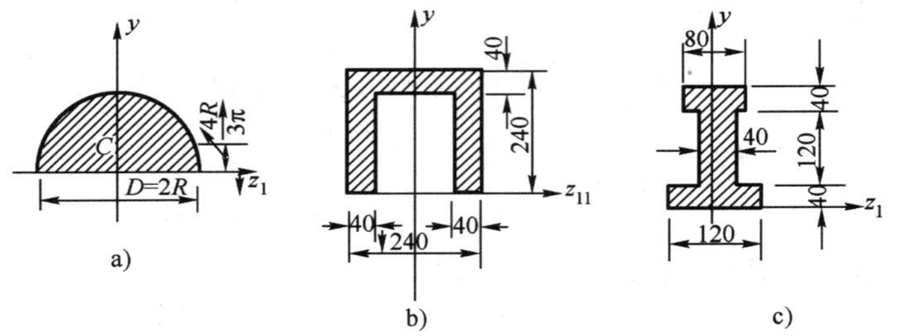

题 10-1 图

10-2　图示截面图形，求(1)形心 C 的位置；(2)阴影部分对 z 轴的静矩。

10-3　计算矩形截面对其形心轴 z 的惯性矩；已知 $b=150\text{mm}$，$h=300\text{mm}$。如按图中虚线所示，将矩形截面的中间部分移至两边缘变成工字形，计算此工字形截面对 z 轴的惯性矩。求工字形截面的惯性矩较矩形截面的惯性矩增大的百分比。

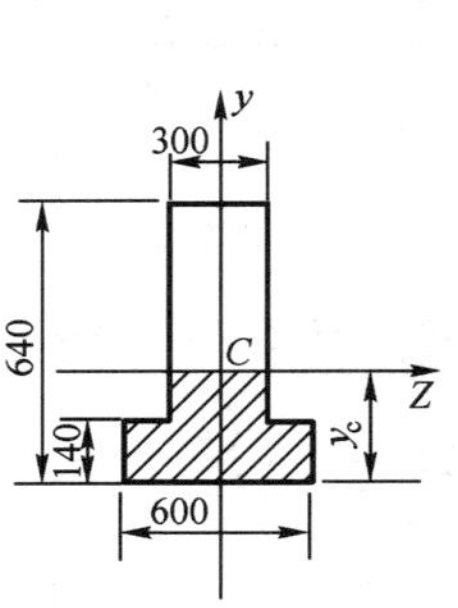

题 10-2 图　(尺寸单位：mm)

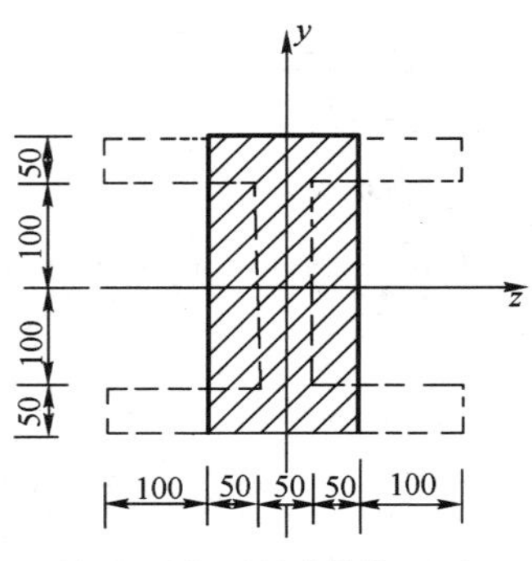

题 10-3 图　(尺寸单位：mm)

10-4　计算下列图形对形心轴 z、y 的惯性矩。

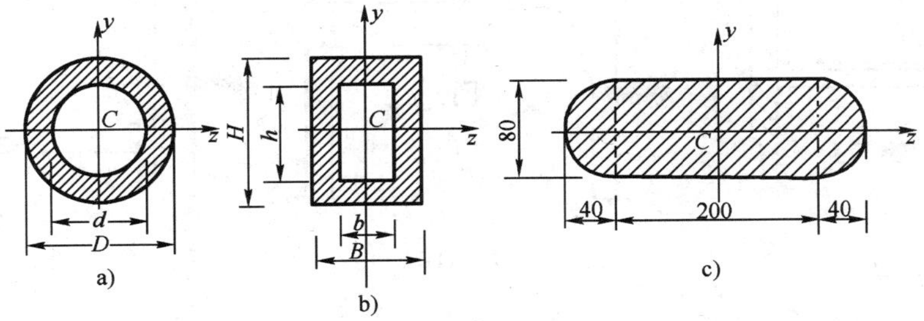

题 10-4 图

10-5　计算题 10-1b)、c)图形对其形心轴 z 的惯性矩。

10-6　计算图示组合图形对形心主轴的惯性矩。

10-7　要使两个№10 工字钢组成的截面对两个形心主轴的惯性矩相等，求距离 a 的值。

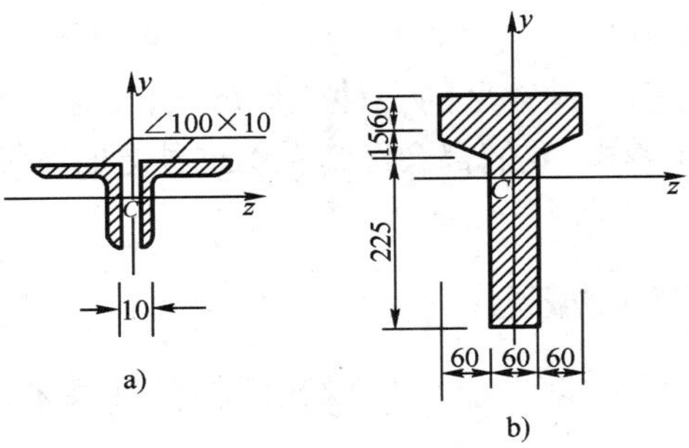

题 10-6 图

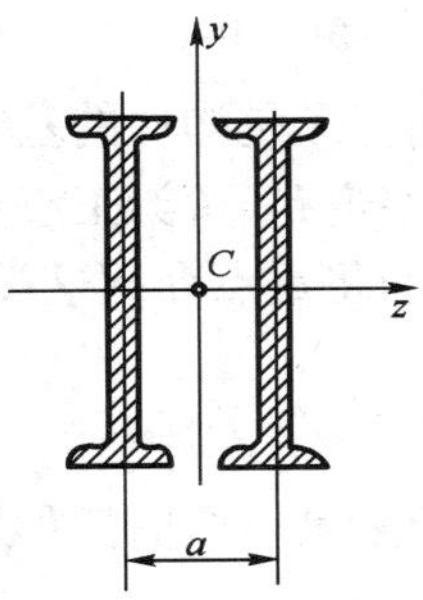

题 10-7 图

第十一章　弯曲内力

§11-1　平面弯曲的概念

一、工程实际中的弯曲问题

工程结构中，弯曲变形或以弯曲变形为主的构件非常多，通常把这类构件称为梁。例如：房屋建筑中的楼板（图 11-1）；起重吊车梁（图 11-2）；水压作用下的水槽壁（图 11-3）；土压力作用下挡土墙（图 11-4）；桥梁中的主梁（图 11-5）；阳台挑梁（图 11-6）等。它们承受的荷载与梁或墙（壁）的轴线相垂直，在这种荷载作用下，梁或墙（壁）要发生弯曲，其轴线由原来的直线变成曲线，这种变形的构件称为受弯构件。

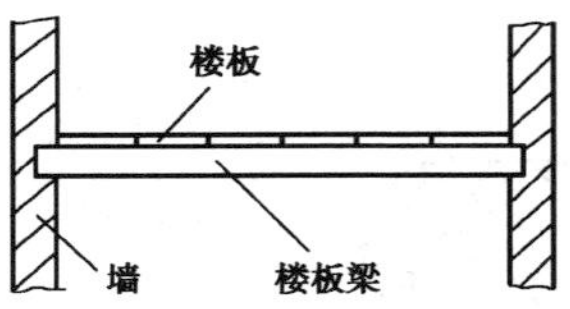

图 11-1

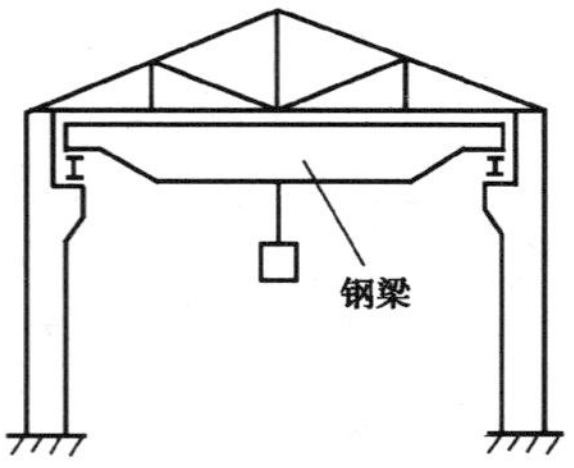

图 11-2

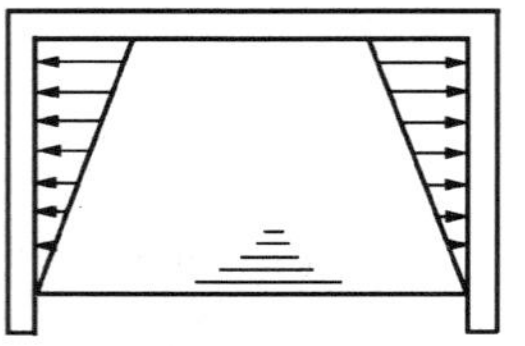

图 11-3

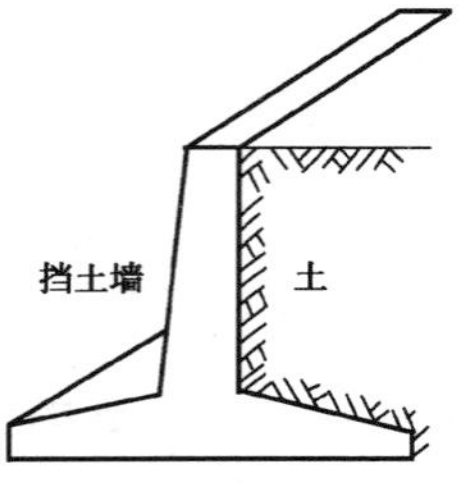

图 11-4

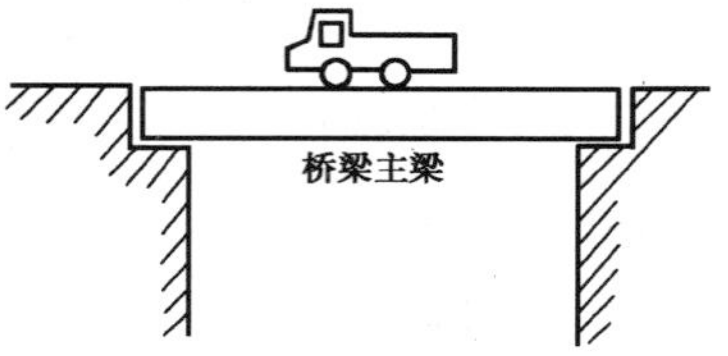

图 11-5

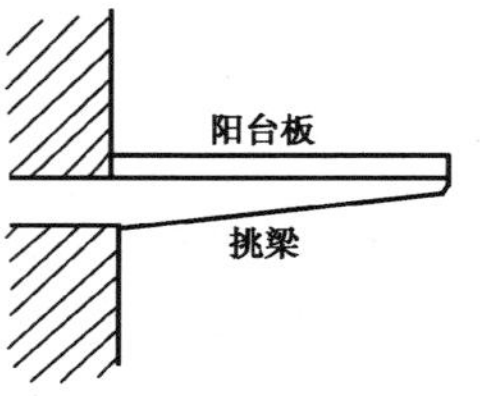

图 11-6

弯曲变形是构件的基本变形之一,也是工程中最常见的一种变形形式,无论在建筑工程中,还是在道路、桥梁工程中以及在其他机械工程中,我们都会经常看到这种弯曲变形的构件。因此,我们将重点介绍这类变形构件。

二、平面弯曲的概念

由于梁是以弯曲变形为主又是工程中应用最多的构件,所以我们将结合梁来讨论受弯构件。

在工程实际中常见的梁,其横截面通常多采用对称形状,如矩形、工字形、T 字形、圆形等,它们都具有一个或多个对称轴,如图 11-7 所示。

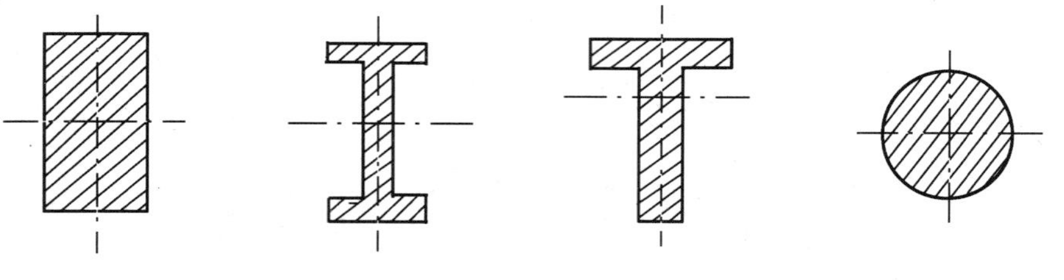

图 11-7

对称轴与梁轴线组成的平面称为纵向对称平面。纵向对称平面与所有各横截面垂直[图 11-8a)],如果梁上外力(包括荷载和支反力)的作用线都位于纵向对称平面内,则梁的轴线必将弯成一条位于此纵向对称平面内的平面曲线[图 11-8b)],我们把这样的弯曲变形称为平面弯曲。平面弯曲是变形中最简单和最基本的情况,本教材将主要讨论平面弯曲的问题。

三、梁的计算简图和类型

由于我们所研究的主要是等截面梁,外力均作用在梁的纵向对称平面内。因此,对于梁的计算简图就可以用梁的轴线来代表。如图 11-9 所示。

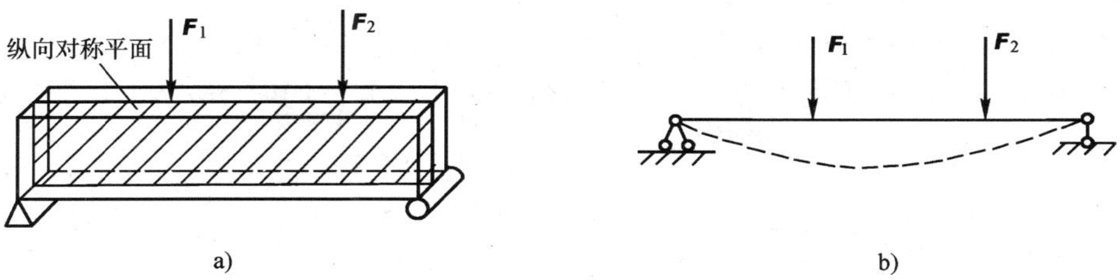

图 11-8

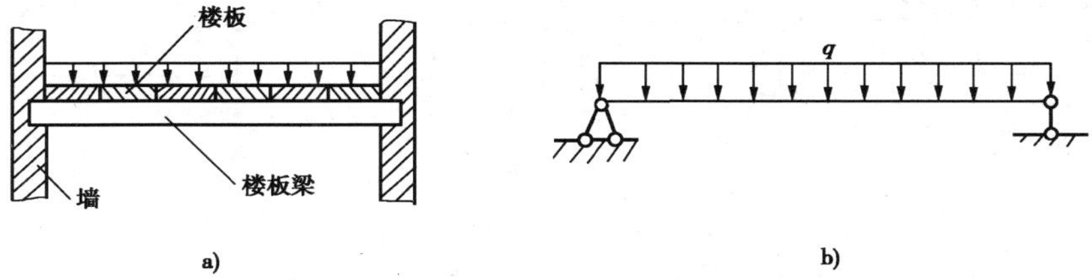

图 11-9

工程中常用的梁按支座情况可分为下列三种形式：

1. 简支梁　一端为固定铰支座，另一端为可动铰支座的梁[图 11-10a)]。
2. 悬臂梁　一端为固定支座，另一端为自由的梁[图 11-10b)]。
3. 外伸梁　一端或两端向外伸出的梁[图 11-10c)]。

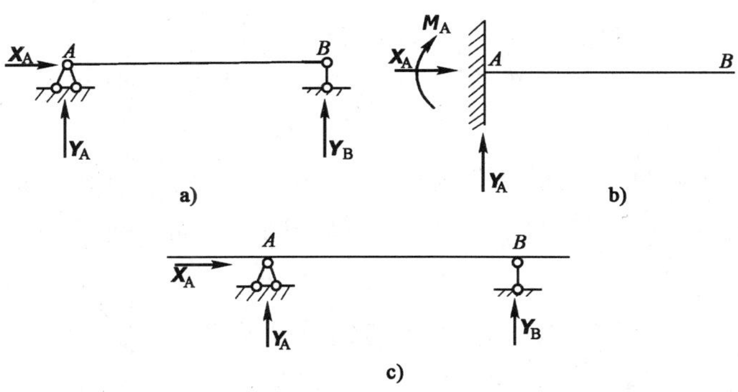

图 11-10

§11-2　梁 的 内 力

与承受拉伸、压缩的构件一样，梁在弯曲时其横截面也要产生内力。为了计算梁的强度和刚度问题，在求得梁的支座反力后，就必须计算它的内力。

一、剪力与弯矩

图 11-11a)所示为一简支梁，荷载 P 和支座反力 Y_A、Y_B 是作用在梁的纵向对称平面内的平衡力系。现用截面法分析任一截面 $m-m$ 上的内力。假想沿截面 $m-m$ 将梁分为左右两段，由于整个梁是平衡的，所以它的各部分也应处于平衡状态。现取左段分析。从图11-11b)

可见，因有支反力 Y_A 作用，为使左段满足 $\sum Y=0$，截面 $m-m$ 上心然有与 Y_A 反向的内力 Q 存在；同时因 Y_A 对截面 $m-m$ 的形心 C 点有一个力矩 $Y_A \cdot x$，为满足 $\sum M_C=0$，截面 $m-m$ 也必然有一个与力矩 $Y_A \cdot x$ 转向相反的内力偶矩 M 存在。可见，梁弯曲时，横截面上存在着两个内力素：

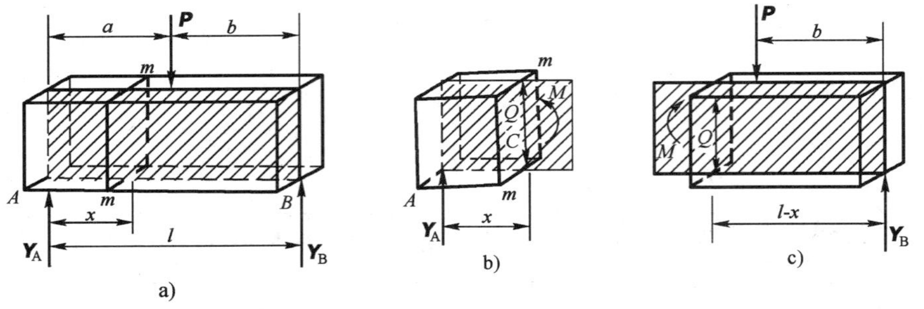

图 11-11

(1) 相切于横截面的内力 Q，称为**剪力**；

(2) 作用面与横截面相垂直的内力偶矩 M，称为**弯矩**。

剪力的常用单位为牛顿（N）或千牛顿（kN），弯矩的常用单位为牛顿·米（N·m）或千牛顿·米（kN·m）。

截面 $m-m$ 的剪力和弯矩值，可由左段梁的平衡方程求得

$$\sum Y=0 \qquad Y_A-Q=0$$

$$Q=Y_A$$

$$\sum M_C=0 \qquad Y_A \cdot x-M=0$$

$$M=Y_A \cdot x$$

如果取右段梁作为研究对象，同样可求得截面 $m-m$ 上的 Q 的 M。根据作用力和反作用力的关系，右段梁在截面 $m-m$ 上的 Q、M 与左段梁在同一截面上的 Q、M 应大小相等，方向相反[图 11-11c)]。

二、剪力与弯矩的符号规定

为了使从左、右两段梁求得同一截面上的内力 Q 与 M 具有相同的正负号，并由它们的正负号反映变形情况。我们规定：

1. 剪力符号　截面上的剪力 Q 使该段梁顺时针转动时为正[图 11-12a)]；反之为负[图 11-12b)]。

2. 弯矩符号　截面上的弯矩 M 使该段梁产生向下凸的变形时为正[图 11-13a)]；反之为负[图 11-13b)]。

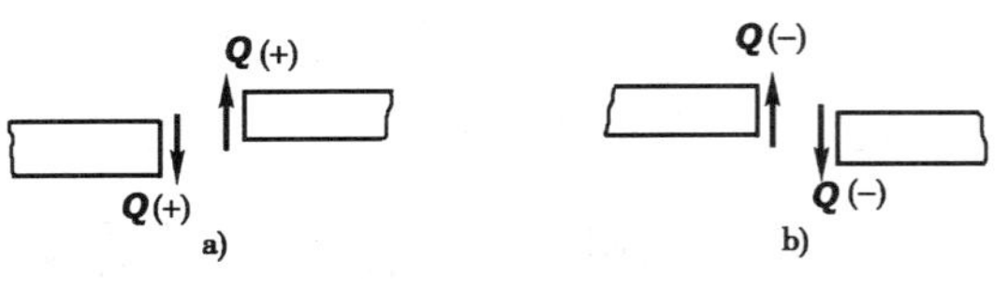

图 11-12

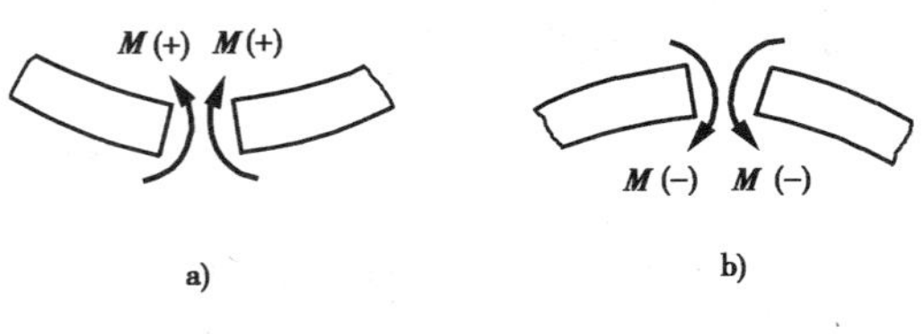

图 11-13

三、用截面法计算指定截面上的剪力和变矩

截面法计算指定截面上的剪力和弯矩的步骤如下：

(1)计算支座支力。

(2)用假想的截面在需求内力处将梁截成两段，取其中一段为研究对象。

(3)画出研究对象的受力图。（截面上的剪力和弯矩一般都先假设为正号）

(4)建立平衡方程，解出内力。

下面举例说明，用截面法求梁指定截面上内力的方法。

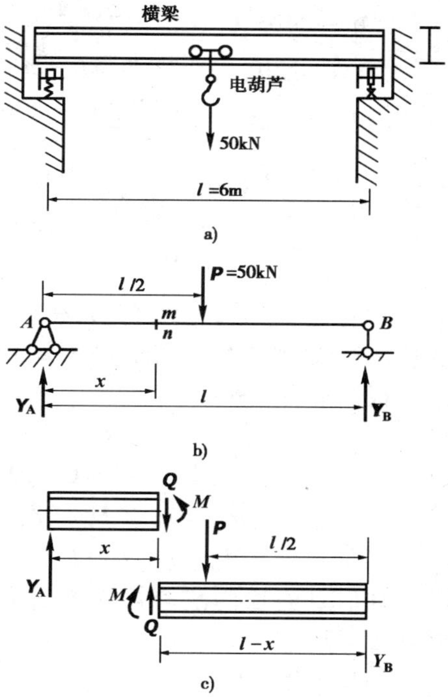

图 11-14

例 11-1 某单层工业厂房有一如图11-14a)所示的起重设备。已知电葫芦的起重量为 50kN，横梁跨度为 6m。若横梁的自重忽略不计，试求电葫芦在跨中时，横梁上 $X=2\text{m}$ 处横截面的内力。

解 横梁的计算简图如图 11-14b)所示。

(1)计算支座反力 Y_A、Y_B

解法一：根据已知条件：$X_A=0$，P 作用在跨中，考虑梁的平衡

$$\sum M_A=0 \qquad Y_B\times6-P\times3=0$$

$$\therefore Y_B=\frac{3P}{6}=25\text{kN}(\uparrow)$$

$$\sum M_B=0 \qquad Y_A\times6-P\times3=0$$

$$\therefore Y_A=\frac{3P}{6}=25\text{kN}(\uparrow)$$

解法二：因为 P 作用在跨中，根据对称，$Y_A=Y_B$

$$\sum Y=0 \qquad Y_A+Y_B-P=0$$

$$\therefore Y_A=Y_B=\frac{P}{2}=25\text{kN}(\uparrow)$$

(2)计算截面内力

用假想平面 $m-m$ 在 $X=2\text{m}$ 处截取梁左边隔离体作为研究对象，受力情况如 c)图所示。根据平衡方程

$$\sum Y=0 \qquad Y_A-Q=0$$

$$\therefore Q_C=Y_A=25\text{kN}$$

$$\text{又}\sum M_C=0 \qquad Y_A\cdot X-M=0$$

$$\therefore M=Y_A\cdot X=25\times2=5025\text{kN}\cdot\text{m}$$

所得 Q、M 均为正，表示假设方向与实际方向相同，按内力的符号规定，它们都是正值。

例 11-2 简支梁如图11-15a)所示,试求截面 D 的内力。

解 (1)计算支座反力

根据已知条件 $X_A=0$,考虑梁的平衡

$$\sum M_A=0 \qquad Y_B\times6-m-P\times2=0$$

$$Y_B=\frac{m+2P}{6}=\frac{4+2\times10}{6}=4\text{kN}(\uparrow)$$

$$\sum M_B=0 \qquad Y_A\times6+m-P\times4=0$$

$$\therefore Y_A=\frac{4P-m}{6}=\frac{4\times10-4}{6}=6\text{kN}(\uparrow)$$

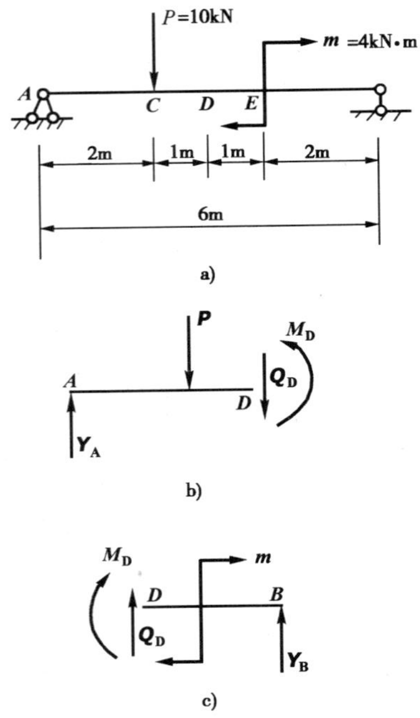

图 11-15

(2)计算 D 截面处的内力:将梁截开,取左段隔离体作为研究对象,受力情况如图 11-15b)所示

根据平衡方程

$$\sum Y=0 \qquad Q_D-Y_A+P=0$$

$$\therefore Q_D=Y_A-P=6-10=-4\text{kN}$$

又 $$\sum M_D=0 \qquad M_D-Y_A\times3+P\times1=0$$

$$\therefore M_D=Y_A\times3-P\times1=3\times6-1\times10=8\text{kN}$$

如取 D 右段为隔离体作为研究对象,受力情况如图 11-15c)所示。

根据平衡方程

$\sum Y=0 \qquad Q_D=-Y_B=-4\text{kN}$

$\sum M_D=0 \qquad M_D=Y_B\times3-m=4\times3-4=8\text{kN}\cdot\text{m}$

剪力 Q_D 为负值,表示假设方向与实际方向相反,Q_D 的实际方向向上,按剪力的符号规定,剪力为负值,表明假设方向与实际方向相反,按弯矩符号规定,M_D 为正值,表明假设方向与实际方向相同。

例 11-3 一悬臂梁如图11-16a)所示,求截面 C 的内力。

解 由于是悬臂梁,此题不需要求固定支座处的反力,可直接取 C 中段为隔离体作为研究对象,其受力情况如图 11-16b)所示。

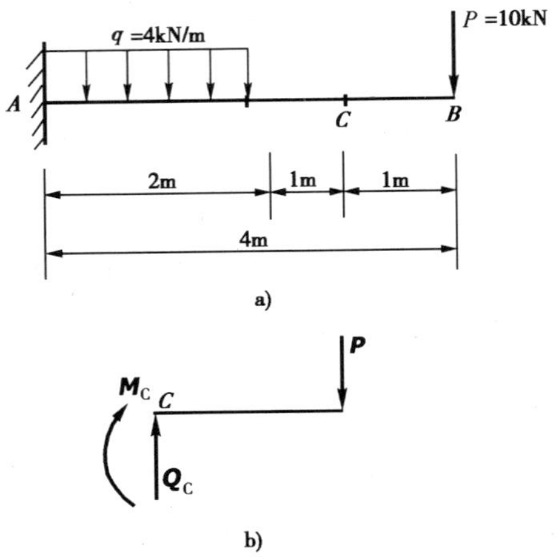

图 11-16

根据平衡方程

$\sum Y=0 \qquad Q_C=P=10\text{kN}$

$\sum M_C=0 \qquad M_C=-P\times1=-10\times1=-10\text{kN}\cdot\text{m}$

求得 M_C 为负值,表明 M_C 的所设方向与实际方向相反,按弯矩的符号规定,M_C 为负值。Q_C 为正值,表明假设方向与实际向相同,按剪力符号规定,Q_C 为正值。

提示:此题如取左段为隔离体作为研究时,应先计算 A 点支座处的支反力,然后再计算内力,结果是相同的。

例 11-4 一外伸梁如图11-17a)所示,试求截面 D、E 的内力。

解　(1)计算支座反力

根据已知条件，$X_A=0$，考虑梁的平衡

$$\sum M_B=0 \qquad Y_A\times 6+P_2\times 2-P_1\times 3=0$$

$$\therefore Y_A=\frac{3P_1-2P_2}{6}=\frac{3\times 20-2\times 3}{6}=9\text{kN}(\uparrow)$$

$$\sum M_A=0 \qquad Y_B\times 6-P_1\times 3-P_2\times 8=0$$

$$\therefore Y_B=\frac{3P_1+8P_2}{6}=\frac{3\times 20+8\times 3}{6}=14\text{kN}(\uparrow)$$

(2)计算 D 截面上的内力

取 D 截面左边脱离体为研究对象，受力情况如 b)图所示。根据平衡方程

$$\sum Y=0 \qquad Q_D-Y_A=0$$

$$\therefore Q_D=Y_A=9\text{kN}$$

$$\sum M_D=0 \qquad M_D-1.5Y_A=0$$

$$\therefore M_D=1.5Y_A=1.5\times 9=13.5\text{kN}\cdot\text{m}$$

求得 Q_D、M_D 均为正值，表示所设方向与实际方向相同，按内力的符号规定，Q_D、M_D 都是正值。

(3)计算 E 截面上的内力

取 E 截面右边作为研究对象，受力情况如图 11-17c)所示

根据平衡方程

$$\sum Y=0 \qquad Q_E-Y_B-P_2=0$$

$$\therefore Q_E=P_2-Y_B=3-14=-11\text{kN}$$

$$\sum M_E=0 \qquad M_E+P_2\times 3-Y_B\cdot 1=0$$

$$\therefore M_E=Y_B\cdot 1-P_2\times 3=14\times 1-3\times 3=5\text{kN}\cdot\text{m}$$

所求得的 Q_E 为负值，表示假设方向相反，Q_E 的方向向下；按剪力的符号规定，Q_E 为负，M_E 的假设方向与实际方向相同；按弯矩符号规定，M_E 为正值。

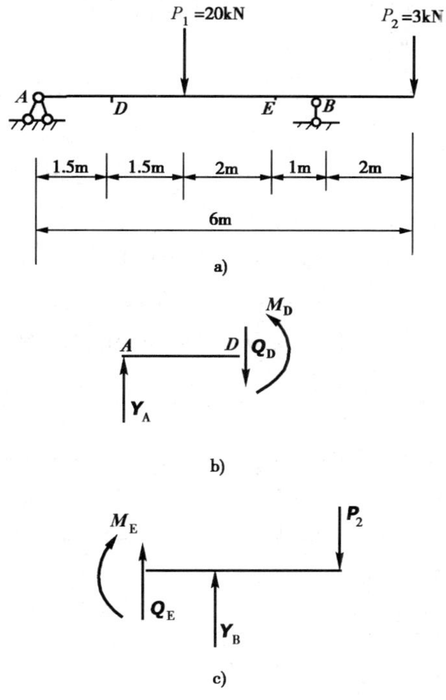

图　11-17

例 11-5　试求图11-18a)所示梁上 D 点左、右的内力和 E 点左、右的内力。

解　(1)计算支座反力

根据已知条件 $X_A=0$，考虑梁的平衡

$$\sum M_A=0 \qquad Y_B\times 6-P\times 4-m+q\times 2\times 1=0$$

$$\therefore Y_B=\frac{4P+M-2q}{6}=\frac{4\times 5+8-2\times 2}{6}=4\text{kN}(\uparrow)$$

$$\sum M_B=0 \qquad Y_A\times 6+m-P\times 2-q\times 2\times 7=0$$

$$\therefore Y_A=\frac{2P+14q-m}{6}=\frac{2\times 5+2\times 14-8}{6}=5\text{kN}(\uparrow)$$

(2)计算 D 点左边的内力

取 D 点左边截面的隔离体作为研究对象，受力图如图 11-18b)所示

根据平衡方程

$$\sum Y=0 \qquad Y_A-Q_{D左}-q\times2=0$$

$$\therefore Q_{D左}=Y_A-q\times2=5-2\times2=1\text{kN}$$

$$\sum M_B=0 \qquad M_{D左}+q\times2\times3-Y_A\times2=0$$

$$M_{D左}=2Y_A-6q=2\times5-6\times2=-2\text{kN}\cdot\text{m}$$

弯矩$M_{D左}$为负，表明假设方向与实际方向相反，$M_{D左}$的实际方向使梁的上部受拉；按弯矩符号规定，$M_{D左}$为负；$Q_{D左}$为正值，表明假设方向与实际方向相同，按剪力符号规定，$Q_{D左}$为正值。

(3)计算 D 点右边的内力

取 D 点右边截面的隔离体作为研究对象，受力情况如图 11-18c)所示

根据平衡方程

$$\sum Y=0 \qquad Q_{D右}-Y_A+q\times2=0$$

$$\therefore Q_{D右}=Y_A-q\times2=5-2\times2=1\text{kN}$$

$$\sum M_D=0 \qquad M_{D右}-m+q\times2\times3-Y_A\times2=0$$

$$\therefore M_{D右}=m-q\times2\times3+Y_A\times2=8-6\times2+2\times5=6\text{kN}\cdot\text{m}$$

$Q_{D右}$、$M_{D右}$为正，表明假设方向与实际方向相同；按内力符号规定，$Q_{D右}$、$M_{D右}$为值。

(4)计算 E 点左边的内力

取 E 点左边截面的隔离体作为研究对象，受力情况如图 11-18d)所示

根据平衡方程

$$\sum Y=0 \qquad Q_{E左}-Y_B-P=0$$

$$\therefore Q_{E左}=Y_B-P=5-4=1\ \text{kN}$$

$$\sum M_E=0 \qquad M_{E左}-Y_B\times2=0$$

$$\therefore M_{E左}=2Y_B=2\times4=8\text{kN}\cdot\text{m}$$

$Q_{E左}$、$M_{E左}$为正值说明假设方向与实际方向相同，按内力符号规定，$Q_{E左}$、$M_{E左}$为正值。

(5)计算 E 点右边的内力

取 E 点右边截面的隔离体作为研究对象，受力情况如图 11-18e)所示

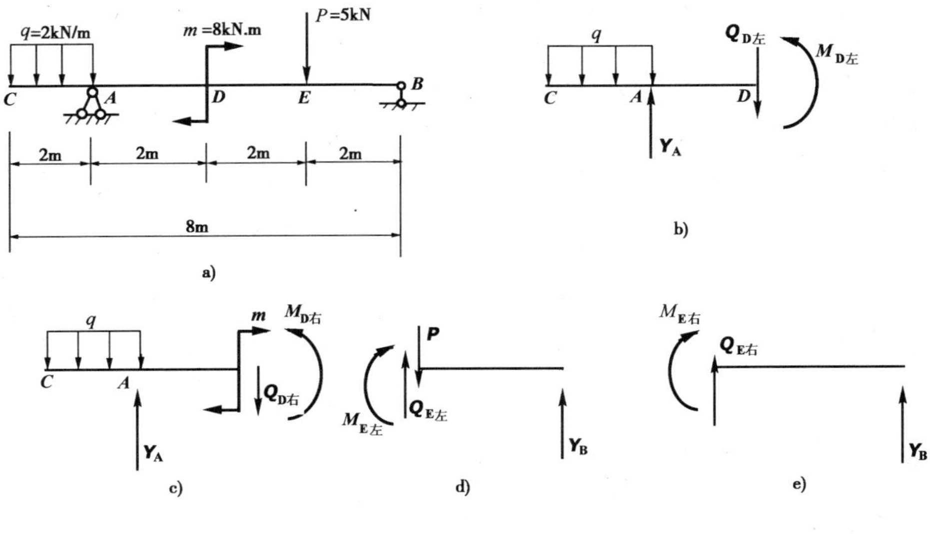

图 11-18

根据平衡方程

$$\sum Y=0 \qquad Q_{E右}+Y_B=0$$

$$\therefore Q_{E右}=-Y_B=-4\text{kN}$$

$$\sum M_E=0 M_{E右}-Y_B\times 2=0$$

$$\therefore M_{E右}=2Y_B=2\times 4=8\text{kN}\cdot\text{m}$$

$Q_{E右}$为负值，说明假设方向与实际方向相反；$Q_{E右}$的方向向下；按剪力符号规定，$Q_{E右}$为负值。$M_{E右}$为正值，说明假设方向与实际方向相同；按弯矩符号规定，$M_{E右}$为正值。

通过以上用截面法计算内力的过程我们知道：梁的任一横截面上的内力是考虑隔离体平衡，剪力 Q 是由平衡条件 $\sum Y=0$ 求得；弯矩 M 是由平衡条件 $\sum M=0$ 求得的。由此我们可以得出下列结论：

（1）梁的任一横截面上的剪力在数值上等于该截面一侧（或左或右）所有的外力在截面方向上投影的代数和。

（2）梁的任一横截面上的弯矩在数值上等于该截面一侧（或左或右）所有的外力对该截面形心的力矩的代数和。

应该熟练掌握上述两点，熟练后，就可直接从整体图上计算内力，而不必画出隔离体图了。下面举例说明。

例 11-6 图11-19所示悬臂梁，受均布荷载作用。求 C 截面上的内力。

解 计算 C 截面上的内力。

因为是悬臂梁，可不求 A 点的支座反力。

截面 C 上的剪力应该等于该截面右侧所有竖向外力的代数和，即

$$Q_C=P+q\times 4=5+4\times 4=21\text{kN}$$

截面 C 上的弯矩等于该截面右边所有外力对该截面形心的力矩的代数和，即

$$M_C=-(P\times 4+q\times 4\times 2)=-(5\times 4+4\times 4\times 2)=-52\text{kN}\cdot\text{m}$$

求得 M_C 为负值，表明实际是梁的上部受拉而下部受压。

提示：在计算内力的过程中，可以取梁左段进行计算，也可以取梁右段进行计算；一般尽可能选择外力作用较简单的一侧来计算内力更为方便。

例 11-7 图11-20所示为一简支梁，求出 C 截面左右两截面上的内力。

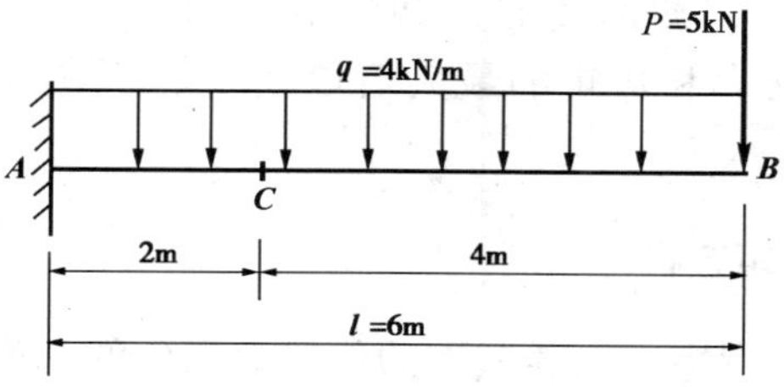

图 11-19

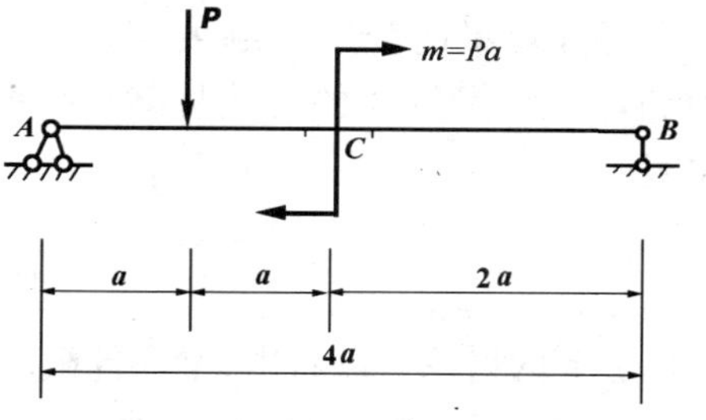

图 11-20

解 （1）计算 A、B 两点的支反力

$\sum M_A=0 \qquad Y_B\times 4a-m-Pa=0$

$\therefore Y_B=\dfrac{m+Pa}{4a}=\dfrac{Pa+Pa}{4a}=\dfrac{1}{2}P(\uparrow)$

$\sum M_B=0 \qquad Y_A\times 4a+m-P\times 3a=0$

$\therefore Y_A=\dfrac{3Pa-m}{4a}=\dfrac{3Pa-Pa}{4a}=\dfrac{1}{2}P(\uparrow)$

(2)求 C 点左边的剪力

应该等于该截面左侧所有竖向外力的代数和，即

$$Q_{C左}=Y_A-P=\frac{P}{2}-P=-\frac{P}{2}$$

$Q_{C左}$为负号，表明实际方向向上。

截面 C 点左边的弯矩应该等于应该截面左边所有外力对应该截面形心的力矩的代数和。即

$$M_{C左}=Y_A\cdot 2a-Pa=\frac{1}{2}P\times 2a-Pa=0$$

(3)求 C 点右边截面的内力

截面 C 点右边截面上的剪力应该等于截面右侧所有竖向外力的代数和，即

$$Q_{C右}=-Y_B=-\frac{P}{2}$$

$Q_{C右}$为负号，表明实际方向向下。

面 C 点右边的弯矩应该等于该截面右侧所有外力对应该截面形心的力矩的代数和。即：

$$M_{C右}=Y_B\cdot 2a=\frac{1}{2}P\times 2a=Pa$$

表明梁的下部受拉。

如果取 C 点左边截面的左侧计算内力，结果是完全相同的。

由以上例题看到，由于省略了取隔离体列平衡方程式的过程，因而非常简便。但应指出，截面法是求内力的基本方法，应该在掌握截面法的基础上，再掌握该简便方法。

§11-3 梁的内力图

为了计算梁的强度和刚度问题，除了要计算指定截面的剪力和弯矩外，还必须知道剪力和弯矩沿梁轴线的变化规律，从而找到梁内剪力和弯矩的最大值以及它们所在的截面位置。

一、剪力方程和弯矩方程

从上节的讨论可以看出，梁内各截面上的剪力和弯矩一般随截面的位置而变化的。若横截面的位置用沿梁轴线的坐标 x 来表示，则各横截面上的剪力和弯矩都可以表示为坐标 x 的函数，即

$$Q=Q(x) \qquad M=M(x)$$

$Q(x)$和 $M(x)$分别称为剪力方程和弯矩方程。剪力方程和弯矩方程可以表明梁内剪力和弯矩沿梁轴线的变化规律。

二、剪力图和弯矩图

为了形象地表现剪力和弯矩沿梁轴的变化规律，可以根据剪力方程和弯矩方程分别绘制剪力图和弯矩图。它的画法与轴力图、扭矩图相似，以沿梁轴的横坐标 x 表示梁横截面位置，以纵坐标表示相应截面的剪力或弯矩。在土建工程中，习惯上把正剪力画在 x 轴上方，负剪力画在 x 轴下方，正弯矩使梁下边受拉，所以画弯矩图时，正弯矩画在 X 轴的下方，负弯矩画在 X 轴上方。

例 11-8 求作图11-21a）所示悬臂梁的内力图。

解 （1）写出该梁的内力函数方程

设所求任一截面距梁 B 端的距离为 x，由截面以右写出剪力方程和弯矩函数方程分别为：

$$Q(x)=P \qquad (0\leqslant x<l)$$
$$M(x)=-Px \qquad (0\leqslant x<l)$$

（2）计算各横截面上的内力值根据梁的剪力方程和弯矩方程，求出下列几个截面的剪力值和弯矩值

因为 $Q(x)=P$ 为常数，不受 x 变化的影响，梁内各截面的剪力都相同，其值为 P。

对于弯矩方程：由于是 x 轴的一次函数，所以弯矩沿梁轴按直线变化，只需确定梁内任意两截面（一般为该段的两端）的弯矩，如：当 $x=0$ 时，$M(x)=0$；当 $x=l$ 时，$M(x)=-Pl$（上部受拉）。

（3）画出内力图：如图 11-21b）、c）所示

例 11-9 求图11-22a）所示悬臂梁的内力图。

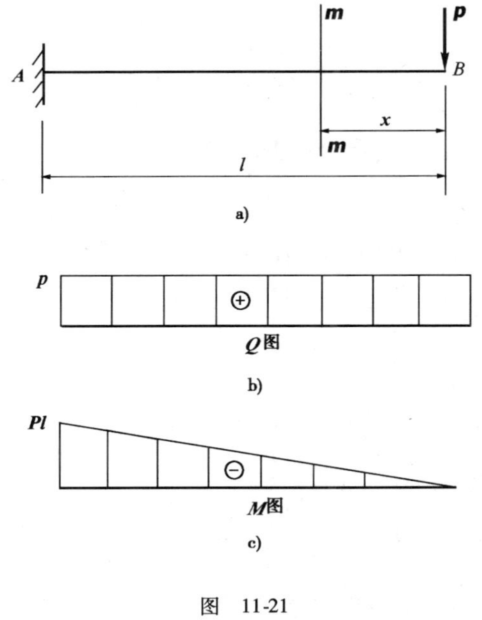

图 11-21

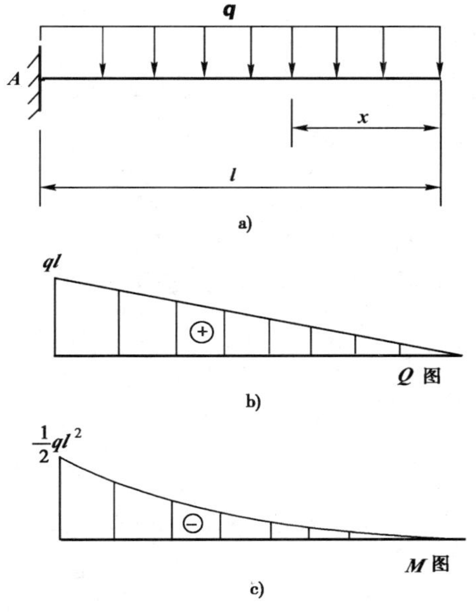

图 11-22

解 （1）写出该梁的内力函数方程

设所求任一截面距梁 B 端距离为 x，由该截面以右写出剪力函数方程和弯矩函数方程分

别为：

$$Q(x)=qx \qquad (0\leqslant x<l)$$

$$M(x)=-\frac{1}{2}qx^2 \qquad (0\leqslant x<l)$$

(2)计算各横截面上的内力值

根据梁的剪力和弯矩方程，求出下列几个截面的剪力值和弯矩值。

当 $x=0$ 时　　$Q(x)=0$　　$M(x)=0$

当 $x=l$ 时　　$Q(x)=ql$　　$M(x)=-\frac{1}{2}qx^2$（上部受拉）

当 $x=\frac{l}{2}$时　　$Q(X)=\frac{1}{2}ql$　　$M(x)=-\frac{1}{8}ql^2$（上部受拉）

(3)画出内力图

由该梁的剪力函数方程和弯矩函数方程，可判断出剪力图为一斜直线，弯矩图为一抛物线。根据上述计算出各截面上的内力值，在纵坐标线上描出各点，然后连接直线或曲线即得剪力图和弯矩图。如图 11-22b)、c)所示。

例 11-10　求图11-23a)所示简支梁的内力图

解　(1)求 A、B 两支座反力：

根据$\sum M_A=0$ 得，$Y_B=\frac{1}{2}ql(\uparrow)$

$\sum M_B=0$ 得，$Y_A=\frac{1}{2}ql(\uparrow)$

(2)写出该梁的内力函数方程

设所求任一截面梁 A 端距离为 x，由该截面以左写出剪力函数方程和弯矩函数方程分别为：

$$Q(x)=Y_A-ql=\frac{1}{2}ql-qx \qquad (0<x<l)$$

$$M(x)=Y_A\cdot x-qx\cdot\frac{1}{2}x=\frac{1}{2}qlx-\frac{1}{2}qx^2(0\leqslant x\leqslant l)$$

(3)计算各横截面的内力值

根据梁的剪力方程和弯矩方程，求出下列几点的剪力值和弯矩值：

当 $x=0$ 时　　$Q(x)=\frac{1}{2}ql$

$M(x)=0$

当 $x=l$ 时　　$Q(x)=-\frac{1}{2}ql$

$M(x)=0$

当 $x=\frac{1}{2}l$ 时　　$Q(x)=0$

$M(x)=\frac{1}{8}ql^2$（下部受拉）

(4)画出内力图

由于该梁的剪力方程为 x 的一次函数方程，可以判断剪力图形为一斜直线，并通过以上三点，而弯矩方程为 x 的二次函数方程，图形为一抛物线，并通过以上三点。如图 11-23b)、c)所示的内力图。

例11-11 求作图11-24a) 所示

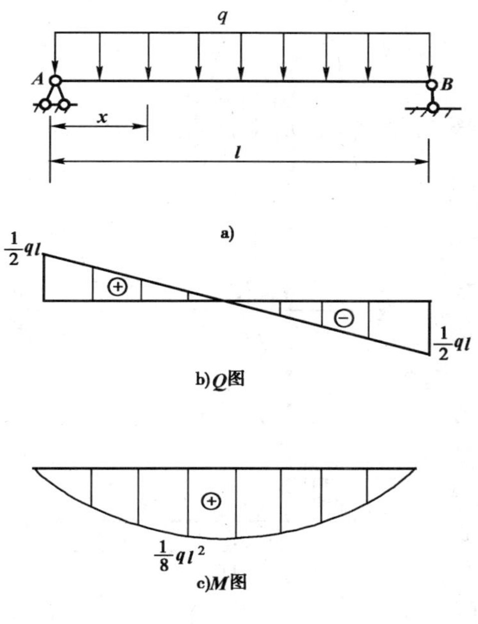

图 11-23

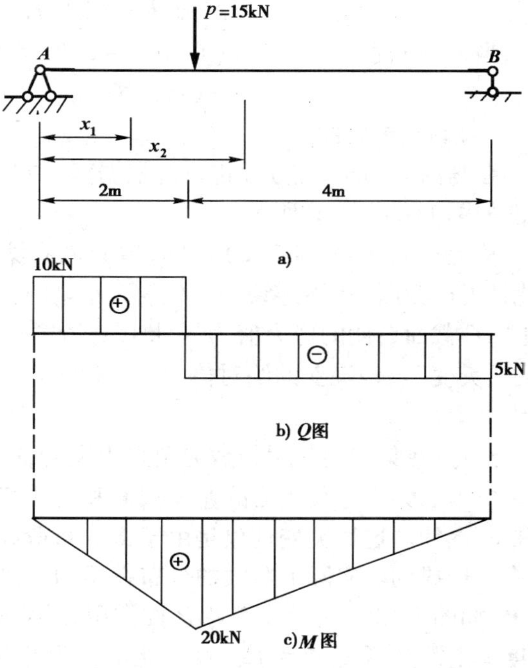

图 11-24

解 (1)求该梁 A、B 两支座反力

根据 $\sum M_{A}=0$ $\quad Y_{B}=\dfrac{15\times2}{6}=5\text{kN}(\uparrow)$

$\sum M_{B}=0$ $\quad Y_{A}=\dfrac{15\times4}{6}=10\text{kN}(\uparrow)$

(2)求出该梁的内力函数方程

注意：该梁在 C 点作用一集中荷载 P，内力在全梁范围内不能用一个统一的函数方程来表示，因此，必须以 C 点为界分段写出内力表达式，内力也应分段画出。

用 x_1 表示 C 点左段(AC 段)任意一横截面到 A 支座的距离，用 X_2 表示 C 点右段(CB 段)中任意一横截面到 A 支座的距离，如图 11-24a)所示。两段的内力表达式分别为：

AC 段：$Q(x_1)=Y_{A}=10\text{kN}$

$M(x_1)=Y_{A}\cdot x_1=10x_1 \quad (0\leqslant x_1\leqslant2)$

CB 段：$Q(x_2)=Y_{A}-P=-5\text{kN}$

$M(x_2)=Y_{A}\cdot x_2-P(x_2-2)=30-5x_2 \quad (2\leqslant x_2\leqslant6)$

(3)计算各横截面上的内力值

AC 段：

当 $x_1=0$ 时 $\qquad Q(x_1)=10\text{kN}$(常数)

$M(x_2)=0$

当 $x_1=2$ 时 $\qquad Q(x_1)=10\text{kN}$(常数)

$$M(x_1) = 20\text{kN·m}\ (\text{梁的下部受拉})$$

CB 段：

当 $x_2 = 2$ 时　　　$Q(x_2) = -5\text{kN}(\text{常数})$

　　　　　　　　$M(x_2) = 20\text{KN·m}(\text{梁的下部受拉})$

当 $x_2 = 6$ 时　　　$Q(x_2) = -5\text{kN}(\text{常数})$

　　　　　　　　$M(x_2) = 0$

(4)画出内力图

在画内力图时，应分段进行。根据剪力方程和弯矩方程及上述所求各截面内力值，画出内力图如图 11-24b)、c)所示。

从上述剪力图 11-24b)可知，剪力图在集中力 P 作用处(C 截面)是不连续的。C 截面左侧的剪力值为 10kN，C 截面右侧的剪力值为 -5kN，剪力图通过 C 发生了"突变"。该突变的绝对值为 15kN，即等于梁上的集中力 P。

注意：在集中力作用处剪力图发生突变，突变值等于集中力的大小。集中力的左侧截面和右侧截面的剪力是不同的。这种突变现象是由于将分布荷载简化为集中力造成的。实际上荷载的分布在梁的一段微小长度上，如图 11-25a)所示，将力 P 按作用在梁的一小段长度 l 上均布荷载来考虑，剪力就不会发生突变了。如图 11-25b)所示。

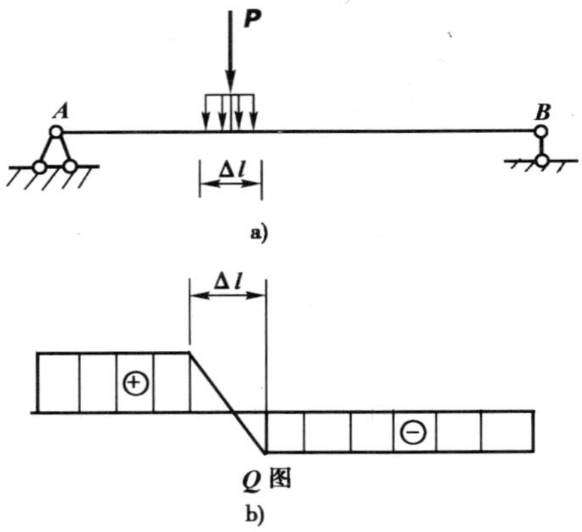

图　11-25

例 11-12　求作图11-26a)所示外伸梁的内力图。

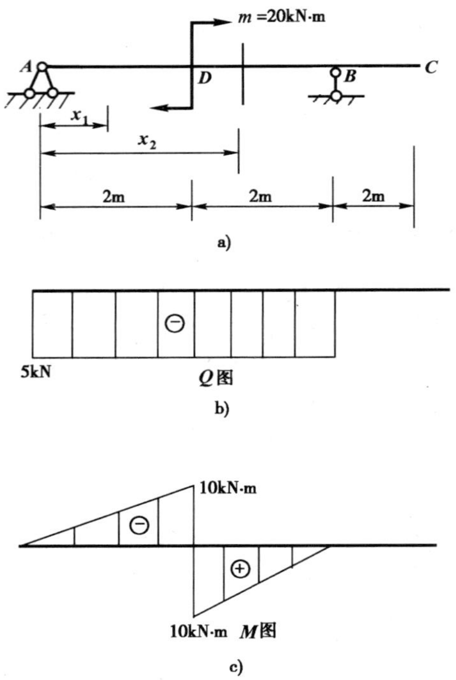

图　11-26

解　(1)求 A、B 两支座反力

根据 $\sum M_A = 0$　得 $Y_B = 5\text{kN}(\uparrow)$

$\sum M_B = 0$　得 $Y_A = -5\text{kN}(\downarrow)$

(2)求出该梁的内力函数方程

由于在整个梁上没有横向外力，所以 $Q(x) = -5\text{kN}$，适用于梁 *AB* 段。

BC 段　$Q(x) = 0$

又因 D 点处有一集中力偶，弯矩表达式应分段列出：

AD 段：

$$M(x_1) = -Y_A \cdot x_1 = -5x_1 \qquad (0 \leqslant x_1 < 2)$$

DB 段：

$$M(x_2) = -Y_A \cdot x_2 + m = 20 - 5x_1 \qquad (2 < x_2 \leqslant 4)$$

BC 段：

$$M(x) = 0$$

(3)计算各截面上的内力值

AD 段：

当 $x_1=0$ 时　$M(x_1)=0$

当 $x_1=2$ 时　$M(x_1)=-10\text{kN}$(梁的上部受拉)

DB 段:

当 $x_2=2$ 时　$M(x_2)=10\text{kN}\cdot\text{m}$(梁的下部受拉)

当 $x_2=4$ 时　$M(x_2)=0$

(4)画出内力图

根据上述条件,画出内力图如图 11-26b)、c)所示,在画弯矩图时,应分段进行。

从上述弯矩图 c)可知,在集中力偶作用处(D 点)弯矩图不连续。D 截面左侧的弯矩值为 $-10\ \text{kN}\cdot\text{m}$,$D$ 右侧的弯矩为 $10\text{kN}\cdot\text{m}$,弯矩图在 D 点发生了“突变”,且突变的绝对值正好等于集中力偶 m。此情况为普遍现象。

注意:在集中力偶作用处,弯矩图发生突变,突变值等于该集中力偶值。但集中力偶左侧截面和右侧截面的弯矩不一定相同。

通过以上各例的分析,梁的内力图的绘制方法和步骤如下:

(1)求支座反力(若是悬壁梁可以不求)。

(2)求出梁的内力函数方程。

如果有集中力(包括支座反力)和集中力偶作用,以及分布荷载的分布规律发生变化处将梁进行分段,分别求出各段的内力函数方程。

(3)可求出各特殊点的内力值,以便画内力图用。

(4)绘出剪力图和弯矩图。可根据内力方程式判断内力形状,再根据上述内力值的大小,就可以绘出内力图。

通过内力图,我们可以从中找出截面上的剪力、弯矩的最大值和最小值所处的位置,从而找出梁上最危险截面,进而计算其强度和刚度,使其满足使用要求。

现将梁在常见荷载作用下的剪力图和弯矩图列于表 11-1 中,熟记这些内力图形对我们今后学习是很有帮助的。

梁在单独荷载作用下的 Q 图与 M 图　　表 11-1

①	②	③
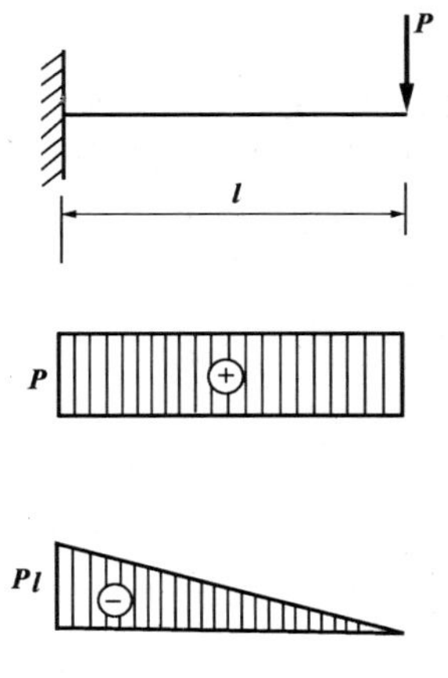	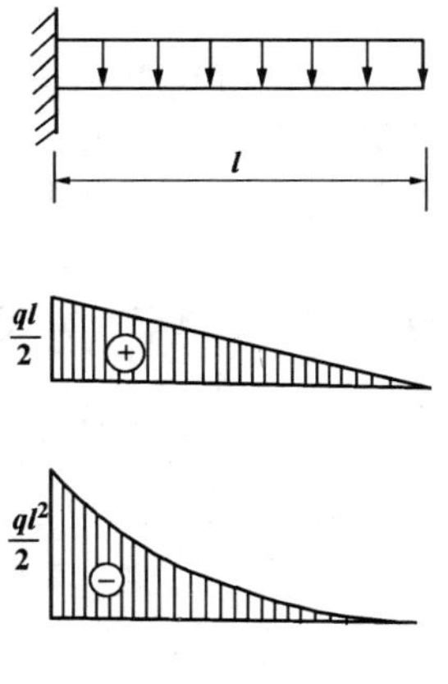	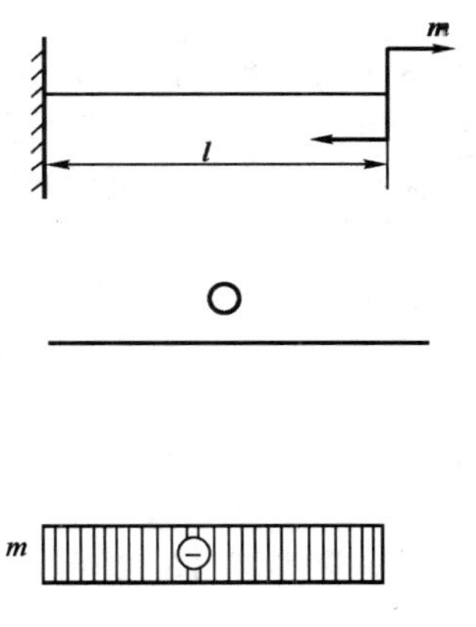

续上表

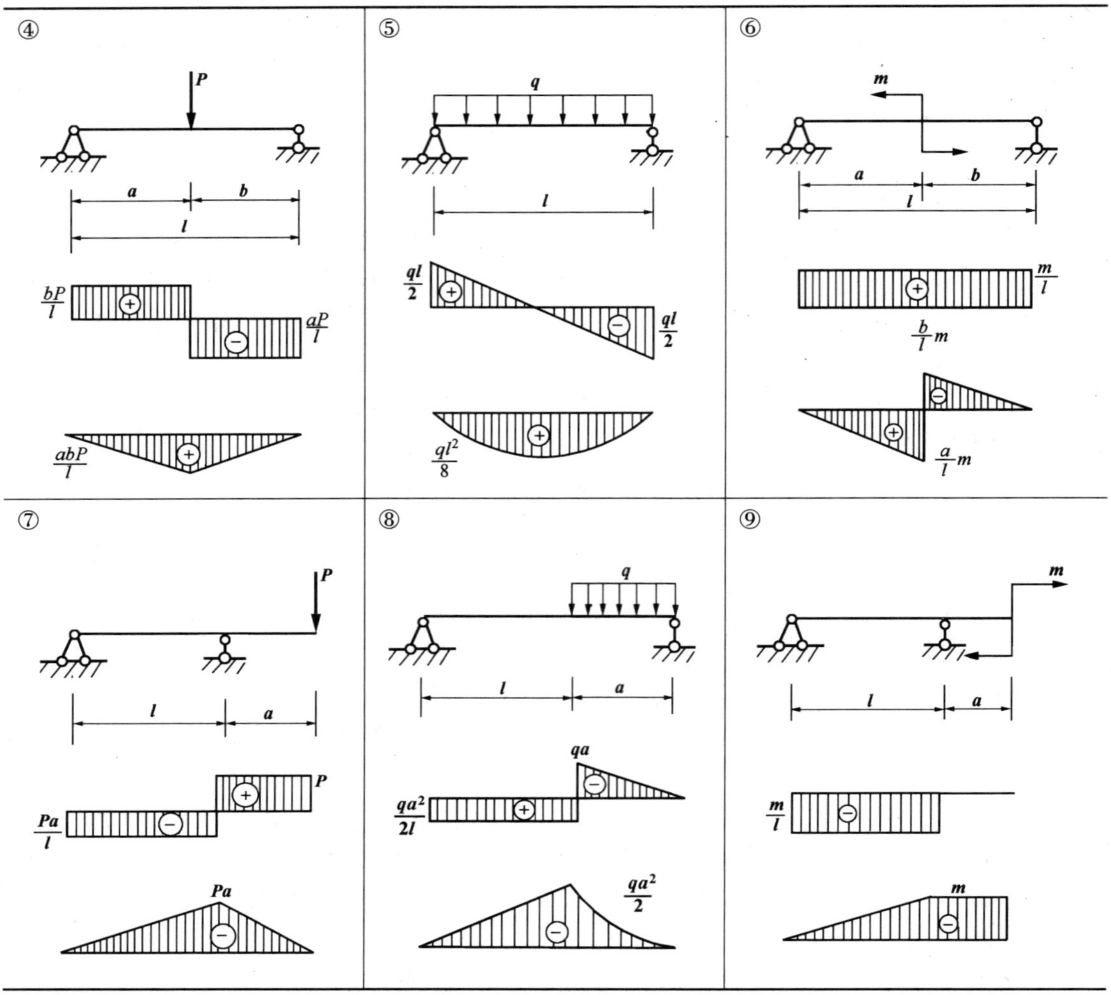

§ 11-4　弯矩、剪力与分布荷载集度三者之间的微分关系

从上节例题 11-11，11-12 可知，当梁上外力（包括荷载和支座反力）发生变化时，内力不能用一个统一的函数式表达，而必须分段列出内力方程式。分段以集中力、集中力偶的作用点及分布荷载的起点和终点为界。这样，如梁上荷载变化越多，分段就越多，画内力图就很繁琐，且易发生错误。

但从上节例题 11-13 中看到，梁的剪力方程和弯矩方程分别为：

$$Q(x)=\frac{1}{2}ql-qx$$

$$M(x)=\frac{1}{2}qlx-\frac{1}{2}qx^2$$

如果将方程 $M(x)$ 对 X 求导数：

$$\frac{\mathrm{d}M(x)}{\mathrm{d}x}=\frac{1}{2}ql-qx=Q(x)$$

发现其结果恰好是剪力方程 $Q(x)$。如果将剪力方程对 X 求导数

$$\frac{dQ(x)}{dx} = -q = -q(x)$$

其结果又恰是梁上分部荷载集度 $q(x)$。式中出现的负号是因为分布的荷载方向向下。事实上,弯矩、剪力和分布荷载之间的这种关系,在直梁中是普遍存在的。如能找到反映弯矩、剪力和荷载集度三者的联系,并掌握这种关系,将有利于内力的计算和内力的绘制和校核。下面从一般情况来找出这三者之间的关系和规律并说明其应用。

一、弯矩、剪力和荷载集度间的关系

设在图 11-27a)所示梁上作用有任意分布荷载 $q(x)$,规定 $q(x)$ 向下为负。从梁上横坐标距 A 支座 x 处取一微段 dx,如图 b)所示。因为是微段,所以其上的分布荷载 $q(x)$ 可视为均布荷载,则微段的受力图如图 b)所示。

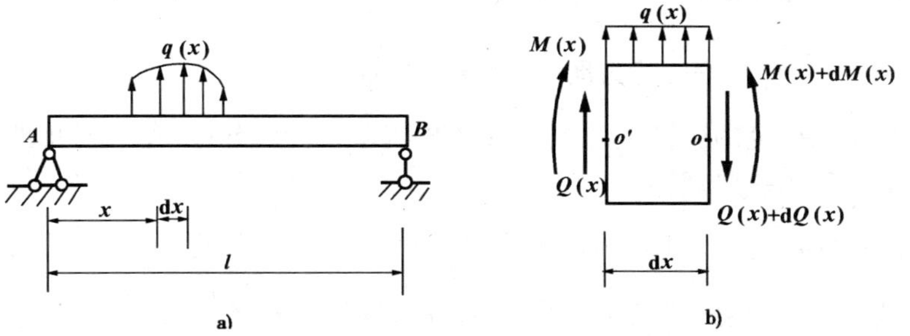

图 11-27

该微段梁左侧横截面上的剪力为 $Q(x)$,弯矩为 $M(x)$;右侧横截面上的剪力为 $Q(x)+dQ(x)$,弯矩为 $M(x)+dM(x)$。微段上作用有分布荷载 $q(x)$。

因为梁是处于平衡状态,所示截取的微段梁也应该是平衡的。由平衡条件,则有:

$$\sum Y=0 \qquad Q(x)-\{Q(x)+dQ(x)\}+q(x)dx=0$$

$$\frac{dQ(x)}{dx}=q(x) \tag{11-1}$$

结论一 梁上任一横截面上的剪力对 X 的一阶导数等于梁上相应位置分布荷载的集度。

由微分段的平衡条件,$\sum M_0=0$

有
$$M(x)+Q(x)dx+\frac{1}{2}q(x)dx^2-M(x)+dM(x)=0$$

略去二次微量$\frac{1}{2}q(x)dx^2$,经整理得:

$$\frac{dM(x)}{dx}=Q(x) \tag{11-2}$$

结论二 梁上任一横截面上的弯矩对 X 的一阶导数等于梁上相应截面上的剪力值。

从式(11-1)和(11-2)二式可推得

$$\frac{dQ(x)}{dx}=\frac{d}{dx}(\frac{dM(x)}{dx})=q(x)$$

得
$$\frac{d^2M(x)}{dx^2}=q(x) \tag{11-3}$$

结论三 梁上任一横截面上的弯矩对 x 的二阶导数等于梁上相应位置分布荷载的集度。

以上三式就是弯矩、剪力和荷载集度三者之间的关系式。应注意,以上三式是在这种符号规定下得到的,剪力、弯矩的正负规定和前面一样,分布荷载以向上为正。

二、弯矩,剪力和荷载集度微分关系在内力图上的应用

由数学知识我们知道,一阶导数的几何意义是代表曲线上的切线斜率,所以,$\frac{dQ(x)}{d(x)}=q(x)$与$\frac{dM(x)}{d(x)}=Q(x)$分别代表剪力图与弯矩图上的切线斜率。

$\frac{dQ(x)}{d(x)}=q(x)$表明:剪力图中曲线上各点的切线斜率等于梁上各相应位置分布荷载的集度。$\frac{dM(x)}{dx}=Q(x)$表明:弯矩图中曲线上各点的切线斜率等于梁上各相应截面上的剪力。$\frac{d^2M(x)}{dx^2}=q(x)$表明:弯矩图曲线的切线斜率的变化率,可以用来判定弯矩图的凹凸情况。

三、剪力图、弯矩图的规律

根据弯矩、剪力和荷载集度的微分关系式以及其几何意义,可分析出在下列几种情况下梁上的剪力、弯矩和荷载之间的一些规律。

1. 当某段梁上无分布荷载,即$q(x)=0$或$\frac{dQ(x)}{d(x)}=q(x)=0$时,得$Q(x)=$常数,剪力图为一水平直线(或者从斜率上看:此段剪力图曲线上各点的切线斜率均为0,所以剪力为水平直线),$\frac{dM(x)}{dx}=Q(x)=$常数可知,$M(x)$为x的一次函数,所以该段弯矩图为一斜直线(或者从斜率上看,此段弯矩图曲线上各点的切线斜率都相同,所以弯矩图为一斜直线)。其中包括:

(1)当$Q(x)$为正常数时,弯矩图为指向右下方的斜直线(\);

(2)当$Q(x)$为负常数时,弯矩图为指向右上方的斜直线(/);

(3)当$Q(x)$为常数0时,弯矩图为水平直线(—)。

2. 当某段梁上有均布荷载,即$q(x)=$常数或$\frac{dQ(x)}{d(x)}=q(x)=0$常数可知,$Q(x)$为$x$的一次函数,剪力图为斜直线(或者从斜率上看:此段剪力图曲线上各点的切线斜率相同,所以剪力图为一斜直线);由$\frac{dM(x)}{d(x)}=Q(x)$及$Q(x)$为x的一次函数可知,$M(x)$为x的二次函数,所以该段弯矩图为二次曲线(抛物线)。

其中包括:

(1)当$q(x)$为向上作用的正常数时,剪力图为指向右上方的斜直线(/);弯矩图为凹向上的二次抛物线,即斜率逐渐增大(⌒)。

(2)当$q(x)$为向下作用的负常数时,剪力图为指向右下方的斜直线(\);弯矩图为凸向下的二次抛物线,即斜率逐渐减小(⌣)。

(3)剪力图上的零点,对应着弯矩图二次抛物线的顶点。

3. 当某段梁上有按x的一次函数分布的荷载时,剪力图为二次曲线,弯矩图就为三次曲线。荷载图上的零点,对应着剪力图二次曲线的顶点,也对应着弯矩图三次曲线的拐点。

4. 弯矩图的极值:在$Q(x)=0$处,由于$\frac{dM(x)}{dx}=Q(x)=0$,因此$M(x)$在该点处有极值;反

之，弯矩有极值的截面上，剪力一定等于零。当 $Q(x)$ 从正变负时，弯矩有极大值；当 $Q(x)$ 从负变成正时，弯矩有极小值。

现将荷载、剪力图和弯矩图之间的关系列于表 11-2 中，以便应用。

梁的荷载、剪力图、弯矩图之间的关系 表 11-2

	梁上荷载情况	剪力图	弯矩图
1	无分布荷载 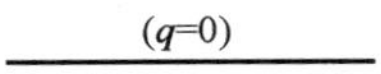 	Q 图为水平直线 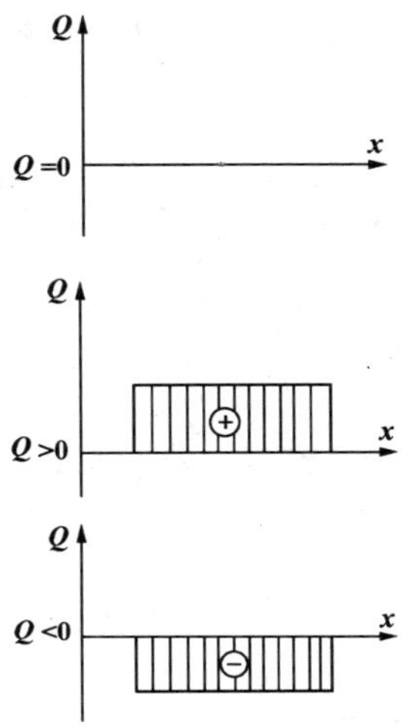 	M 图为斜直线 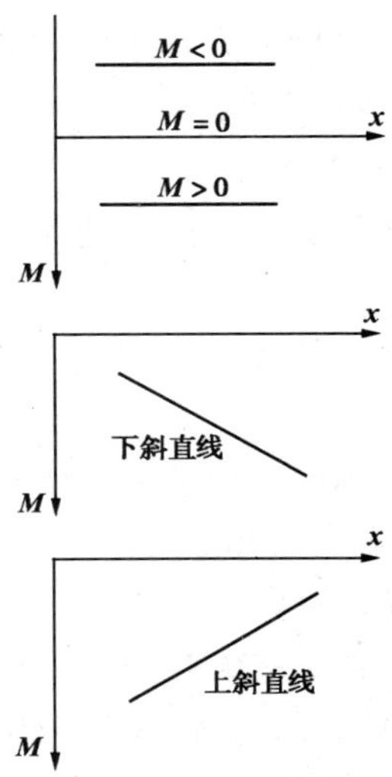
2	均布荷载向上作用 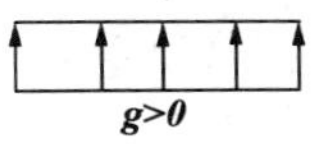 	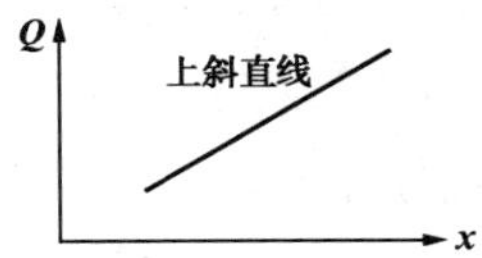 	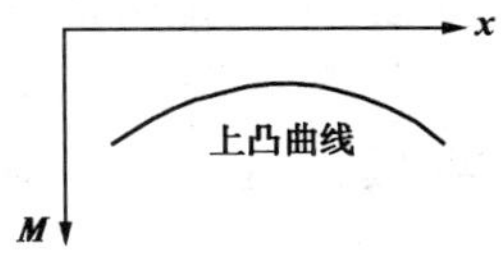
3	均布荷载向下作用 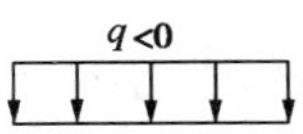 	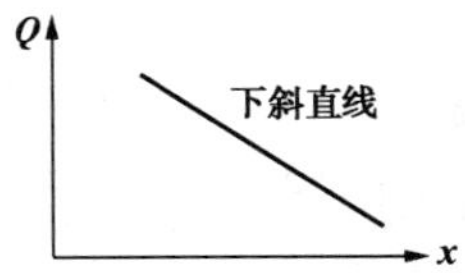 	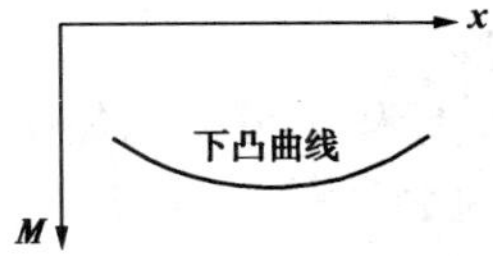
4	集中力作用 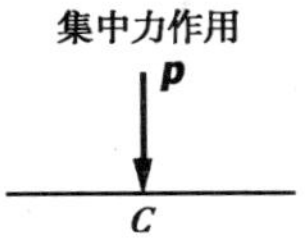 	C 截面有突变 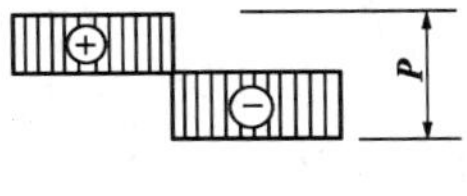 	C 截面有转折 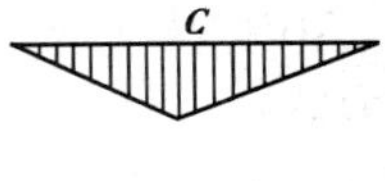
5	集中力偶作用 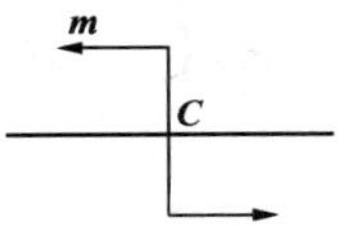 	C 截面无变化	C截面有突变 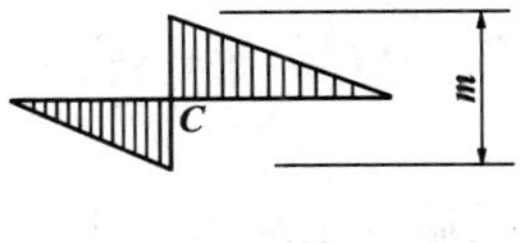
6		$Q=0$ 截面	M 有极值

利用 $q(x)$、$Q(x)$ 和 $M(x)$ 三者之间的微分关系，不必写出方程，直接由荷载表 11-2 就可为梁段的 Q 图和 M 图定性。因此它能使所求内力图得到简化，同时能对已作出的 Q 图和 M 分段进行校核。

例 11-13 一外伸梁，梁上荷载如图11-28a)所示，画出该梁的内力图。

解 (1)计算支座反力

$\sum M_A = 0$ $\qquad Y_A = 8\text{kN}$ (↑)

$\sum M_B = 0$ $\qquad Y_B = 20\text{kN}$ (↑)

(2)画内力图 画内力图时，应根据课上的受荷载情况将梁进行分段，本题可分为 AC、CB、BD 共三段。

剪力图：

AC 段：梁上无均布荷载，该段的剪力图应为一水平线(—)。

$$Q_{A右} = Q_{C左} = Y_A = 8\text{kN}$$

CB 段：梁上无均布荷载，该段的剪力图应为一水平线(—)。

$$Q_{C右} = Q_{B左} = -12\text{kN}$$

注意：C 点有集中力 P 作用，所以剪力图产生突变，由 8kN 突变到 -12kN。突变的绝对值应等于 $P = 20\text{kN}$。

BC 段：有一均布荷载 $q = 4\text{kN/m}$ 且方向向下作用，所以剪力图为向右下方的一斜直线(\)。$Q_{B右} = 8\text{kN}$

最后作出剪力图。如图 11-28b)所示。

弯矩图：

AC 段：梁上无均布荷载，该段的弯矩图为向右下方的一斜直线(\，因为 $Q > 0$)。

$$M_c = 16\text{kN·m}$$

DB 段：梁上无均布荷载，该段弯矩图为向右上方的一斜直线(/，因为 $Q < 0$)。

$$M_B = 8\text{kN·m}$$

BC 段：梁上有均布荷载且方向向下，所以弯矩图为向下凹的二次抛物线，且为负(梁上部受拉)。

最后作出弯矩图如图 11-28c)所示。

例 11-14 一简支梁，梁上荷载如图11-29a)图所示，画出此梁的内力图。

解 (1)计算支座反力

$$\sum M_A = 0 \qquad Y_A = 8\text{kN}(\uparrow)$$

$$\sum M_B = 0 \qquad Y_B = 4\text{kN}(\uparrow)$$

(2)画内力图：根据题意，可将梁分为 AC、CD、DB 共三段。

剪力图：

AC 段：梁上有均布荷载，该段的剪力图应为向右下方向一斜直线(\，因为 g 向下)。

$$Q_{A左} = 8\text{kN}$$

$$Q_{C右} = -4\text{kN}$$

CD、DB 段均无集中和无均布力作用，该两段的剪力图为一水平直线(—)。

$$Q_{C左} = Q_{B右} = -4\text{kN}$$

最后画出剪力图如图 11-29b)所示。

弯矩图：

AC 段:梁上有均布荷载,方向向下,该段的弯矩图为凸向下的二次抛物线(︶)

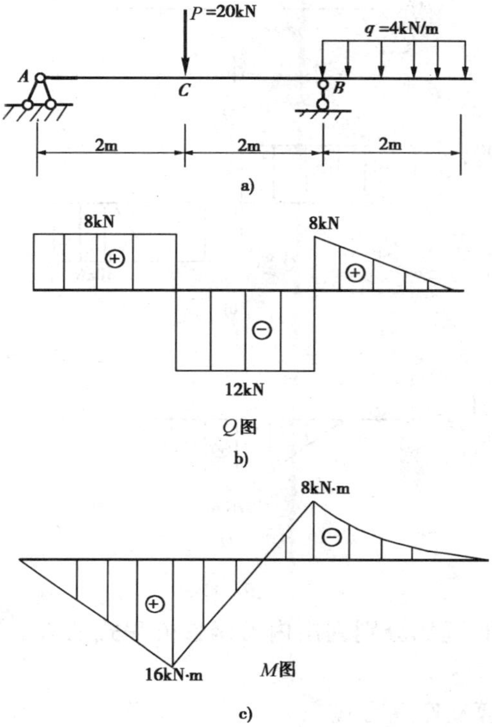

图 11-28

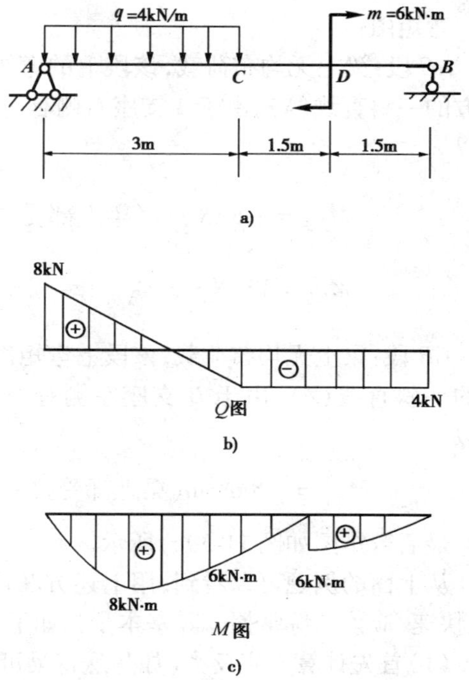

图 11-29

$$M_{C左}=6\text{kN}\cdot\text{m}$$

CD 段:梁上无均布荷载,该段的弯矩图为向右上方的一斜直线(/,因为 $Q<0$)

$$M_{C右}=6\text{kN}\cdot\text{m} \quad M_{D左}=0$$

DB 段:梁上无均布载,该段的弯矩图为向右上方的一斜直线(/,因为 $Q<0$)。注意在 *D* 点有一集中力偶 *m*,因此弯矩图在这些点要发生突变,突变的绝对值应等于力偶,$M_{D右}=6\text{kN}\cdot\text{m}$。

最后画出弯矩如图 c)所示。

例 11-15 一简支梁,梁上荷载如图11-30a)所示,画出内力图。

解 (1)求支座反力

根据题意,因为是对称荷载,故

$$Y_A=Y_B=\frac{P}{2}=10\text{kN}(\uparrow)$$

(2)画内力图:将梁分为 *AC*、*CB* 两段。

剪力图:

AC 段:梁上无均布荷载,该段的剪力图为一水平线(—)

$$Q_{A右}=Q_{C左}=10\text{kN}$$

CB 段:同理也为一水平线(—)

$$Q_{C右}=Q_{B左}=-10\text{kN}$$

注意：C 点有一集中力 P 的作用，剪力在 C 点处发生突变，其值为 P。

最后剪力图如图 11-30b）所示。

弯矩图：

AC 段：梁上无均布荷载，该段上的弯矩图为向右下方的一斜直线（\），由于 A 支座右侧有一集中力偶，所以

$$M_{A右} = -8kN \cdot m（梁上部受拉）$$

$$M_{C左} = 12kN \cdot m$$

CB 段：梁上无均布荷载，该段上弯矩图为向右上方的一斜直线（/），由于 B 支座左侧有一集中力偶，所以

$$M_{B左} = -8kN \cdot m（梁上部受拉）$$

最后弯矩图如图 11-30c）所示。

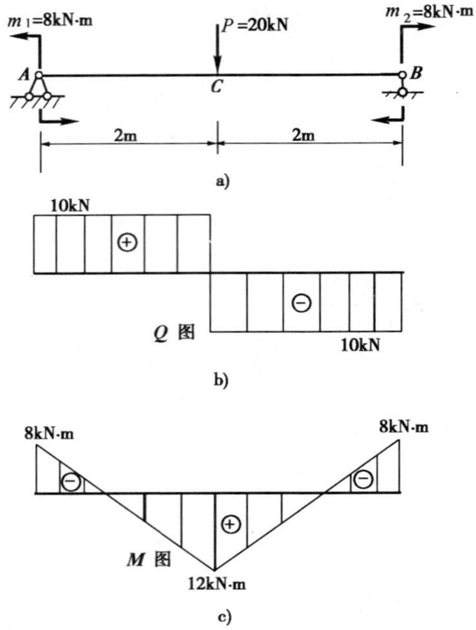

图 11-30

从上面的例题可以看到，用上述方法画内力图，远比分别列出内力函数方程式的方法简便、快速，应该熟练掌握。其基本步骤如下：

（1）首先计算支座反力（如是悬臂梁可不需计算支座反力）。

（2）根据梁上的受力情况进行分段。分段原则与上节求内力函数方程式的分段原则相同。

（3）计算出各特殊点上的内力值。

（4）根据各段梁上的受力情况，确定各段内力图的形状（可参考表 11-2），画出内力图。

特别需要指出的是，用列函数方程式来绘制内力图是最基本的方法。应该在掌握基本方法的基础上，再进一步掌握上述简捷法。

§11-5 叠加法画剪力图和弯矩图

在研究梁的内力的过程中，我们知道，当梁上有几种荷载作用时，梁的支座反力和内力可以用以下方式来计算：先分别计算每种（或每个）荷载单独作用下的反力，然后再将这些分别计算的结果代数相加。例如一简支梁上作用有集中力 P 和均布荷载 q，如图 11-31a）所示。

1. 在 q、P 共同作用下

$$Y_A = Y_B = \frac{P+ql}{2}$$

AC 段：

$$Q(x_1) = \frac{P+ql}{2} - qx_1$$

$$M(x_1) = \frac{P+ql}{2}x_1 - \frac{1}{2}qx_1^2 \qquad \left(0 \leqslant x_1 \leqslant \frac{l}{2}\right)$$

BC 段：

$$Q(x_2) = \frac{ql-P}{2} - qx_2$$

$$M(x_2) = \frac{ql-P}{2}x_2 - \frac{q}{2}x_2^2 - \frac{Pl}{2} \qquad \left(\frac{l}{2} \leqslant x_2 \leqslant l\right)$$

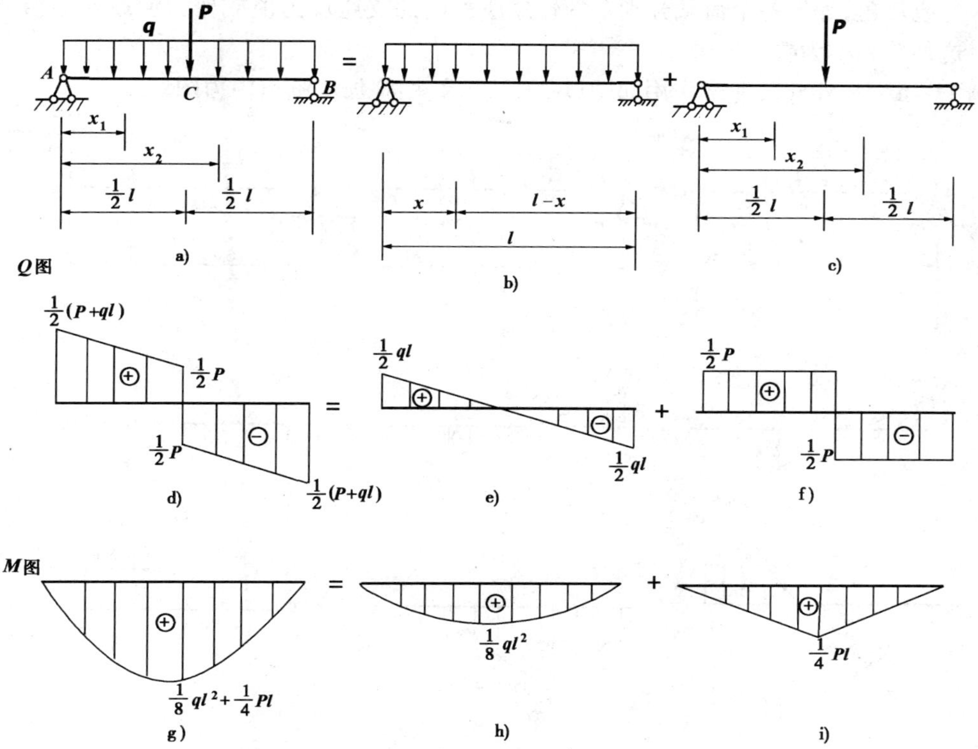

图 11-31

剪力图、弯矩图如图 11-31d)、g)所示。

2. 在 q 单独作用下

$$Y_A = Y_B = \frac{ql}{2}$$

$$Q(x) = \frac{ql}{2} - qx \qquad (0 < x < l)$$

$$M(x) = \frac{ql}{2}x - \frac{ql}{2}x^2 \qquad (0 \leqslant x \leqslant l)$$

剪力图、弯矩图如图 11-31e)、h)所示。

3. 在 P 单独作用下

$$Y_A = Y_B = \frac{1}{2}P$$

AB 段：

$$Q(x_1) = \frac{1}{2}ql$$

$$M(x_1) = \frac{1}{2}qx_1 \qquad \left(0 \leqslant x_1 \leqslant \frac{l}{2}\right)$$

CB 段：

$$Q(x_2) = -\frac{1}{2}q$$

$$M(x_2) = \frac{1}{2}ql - \frac{1}{2}qx_2 \qquad \left(\frac{l}{2} \leqslant x_2 \leqslant l\right)$$

剪力图、弯矩图如图 11-31f)、i)所示。

由上述计算结果得知，在 q、P 共同作用下所产生的支座反力或内力等于 q 与 P 单独作用时所产生的支座反力或内力值的叠加，即 1 = 2 + 3。即：梁在多个荷载作用下所产生的支座反力或剪力或弯矩，等于各个荷载分别单独作用所引起的支座反力值或剪力值或弯矩值的代数相加。这种关系称为叠加原理。

例 11-16 一外伸梁荷载作用如图11-32a）所示，用叠加法画出内力图。

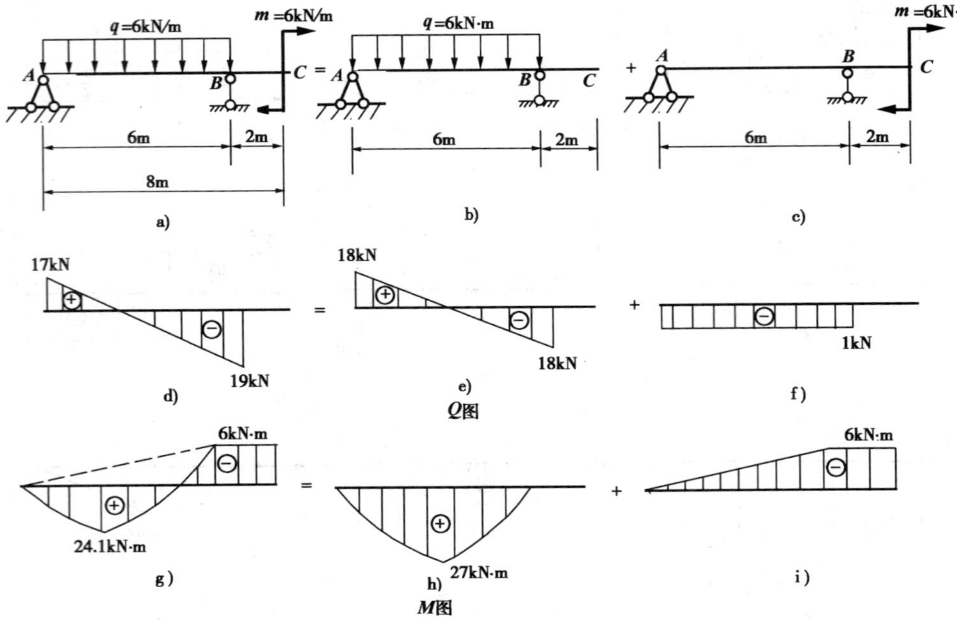

图 11-32

解 （1）首先分别画出 q 与 m 单独作用下的剪力图和弯矩图如图 11-32e）、f）、h）、i）。

（2）将剪力图 11-32e）、f）和弯矩图 11-32h）、i）图进行叠加其相应的纵坐标的代数和，得到图 11-32d）和图 11-32 e）。

（3）写出剪力图 11-32d）和弯矩图 11-32g）各特殊点的内力值。如图 11-32d）、g）。

小　　结

受弯构件是土建结构中最常用的构件之一，梁是较为典型的受弯构件。梁的内力分析及作内力图，是材料力学中一项其本内容，它具有普遍意义。在以后各章及后续课程中将常常用到。所以，希望读者掌握好本章的内容，为今后学习打好基础。

本章介绍的主要内容如下：

1. 平面弯曲的基本概念

（1）平面弯曲——是指外力作用在梁的纵向平面内，在这种情况下，梁的轴线变成为一条平面曲线的弯曲，称为平面弯曲。

（2）梁的计算简图，支座反力的计算方法。

支座反力的计算方法用梁的平衡方程式进行计算，有

$$\sum x = 0 \qquad \sum y = 0 \qquad \sum M = 0$$

2. 梁的横截面上的内力——剪力 Q 和弯矩 M

梁在受力弯曲时，其横截面上产生两个内力。

剪力——沿梁横截面上的切向分布内力的合力，用 Q 表示。

弯矩——沿梁横截面上法向分布内力组成的合力偶矩，用 M 表示。

3. 剪力和弯矩的计算方法

截面法：截面法的核心就是取隔离体，考虑到其中任一部分的平衡，用平衡方程求得剪力和弯矩的大小和实际方向。值得注意的是截面内力方向的确定：剪力的方向规定——左上右下取正号，反之取负号；弯矩的方向规定——左顺右逆取正号，反之取负号（一般在实际工程中，梁上部受拉为负值，下部受拉为正值）。

4. 剪力图和弯矩图的作法

（1）基本方法：根据 $Q(x)$ 和 $M(x)$ 的函数方程作内力图，要求必须掌握。

其步骤为：

①求支座反力（若是悬臂梁可以不求）；

②求出梁的内力函数方程：如果有集中力（包括支座反力）和集中力偶作用，以及分布规律发生变化处，就应对梁进行分段，写出分段内力函数方程；

③可求出各特殊点的内力值，以便画内力图用；

④绘出内力图——$Q(x)$ 图和 $M(x)$ 图。

（2）简捷法：利用 $M(x)$、$Q(x)$、$q(x)$ 间的微分关系，确定各段图形的大致形状绘制出的内力图。要求熟练掌握。

其步骤为：

①计算支座反力（如果是悬臂梁可不需计算）；

②根据梁上的受力情况进行分段。原则与"基本方法"分段原则相同；

③计算出各特殊点上的内力值；

④根据各段梁上的受力情况，确定各段内力图的形状（可参考表 11-2）画出内力图。

（3）叠加法：梁在多个荷载作用下所产生的支座反力或剪力或弯矩，等于各个荷载分别单独作用所引起的支座反力值或剪力值或弯矩值代数和相加。在熟悉掌握了单个荷载作用下的内力图的基础上，该方法较为适用。

习　题

11-1　计算图示各梁指定截面的内力。

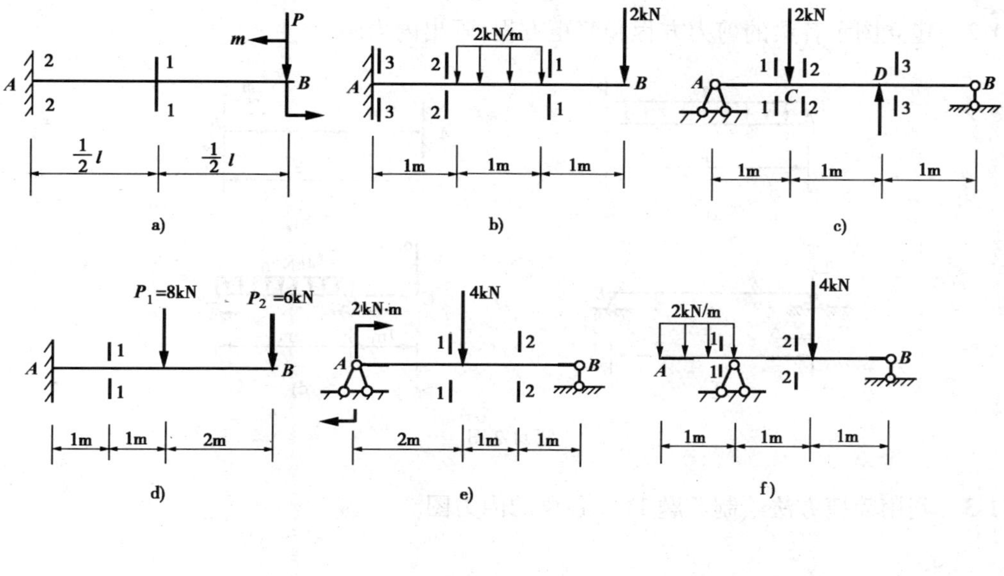

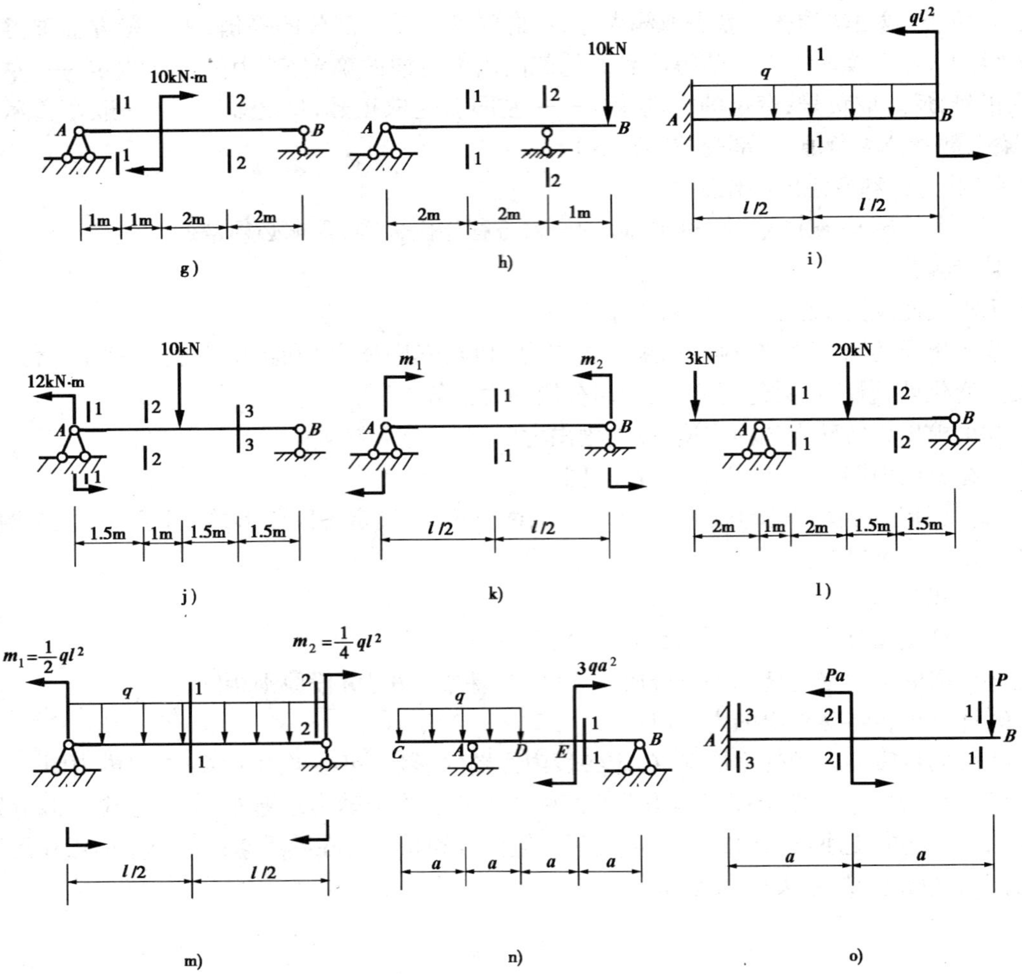

题 11-1 图

11-2 建立图示各梁的剪力方程和弯矩方程，画出内力图。

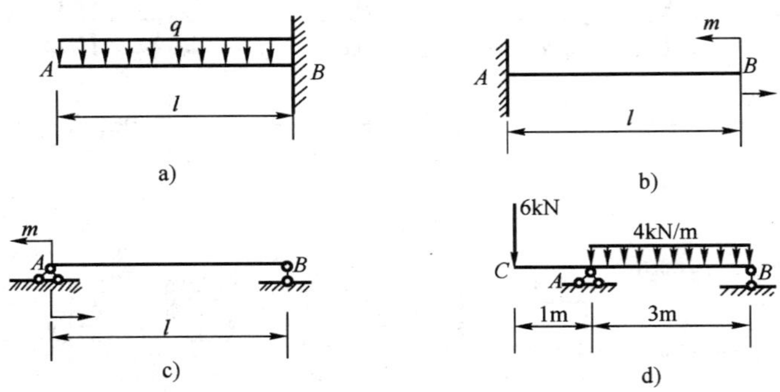

题 11-2 图

11-3 利用简捷方法绘制习题 11-2 各梁的内力图。

11-4　利用简捷法绘制各梁的内力图,并求出最长剪力和最大弯矩。

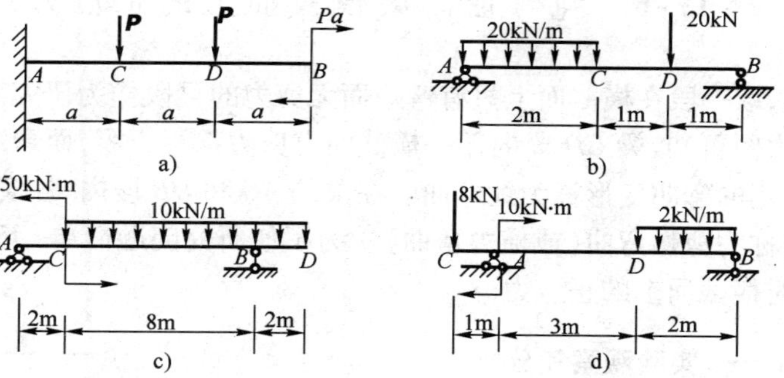

题 11-4 图

11-5　试用叠加法画下列各梁的内力图。

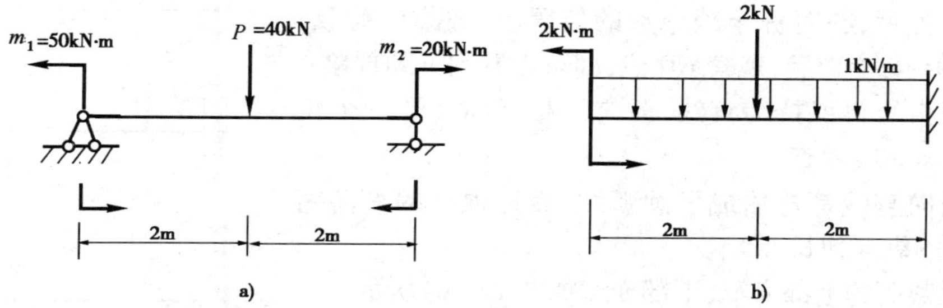

题　11-5 图

11-6　已知某简支梁的剪力图如图所示,试画出梁的荷载图和弯矩图。

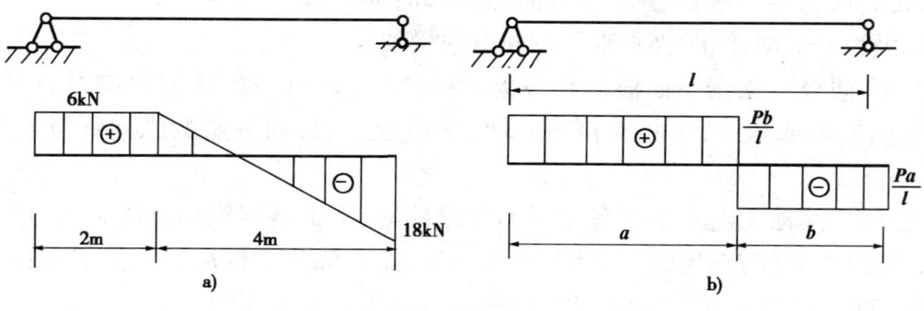

题 11-6 图

第十二章　弯曲应力

通过前一章的学习,我们已经掌握了梁的横截面上的内力计算及内力图绘制,并能确定最大内力值及其所在截面的位置,但还不能进行强度计算。本章将对梁的横截面上内力分布进行研究,即研究横截面上各点的应力,找出应力分布规律,确定应力计算公式,从而进行梁的强度计算问题的研究。

§12-1 纯弯曲时梁横截面上的正应力

为了便于研究，取一段在横截面上只有弯矩而无剪力的梁段作为研究对象。如图 12-1 所示的简支梁，由内力图可知，梁 CD 段内任一横截面上剪力都等于零，而弯矩均为常量 Pa。只有弯矩而无剪力作用的弯曲变形称为纯弯曲。在梁的 AC 和 DB 段内，各横截面上同时有剪力和弯矩。这种弯曲称为剪切弯曲（或横力弯曲）。为了使研究问题简单，下面以矩形截面梁为例，先研究纯弯曲时横截面上的正应力。

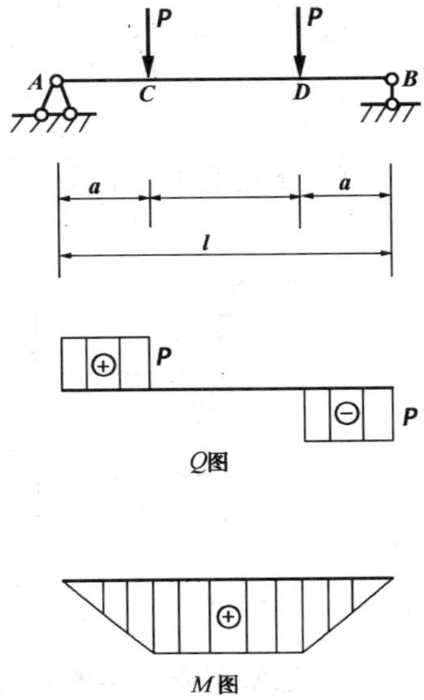

图 12-1

一、实验观察和分析

为了便于观察弯曲梁的变形，先在矩形截面梁表面上画上一系列与轴线平行的纵线及与轴线垂直的横线，如图 12-2a）所示。然后，在对称于跨中点的位置上，加集中荷载。如图 12-2b）所示，变形后，观察 CD 段，即可以看到下列现象：

（1）所有横线仍保持为直线，但它们相互间转了一个角度，且仍与纵向曲线垂直。

（2）各纵向直线都弯曲成了圆弧线，靠近顶面的纵向缩短，靠近底面的纵向伸长。

（3）矩形截面的上部变窄，下部变宽如图 12-2c）所示。

根据上面实验现象，可作出如下的分析和假设：

1. 平面假设　由材料均匀连续假设及平面弯曲的特点和以上现象，我们认为梁内部的变形与表面相同，即：梁的横截面在变形后仍为一平面，同时仍垂直于弯曲后的梁轴线。

2. 单向受力假设　根据平面假设和现象，将梁看成是由一层层的纵向纤维所组成，各纤维只受到轴向拉伸或压缩，不相互挤压。即：梁在变形后，同一层的纵向纤维长度的伸缩相同。

3. 中性层和中性轴　由于上部各层纵向纤维缩短，下部各层纵向纤维伸长，而梁的变形又是连续的，因此中间必有一层既不缩短，也不伸长，此层称为中性层。中性层与横截面的交线称为中性轴，如图 12-3b）所示，中性轴将横截面分为受拉和受压两个区域。

二、正应力公式的推导

通过上面的分析和假设，我们可以进一步找出纵向线应变沿梁高的变化规律，从而推导出正应力公式。

公式推导的基本思路是：先找线应变 ε 的变化规律，通过胡克定律，$\sigma = E\varepsilon$ 把线应变与正应力联系起来；再通过静力平衡条件把应力与内力联系起来，从而导出正应力的计算公式。推导方法与轴向拉、压和圆轴扭转时的应力公式相似，需要综合考虑几何变形规律、应力和应变的物理关系以及静力平衡条件三方面。

1. 几何变形规律

为了找出线应变 ε 的规律，我们从梁的纯弯曲段内截取长为 $\mathrm{d}x$ 微段来研究。如图 12-3a）所示。设 O_1O_2 为中性层，其长度为 $\mathrm{d}x$，两相邻横截面 mm 和 nn 转动后延交于 O 点如图 12-

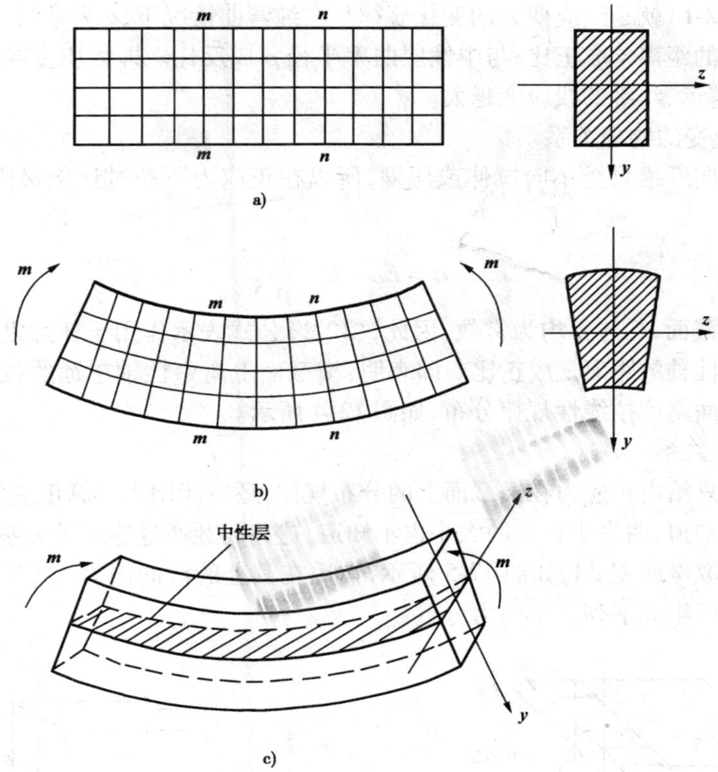

图 12-2

3c)图所示，O 点为中性层的曲率中心。中性层的曲率半径用 ρ 表示，两截面间的夹角以 $\mathrm{d}\theta$ 表示。现在研究距中性层为 y 的任一层上纤维 a_1b_1 的长度变化。

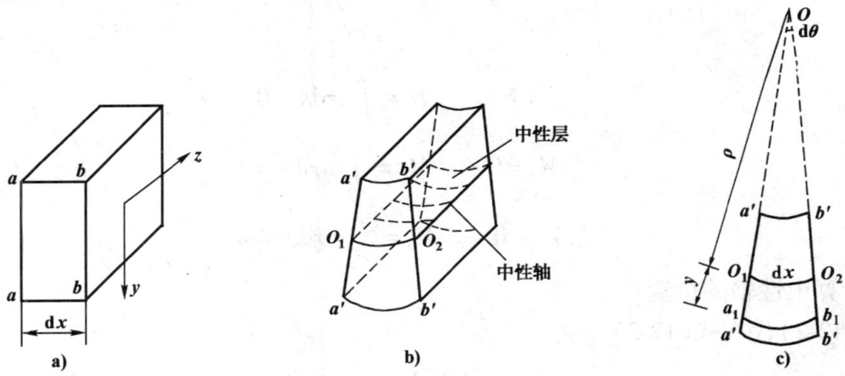

图 12-3

纤维$\overset{\frown}{ab} = \mathrm{d}x = \overset{\frown}{O_1O_2} = \rho\mathrm{d}\theta$，变形后的长度为 $a_1b_1 = (\rho + y)\mathrm{d}\theta$，故纵向纤维 a_1b_1 的相对长度为：

$$\varepsilon = \frac{\overset{\frown}{a_1b_1} - \overset{\frown}{ab}}{\overset{\frown}{ab}} = \frac{(\rho + y)\mathrm{d}\theta - \rho\mathrm{d}\theta}{\rho\mathrm{d}\theta} = \frac{y}{\rho}$$

即

$$\varepsilon = \frac{y}{\rho} \tag{12-1}$$

对于公式(12-1)就是线应变 ε 的变化规律。在纯弯曲情况下,ρ 为常量,所以线应变 ε 与该纤维至中性层的距离 y 成正比;与中性层曲率半径 ρ 成反比。即线应变与纤维所在的位置有关,离中性层越远,纤维的线应变越大。

2. 应力与应变的物理关系

由于假设纵向纤维只受单向拉伸或压缩,所以在正应力不超过比例极限时,由胡克定律可得:

$$\sigma = E\varepsilon = E \cdot \frac{y}{\rho} \tag{12-2}$$

对于确定的截面,E 与 ρ 均为常数,因此,(12-2)公式表示作用于任意纵向纤维上的正应力与该纤维至中性轴的距离 y 成正比。即表明:横截面上离中性轴越远的位置,正应力越大。弯曲正应力沿截面高度按线性规律分布,如图 12-4 所示。

3. 静力平衡关系

公式(12-2)只给出正应力在横截面上的分布规律,还不能用来计算正应力的数值,因为中性轴的位置还不知道,曲率半径 ρ 的大小也不知道,这些问题通过静力学关系来解决。

在横截面上取微面积 $\mathrm{d}A$,如图 12-5 所示,作用在其上的法向内力为 $\mathrm{d}N = \sigma\mathrm{d}A$,整个横截面上的法向内力可组成下列三个内力分量:

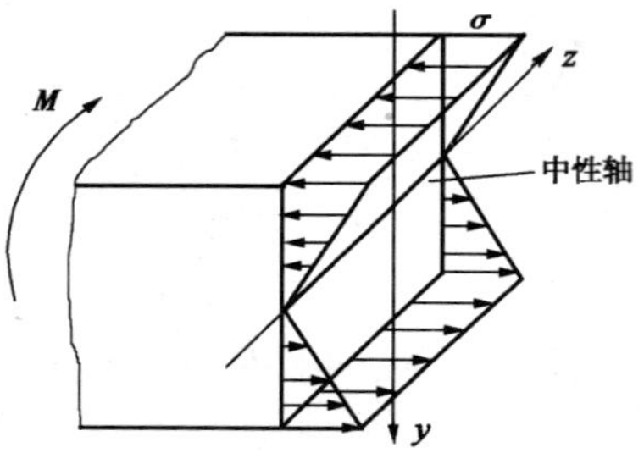

图 12-4

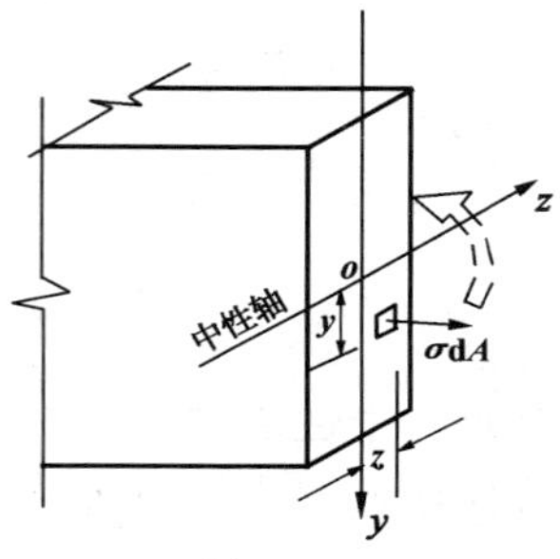

图 12-5

$$\sum X = 0 \qquad N = \int_A \sigma\mathrm{d}A = 0 \tag{12-3}$$

$$\sum M_y = 0 \qquad M_y = \int_A z\sigma\mathrm{d}A = 0 \tag{12-4}$$

$$\sum M_z = 0 \qquad M_z = \int_A y\sigma\mathrm{d}A = M \tag{12-5}$$

(1)计算中性轴的位置:

将式(12-2)代入式(12-3)

$$\int_A E \cdot \frac{y}{\rho}\mathrm{d}A = 0$$

得

$$\frac{E}{\rho}\int_A y\mathrm{d}A = 0$$

因为:$\frac{E}{\rho} \neq 0$ 故:

$$\int_A y\mathrm{d}A = 0$$

上式表明截面对中性轴的静矩必须等于零。由此可知,在直梁弯曲时,中性轴 Z 必定通过截面的形心。

(2)确定曲率$\frac{1}{\rho}$

将式(12-2)代入式(12-5)得:

$$\int_A \frac{E}{\rho} y^2 \mathrm{d}A = M$$

即

$$\frac{1}{\rho} \int_A E y^2 \mathrm{d}A = M$$

式中$\int_A y^2 \mathrm{d}A = I_z$为横截面对中性轴的惯性矩;所以上式可写成:

$$\frac{1}{\rho} = \frac{M}{EI_z} \tag{12-6}$$

式中$\frac{1}{\rho}$是与M成正比而与梁的弯曲刚度EI_z成反比,它反映了梁的变形程度。EI_z称为梁的弯曲刚度。梁的弯曲刚度的物理意义是表示梁抵抗弯曲变形的能力。梁的弯曲刚度大,曲率$\frac{1}{\rho}$就小,即梁的弯曲变形就小,式(12-6)是计算梁变形的基本公式。今后讨论梁的变形和压杆稳定时,都将用到它。

将式(12-6)代入式(12-2)得:

$$\sigma = \frac{Ey}{\rho} = \frac{M}{EI_z} Ey \qquad \therefore \sigma = \frac{My}{I_z} \tag{12-7}$$

式中:σ——横截面上任一点处的正应力;

M——横截面上的弯矩;

y——横截面上任一点到中性轴的距离;

I_z——横截面对中性轴z轴的惯性矩。

式(12-7)是梁在纯弯曲时横截面上任一点的正应力计算公式。式(12-7)表明,梁横截面上任一点的正应力σ与截面上的弯矩M和该点到中性轴的距离y成正比。正应力沿截高度面成直线分布。中性轴上正应力为零,如图12-4所示。

在计算正应力时,可将M和y的绝对值代入公式,正应力的性质(拉或压)由弯矩M的正负及所求点的位置来判断。当M为正时,梁的下部受拉,上部受压;所以中性轴以下为拉应力,中性轴以上为压应力。当截面的M为负时,中性轴以下为压应力。

三、正应力公式的使用条件

1. 正应力计算公式(12-7)适用于梁的最大正应力不超过材料的比例极限。

2. 正应力计算公式(12-7)式是在梁纯弯曲下推导出来的,但实际工程中的梁,其横截面上大多同时存在着的弯矩和剪力,但根据实验和进一步理论研究的分析可知,剪力对正应力分布规律影响很小,因此,对剪力弯曲的情况式(12-7)仍然适用。

3. 公式(12-7)是由矩形截面梁推导出来的,但它仍然适用于所有横截面有纵向对称轴的梁,如圆形、圆环形、工字型、T形截面的梁。

例12-1 长为L的矩形截面梁如图12-6所示。已知$h=0.18\text{m}$;$b=0.12\text{m}$;$y=0.06\text{m}$;$a=2\text{m}$;$q=2\text{kN/m}$,计算C截面上m点的正应力。

解 (1)计算C截面的弯矩

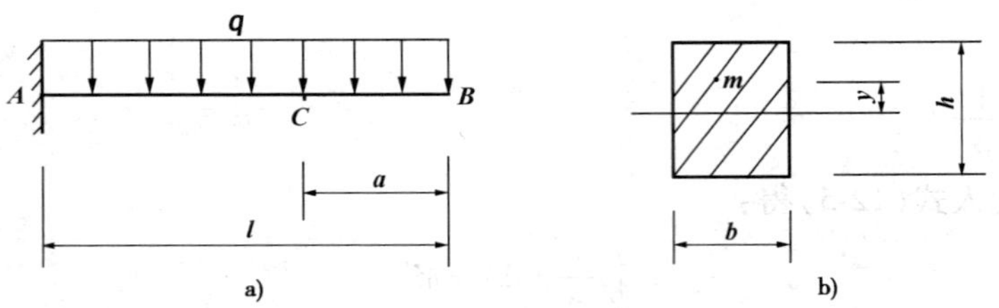

图 12-6

$$M_C = -aq \cdot \frac{a}{2} = \frac{-1}{2}qa^2 = \frac{-1}{2} \times 2 \times 2^2 = -4\text{kN} \cdot \text{m}$$

(2)计算截面对中性轴 z 的惯性矩

$$I_z = \frac{bh^3}{12} = \frac{0.12 \times 0.18^3}{12} = 0.583 \times 10^{-4}\text{m}^4$$

(3)计算 C 截面 m 点的正应力

$$\sigma_m = \frac{M_C}{I_z}y = \frac{4 \times 10^3 \times 0.06}{0.583 \times 10^{-4}} = 4.12\text{MPa}$$

截面 C 的弯矩为负,表明中性轴 z 的上部受拉,而 m 位于 z 轴上方,故该点的应力为拉应力。

例 12-2 长为 l 的一圆形截面梁如图 12-7 所示。已知 $P = 4\text{kN}$,$l = 6\text{m}$,圆形截面半径 $R = 100\text{mm}$。试求:

(1)C 截面上 a、b 两点处的正应力;

(2)梁的最大正应力 σ_{max} 值及其位置。

解 (1)计算 A、B 两点的支座反力

$$Y_A = Y_B = \frac{P}{2} = 2\text{kN} \qquad (\uparrow)$$

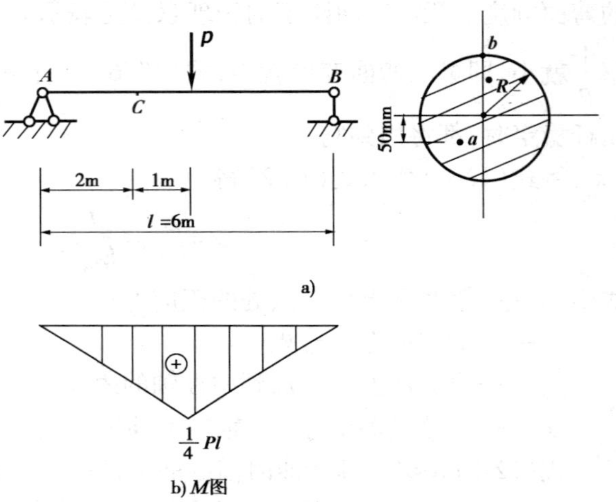

图 12-7

(2)计算 C 截面的弯矩

$$M_c = Y_A \times 2 = 2 \times 2 = 4\text{kN} \cdot \text{m}$$

(3)计算截面对中性轴 z 的惯性矩

$$I_z = \frac{\pi D^4}{64} = \frac{\pi}{64}(2R)^4 = \frac{\pi}{64} \times 16 \times (100)^4 = 78.54 \times 10^6\text{mm}^4 = 78.54 \times 10^{-6}\text{m}^4$$

(4)计算 C 截面 a、b 两点的正应力

$$\sigma_a = \frac{M_C}{I_z} \cdot y_a = \frac{4 \times 10^6 \times 50}{78.54 \times 10^6} = 2.55\text{MPa} \quad (\text{拉应力})$$

$$\sigma_b = \frac{M_C}{I_z}y_b = \frac{4 \times 10^6 \times 100}{78.54 \times 10^6} = 5.09\text{MPa} \quad (\text{压应力})$$

(5)计算梁的最大正应力 σ_{max} 值及位置

梁的最大正应力发生在 M_{max} 截面的上下边缘处。由梁的变形情况可以判定,最大拉应力发生在跨中截面的下边缘处,最大压应力发生在跨中截面的上边缘处。弯矩图如图 12-7b)所示。

$$M_{max}=\frac{1}{4}Pl=\frac{1}{4}\times 4\times 6=6\text{kN}\cdot\text{m}$$

故最大正应力 $$\sigma_{max}=\frac{M_{max}\cdot y_{max}}{I_z}=\frac{6\times 10^6\times 100}{78.54\times 10^{-6}}=7.64\text{MPa}$$

例 12-3 截面为No. 32a工字钢的外伸梁受力如图 12-8 所示。试求 C 截面上 a、b 两点处的正应力。

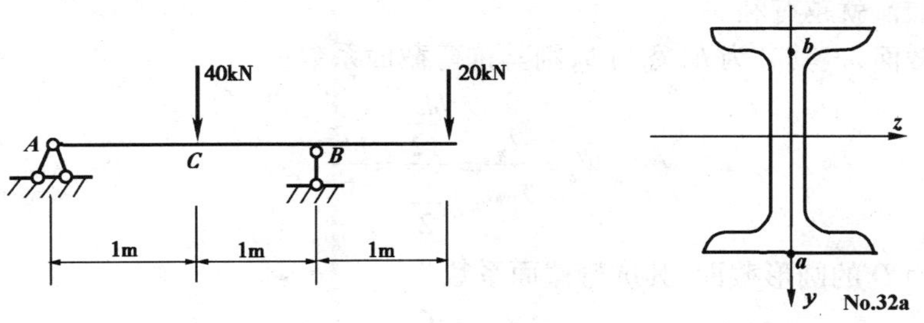

图 12-8

解 (1)计算 A、B 两点的支座反力

$$Y_A=10\text{kN}(\uparrow) \qquad Y_B=50\text{kN}(\uparrow)$$

(2)计算 C 截面的弯矩

$$M_C=10\text{kN}\cdot\text{m}$$

(3)计算截面对中性轴 z 的惯性矩

因为是工字型钢，所以可由型钢表查得 No. 32a 的惯性矩：

$$I_z=11\ 075.5\text{cm}^4=110.755\times 10^{-6}\text{m}^4$$

(4)确定 a、b 两点到中性轴的位置

查表得：$y_a=160\text{mm}$ $\quad y_b=145\text{mm}$

(5)计算 C 截面 a、b 两点的正应力

$$\sigma_a=\frac{M_C}{I_z}y_a=\frac{10\times 10^6\times 160}{110.755\times 10^{-6}}=14.45\text{MPa} \quad (\text{拉应力})$$

$$\sigma_b=\frac{M_C}{I_z}y_b=\frac{10\times 10^6\times 145}{110.755\times 10^{-6}}=13.09\text{MPa} \quad (\text{压应力})$$

§12-2 梁的正应力强度计算

在实际工程上，为了保证梁的安全工作，梁内的最大正应力不能超过一定的限度，有了正应力计算公式后，就可以计算出梁的最大正应力，从而建立正应力强度条件，对梁进行强度计算。

一、最大正应力

对于梁的某一横截面，最大正应力应在距中性轴最远的位置，对于整个梁结构最大正应力值为：

$$\sigma_{max}=\frac{M_{max}\cdot y_{max}}{I_z}$$

令 $W_z = \dfrac{I_z}{y_{max}}$ 得

$$\sigma_{max} = \frac{M_{max}}{W_z} \tag{12-8}$$

式中,W_z 称为抗弯截面系数,它是一个与截面形状尺寸有关的几何量。常用单位是立方米(m^3)或立方毫米(mm^3)。W_z 反映截面形状和尺寸对弯曲强度的影响,W_z 值越大,σ_{max}就越小,从强度角度看,就越有利。

对于矩形截面,设其高为 h,宽为 b,则其抗弯截面系数:

$$W_z = \frac{I_z}{y_{max}} = \frac{\dfrac{bh^3}{12}}{\dfrac{h}{2}} = \frac{bh^2}{6}$$

对于直径为 D 的圆形截面,其抗弯截面系数为:

$$W_z = \frac{I_z}{y_{max}} = \frac{\dfrac{\pi D^4}{64}}{\dfrac{D}{2}} = \frac{\pi D^3}{32}$$

对于各种型钢截面的抗弯截面系数可以从附录型钢表中查得。

二、正应力强度条件

为了保证梁能在安全范围内工作,必须使梁截面上的最大正应力 σ_{max}不能超过材料的容许应力$[\sigma]$,因而有:

$$\sigma_{max} = \frac{M_{max}}{W_z} \leqslant [\sigma] \tag{12-9}$$

上式就是梁的正应力强度条件。式中的$[\sigma]$称为抗弯容许应力,各种材料的$[\sigma]$在有关规范中均有具体的规定。

根据强度条件,可解决工程中常见的下列三类问题:

1. 强度校核　在已知梁的材料和横截面的形状、尺寸以及所受荷载的情况下,可以检查梁是否满足正应力强度条件。即:

$$\frac{M_{max}}{W_z} \leqslant [\sigma]$$

2. 选择截面尺寸　也叫截面设计。当已知荷载和所用材料时,可根据强度条件,先计算出所需的抗弯截面系数:

$$W_z \geqslant \frac{M_{max}}{[\sigma]}$$

然后根据梁的截面形状,由 W_z 确定截面的具体尺寸。

3. 计算梁的许可荷载　即计算梁所承受的最大荷载。已知梁截面尺寸,则先根据强度条件算出梁所能承受的最大弯矩:

$$M_{max} \leqslant W_z[\sigma]$$

再由 M_{max}与荷载间的关系计算出梁的许可荷载。

例 12-4　如图12-9所示,悬臂梁由两个尺寸为 125 × 80 × 10 角钢组成,材料的容许应力$[\sigma] = 160MPa$,试按正应力校核梁的强度。

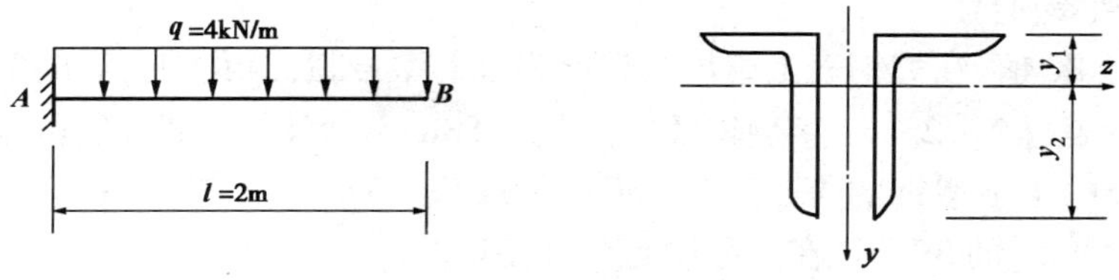

图 12-9

解 (1)计算最大弯矩 M_{max}

该梁为悬臂梁,最大弯矩在固定端截面 A 处

$$M_{max}=\frac{1}{2}\times4\times2^2=8\text{kN}\cdot\text{m}=8\times10^6\text{N}\cdot\text{mm}$$

(2)查附表取型钢表得:一个 L125×80×10 角钢的

$$I_z=312.04\text{cm}^4 \qquad y_1=41.4\text{mm} \qquad y_2=125-41.4=83.6\text{mm}$$

所以,整个截面的 $I_z=2\times312.04=624.1\text{cm}^4$

由于 $y_1<y_2$,所以下边缘的正应力最大,截面对下边缘的抗弯截面系数:

$$W_z=\frac{I_z}{y_z}=\frac{624.1\times10^4}{83.6}=7.47\times10^4\text{mm}^3$$

(3)求出正应力强度并校核其强度

$$\sigma_{max}=\frac{M_{max}}{W_z}=\frac{8\times10^6}{7.47\times10^4}=107.1\text{MPa}<[\sigma]$$

故:满足正应力强度要求。

例 12-5 如图12-10所示,一简支梁受两个集中力作用,已知 $P_1=10\text{kN}$,$P_2=40\text{kN}$,梁由两根工字钢组成,材料的容许应力$[\sigma]=170\text{MPa}$,试选择工字钢的型号。

解 (1)计算 A、B 两点的支座反力和最大弯矩 M_{max}

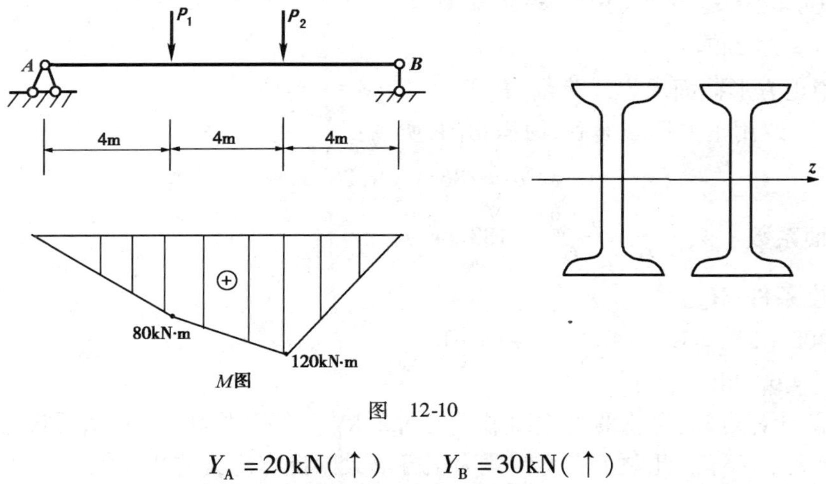

图 12-10

$$Y_A=20\text{kN}(\uparrow) \qquad Y_B=30\text{kN}(\uparrow)$$

从弯矩图中可知,最大弯矩值在 D 截面,其值为:

$$M_{max}=120\text{kN}\cdot\text{m}$$

(2)计算每根工字梁所需的抗弯截面系数为

$$W_z\geqslant\frac{M_{max}}{2[\sigma]}=\frac{120\times10^6}{2\times170}=353\times10^3\text{mm}^3=353\text{cm}^3$$

(3)选择工字钢型号

根据算得的 W_z 值,在型钢表上查出与该值相近的型号,就是我们所需的型号。

由附录型钢表得 No. 25a 工字型钢的 $W_z=401.88\text{cm}^3$,大于所需的 W_z,故采用两根 No. 25a 工字钢。如选择的工字型钢的 W_z 值略小于按强度条件算得的 W_z 值时,则应再校核一下强度,当 σ_{max} 不超过 $[\sigma]$ 的 5% 时,在工程中是允许使用的。

例 12-6 如图12-11所示。No. 40a工字钢梁,跨度 $L=8\text{m}$,跨中点受集中力 P 作用。已知 $[\sigma]=140\text{MPa}$ 考虑自重。求:

(1)梁的许用荷载 $[P_1]$。

(2)若将梁改用与工字钢截面面积相同的正方形截面,求此梁许用荷载 $[P_2]$。

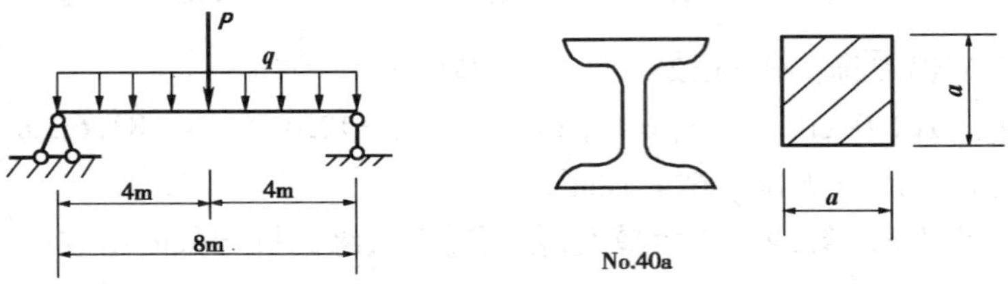

图 12-11

解 (1)由型钢表查得 No. 40a 工字钢每米长自重为 67.6kg,$q\approx 676\text{N/m}$,$W_z=1090\text{cm}^3$,$A=86.1\text{cm}^2$。

(2)计算工字钢的最大弯矩 M_{max}

$$M_{max}=\left(\frac{1}{8}ql^2+\frac{1}{4}P\right)l=\frac{1}{8}\times 676\times 8^2+\frac{1}{4}P\times 8=(5408+2P)\text{N}\cdot\text{m}$$

(3)计算工字型梁承受的最大荷载 $[P_1]$

根据强度条件:$M_{max}\leqslant W_z[\sigma]$

所以 $5408+2P_1\leqslant 1090\times 10^{-6}\times 140\times 10^6$

故:$[P_1]=73.6\text{kN}$

(4)改用正方形截面求容许荷载 $[P_2]$

根据题意:改用正方形截面后,面积相同,所以:

$$a=\sqrt{86.1}=9.28\text{cm}$$

抗弯截面系数 $W_z=\dfrac{a^3}{6}=\dfrac{9.28^3}{6}=133\text{cm}^3$

根据强度条件:$M_{max}\leqslant W_z[\sigma]$

所以:$5408+2P_2\leqslant 133\times 10^{-6}\times 140\times 10^6$

故:$[P_2]=6.6\text{kN}$

通过上例计算可知:尽管两种截面形式的面积相等,但其形状不同,从而抗弯截面系数不同,抗弯能力也不一样。此题工字型钢梁为正方形梁的抗弯能力的 8.2 倍。

$$\frac{W_{z工字形}}{W_{z正方形}}=\frac{1\,090}{133}=8.2$$

此题充分说明了采用不同截面形状的梁对其抗弯能力的影响很大。在实际工程中,我们常采用各种型钢梁而不采用正方形梁的道理就在于此。

例 12-7 如图12-12所示。已知材料的容许拉应力 $[\sigma_1]=30\text{MPa}$,容许压应力 $[\sigma_a]=$

60MPa，试校核梁的正应力强度。

解 （1）计算支座反力

$$Y_A=\frac{\frac{1}{2}q\times4^2-8\times2}{4}=\frac{\frac{1}{2}\times8\times4^2-8\times2}{4}=12\text{kN}\qquad(\uparrow)$$

$$Y_B=\frac{8\times6+\frac{1}{2}\times8\times4^2}{4}=28\text{kN}\qquad(\uparrow)$$

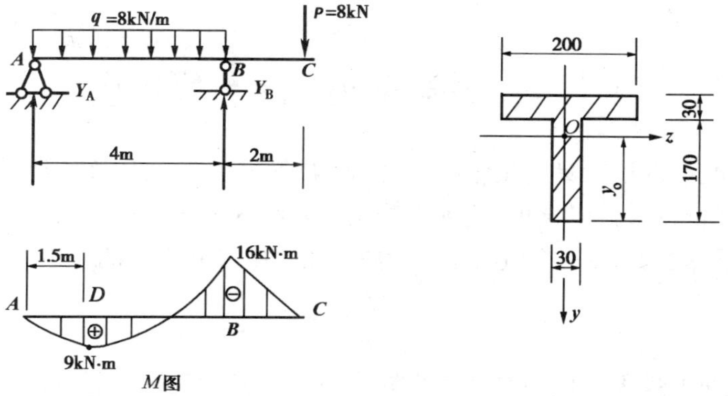

图 12-12

（2）绘制弯矩图如图 12-12 中 M 图所示。可见 B 截面有最大负弯矩，D 截面有最大正弯矩。

（3）确定中性轴位置及计算截面对中性轴的惯性矩必通过截面形心 O，而截面形心距底边为

$$y_O=\frac{\sum A_i\cdot y_{Oi}}{\sum A_i}=\frac{30\times170\times85+200\times30\times185}{30\times170+200\times30}=139\text{mm}$$

截面对中性轴 z 的惯性矩为：

$$I_z=\sum\cdot(I_{zO}+a^2A)=\frac{30\times170^3}{12}+170\times30\times54^2+\frac{200\times30^3}{12}+200\times30\times46^2$$

$$=40.3\times10^6\text{mm}^4$$

（4）强度校核

因为材料的抗拉和抗压性能不同，且截面又不对称于中性轴，所以需要对梁的最大拉应力与最大压应力分别进行强度校核。

B 截面强度校核：

该截面的弯矩为负值，说明上部受拉，最大拉应力发生在截面的上边缘，最大压应力发生在截面的下边缘。

$$\sigma_{l\max}=\frac{M_B y_{上}}{I_z}=\frac{16\times10^6\times61}{40.3\times10^{-6}}=24.22\text{MPa}<[\sigma_l]$$

$$\sigma_{a\max}=\frac{M_B y_{下}}{I_z}=\frac{16\times10^6\times139}{40.3\times10^{-6}}=55.19\text{MPa}<[\sigma_a]$$

D 截面强度校核：

该截面的弯矩为正值，说明下部受拉。最大拉应力发生在截面的下边缘；最大压应力发生在截面的上边缘。

$$\sigma_{\mathrm{lmax}}=\frac{M_{\mathrm{D}}y_{\text{下}}}{I_{z}}=\frac{9.0\times10^{6}\times139}{40.3\times10^{-6}}=31.04\mathrm{MPa}>[\sigma_{1}]$$

$$\sigma_{\mathrm{amax}}=\frac{M_{\mathrm{D}}y_{\text{下}}}{I_{z}}=\frac{9.0\times10^{6}\times61}{40.3\times10^{-6}}=13.62\mathrm{MPa}<[\sigma_{\mathrm{a}}]$$

σ_{lmax}不满足要求,所以梁的强度不够。

值得注意的是 D 截面的弯矩绝对值不是最大,但因截面的受拉边缘距中性轴较远,而求得的最大拉应力较 B 截面大。所以当截面不对称于中性轴时,对梁的最大正弯矩与最大负弯矩截面都要校核。

§12-3 提高梁抗弯强度的措施

在设计梁时,既要保证梁具有足够的强度,使梁在荷载作用下能安全地工作,又要充分发挥材料的潜力,节省材料,减轻自重,达到既安全又经济的要求。

在一般情况下,梁的弯曲强度是由正应力控制的,由等截面梁的正应力强度条件

$$\sigma_{\max}=\frac{M_{\max}}{W_{z}}\leqslant[\sigma]$$

可见,梁横截面上最大正应力与最大弯矩成正比,与抗弯截面系数成反比。所以提高梁的弯曲强度主要从提高 W 和降低 M 这两方面着手。

一、选择合理的截面形状

1. 根据抗弯截面系数与截面面积的比值$\frac{W_z}{A}$选择截面

梁所能承受的弯矩与抗弯截面系数 W_z 成正比,而用料的多少又与截面面积 A 成正比,所以合理的截面形状应该是在截面积相同的情况下具有较大的抗弯截面系数。也就是说$\frac{W_z}{A}$比值大的截面形状合理。

现在对同高度不同形状截面的$\frac{W_z}{A}$值作一比较:

对于矩形:
$$\frac{W_z}{A}=\frac{\frac{bh^2}{6}}{bh}=0.167h$$

对于正方形:
$$\frac{W_z}{A}=\frac{\frac{1}{6}h^3}{h^2}=0.167h$$

对于圆形:
$$\frac{W_z}{A}=\frac{\frac{1}{32}\pi h^3}{\frac{1}{4}\pi h^2}=0.125h$$

对于槽形和工字形:
$$\frac{W_z}{A}=(0.27\approx0.31)h$$

可见工字形,槽形截面比矩形截面合理,矩形截面比圆形截面合理。所以工字形,槽形截

面的$\frac{W_z}{A}$较大，比较经济。

除了与截面的$\frac{W_z}{A}$有关，还与截面的高度 h 有关。h 越大，截面面积分布得离中性轴越远，W_z 值就越大；相反，W_z 值就越小。由于工字形截面，槽形截面的大部分面积分布在离中性轴较远的上、下翼缘上，所以 W_z 值比矩形、圆形正方形的 W_z 值都大，因而更合理。

一般情况，截面面积相同时，工字形、槽形比矩形好，矩形比正方形好，方形又比圆形好。

截面形状的合理性，可以从正应力分布来分析。弯曲时，正应力沿截面高度直线规律分布，在中性轴附近正应力很小，这部分材料没有得到充分利用。如果把中性轴附近的材料尽可能减少，而把大部分材料布置在距中性轴较远处，则截面形状就显得合理。所以，在工程上常采用工字形、圆环形、箱形（图 12-13）等截面形式。建筑中常用的空心板以及挖孔的薄腹梁等就是根据这个原理制作的。

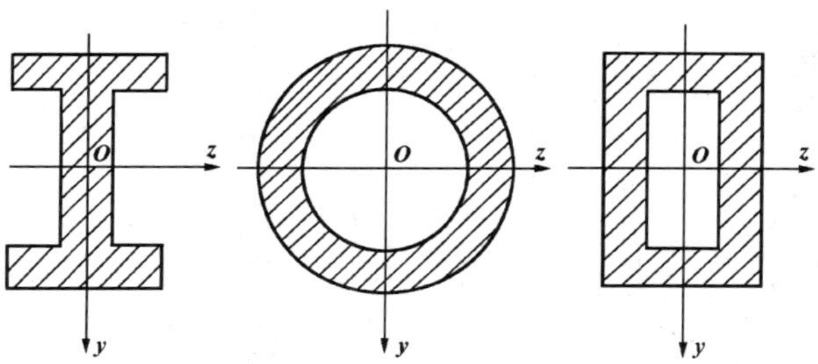

图 12-13

2. 根据材料特性选择截面

对于抗拉和抗压强度相等的塑性材料，一般采用对称于中性轴的截面，如工字形、圆形、矩形等截面，使得上、下边缘的最大拉应力和最大压应力相等。同时达到材料的容许应力值，比较合理。

对于抗拉和抗压强度不相等的脆性材料，最好选择不对称于中性轴的截面，如 T 字形、槽形（平放）等截面。使得截面受拉、受压的边缘到中性轴的距离与材料的抗拉、抗压的容许应力成正比（图 12-14）所示。这样，截面上的最大拉应力和最大压应力将同时达到容许应力。

以上是从强度和材料特性方面来考虑的，通常强度是决定截面形状的主要因素。此外，还应考虑刚度、稳定性以及制造、使用等方面的因素，在选择梁的截面时，应全面考虑各种因素。例如，从强度方面看，工字形截面比矩形截面好，但工字形截面加工起来比较困难，所以要综合考虑加工可能性和施工费用等，从而达到技术上可行而经济上又合理的要求。

二、合理布置支座和荷载位置，以降低弯矩最大值

1. 合理布置梁的支座

以简支梁受均布荷载作用为例［图 12-15a）］所示，跨中截面最大弯矩

$$M_{max} = \frac{1}{8}ql^2$$

若将两端支座各向中间移动 0.2l［图 12-15b）］，则最大弯矩

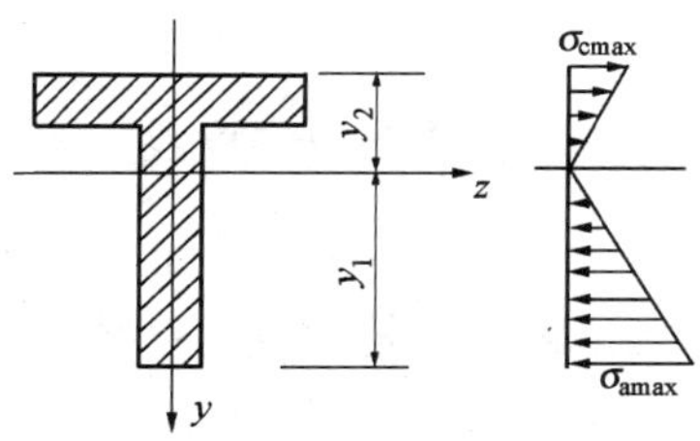

图 12-14

$$M_{max}=\frac{1}{40}ql^2$$

仅是前者的1/5,梁的截面尺寸就可以大大减小。

2. 改善荷载的布置情况

在可能的条件下,将集中荷载分散布置,可以降低梁的最大弯矩。例如图12-16a)所示,简支梁在跨中受一集中力 P 的作用,其 $M_{max}=\frac{1}{4}Pl$,若在 AB 梁上安放一根梁 CD[图12-16b)],则 AB 梁的 $M_{max}=\frac{1}{8}Pl$,只有原来的$\frac{1}{2}$。

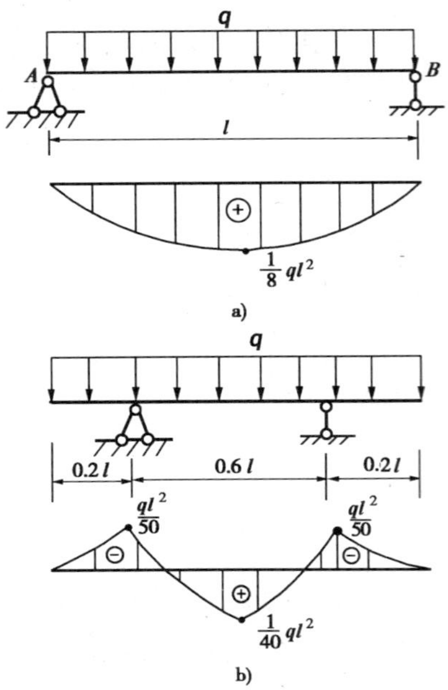

图 12-15

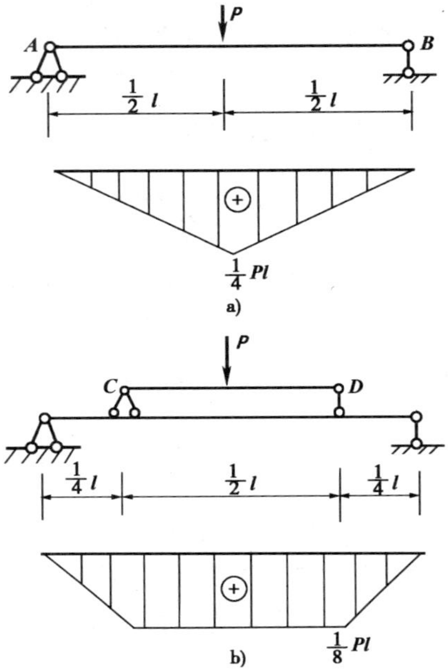

图 12-16

三、采用变截面梁

以上讨论了梁截面的合理形状,现在再从截面沿梁轴线的变化方面来讨论梁的经济合理性。

等截面梁的强度计算,都是根据危险截面上的最大弯矩值来确定截面尺寸的。如果采用等截面梁,对那些弯矩比较小的地方,材料就未能得到充分利用。为了节省材料,降低自重,应该在弯矩比较大的地方采用较大的截面,在弯矩小的地方采用较小的截面,这种截面尺寸沿梁轴线变化的梁,称为变截面梁,若使用每一横截面上的最大正应力都恰好等于材料的容许应力。

$$\sigma_{max}=\frac{M(x)}{W_z(x)}=[\sigma]$$

这样的梁被称为等强度梁。等强度梁的

$$W_z(x)=\frac{M(x)}{[\sigma]}$$

即各个截面的抗弯截面系数 $W_z(x)$ 将随截面上的弯矩 $M(x)$ 而变化。

从强度以及材料的利用上看,等强度梁是最理想的,但是,这种梁因截面的变化使其加工较为困难。因此,在实际工程中,常采用形状较简单而接近等强度梁的变截面梁。如图12-17

所示的梁是建筑工程中常见的几种变截面的实例。其中图 a)是房屋阳台或雨篷下的悬挑梁；图 b)是上下增加盖板的钢板梁；图 c)是盖板上的薄腹梁；图 d)是鱼腹式吊车梁；图 e)是机器的阶梯轴；图 f)是车辆中的钢板弹簧。

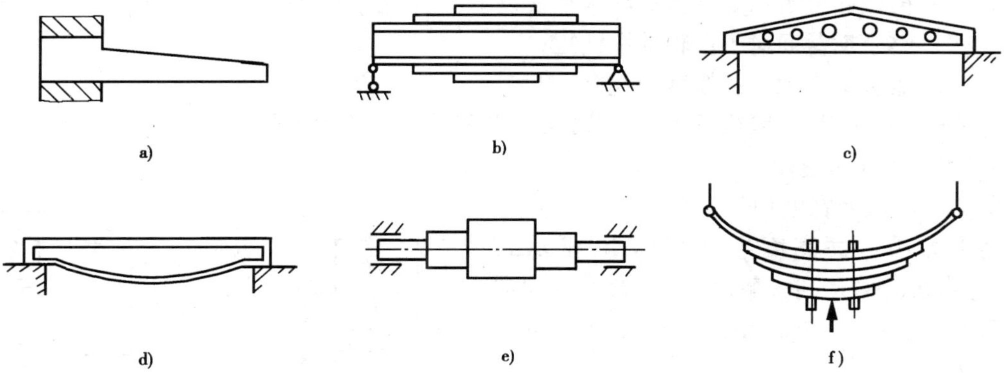

图 12-17

§12-4 梁横截面上的剪应力及其强度计算

一、梁的剪应力概念

前面已经讲到，梁在剪切弯曲情况下，截面上同时存在弯矩和剪力。因此，在梁横截面上不仅有正应力 σ 而且还有剪应力 τ。一般情况下，弯曲正应力是梁强度计算的主要依据，但在某些情况下，例如跨度较短，截面窄而高时，其剪应力可能相当大，这时必须进行剪应力的强度计算。所谓梁的剪应力是指在外力作用下使梁上两截面发生相对错动的应力。本节将作一简要介绍。

二、矩形截面梁的剪应力

梁横截面上的剪力 Q 是由该截面上微剪力 $\tau \cdot dA$ 所组成(见图 12-18)。对于高度 h 大于宽度 b 的矩形截面梁，经过理论分析，可得出横截面上的剪应力的结论如下：

1. 横截面上各点处的剪应力方向都与剪力 Q 的方向一致，如图 12-19 所示。

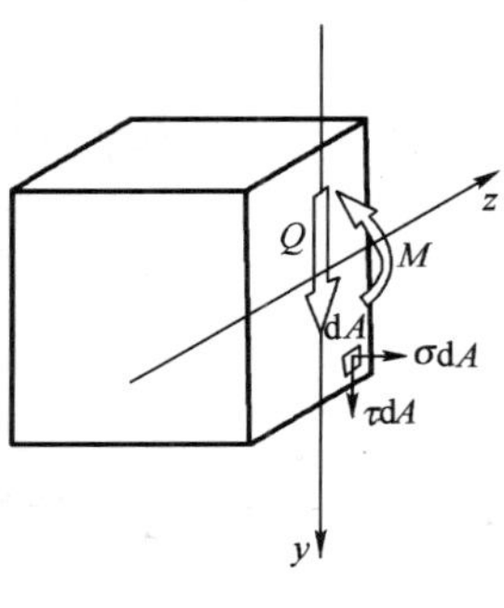

图 12-18

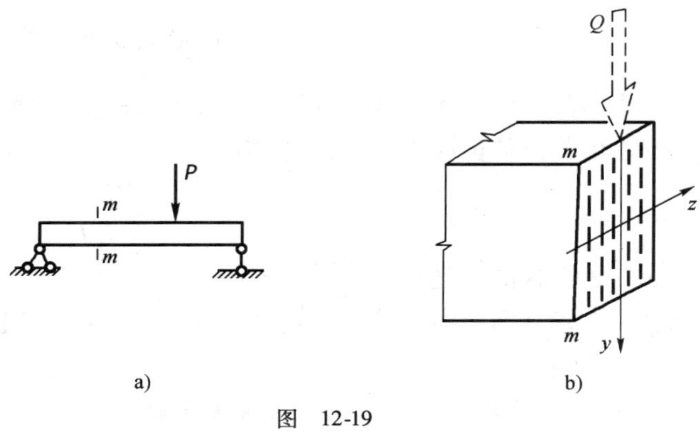

图 12-19

2. 横截面上任意一点处剪应力的计算公式为：

$$\tau = \frac{QS_z^*}{I_z \cdot b} \tag{12-10}$$

式中：Q——横截面上的剪力；

S_z^*——横截面上需求剪应力处的水平线以下（或以上）部分的面积 A^* 对中性轴的静矩；

I_z——整个横截面对中性轴的惯性矩；

b——需求剪应力处的横截面宽度。

计算时，Q 与 S_z^* 均用绝对值代入公式，求得剪应力 τ 的大小。

3. 剪应力分布规律

剪应力沿截面宽度均匀分布。

剪应力沿截面高度的分布规律，可从式(12-10)得出。对于同一截面，Q、I_z 及 b 都为常量。因此，截面上剪应力是随静矩 S_z^* 而变化的。

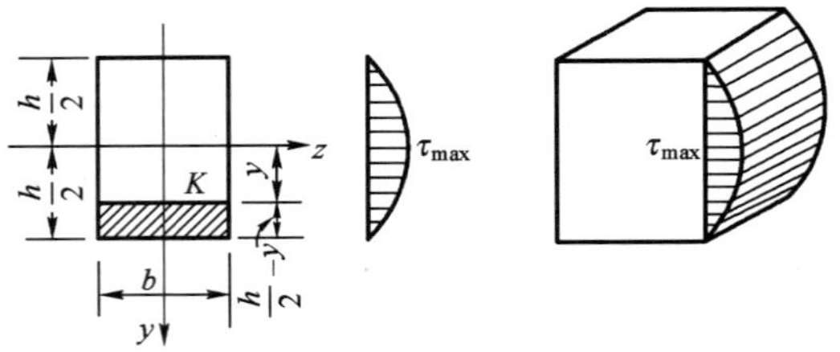

a)　　b)　　c)

图 12-20

设求图 12-20a）所示矩形截面上任意一点 K 的剪应力，K 点至中性轴的距离为 y，K 点水平线以下横截面面积 A^* 对中性轴的静矩为

$$S_z^* = A^* \cdot y_k = b\left(\frac{h}{2} - y\right)\left[y + \frac{1}{2}\left(\frac{h}{2} - y\right)\right] = \frac{bh^2}{8}\left(1 - \frac{4y^2}{h^2}\right)$$

又 $I_z = \dfrac{bh^3}{12}$，代入式(12-10)得

$$\tau = \frac{3Q}{2bh}\left(1 - \frac{4y^2}{h^2}\right)$$

上式表明剪应力沿截面高度按二次抛物线规律分布［图 12-20b）、c）］。在截面上、下边缘处 $\left(y = \pm \dfrac{h}{2}\right)$，剪应力为零；在中性轴上（$y=0$），剪应力最大，其值为

$$\tau_{\max} = \frac{3}{2}\frac{Q}{bh} = \frac{3}{2}\frac{Q}{A} \tag{12-11}$$

式中 $\dfrac{Q}{A}$ 是截面上平均剪应力。由此可见，矩形截面梁横截面上的最大剪应力为平均剪应力的 1.5 倍，发生在中性轴上。

三、工字形截面梁的剪应力

工字形截面梁由腹板和翼缘组成［图 12-21a）］。腹板是一个狭长的矩形，所以它的剪应力可按矩形截面的剪应力公式计算，即

$$\tau = \frac{QS_z^*}{I_z d} \tag{12-12}$$

式中：d——腹板的宽度；

S_z^*——横截面上所求剪应力处的水平线以下（或以上）至边缘部分面积 A^* 对中性轴的静矩。

由式(12-12)可求得剪应力 τ 沿腹板高度按抛物线规律变化，如图 12-21b）所示。最大剪应力

发生在中性轴上，其值为

$$\tau_{\max} = \frac{QS_{z\max}^*}{I_z b} = \frac{Q}{I_z/S_{z\max}^* \cdot b} \tag{12-13}$$

式中：$S_{z\max}^*$——中性轴以下（或以上）截面面积对中性轴的静矩。对于工字钢，$I_z/S_{z\max}^*$ 可从型钢表查得。

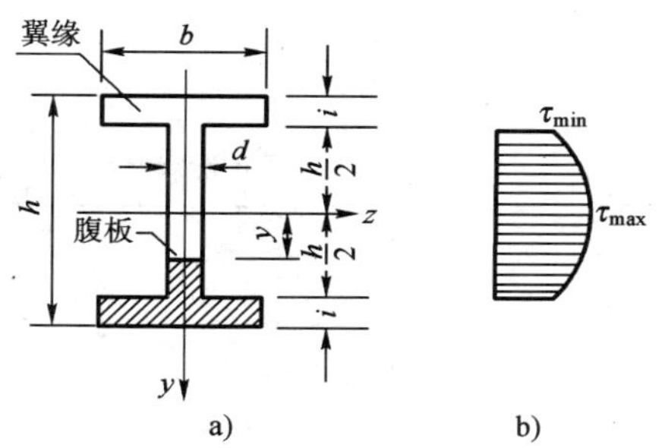

图 12-21

腹板上的最大剪应力 $\tau_{\max}$ 和最小剪应力 $\tau_{\min}$ 相差不多，近似于均匀分布；另外，由计算可知，腹板上剪应力的合力可达到截面上剪力 Q 的 95% 左右。所以，可将截面上的剪力 Q 除以腹板面积，近似地得到工字形截面梁的最大剪应力，即

$$\tau_{\max} = \frac{Q}{h \cdot d}$$

翼缘部分的剪应力，情况比较复杂。且翼缘中的最大剪应力较腹板中的最大剪应力小得多，一般情况不必计算。

四、圆形截面梁的最大剪应力

圆形截面梁横截面上的剪应力情况比较复杂。但最大剪应力仍发生在中性轴上，且其方向与该截面的剪力 Q 的方向相同，各点剪应力的大小相等［图 12-22a)］，其值为

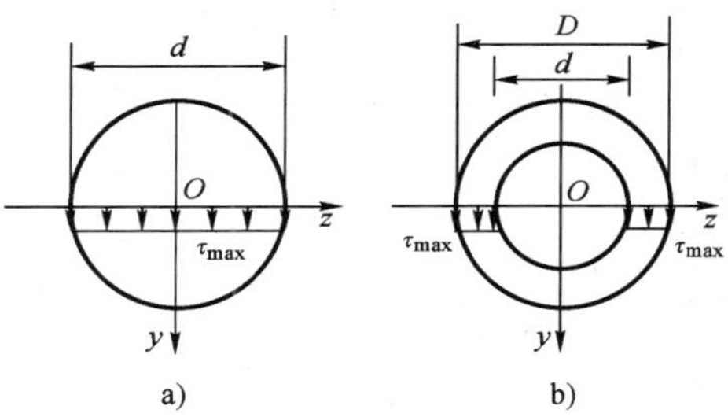

图 12-22

$$\tau_{\max} = \frac{4}{3}\frac{Q}{A} \tag{12-14}$$

式中：A——圆形截面的面积，$A = \frac{\pi d^2}{4}$；

Q——横截面上的剪力。

由上式可见，圆形截面梁横截面上的最大剪应力为平均剪应力的$\frac{4}{3}$倍。

图 12-22b）所示的薄壁环形截面梁，最大剪应力也发生在中性轴上，其方向仍与截面剪力 Q 同向，其大小为

$$\tau_{\max} = 2\frac{Q}{A} \tag{12-15}$$

式中：A——圆环形截面的面积，$A = \frac{\pi D^2}{4} - \frac{\pi d^2}{4}$。薄壁环形截面梁横截面上的最大剪应力为其平均剪应力的两倍。

例 12-8 一简支梁受均布荷载 q 作用如图 12-23a)，截面为矩形，$b = 100\text{mm}$，$h = 200\text{mm}$。已知 $q = 4\text{kN/m}$，跨度 $l = 10\text{m}$。试求：

（1）截面 $A_{右}$ 上距中性轴为 $y_1 = 50\text{mm}$ 处 K 点的剪应力；

（2）比较梁的最大正应力和最大剪应力；

（3）若用№32a 工字钢梁，计算其最大剪应力；

（4）计算工字形梁截面 $A_{右}$ 上腹板与翼缘交界处 m 点（在腹板上）的剪应力。

解 （1）求 $A_{右}$ 截面上 K 点的剪应力

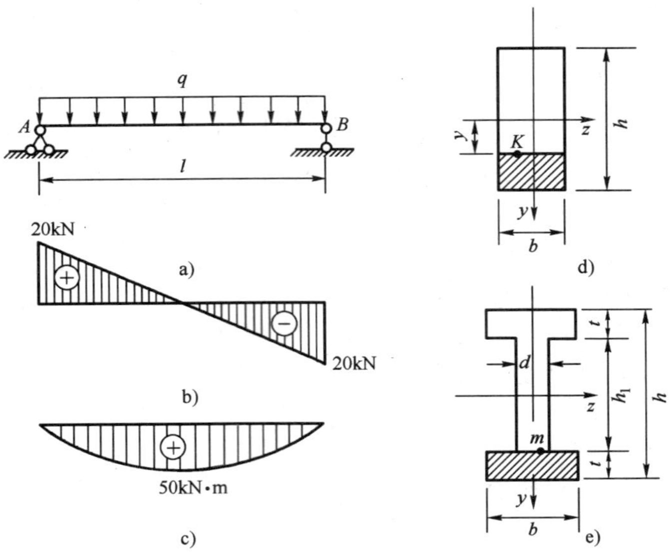

图 12-23

画出梁的 Q、M 图[图 12-23b)、c)],$A_{右}$ 截面的剪力为

$$Q = 20\text{kN}$$

计算 I_z 与 S_z^*

$$I_z = bh^3/12 = 100 \times 200^3/12 = 66.7 \times 10^6\text{mm}^4$$

$$S_z^* = 100 \times 50 \times 75 = 375 \times 10^3\text{mm}^3$$

由式(12-10)得 K 点的剪应力为

$$\tau_K = \frac{QS_z^*}{I_z b} = \frac{20 \times 10^3 \times 375 \times 10^{-6}}{66.7 \times 10^{-6} \times 100} = 1.12\text{MPa}$$

(2)比较梁中的 σ_{max} 和 τ_{max}

梁中最大剪力和最大弯矩分别为

$$Q_{max} = 20\text{kN} \qquad (\text{在支座截面处})$$

$$M_{max} = 50\text{kN·m} \qquad (\text{在跨中截面处})$$

最大正应力发生在跨中截面的上、下边缘处,其值为

$$\sigma_{max} = \frac{M_{max}}{W_z} = \frac{50 \times 10^6}{\frac{1}{6} \times 100 \times 200} = 75\text{N/mm}^2 = 75\text{MPa}$$

最大剪应力发生在支座截面的中性轴上,其值为

$$\tau_{max} = \frac{3}{2}\frac{Q}{A} = \frac{3}{2} \cdot \frac{20 \times 10^3}{100 \times 200} = 1.5\text{N/mm}^2 = 1.5\text{MPa}$$

故

$$\frac{\sigma_{max}}{\tau_{max}} = \frac{\frac{M_{max}}{W_z}}{\frac{3}{2}\frac{Q}{A}} = \frac{\frac{ql^2}{8}\Big/\frac{bh^2}{6}}{\frac{3}{2} \cdot \frac{1}{2}\frac{ql}{b \cdot h}} = \frac{l}{h} = \frac{10}{0.2} = 50$$

或

$$\frac{\sigma_{max}}{\tau_{max}} = \frac{75}{1.5} = 50$$

可见梁中的最大正应力比最大剪应力大得多，故在梁的强度计算中，一般情况下，正应力强度计算是主要的。

(3)计算工字梁的最大剪应力

由型钢表查得№32a 工字钢截面有关数据：

$$h = 32\text{cm}, b = 13\text{cm}, d = 0.95\text{cm}, t = 1.5\text{cm}$$

$$I_z = 11075.5\text{cm}^4, \frac{I_z}{S_{z\max}^*} = 27.5\text{cm}$$

由式(12-13)得最大剪应力为

$$\tau_{\max} = Q_{\max} / \frac{I_z}{S_{z\max}^*} \cdot d = \frac{20 \times 10^3}{27.5 \times 0.95 \times 10^{-4}} = 7.66\text{MPa}$$

(4)计算 $A_{右}$ 截面 m 点的剪应力

m 点以下部分截面对中性轴的静矩为

$$S_z^* = bt\left(\frac{h}{2} - \frac{t}{2}\right) = 130 \times 15\left(\frac{320}{2} - \frac{15}{2}\right) = 297 \times 10^6\text{mm}^3$$

所以由式(12-12)得

$$\tau_{\max} = \frac{QS_z^*}{I_z d} = \frac{20 \times 10^3 \times 297 \times 10^{-3}}{11075 \times 10^{-8} \times 0.95 \times 10^{-2}} = 5.65\text{MPa}$$

五、梁的剪应力强度计算

与梁的正应力强度计算一样，为了保证梁的安全工作，梁在荷载作用下产生的最大剪应力，不得超过材料的容许剪应力[τ]。梁的最大剪应力发生在剪力最大的横截面的中性轴上，所以梁的剪应力强度条件为

$$\tau_{\max} = \frac{Q_{\max} S_{z\max}^*}{I_z \cdot b} \leqslant [\tau] \tag{12-16}$$

在进行梁的强度计算时，必须同时满足正应力和剪应力强度条件。不过一般是以正应力强度条件为主。计算时，先按正应力强度条件选择梁的截面尺寸和形状，再进行剪应力的强度校核。在实际工程中对于细长梁($l > 5h$ 时)，按正应力强度条件设计的梁，一般都能满足剪应力强度要求，所以不必作剪应力校核。但在下列几种情况下，需作剪应力强度校核：

(1)梁的跨度较小，或在梁的支座附近有很大的集中荷载作用时，梁内可能出现弯矩较小而剪力很大的情况，此时梁的强度计算就可能由剪应力强度条件控制。

(2)在使用组合截面钢梁时，横截面的腹板厚度与高度之比小于一般型钢截面的相应比值时，腹板上的剪应力有可能很大；此时梁的强度计算可能由剪应力强度条件控制。

(3)木梁，由于木材是各相异性材料，其顺纹抗剪能力很差，当截面剪应力很大时，木梁有可能沿中性层发生剪切破坏。因此，需要对木梁进行顺纹方向的剪应力强度校核。

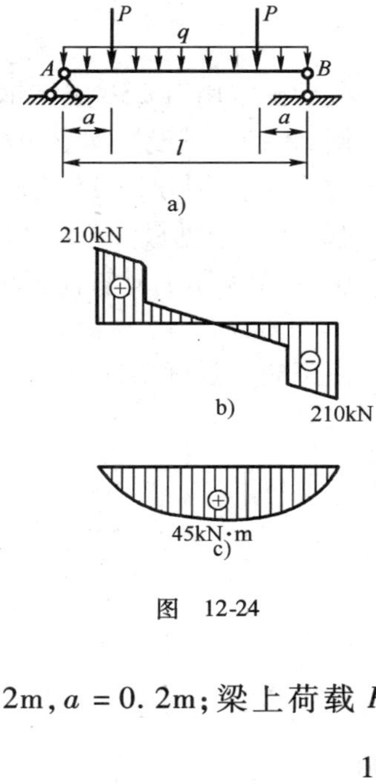

图 12-24

例 12-9 简支梁受荷载作用如图 12-24 所示。已知 $l = 2\text{m}, a = 0.2\text{m}$；梁上荷载 $P =$

200kN，$q=10\text{kN/m}$，材料的容许应力$[\sigma]=160\text{MPa}$，$[\tau]=100\text{MPa}$。试选择工字钢梁的型号。

解 (1)画出梁的 Q、M 图[图 12-24b)、c)]。

(2)由正应力强度条件选择工字钢型号。

由 M 图知，最大弯矩发生在梁的跨中截面，其值为

$$M_{\max}=45\text{kN}\cdot\text{m}$$

由正应力强度条件得

$$W_z\geqslant\frac{M_{\max}}{[\sigma]}=\frac{45\times10^6}{160}=281\times10^3\text{mm}^3=281\text{cm}^3$$

查型钢表，选用№22a 工字钢，其 $W_z=309\text{cm}^3$，略大于所需的值。

(3)剪应力强度校核。

从型钢表查得№22a 工字钢的有关数据：

$$\frac{I_z}{S_{z\max}^*}=18.9\text{cm},d=0.75\text{cm}$$

由 Q 图可见，最大剪力发生在支座截面，且

$$Q_{\max}=210\text{kN}$$

根据剪应力强度条件进行校核

$$\tau_{\max}=\frac{Q_{\max}}{\dfrac{I_z}{S_{z\max}^*}\cdot d}=\frac{210\times10^3}{18.9\times0.75\times10^{-4}}=148\text{MPa}>[\tau]=100\text{MPa}$$

因 $\tau_{\max}$远大于$[\tau]$，故应重选截面。

(4)按剪应力强度条件重选工字钢型号

选№25b 工字钢试算。由型钢表查得：

$$I_z/S_{z\max}^*=21.27\text{cm},d=1\text{cm}$$

进行剪应力强度校核

$$\tau_{\max}=\frac{Q_{\max}}{\dfrac{I_z}{S_{z\max}^*}\cdot d}=\frac{210\times10^3}{21.27\times1\times10^{-4}}=98.7\text{MPa}<[\tau]$$

最后确定用 No25b 工字钢。

例 12-10 试设计钢轨枕木矩形截面尺寸(图 12-25)。已知矩形截面的宽高比为 $b:h=3:4$，枕木的容许应力$[\sigma]=15.5\text{MPa}$，$[\tau]=1.7\text{MPa}$，钢轨传给枕木的压力 $P=49\text{kN}$。

解 (1)根据最大正应力设计截面尺寸

由 b)图所示的计算简图可知

$$M_{\max}=49\times0.2=9.8\text{kN}\cdot\text{m}$$

由弯曲正应力强度条件

$$\sigma_{\max}=\frac{M_{\max}}{W_z}\leqslant[\sigma]$$

可得

$$\sigma_{\max}=\frac{9.8\times10^3}{\dfrac{\left(\dfrac{3h}{4}\right)h^2}{6}}\leqslant15.6$$

$$h\geqslant\sqrt[3]{\frac{9.8\times10^6\times6\times4}{3\times15.6}}=171\text{mm}$$

$$b=\frac{3}{4}h=\frac{3}{4}\times171=128\text{mm}$$

取 $b=140\text{mm}, h=180\text{mm}$。

(2)校核剪应力强度　此梁有较大的荷载作用靠近支座 A 附近，故对梁进行剪应力强度校核。剪应力强度条件为

$$\tau_{\max}=\frac{3Q_{\max}}{2A}\leqslant[\tau]$$

可见

$$\tau_{\max}=\frac{3\times49\times10^3}{2\times180\times140}=2.9\text{MPa}>[\tau]=1.7\text{MPa}$$

即原设计的截面尺寸不能满足剪应力强度条件；应根据剪应力重新设计截面尺寸，由

$$\tau_{\max}=\frac{3\times49\times10^3}{2\times\frac{3h}{4}\times h}\leqslant1.7$$

可得　　$h\geqslant\sqrt[2]{\dfrac{3\times49\times10^3\times4}{2\times3\times1.7}}=240\text{mm}$

$$b=\frac{3}{4}\times240=180\text{mm}$$

最后确定枕木的矩形截面尺寸为 $h=240\text{mm}, b=180\text{mm}$。

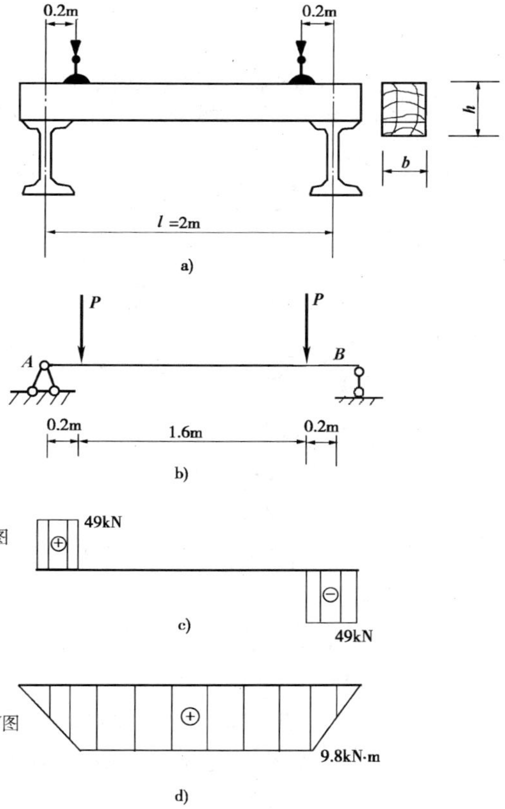

图　12-25

从以上计算我们知道，对于平面弯曲梁来说，它有三种危险截面及危险点。

(1)$M_{\max}$所在的截面是最危险截面，这种危险截面的上、下边缘各点是最大正应力 $\sigma_{\max}$ 所在的危险点。

(2)$Q_{\max}$所在的截面是最危险截面，这种危险截面的中性轴上各点是最大剪应力 $\tau_{\max}$ 所在的危险点。

(3)对于组合工字形截面梁而言，其腹板最外层点是兼有较大的正应力和较大的剪应力的危险点。

在进行强度计算时，一定要注意危险截面和危险点的位置，才能最后保证结构构件在安全条件下使用。

小　　结

外力作用在梁的纵向对称面内，并垂直于梁的轴线时，叫平面弯曲。梁在弯曲时，横截面上要产生正应力 σ 和剪应力 τ，弯曲应力的分布规律和计算方法及梁的强度计算是本章讨论的重要内容。

1. 截面上同时产生剪力和弯矩的梁是横力弯曲；截面上只有弯矩而无剪力的梁是纯弯曲。

2. 平面假设：梁的横截面在变形后仍为平面，且仍与变形后的梁轴垂直。

3. 中性轴通过截面的形心，将截面分为受拉与受压两个区域。

4. 正应力沿截面高度成直线规律变化，截面最外边缘的正应力最大，中性轴处为零。正

应力计算公式：$\sigma = \dfrac{M}{I_z}y$。

5. 剪应力按截面高度成二次抛物线，最外边缘为零，中性轴处剪应力最大。剪应力计算公式：$\tau = \dfrac{QS_z^*}{I_z b}$。

6. 强度计算包括三个方面。

强度条件：

正应力强度条件：$\sigma_{max} = \dfrac{M_{max}}{W_z} \leqslant [\sigma]$

剪应力强度条件：$\tau_{max} = \dfrac{Q_{max}S_{zmax}^*}{I_z b} \leqslant [\tau]$

(1)强度校核；

(2)选择截面尺寸；

(3)计算许可荷载。

注意：强度计算时，要找到最危险截面和最危险点，有几个危险截面和危险点都要分别进行校核。

7. 提高梁抗弯强度的途径有：

(1)采用合理的结构形式；

(2)选择合理截面的合理形状。

8. 熟悉平面图形的几何性质，与图形的大小、形状有关的几何量。注意掌握它们的计算公式。如：静矩、惯性矩等。

习　　题

12-1　简支梁及荷载情况如题12-1图所示。试求1-1截面上A、B两点处的正应力。

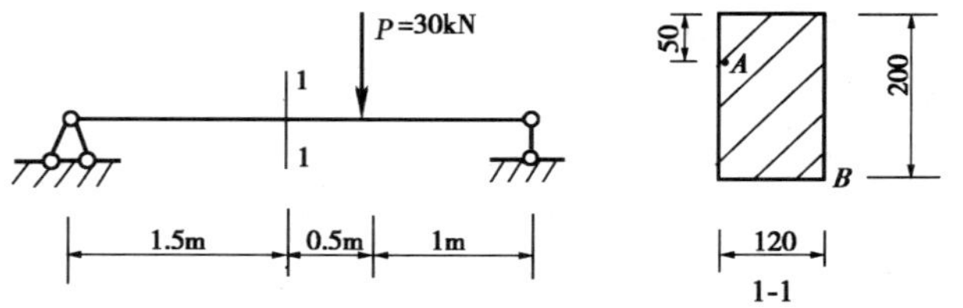

题12-1图

12-2　一对称T形截面的外伸梁，梁上作用均布荷载，如题12-2图所示，求梁中横截面上的最大拉应力和最大压应力。

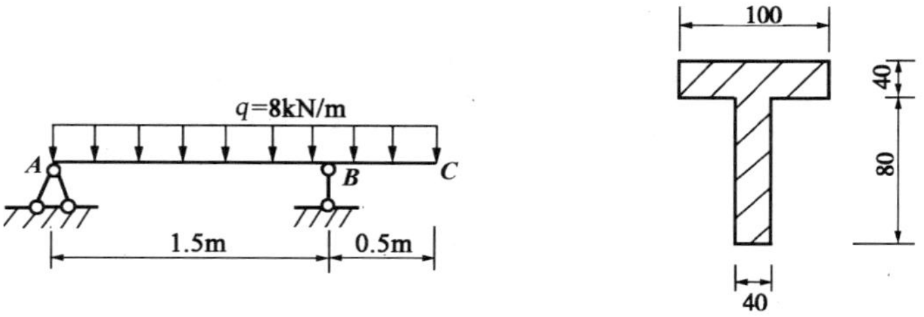

题12-2图

12-3　截面为№32a 工字钢的外伸梁，受力如题12-3图所示，试求 1-1 和2-2截面上 A、B、C、D四点处的正应力。

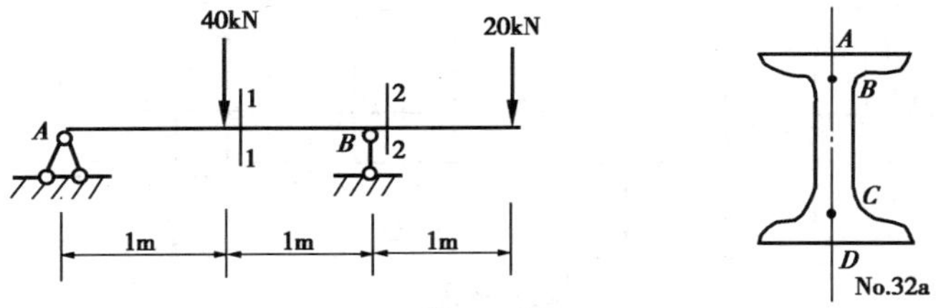

题 12-3 图

12-4　试求题 12-4 图各梁的最大正应力。

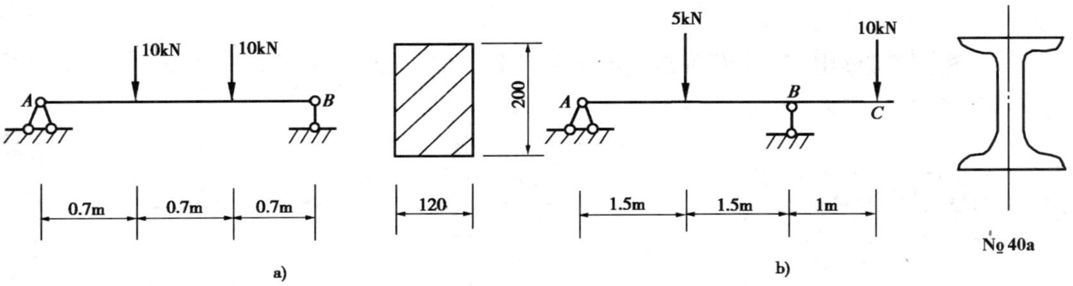

题 12-4 图

12-5　焊接工字形截面梁如题 12-5 图所示。求梁的最大正应力、最大剪应力以及腹板最外层点 a 的应力。如把截面改用为№56a 工字型钢截面，再求最大正应力和最大剪应力。

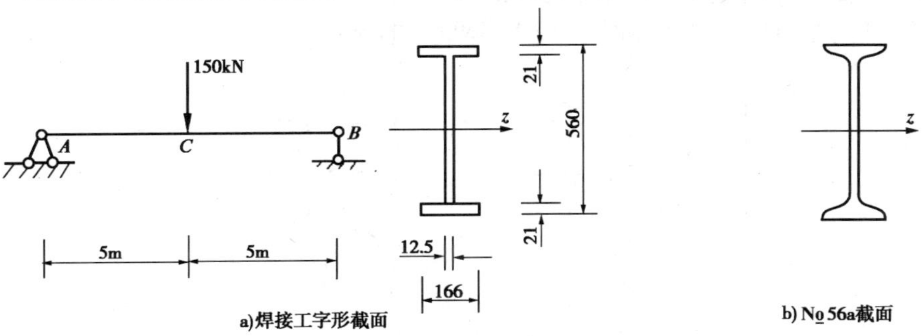

题 12-5 图

12-6　一矩形截面外伸梁，荷载作用如题 12-6 图所示，弯曲时材料的容许应力 $[\sigma]=10\text{MPa}$，求梁能承受的最大荷载。

12-7　题 12-7 图示为一根№40a 工字型钢制成的悬臂梁，在自由端作用一集中荷载 P，钢材的容许正应力 $[\sigma]=150\text{MPa}$。若考虑自重的影响，问许可荷载为多少？

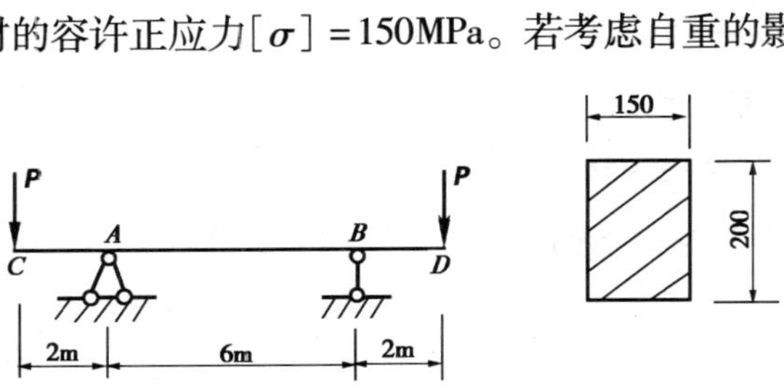

题 12-6 图

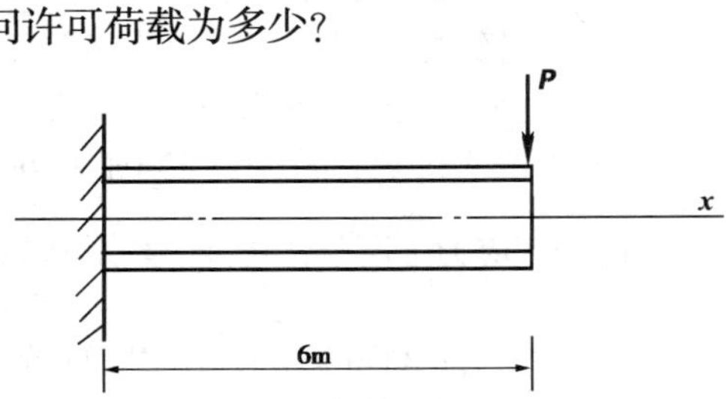

题 12-7 图

12-8　悬臂梁如图所示，容许应力$[\sigma]=170\text{MPa}$，试按弯矩正应力强度条件求截面的面积，并比较所耗费的材料。

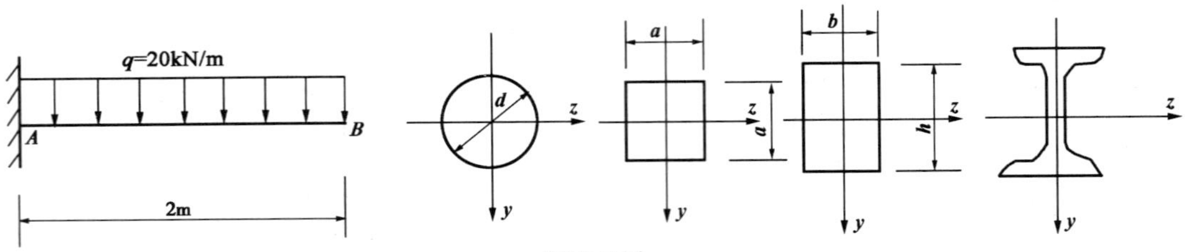

题 12-8 图

12-9　图示由一根№22b 工字钢制成的外伸梁，跨度$l=6\text{m}$，承受均布荷载q作用。若要使梁在支座A、B处和跨中C处截面上的最大正应力都为$\sigma=170\text{MPa}$，问梁外伸的长度a和均布荷载q各为多少。

12-10　图示简支梁用№2a 槽钢制成，$[\sigma]=160\text{MPa}$，在截面横放和竖放两种情况下，比较其许用力偶矩M_0的大小。

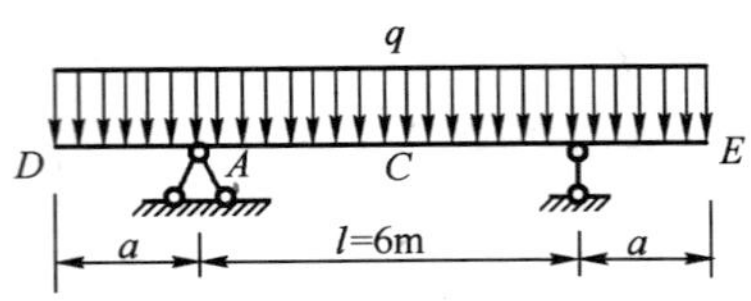

题 12-9 图

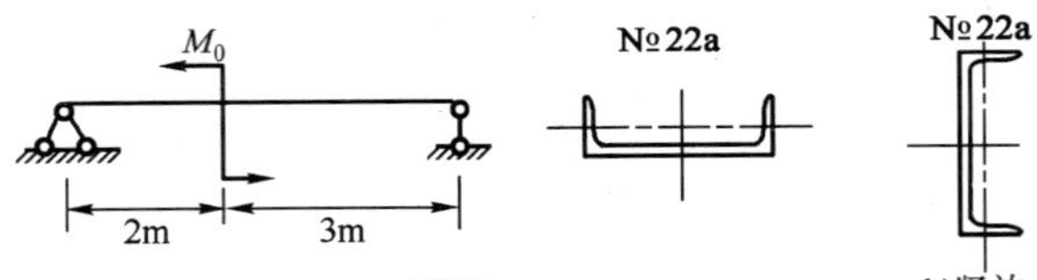

a)横放　b)竖放

题 12-10 图

12-11　矩形截面梁某截面的剪力$Q=20\text{kN}$

(1)计算该截面上K点的剪应力和最大剪应力；

(2)若将梁改为截面积相同的工字钢，求同一截面上的最大剪应力。

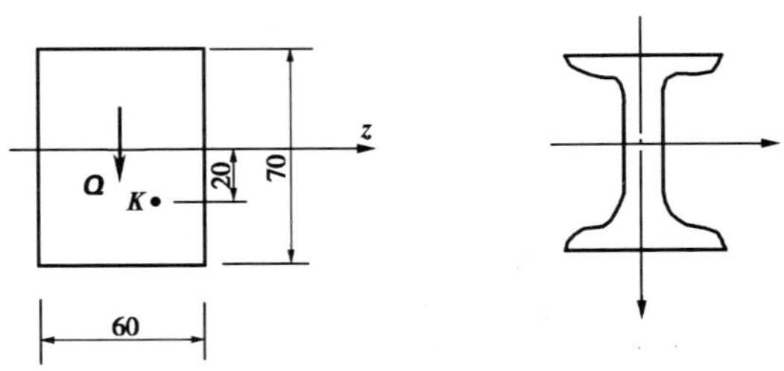

a)　b)

题 12-11 图

12-12　外伸梁受力及截面如题 12-12 图所示。求：

(1)梁内最大正应力；

(2)梁内最大剪应力；

(3)剪力最大截面上翼板与腹板交界处E点的剪应力。

12-13　简支梁受力如题 12-13 图，材料为钢材，$[\sigma]=160\text{MPa}$，$[\tau]=80\text{MPa}$。

(1)按正应力强度条件选择三种形状截面的尺寸(矩形截面$\frac{h}{b}=2$，工字钢为型钢)；

(2)比较三种截面的$\frac{W}{A}$值，说明哪种截面形状较好；

(3)校核三种截面梁的剪应力强度。

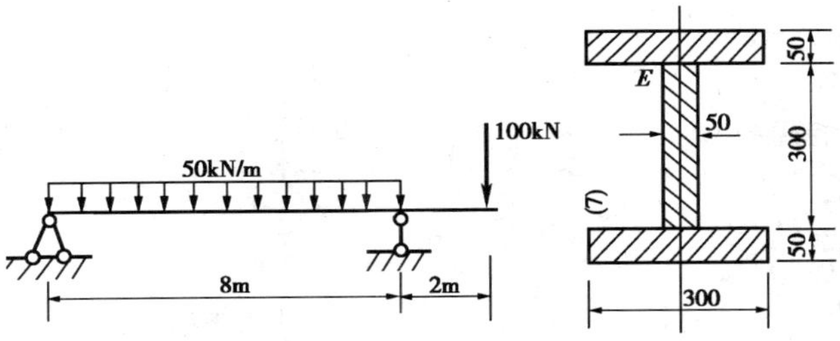

题 12-12 图

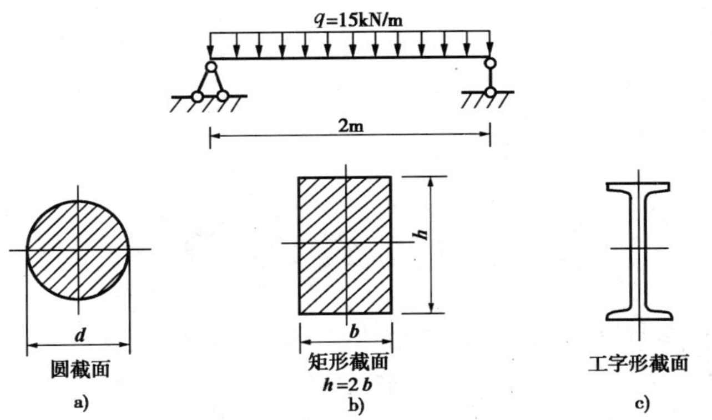

题 12-13 图

12-14　吊车行走于吊车梁 AB 之间，AB 梁是由两种同型号的工字钢组成，吊车的自重为 5kN，最大起重量为 10kN，钢材的容许应力$[\sigma]=170\text{MPa}$，$[\tau]=100\text{MPa}$。选择工字钢的型号（设荷载平均分配在两个工字梁上）。

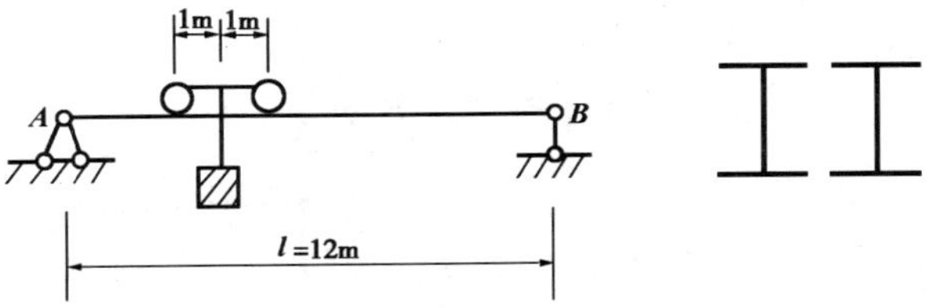

题 12-14 图

12-15　题 12-15 图示二槽钢组成的梁，已知$[\sigma]=170\text{MPa}$，$[\tau]=100\text{MPa}$。选择槽钢型号。（不计梁的自重）

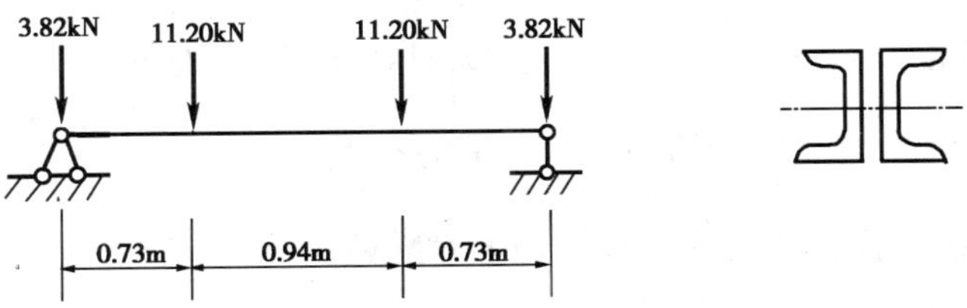

题 12-15 图

12-16　挡土墙断面尺寸如图。所受的土压力 $q_A=18\text{kN/m}$，墙体的单位体积重 $\gamma=23\text{kN/m}^3$，求底面左、右两侧边缘点的正应力。（取 1m 长的墙体计算）

12-17　题 12-17 图示 T 形梁的$[\sigma]_l=40\text{MPa}$，$[\sigma]_a=20\text{MPa}$ 试验算其强度。

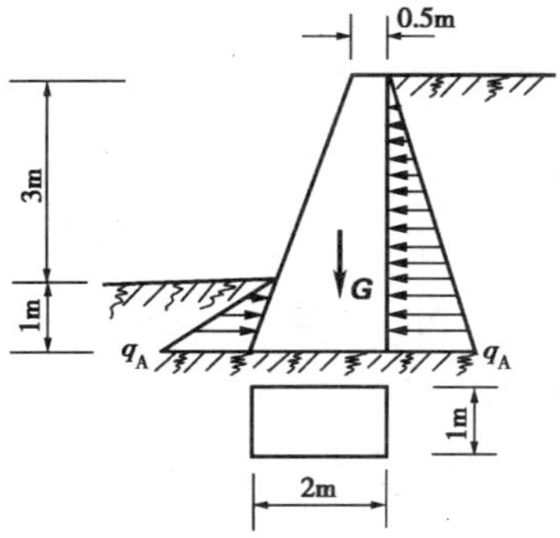

题 12-16 图

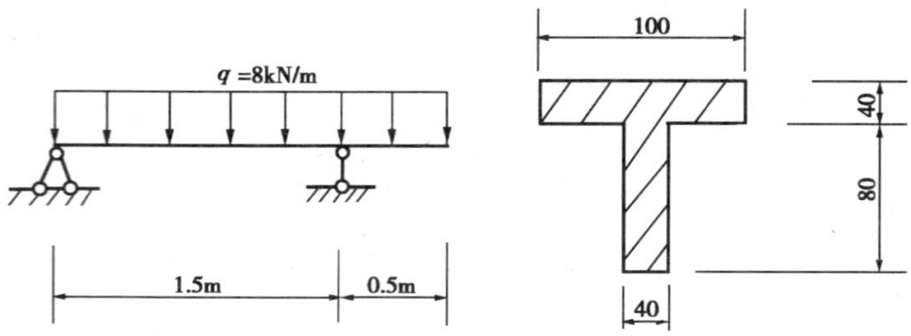

题 12-17 图

第十三章　弯 曲 变 形

梁在外力作用下，除要产生应力外，也发生变形。为了保证梁能正常工作，梁既要满足强度的要求，还应具有足够的刚度。例如桥式起重机大梁，如果变形过大，吊车会产生爬坡现象，引起振动，不能正常工作；楼板梁变形过大，会使下面的灰层开裂、脱落。所以满足刚度要求就是控制梁不能有过大的变形。

§13-1　弯曲变形的概念

一、梁 的 变 形

当外荷载作用在梁的纵向对称平面内时，梁就会产生平面弯曲，如图 13-1a）所示。在平面弯曲的情况下，梁轴线在 xy 平面内变成一条平面曲线，这条曲线被称为梁的挠曲线。

梁在受外荷载作用产生变形后，其横截面位置的改变有两种：

1. 竖向位移　梁任一截面的形心在垂直于梁轴线方向的线位移，如图 13-1a）的 CC_1，也称该截面的挠度，用 y 表示。规定沿 y 轴向下的挠度为正，反之为负。

2. 角　横截面绕中性轴转动的角度 θ，称为该横截面的转角。如图 13-1b）所示。θ 角是梁变形前的轴线与挠曲线的切线间的夹角。规定顺时针为正，反之为负。

二、挠曲线近似微分方程式

梁产生弯曲变形时，横截面上的挠度 y 和转角 θ 是随截面位置 x 而变化的，即都是 x 的连续函数，即：

$$y = y(x)$$

$$\theta = \theta(x)$$

过挠曲线上 C 点作切线，该切线的斜率应等于曲线函数的一阶导数，即

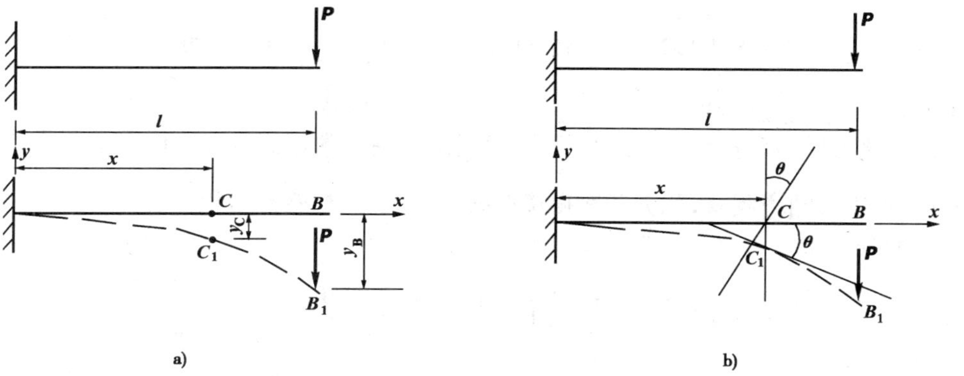

图　13-1

$$\tan\theta = \frac{\mathrm{d}y}{\mathrm{d}x}$$

在工程中，一般梁的变形很小，θ 是一个极小的角度，所以认为，$\tan\theta \approx \theta$，因此，

$$\theta = \frac{\mathrm{d}y}{\mathrm{d}x} \tag{13-1}$$

由此可知，挠曲线上任一点处切线的斜率，就等于该截面的转角。即梁上任意截面的转角等于梁的挠曲线方程对 x 的一阶导数。

梁发生平面弯曲时，挠曲线的曲率$\frac{1}{\rho}$与梁的抗弯刚度 EI，截面上弯矩 M 的关系为

$$\frac{1}{\rho} = \frac{M}{EI}$$

在一般受力情况下，弯矩和曲率都随截面位置而变化，即它们都是 x 的函数，上式可写为

$$\frac{1}{\rho(x)} = \frac{M(x)}{EI}$$

由此可以推导出梁的挠曲线的近似微分方程式：

$$\frac{1}{\rho(x)} = \frac{\mathrm{d}\theta}{\mathrm{d}x} = \frac{\mathrm{d}\left(\frac{\mathrm{d}y}{\mathrm{d}x}\right)}{\mathrm{d}x} = \frac{\mathrm{d}^2 y}{\mathrm{d}x^2}$$

所以，近似微分方程为

$$\pm\frac{\mathrm{d}^2 y}{\mathrm{d}x^2} = \frac{M(x)}{EI}$$

由于在计算中忽略了剪力对变形的影响，故称为近似微分方程式。

公式中的正负号的选择，取决于所用 x-y 坐标系和弯矩的正负号的规定。按前面所述规定，与正弯矩相应的挠曲线凸向下，则在 y 轴指向下方的坐标系中，当 $M(x)$ 为正时，各点处的二阶导数 y'' 总是负值。所以上式取负号使等式成立，即：

$$y'' = \frac{\mathrm{d}^2 y}{\mathrm{d}x^2} = \frac{M(x)}{EI} \tag{13-2}$$

式(13-2)又称为梁变形的基本方程式。求解这微分方程，就可以得到梁的挠曲线方程，从而可求得梁任一截面的挠度和转角。

§13-2 用积分法求梁的转角和挠度

在计算梁的转角和挠度时，考虑 EI 为常数，对挠曲线的近似微分方程 $y''=-\dfrac{M(x)}{EI}$ 进行积分，积分一次得转角方程式，积分两次得挠曲线方程式，此法就称为积分法。

一次积分：

$$\theta(x)=\frac{dy}{dx}=\int\left(\frac{d^2y}{dx^2}\right)dx=-\frac{1}{EI}\left[\int M(x)dx+C\right] \tag{13-3}$$

二次积分：

$$y(x)=\frac{-1}{EI}\left[\int\left(\int M(x)dx\right)dx+Cx+D\right] \tag{13-4}$$

公式(13-3)和(13-4)被称为梁的转角方程和梁的挠度曲线方程。

在以上两式中 C、D 为积分常数，可由挠曲线上已知条件来确定，这种条件称为边界条件。

用积分法计算梁的变形的基本步骤归纳如下：

1. 求支座反力，列出弯矩方程式 $M(x)$；
2. 列出梁的挠曲线近似微分方程，并对其进行二次积分得转角方程和挠曲线方程；
3. 利用边界条件确定积分常数；
4. 求最大转角 θ_{max} 和最大挠度 y_{max} 或指定截面的转角和挠度。

例 13-1 求图 13-2 所示悬臂梁的挠度和转角，EI 为常数。

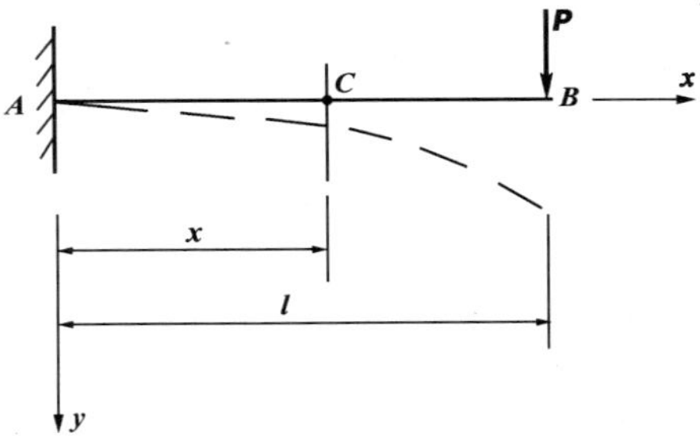

图 13-2

解 (1)建立坐标轴如图 13-2 所示，并写出弯矩

$M(x)=-P(l-x)=Px-Pl(0<x\leqslant l)$

(2)列出挠曲线近似方程，并对其进行二次积分

$$y''=-\frac{1}{EI}M(x)=\frac{Pl-Px}{EI}$$

一次积分：

$$\theta=y'=\frac{1}{EI}\left[Plx-\frac{1}{2}Px^2+C\right]$$

二次积分：

$$y=\frac{1}{EI}\left[\frac{Pl}{2}x^2-\frac{1}{6}Px^3+Cx+D\right]$$

(3)利用边界条件确定 C、D

当 $x\to0$ 时，$\theta=0$，则 $C=0$

当 $x\to0$ 时，$y=0$，则 $D=0$

最后得：

转角方程：$\theta=\dfrac{1}{EI}\left(Plx-\dfrac{1}{2}Px^2\right)$

挠度方程：$y=\dfrac{1}{EI}\left(\dfrac{1}{2}Plx^2-\dfrac{1}{6}Px^3\right)$

(4)计算 θ_B 和 y_B

$x = l$ 时

$$\theta_B = \frac{1}{EI}\left(Pl^2 - \frac{1}{2}Pl^2\right) = \frac{Pl^2}{2EI}(\downarrow)$$

$$y_B = \frac{1}{EI}\left(\frac{1}{2}Pl^3 - \frac{1}{6}Pl^3\right) = \frac{Pl^3}{3EI}(\downarrow)$$

显然，B 点的挠度和转角就是该悬臂梁的最大挠度和最大转角。

例 13-2 求图 13-3 所示一简支梁的最大挠度和最大转角，EI 为常数。

解 (1)建立坐标轴如图 13-3 所示，并写出弯矩方程

$$M(x) = \frac{1}{2}qlx - \frac{1}{2}qx^2$$

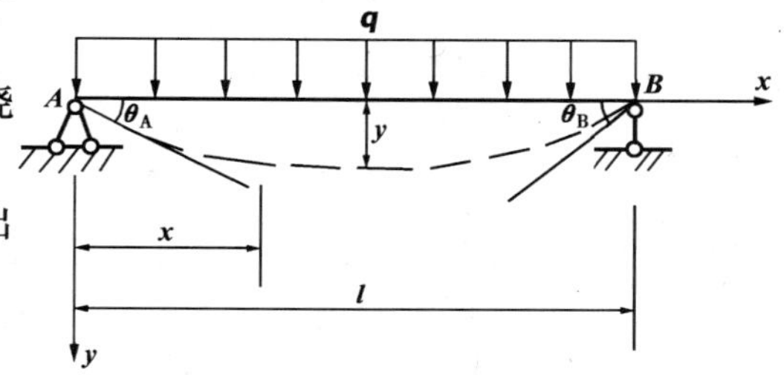

图 13-3

(2)写出挠曲线近似微分方程，并进行两次积分

$$y'' = -\frac{1}{EI}M(x) = \frac{1}{EI}\left(\frac{1}{2}qx^2 - \frac{1}{2}qlx\right)$$

$$\theta(x) = y' = \frac{1}{EI}\left[\frac{1}{6}qx^3 - \frac{1}{4}qlx^2 + C\right]$$

$$y(x) = \frac{1}{EI}\left[\frac{1}{24}qx^4 - \frac{1}{12}qlx^3 + Cx + D\right]$$

(3)利用边界条件，确定积分常数

当 $x=0$ 时，$y_A=0$，得 $D=0$

当 $x=l$ 时，$y_B=0$，得 $C=\frac{1}{24}ql^3$

(4)代入(2)中方程得

$$\theta(x) = y' = \frac{1}{EI}\left(\frac{1}{6}qx^3 - \frac{1}{4}qlx^2 + \frac{1}{24}ql^3\right)$$

$$y(x) = y = \frac{1}{EI}\left(\frac{1}{24}qx^4 - \frac{1}{12}qlx^3 + \frac{1}{24}ql^3x\right)$$

(5)求最大转角 θ_{max} 和最大挠度 y_{max}

由于梁和梁上荷载是对称的，所以最大挠度发生在跨中，将 $x=l/2$ 代入 $y(x)$ 式得：

$$y_{max} = \frac{5ql^4}{384EI}$$

将 $x=l$ 代入 $\theta(x)$ 式得

$$\theta_B = -\frac{ql^3}{24EI}$$

θ_B 为负值，表示 B 截面为逆时针转动。

通过以上两例可以看到，用此方法计算梁的变形较为繁杂。为了使用上的方便，有关《工程设计手册》中，已将简单荷载作用下等截面梁的挠曲线方程及某些特殊截面的挠度与转角的计算结果列成表格，称为“简单荷载作用下梁的变形表”可供查用。表 13-1 中列举了一些常见的情况。

梁在简单荷载作用下的变形　　表 13-1

序号	梁 的 简 图	挠曲线方程	梁 端 转 角	最 大 挠 度
1	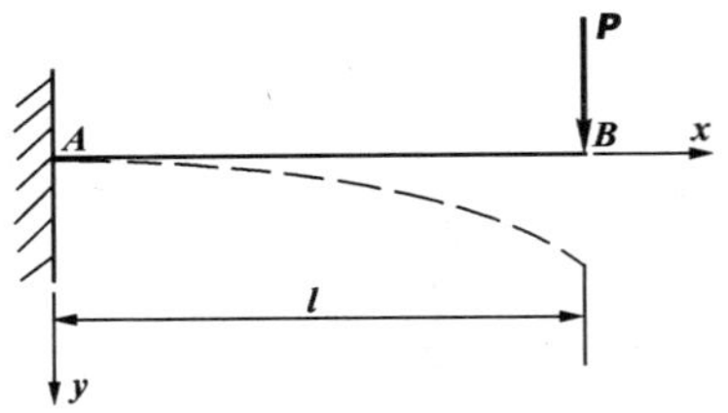	$y=\frac{Px^2}{6EI}(3l-x)$	$\theta_B=\frac{Pl^2}{2EI}$	$y_B=\frac{Pl^3}{3EI}$
2	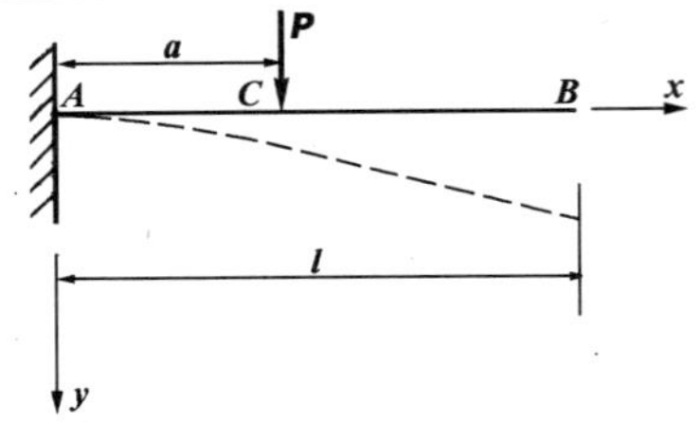	$y=\frac{Px^2}{6EI}(3a-x)$ $(0\leqslant x\leqslant a)$ $y=\frac{Pa^2}{6EI}(3x-a)$ $(\alpha\leqslant x\leqslant l)$	$\theta_B=\frac{Pa^2}{2EI}$	$y_B=\frac{Pa^2}{6EI}(3l-a)$
3	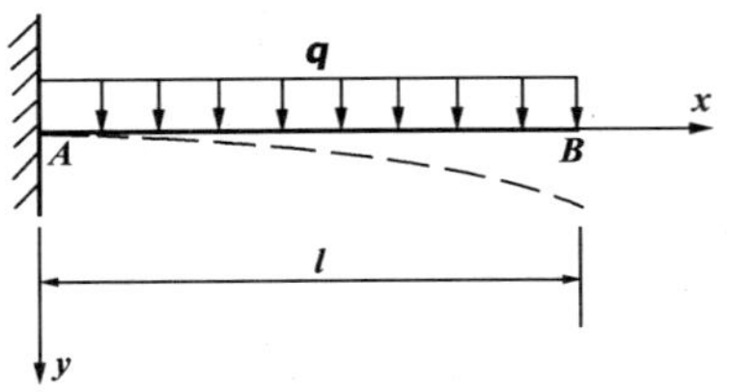	$y=\frac{qx^2}{24EI}(x^2-4lx+6l^2)$	$\theta_B=\frac{ql^3}{6EI}$	$y_B=\frac{ql^4}{8EI}$
4	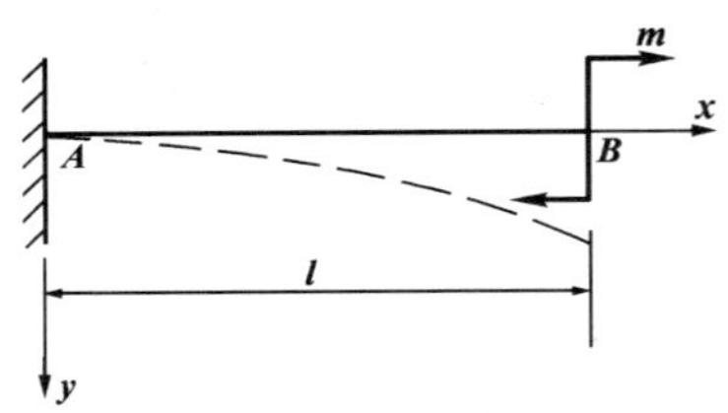	$y=\frac{mx^2}{2EI}$	$\theta_B=\frac{ml}{EI}$	$y_B=\frac{ml^2}{2EI}$
5	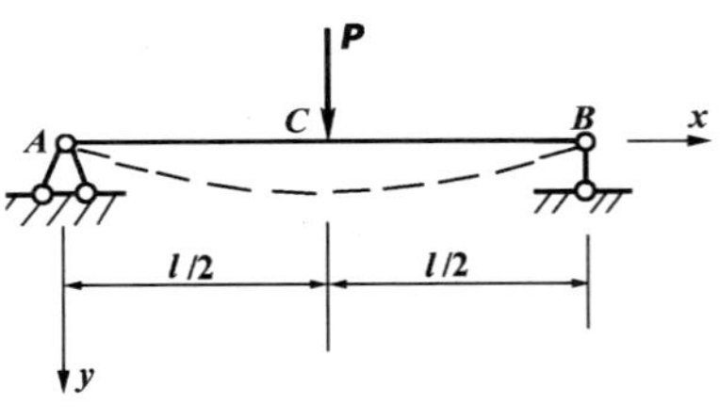	$y=\frac{Px^2}{48EI}(3l^2-4x^2)$ $\left(0\leqslant x\leqslant\frac{1}{2}\right)$	$\theta_A=-\theta_B=\frac{Pl^2}{16EI}$	$y_c=\frac{Pl^3}{48EI}$
6	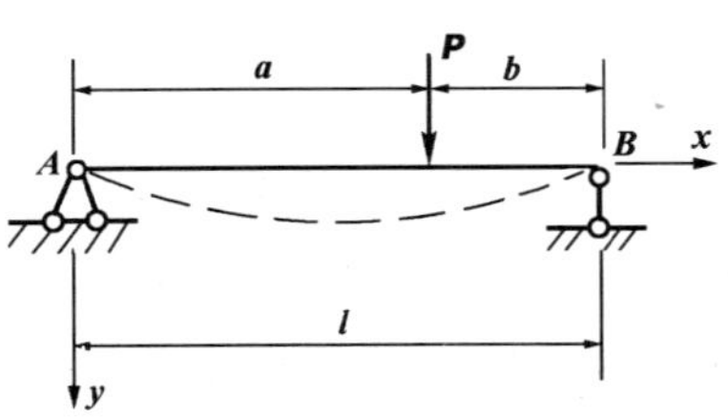	$y=\frac{Pbx}{6lEI}(l^2-x^2-b^2)$ $(0\leqslant x\leqslant a)$ $y=\frac{Pa(l-x)}{6lEI}(2lx-x^2-a^2)$ $(\alpha\leqslant x\leqslant l)$	$\theta_A=\frac{Pab(l+b)}{6lEI}$ $\theta_B=-\frac{Pab(l+a)}{6lEI}$	设 $a>b$ 在 $x=\sqrt{\frac{l^2-b^2}{3}}$ 处 $y_{max}=\frac{\sqrt{3}pb}{27lEI}(l^2-b^2)^{3/2}$ 在 $x=\frac{1}{2}$ 处 $y_{\frac{1}{2}}=\frac{Pb}{48EI}(3l^2-4b^2)$

序号	梁的简图	挠曲线方程	梁端转角	最大挠度
7	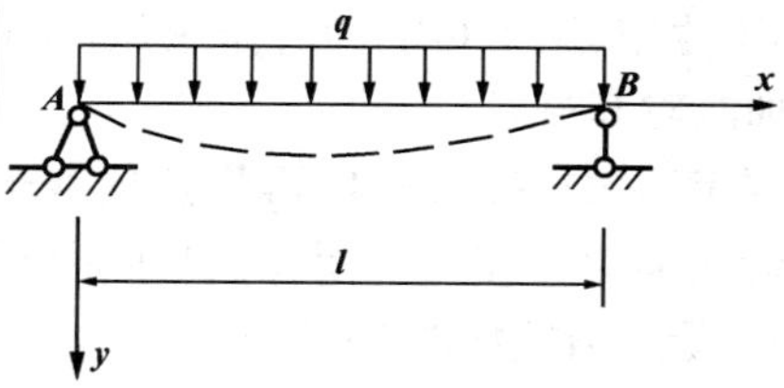	$y=\frac{qx}{24EI}(l^3-2lx^2+x^3)$	$\theta_A=-\theta_B$ $=\frac{ql^3}{24EI}$	在 $x=\frac{1}{2}$ 处，$y_{max}=\frac{5ql^4}{384EI}$
8	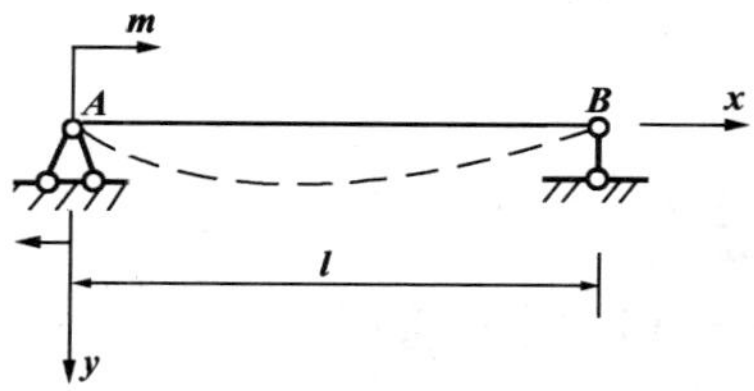	$y=\frac{ma}{6lEI}(l-x)(2l-x)$	$\theta_A=\frac{ml}{3EI}$ $\theta_B=-\frac{ml}{6EI}$	在 $x=(l-\frac{l}{\sqrt{3}})l$ 处，$y_{max}=\frac{ml^2}{9\sqrt{3}EI}$ 在 $x=\frac{l}{2}$ 处，$y_{l/2}=\frac{ml^2}{16EI}$
9	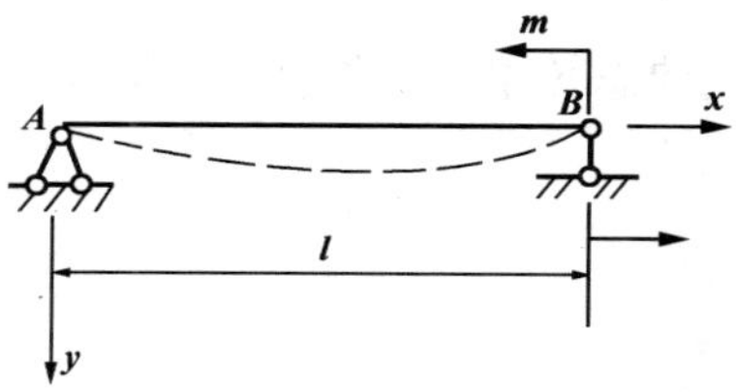	$y=\frac{mx}{6lEI}(l^2-x^2)$	$\theta_A=\frac{ml}{6EI}$ $\theta_B=-\frac{ml}{3EI}$	在 $x=\frac{l}{\sqrt{3}}$ 处，$y_{max}=\frac{ml^2}{9\sqrt{3}EI}$ 在 $x=\frac{1}{2}$ 处，$y_{l/2}=\frac{ml^2}{16EI}$
10	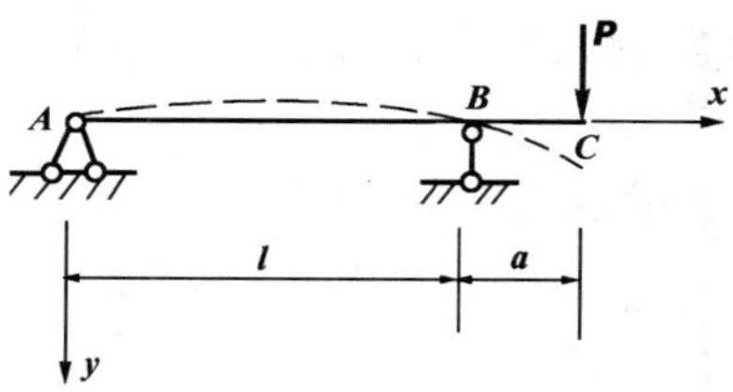	$y=-\frac{Pax}{6lEI}(l^2-x^2)$ $(0\leqslant x\leqslant l)$ $y=\frac{P(l-x)}{6Tl}[(x-l)^2-3ax+al]$ $(l\leqslant x\leqslant(l+a))$	$\theta_A=-\frac{Pal}{6EI}$ $\theta_B=\frac{Pal}{3EI}$ $\theta_c=\frac{Pa(2l+3a)}{6EI}$	$y_c=\frac{Pa^2}{3EI}(l+a)$
11	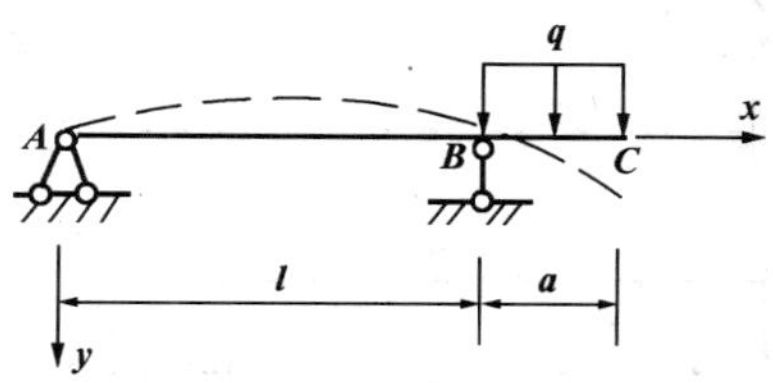	$y=-\frac{qa^2x}{12lEI}(l^2-x^2)$ $(0\leqslant x\leqslant l)$ $y=\frac{q(x-l)}{24EI}[2a^2(3x-l)+(x-l)^2(x-l-4a)]$ $[l\leqslant x\leqslant(l+a)]$	$\theta_A=-\frac{qa^2l}{12EI}$ $\theta_B=\frac{qa^2l}{6EI}$ $\theta_c=\frac{qa^2(l+a)}{6EI}$	$y_c=\frac{qa^2}{24EI}(4l+3a)$
12	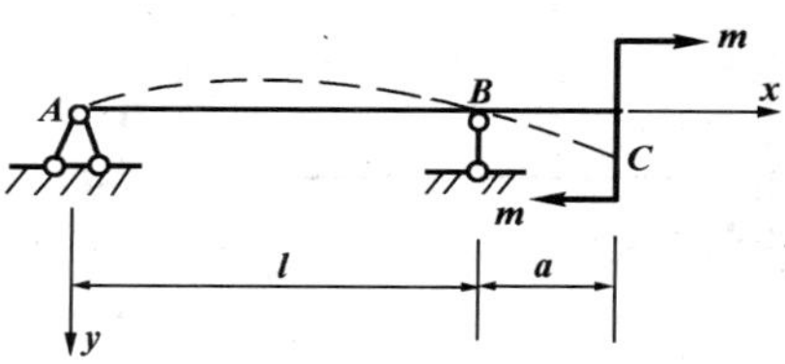	$y=-\frac{mx}{6lEI}(l^2-x^2)$ $(0\leqslant x\leqslant l)$ $y=\frac{m}{6EI}(3x^2-4xl+l^2)$ $(l\leqslant x\leqslant(l+a))$	$\theta_A=-\frac{ml}{6EI}$ $\theta_B=\frac{ml}{3EI}$ $\theta_c=\frac{m}{3EI}(l+3a)$	$y_c=\frac{ma}{6EI}(2l+3a)$

§13-3　叠加法计算梁的转角和挠度

在上节的例题中都是单一荷载作用在梁上，在实际工程中，梁上可能同时作用几种不同的荷载，如果用积分法计算就相当繁杂，所以我们引用叠加法对其进行计算。

所谓叠加法就是先分别计算单个荷载独立作用下梁产生的变形，然后再将这些变形（包括转角与挠度）代数相加。由于可以利用表 13-1，计算起来简单方便。下面我们举例说明。

例 13-3　求悬臂梁 B 截面的挠度和转角，EI 为常数，受力情况如图 13-4 所示。

解　(1)将图 a)分解为单个受力情况，如图 b)和图 c)所示。

(2)在 q 荷载作用下，计算其 B 点的转角和挠度

由表 13-1 中可查得：

$$\theta_{Bq} = \frac{ql^3}{6EI}\ (\curvearrowright) \qquad y_{Bq} = \frac{ql^4}{8EI}(\downarrow)$$

(3)在 P 荷载作用下，计算 B 点的转角和挠度。由在表 13-1 中可查得

$$\theta_{BP} = \frac{Pl^2}{2EI}\ (\curvearrowright) \qquad y_{BP} = \frac{Pl^3}{3EI}(\downarrow)$$

(4)计算在 q、P 共同作用下，B 点的转角和挠度，B 点的总转角和总挠度等于 q 与 P 单独作用下的相对代数和。即

$$y_B = y_{Bq} + y_{BP} = \frac{ql^4}{8EI} + \frac{Pl^3}{3EI}\quad(\downarrow)$$

$$\theta_B = \theta_{Bq} + \theta_{BP} = \frac{ql^3}{6EI} + \frac{Pl^2}{2EI}\ (\curvearrowright)$$

例 13-4　简支梁受荷情况如图 13-5a)所示，EI 为常数，试求跨中 C 点处的挠度和 A、B 两支座的转角。

解　(1)将图 13-5a)分解为单个受力情况的图形如图 b)和图 c)所示。

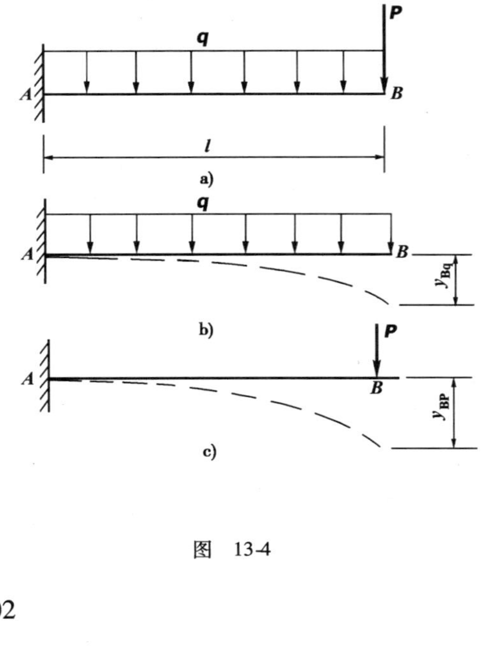

图　13-4

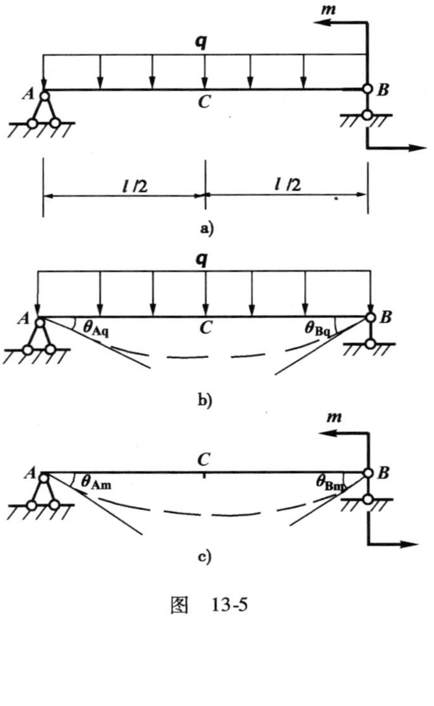

图　13-5

(2)在 q 荷载作用下，计算 C 点的挠度和 A、B 两支座的转角，由表 13-1 中可查得

$$\theta_{Aq} = -\theta_{Bq} = \frac{ql^3}{24EI} (\curvearrowright \curvearrowleft) \quad y_{Cq} = \frac{5ql^4}{384EI} (\downarrow)$$

(3)在 m 荷载作用下，计算 C 点的挠度和 A、B 两支座的转角，由表 13-1 中可查得

$$\theta_{Am} = \frac{ml}{6EI} (\curvearrowright) \quad \theta_{Bm} = \frac{-ml}{3EI} (\curvearrowleft) \quad y_{Cm} = \frac{ml}{16EI} (\downarrow)$$

(4)计算在 q,m 共同作用下，C 点挠度和 A、B 两支座的转角

$$\theta_A = \theta_{Aq} + \theta_{Am} = \frac{ql^3}{24EI} + \frac{ml}{6EI} (\curvearrowright)$$

$$\theta_B = \theta_{Bq} + \theta_{Bm} = \frac{-ql^3}{24EI} - \frac{ml}{3EI} (\curvearrowleft)$$

$$y_C = y_{Cq} + y_{Cm} = \frac{5ql^4}{384EI} + \frac{ml}{16EI} (\downarrow)$$

例 13-5　一外伸梁，荷载如图 13-6a)所示，EI 为常数，求 C 截面的挠度。

解　(1)将图 13-6a)分解为单个受力情况的图形，如图 13-6b)、c)、d)、e)。

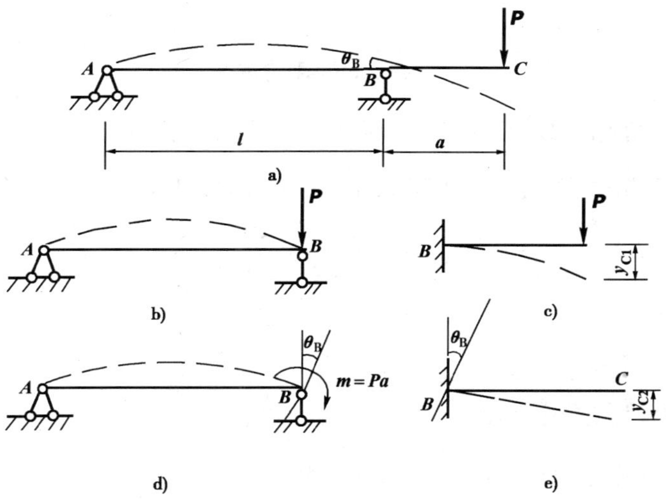

图　13-6

(2)在 P 作用下，计算 C 截面的挠度，从表 13-1 中查得

$$y_{C1} = \frac{Pa^3}{3EI} (\downarrow)$$

(3)B 点有 m 作用时，使 C 截面也产生向下的位移 y_{C2}，$m = Pa$

因为 θ_B 很小，Y_{C2}可用 $a\theta_B$ 表示，查表 13-1 得：

$$\theta_B = \frac{ml}{3EI} = \frac{Pal}{3EI} (\downarrow)$$

所以：

$$y_{C2} = a \cdot \theta_B = \frac{Pla^2}{3EI} (\downarrow)$$

(4)计算外伸梁图 a 的挠度 y_C

$$y_C = (y_{C1} + y_{C2}) = \left(\frac{Pa^3}{3EI} + \frac{Pla^2}{3EI}\right) = \frac{Pa^2}{3EI}(a + l) (\downarrow)$$

在使用叠加法计算挠度和转角时，如果表13-1中没有列出，就应尽可能采取一定的措施，使其荷载类型与表中相同，叠加法使用较为方便。例如：图13-7a）所示。在表13-1中就没有这种荷载类型，我们可以通过改变荷载类型使表13-1中能查到。如图b），可将图b）分解为图c）、d），即可用叠加法解出。请读者自己计算出B点和C点的挠度。

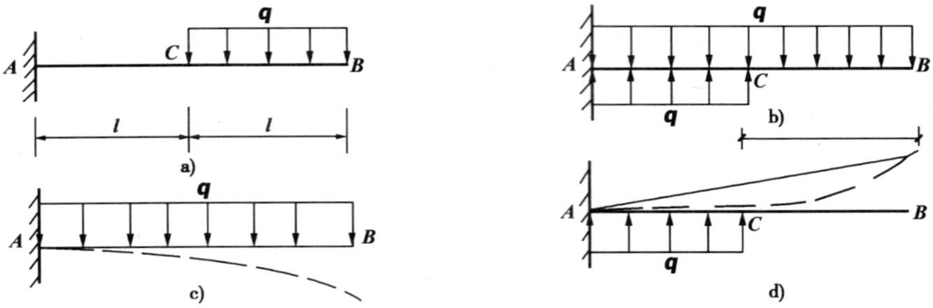

图　13-7

§13-4　梁的刚度校核及提高弯曲刚度的措施

一、梁的刚度校核

为了保证梁的正常工作，要求梁必须有足够的刚度。梁的刚度校核是检查梁在荷载作用下产生的位移是否超过容许值，在土建工程中，通常只校核梁的最大相对挠度$\frac{f}{l}$。即

$$\frac{f}{l} \leqslant \left[\frac{f}{l}\right] \tag{13-5}$$

式中：f——最大挠度；

l——梁的跨度；

$\left[\frac{f}{l}\right]$——容许挠度与梁跨之比。

公式（13-5）为梁的刚度条件。

在工程设计中对于构件弯曲变形的容许值都有一定的规定。不同用途的构件容许值$\left[\frac{f}{l}\right]$是不同的。例如在土建工程中，对钢筋混凝土吊车梁的许用值为$\left[\frac{f}{l}\right]=\frac{1}{500}\sim\frac{1}{600}$，一般钢筋混凝土梁的许用值为$\left[\frac{f}{l}\right]=\frac{1}{200}\sim\frac{1}{300}$。

对于构件设计，强度条件和刚度条件都是梁必须满足的基本要求。在工程设计时，一般情况下是按强度条件选择截面，然后再对刚度进行校核，不能满足要求，再采取适当的措施，提高梁的刚度以达到设计要求。

例13-6　一简支梁的截面形式如图13-8所示，已知弹性模量$E=10\text{GPa}$，容许挠度值$\left[\frac{f}{l}\right]=\frac{1}{250}$，试校核该梁的刚度。

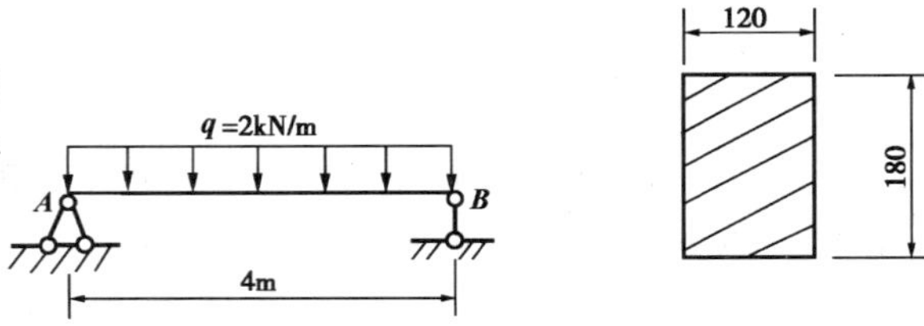

图　13-8

解　（1）计算最大挠度f

从表 13-1 得：$f=\dfrac{5ql^4}{384EI}$

(2)计算截面惯性矩 I

$$I=\frac{1}{12}bh^3=\frac{1}{12}\times 120\times 180^3=5832\times 10^{-8}\mathrm{m}^4$$

(3)计算相对最大挠度

$$\frac{f}{l}=\frac{\dfrac{5ql^4}{384EI}}{l}=\frac{5ql^3}{384EI}=\frac{5\times 2\times 10^3\times 4^3}{384\times 5\,832\times 10^{-8}\times 10\times 10^9}=\frac{1}{350}<\frac{1}{250}$$

满足要求。

例 13-7 一简支梁由工字型钢制成，受荷载如图 13-9 所示，已知：$q=2\mathrm{kN/m}$，$P=10\mathrm{kN}$，$l=8\mathrm{m}$，$E=210\mathrm{GPa}$，$[\sigma]=170\mathrm{MPa}$，$\left[\dfrac{f}{l}\right]=\dfrac{1}{500}$，试校核该梁的强度和刚度。

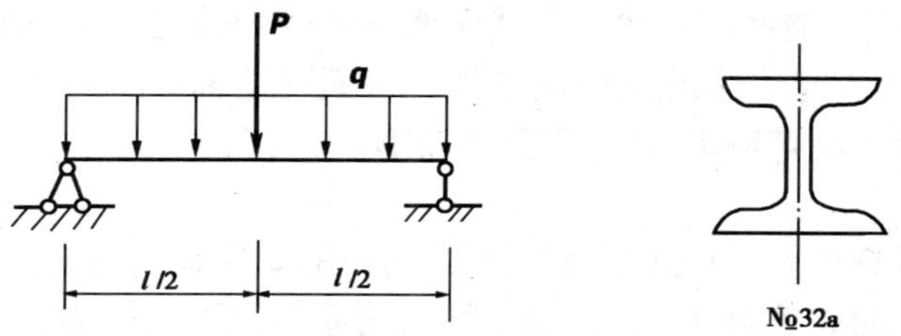

图 13-9

解 (1)计算最大弯矩值

$$M_{\max}=\frac{1}{8}ql^2+\frac{1}{4}pl=\frac{1}{8}\times 2\times 8^2+\frac{1}{4}\times 10\times 8=36\mathrm{kN\cdot m}$$

(2)由型钢表查得 No. 32a 的有关数据

$$W_z=692.2\mathrm{cm}^3 \qquad I_z=11\,075.5\mathrm{cm}^4$$

(3)计算最大挠度值 f

$$f=\frac{pl^3}{48EI_z}+\frac{5ql^4}{384EI_z}=\frac{l^3}{48EI_z}\left(P+\frac{1}{8}\cdot 5ql\right)$$

$$=\frac{(8\times 10^3)^3}{48\times 210\times 10^3\times 11\,075.5\times 10^4}\times\left(10\times 10^3+\frac{5}{8}\times 2\times 10^3\times 8\right)$$

$$=\frac{8^3\times 10^9\times 10^3\times 20}{48\times 210\times 10^3\times 11\,075.5\times 10^4}$$

$$=9.17\mathrm{mm}$$

(4)强度校核

$$\sigma_{\max}=\frac{W_{\max}}{W_{\mathrm{E}}}=\frac{36\times 10^3\times 10^3}{692.2\times 10^3}=37.4\mathrm{MPa}<[\sigma]$$

故:满足强度要求。

(5)刚度校核

$$\frac{f}{l}=\frac{9.17}{8\times10^{3}}=\frac{1}{872.4}<\left[\frac{f}{l}\right]$$

所以刚度也满足要求。

二、提高弯曲刚度的措施

由前面所讲的梁的挠曲线近似微分方程 $y''=\frac{\mathrm{d}^2y}{\mathrm{d}x^2}=-\frac{M(x)}{EI}$ 及表 13-1 可知:梁的变形,即转角和挠度与梁的抗弯刚度 EI、梁的跨度 l、荷载作用情况等有关。因此,如果需要提高梁的刚度,可以从下面几方面考虑。

1. 增大梁的抗弯刚度 EI

从公式(13-2)可知,梁的变形与 EI 成反比,增大梁的 EI,将使梁的弯曲变形减小。要增大梁的 EI,应合理地选择梁的截面形状。在截面面积不变的情况下,采用工字形、箱形、圆形等截面、可以提高惯性矩 I;增大梁的高度或尽量使截面中性轴离材料边缘处较远,也能提高惯性矩 I,从而增大了梁的抗弯刚度,减小了梁的变形。

2. 缩短梁的跨度

梁的跨度对变形影响很大,因为梁的变形与其跨度的 n 次幂成正比。所以减小梁的跨度,是提高梁的抗弯曲变形的有效途径之一。如受均布荷载作用下的简支梁,跨中的最大挠度值 $f=\frac{5ql^4}{384EI}$,如图 13-10a)所示,如果在跨中增加一支座如图 13-10b),则梁的最大挠度为原梁挠度的$\frac{1}{38}$,即$f_1=\frac{1}{38}f$。如果条件许可,也可以将简支梁变成外伸梁如图 13-11b)所示。由于跨度的缩短,使梁的变形也减小了。

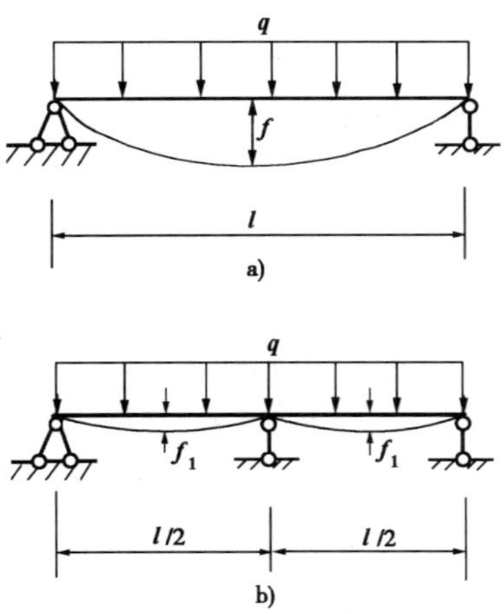

图 13-10

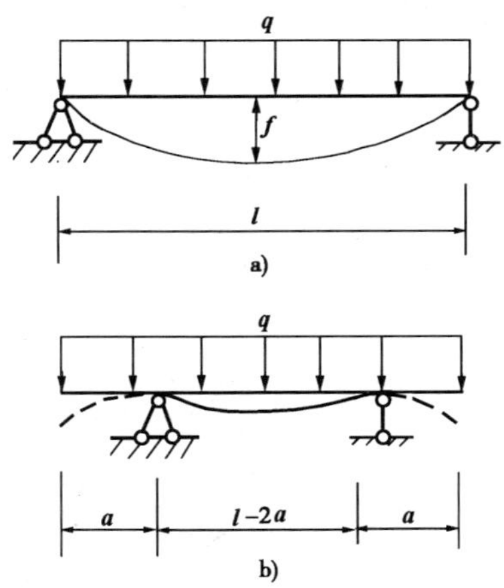

图 13-11

3. 改善荷载的作用方式

从公式(13-3)可知,弯矩 $M(x)$ 也是影响刚度的一个重要因素。在结构允许的条件下,合理地调整梁上荷载位置和分布情况,可减小弯矩,从而减少梁的变形。如图 13-12a)、b)所示,将图 a)的集中荷载 P 改为图 b)的均布荷载,即可减小跨中的弯矩,达到减少变形的目的。

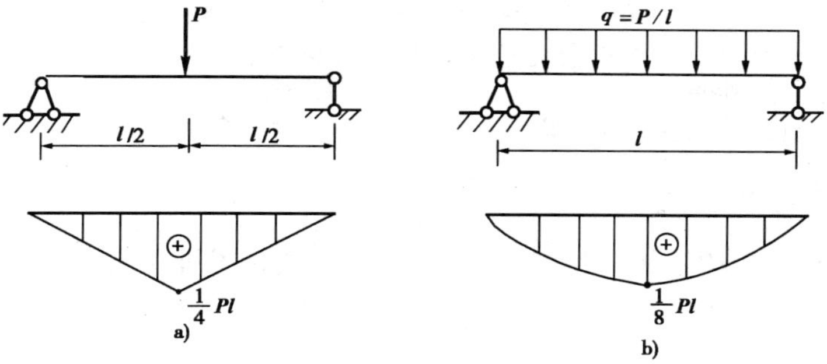

图　13-12

小　　结

1. 本章首先介绍了梁变形时任一截面的挠度 y 与转角 θ 的概念以及它们之间的关系,从而建立了挠曲线近似微分方程。

2. 计算梁变形的两种方法——积分法和叠加法。

(1)积分法　此方法是求梁变形的基本方法,要正确掌握此方法的步骤,包括列出梁的弯矩方程和挠曲线近似微分方程以及边界条件等基本概念和方法。

$$\theta(x) = \frac{\mathrm{d}y}{\mathrm{d}x} = -\frac{1}{EI}\left[\int M(x)\mathrm{d}x + C\right]$$

$$y(x) = -\frac{1}{EI}\left[\int\left[\int M(x)\mathrm{d}x\right]\mathrm{d}x + Cx + D\right]$$

(2)叠加法　此方法的优点是可以利用现成的梁变形计算公式表,从而简捷地求出指定截面的变形。值得注意的是,在使用时荷载作用方式一定要与表 13-1 相符合。

3. 介绍了梁的刚度校核,梁的刚度条件为:

$$\frac{f}{l} \leqslant \left[\frac{f}{l}\right]$$

设计时一般先按强度条件选择截面,再进行刚度校核。

同时还介绍了提高梁刚度的措施。即:

(1)增大梁的抗弯刚度 EI;

(2)缩短梁的跨度;

(3)改善荷载的作用方式。

习　　题

13-1　用积分法求表 13-1 各梁指定截面的转角和挠度,EI 为常数。

(1)第 3 项求 y_B、θ_B;

(2)第 5 项求 θ_A、θ_B、y_C;

(3)第 7 项求 θ_A、θ_B;

(4)第 14 项求 θ_A、θ_B、y_C;

(5)第 15 项求 y_C、θ_A、θ_B。

13-2　用二次积分法求下列各图中梁指定截面 C 的转角和挠度，EI 为常数。

13-3　用叠加法计算 13-2 题中各图指定截面 C 的转角和挠度。

13-4　用叠加法求图示各梁指定截面处的挠度和转角。

13-5　一工字型钢简支梁采用 22b 号，如图所示，$q=4\text{kN/m}$，$\left[\dfrac{f}{l}\right]=\dfrac{1}{400}$，弹性模量 $E=2\times10^{5}\text{MPa}$，试校核梁的刚度。

13-6　用两个 No.8 槽钢如图组成的外伸梁，受荷载如图所示，$\left[\dfrac{f}{l}\right]=\dfrac{1}{800}$，$E=200\text{GPa}$，试校核其刚度。

13-7　一采用 No.20 工字型钢简支梁，受力情况如图所示。$\left[\dfrac{f}{l}\right]=\dfrac{1}{600}$，$E=210\text{GPa}$，试计算梁所能承受的荷载 q 为多少？

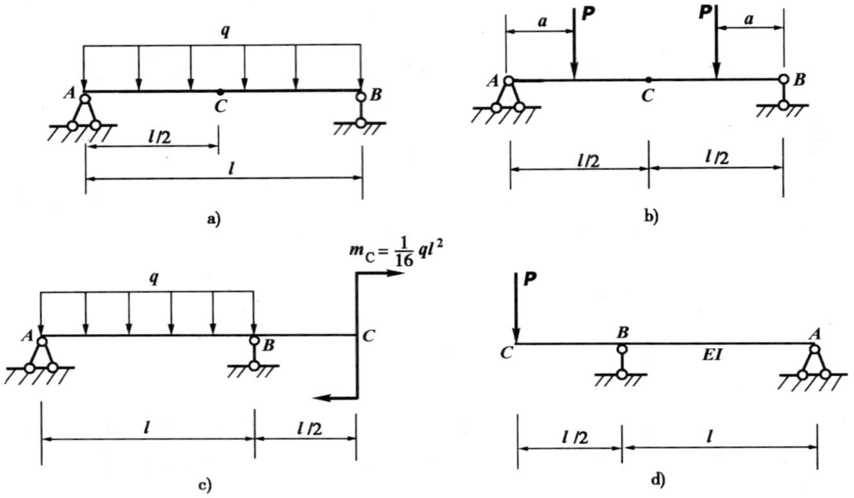

题 13-2 图

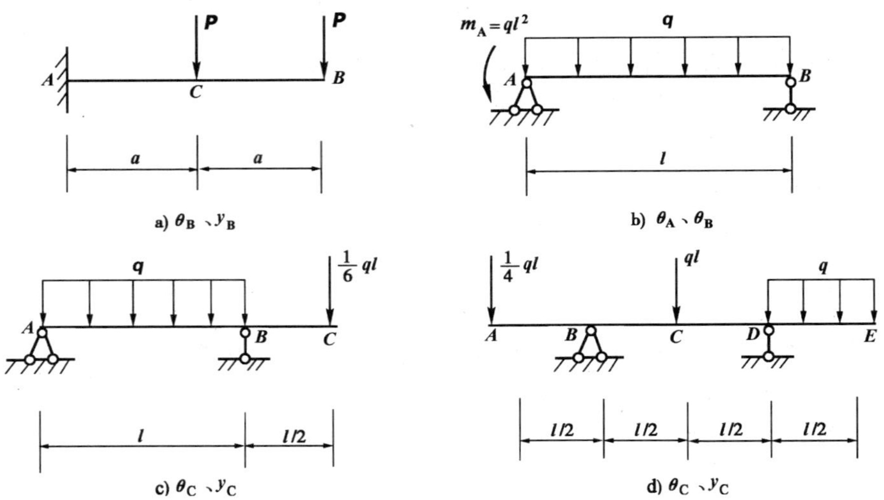

题 13-4 图

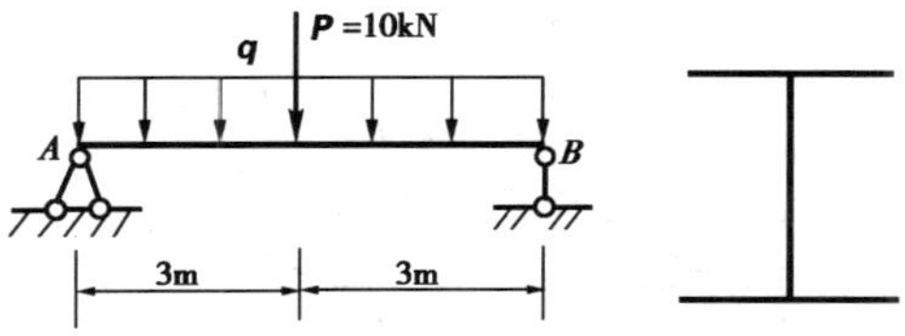

题 13-5 图

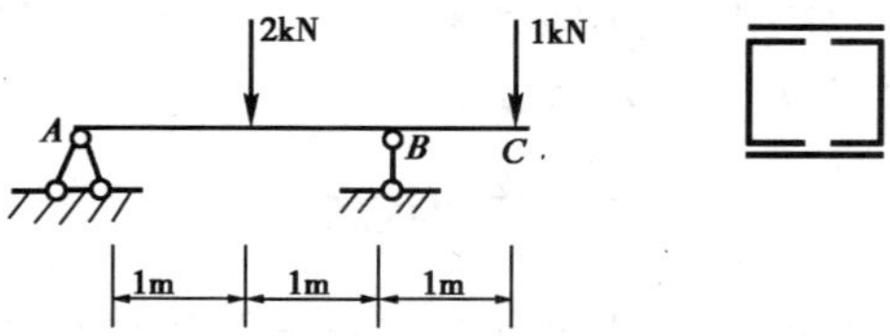

题 13-6 图

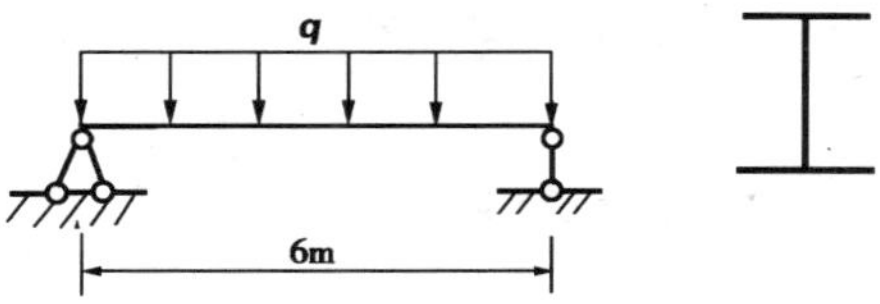

题 13-7 图

第十四章　应力状态和强度理论

§14-1　应力状态分析

一、应力状态的概念

前面研究了构件横截面上的应力计算，当求构件内任意一点的应力时，若用不同方向的截面截取，其应力值是不同的。在实际工程中，我们需要了解构件每一点所有截面上的应力情况。例如图 14-1 所示的钢筋混凝土梁，除了在跨中底部由危险点的拉应力所致会发生竖向裂纹外，其它部位仍会发生斜向裂缝。这一破坏现象说明了斜截面上的应力存在。为了对构件进行强度计算，应该把危险点处各方向面上的应力情况了解清楚，所以需要了解构件上某一点的全部应力情况。只有全面地研究了每一点的所有截面上的应力分布情况，才能知道构件在什么地方和什么方向应力最大，因而最危险。

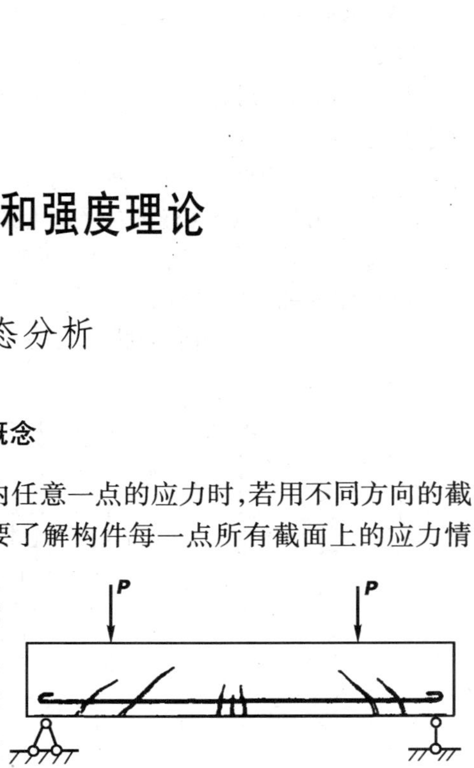

图　14-1

我们把通过一个点的所有截面上的应力情况的总称，称为该点的应力状态。

为了研究梁内一点处的应力状态，通常是绕该点取出一个无限小的正六面体——单元体来研究，如图 14-2 所示。由于单元体的边长非常小，所以我们认为单元体的各个面上的应力是均匀分布的，并且各对应面上的应力值是相同的。这样，单元体六个面上的应力就简化为三个互相垂直的方向上的应力。如果单元体中互相垂直的三个方向面上的应力均为已知，则该点其它任意方位截面上的应力就可以用解析法或图解法给予确定。所以，单元体的三个互相垂直方向面上的应力，代表了该点处的应力状态。

单元体上剪应力等于零的平面称为主平面，如图 14-3a）所示，主平面上的应力称为主应力，通常用 σ_1、σ_2、σ_3 来表示。它们的代数值的大小顺序为 $\sigma_1>\sigma_2>\sigma_3$。

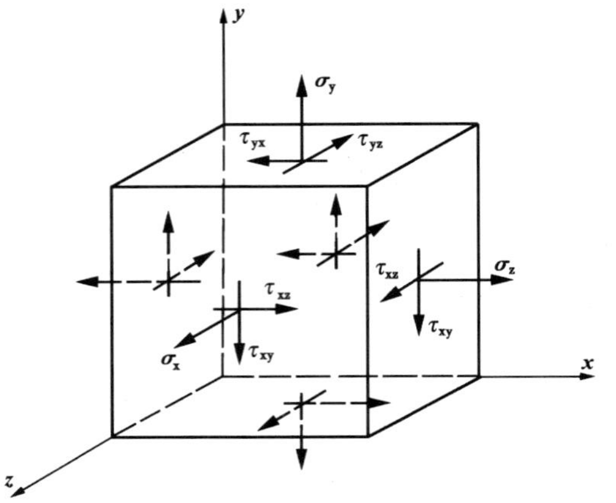

图 14-2

二、应力状态的分类

根据一点处的应力状态中有几对不等于零的主应力，将应力状态分为：

(1)三向应力状态：三个主应力都不为零[图 14-3a)]；

(2)双向应力状态：两个主应力不为零[图 14-3b)]；

(3)单向应力状态：只有一对主应力不为零[图 14-3c)]。

根据一点应力状态在空间的不同位置，将应力状态分为：

(1)空间应力状态：所有面上均有应力(图 14-2)。它可能是单向、双向或三向应力状态。

(2)平面应力状态：有一对平面上总是没有应力。它可能是单向或双向应力状态。

在应力状态中，有时会遇到一种特例，即单元体的四个侧面只有剪应力而无正应力[图 14-3d)]，称为纯剪应力状态。

本节主要讨论平面应力状态问题。

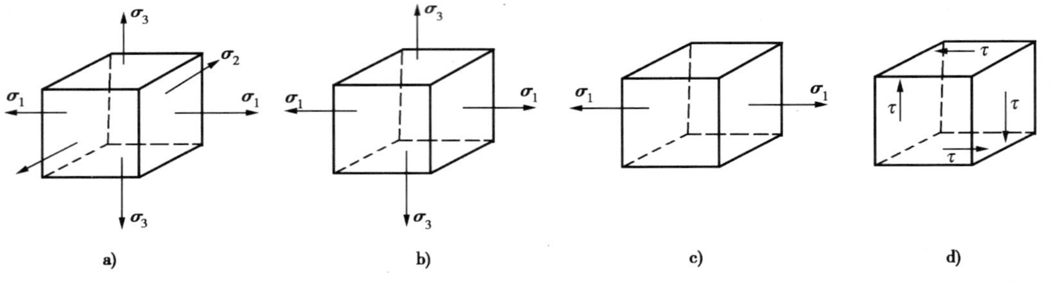

图 14-3

三、平面应力状态的分析

平面应力状态分析有解析法和图解法两种。

(一)解析法

1. 单元体斜截面上的应力

设从受力构件中某一点取一单元体，建立 x-y 坐标系。如图 14-4a)所示。任意斜截面 ef 的位置可由它的外法线 n 与 x 轴线夹角 α 来表示。设其上作用有正应力 σ_x、σ_y 和剪应力 τ_x、τ_y，规定：α 角自 x 轴起逆时针转向为正。正应力符号与前面一样，拉应力为正，压应力为负。运用截面法，取隔离体 aef 如图 14-4c)所示。设 σ_x、σ_y、τ_x、τ_y、α 为已知量，隔离体在正应力和剪应力作用下处于平衡。令斜面面积为 dA。

由 $\sum n=0$

$$\sigma_x dA-\sigma_x dA\cos\alpha\cdot\sin\alpha+\tau_x dA\cos\alpha\cdot\sin\alpha-\tau_y dA\cdot\sin\alpha\cdot\sin\alpha+\tau_y dA\cdot\sin\alpha\cdot\cos\alpha=0$$

$\sum t = 0$

$$\tau_x dA - \sigma_x dA \cdot \cos\alpha \cdot \sin\alpha + \tau_x dA\cos\alpha\cos\alpha + \tau_y dA\sin\alpha\cos\alpha + \tau_y dA\sin\alpha\sin\alpha = 0$$

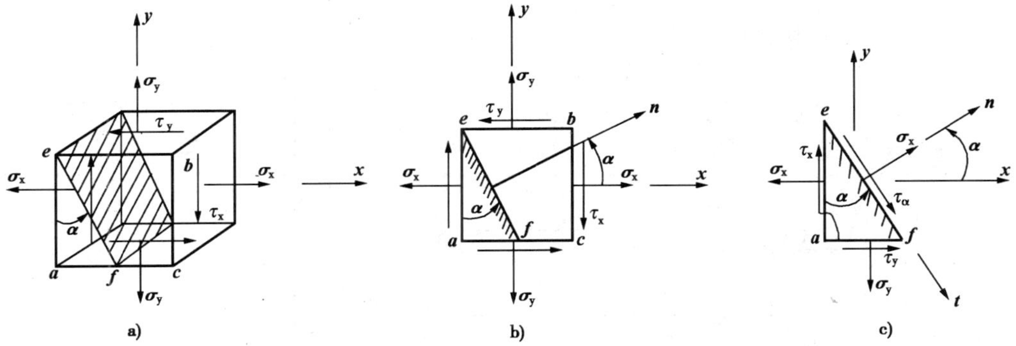

图 14-4

根据剪应力互等定律，$|\tau_x| = |\tau_y|$，并整理得

$$\sigma_\alpha = \frac{\sigma_x + \sigma_y}{2} + \frac{\sigma_x - \sigma_y}{2}\cos2\alpha - \tau_x \sin2\alpha \tag{14-1}$$

$$\tau_\alpha = \frac{\sigma_x - \sigma_y}{2}\sin2\alpha + \tau_x \cos2\alpha \tag{14-2}$$

公式(14-1)、(14-2)为计算平面应力状态下任意斜面上应力的基本公式。

例 14-1 图 14-5 所示一平面应力情况，求图示斜截面的应力。

解 由(14-1)及(14-2)公式得：

$$\sigma_{30^\circ} = \frac{\sigma_x + \sigma_y}{2} + \frac{\sigma_x - \sigma_y}{2}\cos(-60^\circ) - \tau_x \sin(-60^\circ)$$

$$= \frac{-10 + 4}{2} + \frac{-10 - 4}{2}\cos(-60^\circ) - 2\sin(-60^\circ)$$

$$= -8.27\text{MPa}$$

$$\tau_{30^\circ} = \frac{\sigma_x - \sigma_y}{2}\sin(-60^\circ) - \tau_x \cos(-60^\circ)$$

$$= \frac{-10 - 4}{2}\sin(-60^\circ) - 2\cos(-60^\circ)$$

$$= 5.06\text{MPa}$$

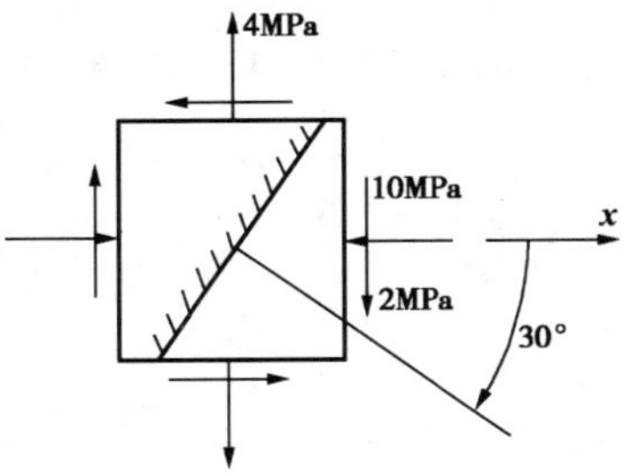

图 14-5

注意：题中 σ_{30° 负值，说明它与所设方向相反，即为压应力。τ_{30° 为正值，说明它与所设方向相同，为正剪应力。

例 14-2 如图 14-6a)所示为一矩形简支梁，求离左支座$\frac{l}{4}$处截面上 C 点在斜截面 n-n 上的应力。

解 (1)计算 C 点的 Q_C 和 M_C

$$Q_C = 50\text{kN} \qquad M_C = 25\text{kN} \cdot \text{m}$$

(2)计算 C 点所在截面的正应力 σ_2 和剪应力 τ_C

$$\sigma_C = \frac{M_C \cdot y}{I_z} = \frac{25 \times 10^3 \times \left(-\frac{1}{4} \times 600\right) \times 10^{-3}}{\frac{200 \times 600^3}{12} \times 10^{-12}} = -1.04\text{MPa}$$

$$\tau_C = \frac{Q_C \cdot S_z^*}{I_z b} = \frac{5\text{[illegible]} \times 10^3 \times 200 \times 150 \times (150 + 750) \times 10^{-9}}{\frac{200 \times 600^3}{12} \times 10^{-12} \times 200 \times 10^{-3}} = 0.469\text{MPa}$$

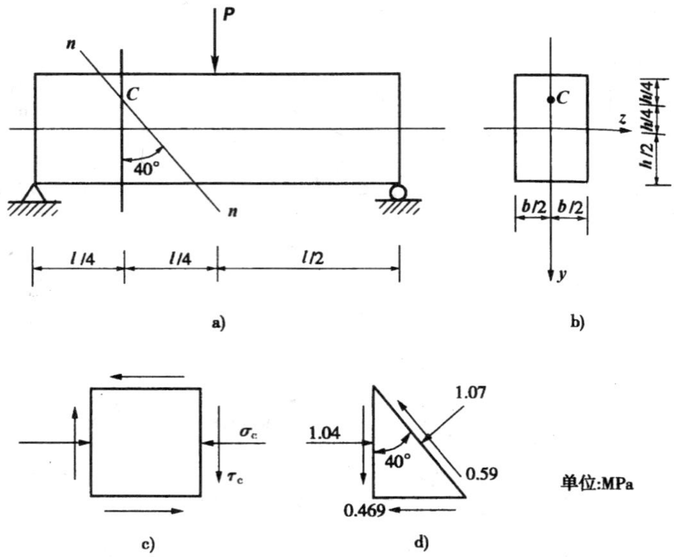

图 14-6

(3)应用(14-1)和(14-2)计算斜截面应力

$$\sigma_{40^\circ} = \frac{\sigma_C}{2} + \frac{\sigma_C}{2}\cos 2a - \tau_x \sin 2\alpha$$

$$= \frac{-1.04}{2} + \frac{-1.04}{2}\cos 80^\circ - 0.469\sin 80^\circ = -1.07\text{MPa}$$

$$\tau_{40^\circ} = \frac{\sigma_C}{2}\sin 2\alpha + \tau_x \cos 2\alpha$$

$$= \frac{-1.04}{2}\sin 80^\circ - 0.469\cos 80^\circ = -0.59\text{MPa}$$

两个应力均为负值,说明正应力是压应力,剪应力的方向对单元体是逆时针转向的。

2. 主平面方位、主应力

从公式(14-1)、(14-2)得知,斜截面上的应力 σ_α 与 τ_α 的大小随斜面倾斜角 α 的变化而变化。在无数个不同倾角 α 的斜面上,必然可以确定这些应力的极大值或极小值及其作用面的方位。

将式(14-1)对 α 取导数:

$$\frac{d\sigma_\alpha}{dx} = -2\left(\frac{\sigma_x - \sigma_y}{2}\sin 2\alpha + \tau_x \cos 2\alpha\right)$$

令其等于零,可求得 σ_α 达到极值时的 α 值,把与主平面相应的 α 写成 α_0,则:

$$\frac{\sigma_x - \sigma_y}{2}\sin 2\alpha_0 + \tau_x \cos 2\alpha_0 = 0$$

即
$$\tan 2\alpha_0 = \frac{-2\tau_x}{\sigma_x - \sigma_y} \tag{14-3}$$

或
$$2\alpha_0 = \arctan\left(\frac{-2\tau_x}{\sigma_x - \sigma_y}\right)$$

公式(14-3)就是 σ_α 的极值所在截面的方位。由此公式可以求出 α_0 的相差 90°的两个值,即有相互垂直的两个面,其中一个面上作用的正应力是极大值,用 σ_{max} 表示,叫最大正应力,另一个面上的是极小值,用 σ_{min} 表示,叫最小正应力。利用:

$$\cos 2\alpha_0 = \pm\frac{1}{\sqrt{1+\tan^2 2\alpha_0}}$$

$$\sin 2\alpha_0 = \pm\frac{\tan 2\alpha_0}{\sqrt{1+\tan^2 2\alpha_0}}$$

代入公式(14-1)整理得正应力的计算公式:

$$\left.\begin{matrix}\sigma_{max}\\ \sigma_{min}\end{matrix}\right\} = \frac{\sigma_x + \sigma_y}{2} \pm \sqrt{\left(\frac{\sigma_x - \sigma_y}{2}\right)^2 + \tau_x^2} \tag{14-4}$$

正应力为极值的截面恰为剪应力等于零的主平面。由此可知,主应力就是正应力的极大值或极小值。

由公式(14-4)得知:

$$\sigma_{max} + \sigma_{min} = \sigma_x + \sigma_y$$

即:对于同一个点所截取不同方位的单元体其相互垂直面上的正应力之和是一个常数,就是两个主应力之和。

例 14-3 从受力构件中取出的单元体如图 14-7a)所示,求斜截面上的主应力的大小及其所在的方位。

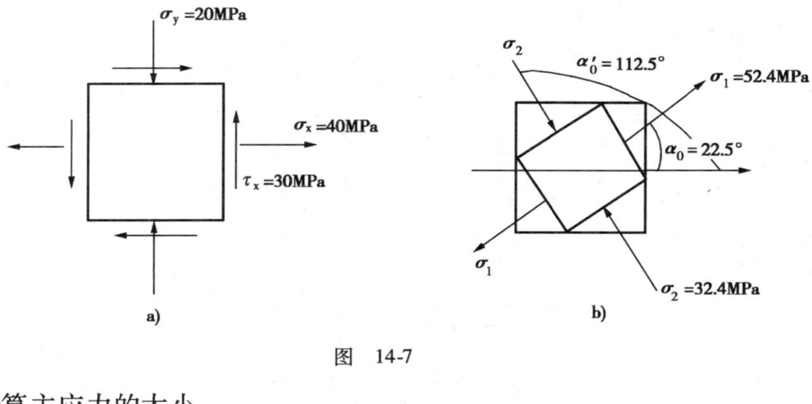

图 14-7

解 (1)计算主应力的大小

从已知条件可知:

$$\sigma_x = 40\text{MPa} \qquad \sigma_y = -20\text{MPa} \qquad \tau_x = 30\text{MPa}$$

代入公式:
$$\left.\begin{matrix}\sigma_{max}\\ \sigma_{min}\end{matrix}\right\} = \frac{\sigma_x + \sigma_y}{2} \pm \sqrt{\left(\frac{\sigma_x - \sigma_y}{2}\right)^2 + \tau_x^2}$$

$$= \frac{40-20}{2} \pm \sqrt{\left(\frac{40+20}{2}\right)^2 + (-30)^2}$$

$$= \begin{matrix} 52.4\text{MPa} \\ -32.4\text{MPa} \end{matrix}$$

校核：利用 $\sigma_{max} + \sigma_{min} = 52.4 - 32.4 = 20\text{MPa}$

$$\sigma_x + \sigma_y = 40 + (-20) = 20\text{MPa} \quad 符合要求$$

(2)计算主应力所在截面的方位

$$\tan 2\alpha_0 = \frac{-2\tau_x}{\sigma_x - \sigma_y} = \frac{-2 \times (-30)}{40 - (-20)} = \frac{60}{60} = 1$$

$$\alpha_0 = \left(\frac{1}{2}\right)\arctan 1 = \frac{1}{2} \times \begin{matrix} 45° \\ 225° \end{matrix} = \begin{matrix} 22.5° \\ 112.5° \end{matrix}$$

$\alpha_0 = 22.5°$即为主应力 σ_1 所在截面的方位。$\alpha_0^1 = 112.5°$即为主应力 σ_2 所在截面的方位。应力单元体如图 14-7b)所示。

例 14-4 图 14-8a)所示为一平面弯曲梁的工字形截面。已求出截面上的弯矩 $M = 325\text{kN} \cdot \text{m}$，剪力 $Q = 55\text{kN}$，$I_z = 65\ 000\text{cm}^4$，翼板对中性轴的面积矩 $S_z^* = 940\text{cm}^2$，求腹板最外层 C 点的主应力。

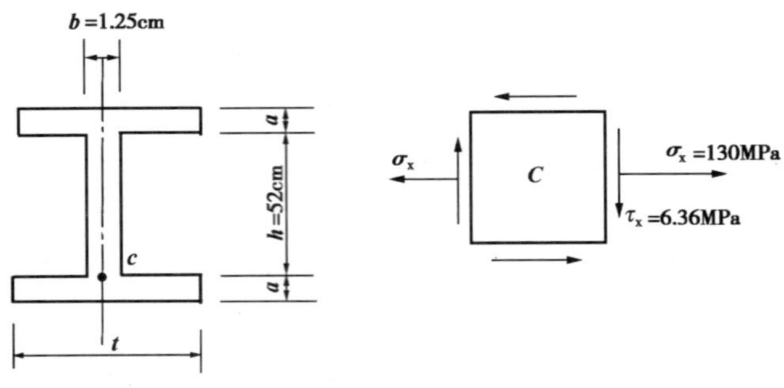

图 14-8

解 (1)计算单元体的应力 σ_x，τ_x

$$\sigma_x = \frac{M \cdot y}{I_z} = \frac{325 \times 10^3 \times \frac{52}{2} \times 10^2}{65\ 000 \times 10^{-8}} = 130\text{MPa}$$

$$\tau_x = \frac{QS_z^*}{I_z b} = \frac{55 \times 10^3 \times 940 \times 10^{-6}}{65\ 000 \times 10^{-8} \times 1.25 \times 10^2} = 6.30\text{MPa}$$

(2)计算主应力

$$\begin{matrix} \sigma_{max} \\ \sigma_{min} \end{matrix} = \frac{\sigma_x + \sigma_y}{2} \pm \sqrt{\left(\frac{\sigma_x - \sigma_y}{2}\right)^2 + \tau_x^2}$$

$$= \frac{130 + 0}{2} \pm \sqrt{\left(\frac{130 - 0}{2}\right)^2 + 6.36^2} = \begin{matrix} 130.5\text{MPa} \\ -0.5\text{MPa} \end{matrix}$$

得

$$\begin{matrix} \sigma_{max} \\ \sigma_{min} \end{matrix} = \begin{matrix} 130.5\text{MPa} \\ -0.5\text{MPa} \end{matrix}$$

即

$$\sigma_1 = 130.5\text{MPa} \quad \sigma_2 = 0 \quad \sigma_3 = -0.5\text{MPa}$$

(二)*图解法——应力圆*

前面通过解析法已经掌握了斜截面上的应力公式：

$$\sigma_\alpha = \frac{\sigma_x + \sigma_y}{2} + \frac{\sigma_x - \sigma_y}{2}\cos2\alpha - \tau_x\sin2\alpha$$

$$\tau_\alpha = \frac{\sigma_x - \sigma_y}{2}\sin2\alpha + \tau_x\cos2\alpha \tag{14-5}$$

将以上两边平方得：

$$\tau_\alpha^2 = \left(\frac{\sigma_x - \sigma_y}{2}\sin2\alpha + \tau_x\cos2\alpha\right)^2$$

将以上两式相加得：

$$\left(\sigma_\alpha - \frac{\sigma_x + \sigma_y}{2}\right)^2 + \tau_\alpha^2 = \left(\frac{\sigma_x - \sigma_y}{2}\right)^2 + \tau_x^2$$

这是一个以 σ_α 为横坐标，τ_α 为纵坐标的圆周方程。并可看出，圆的坐标为 $\left(\frac{\sigma_x+\sigma_y}{2},0\right)$ 半径为 $\sqrt{\left(\frac{\sigma_x-\sigma_y}{2}\right)^2+\tau_x^2}$。此圆被称为应力圆，又叫莫尔圆。

1．应力圆的作法

（1）建立 $\sigma-\tau$ 直角坐标体系，取比例尺；

（2）取横坐标 $\overline{OA_2}=\sigma_x$，$\overline{OA_1}=\sigma_y$，$\overline{AC}=\tau_x$，$A_1C_1=\tau_y$；

（3）连接 CC_1 交横坐标轴于 D 点；

（4）$\overline{OD}=\overline{OA_1}+\overline{A_1D}=\sigma_y+\frac{\sigma_x+\sigma_y}{2}=\frac{\sigma_x+\sigma_y}{2}$；即圆心坐标为 $\left(\frac{\sigma_x+\sigma_y}{2},0\right)$，$\overline{DC}=\sqrt{\overline{DA}^2+\overline{AC}^2}=\sqrt{\left(\frac{\sigma_x-\sigma_y}{2}\right)^2+\tau_x^2}$ 为圆的半径。

（5）以 D 点为圆心，$\overline{DC}$ 或 $\overline{DC_1}$ 为半径作圆得到如图 14-9b）所示的圆，该圆就是所要作的应力圆。

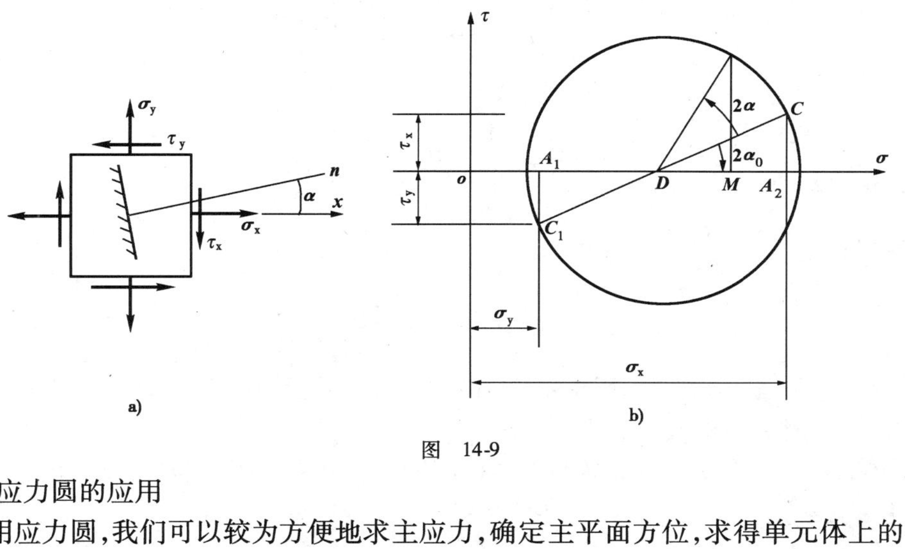

图 14-9

2．应力圆的应用

利用应力圆，我们可以较为方便地求主应力，确定主平面方位，求得单元体上的任意斜截面的应力

（1）计算主应力 σ_{max}、σ_{min}：

图 14-10a）所示表示平面应力状态一般形式的单元体。根据 x 截面和 y 截面的应力 σ_x、

τ_x, σ_y、τ_y 给出应力圆，如图 14-10b）所示。

根据定义可知，主应力是主平面上的正应力，即主应力是剪应力为零的平面的正应力。应力圆与 σ 轴的交点 B 和 B_1 处剪应力为零，所以应力圆上的 B 和 B_1 两点即代表对应单元体的两个主应力

$$\sigma_{max} = \overline{OB} = \overline{OD} + \overline{DB} = \frac{\sigma_x + \sigma_y}{2} + \sqrt{\left(\frac{\sigma_x - \sigma_y}{2}\right)^2 + \tau_x^2}$$

$$\sigma_{min} = \overline{OB_1} = \overline{OD} - \overline{DB_1} = \frac{\sigma_x + \sigma_y}{2} + \sqrt{\left(\frac{\sigma_x - \sigma_y}{2}\right)^2 + \tau_x^2}$$

即
$$\begin{matrix}\sigma_{max}\\ \sigma_{min}\end{matrix} = \frac{\sigma_x + \sigma_y}{2} \pm \sqrt{\left(\frac{\sigma_x - \sigma_y}{2}\right)^2 + \tau_x^2}$$

和前面讨论的主应力计算公式（14-4）相同。

（2）确定主平面方位

应力圆上 C 点到 B 为顺时针旋转 $2\alpha_0$，根据前面规定，顺时针旋转为负值，有

$$\tan(-2\alpha_0) = \frac{\overline{CA}}{\overline{DA}} = \frac{\tau_x}{\frac{\sigma_x - \sigma_y}{2}} = \frac{2\tau_x}{\sigma_x - \sigma_y}$$

$$2\alpha_0 = \arctan\left(\frac{-2\tau_x}{\sigma_x - \sigma_y}\right)$$

上述公式和前面公式（14-3）相同。

由图可知，与 α_1 相差 90°的面即为 σ_{min}的作用面。设为 α_2，即有 $\alpha_2 = \alpha_1 \pm 90°$相应主应力情况绘于图 14-10c）所示。

（3）最大剪应力及其作用位置：

在应力圆上最高点 E 和最低点 E_1 即表示最大剪应力 τ_{max}和最小剪应力 τ_{mix}。

$$\tau_{max} = \overline{DE} = \overline{DC} = \pm\sqrt{\left(\frac{\sigma_x - \sigma_y}{2}\right)^2 + \tau_x^2}$$

$$\tau_{min} = \pm\sqrt{\left(\frac{\sigma_x - \sigma_y}{2}\right)^2 + \tau_x^2} \tag{14-6}$$

都为应力圆的半径。

由于应力圆半径 $= \frac{\sigma_{max} - \sigma_{min}}{2}$

所以：
$$\begin{matrix}\tau_{max}\\ \tau_{min}\end{matrix} = \pm\frac{\sigma_{max} - \sigma_{min}}{2} \tag{14-7}$$

由应力圆得知：最大（最小）剪应力所在截面与最大（最小）正应力所在截面之间的夹角为 ±45°。

（4）计算单元体任意斜截面上的应力 σ_α，τ_α

图 14-10b）应力圆上从 C 点起转动 2α 角达到 N 点，量取 N 点的坐标，就为任意斜截面 α 面上的应力 σ_α，τ_α。

$$\overline{OM} = \overline{OD} + \overline{DM} = \frac{\sigma_x + \sigma_y}{2} - \overline{ON}\cos(2\alpha_0 + 2\alpha)$$

$$= \frac{\sigma_x + \sigma_y}{2} + \overline{DC}\cos2\alpha_0\cos2\alpha - \overline{OC}\sin2\alpha_0\sin2\alpha$$

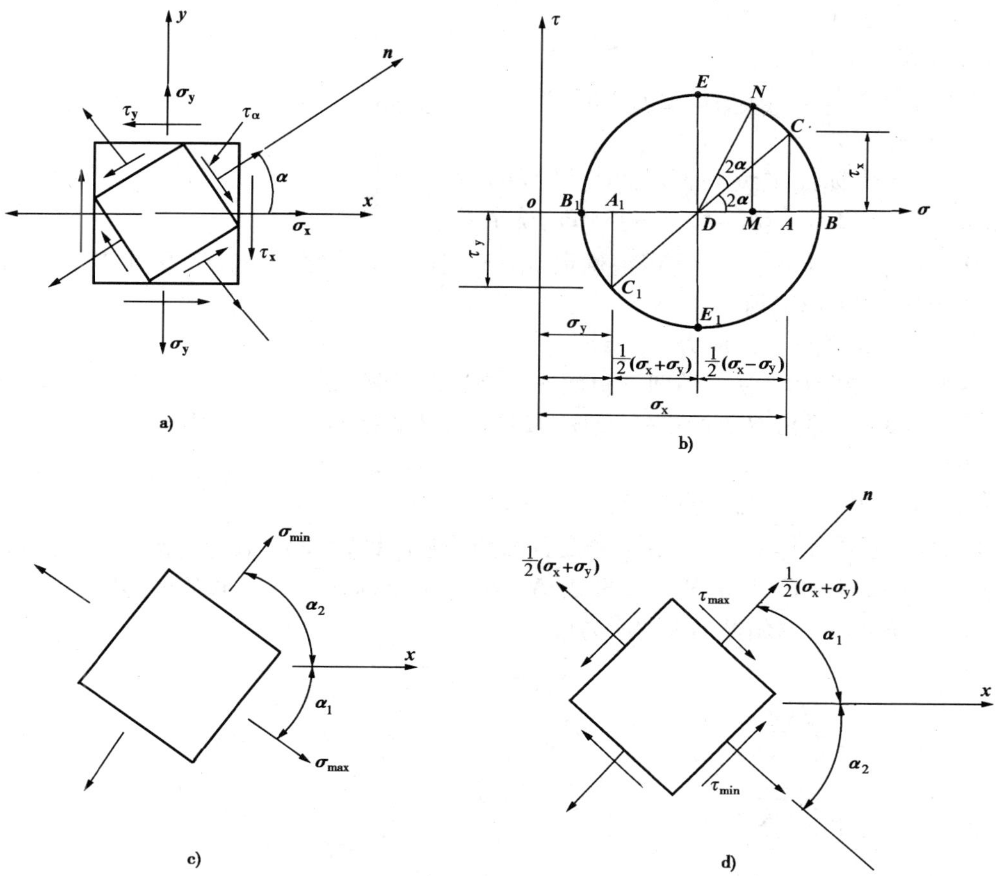

图 14-10

$$=\frac{\sigma_x+\sigma_y}{2}+\frac{\sigma_x-\sigma_y}{2}\cos2\alpha-\tau_x\sin2\alpha=\sigma_\alpha$$

$$\overline{MN}=\overline{DN}\sin(2\alpha_0+2\alpha)=\overline{DC}\cos2\alpha_0\sin2\alpha+\overline{DC}\sin2\alpha_0\cos2\alpha$$

$$=\frac{\sigma_x-\sigma_y}{2}\sin2\alpha+\tau_x\cos2\alpha=\tau_\alpha$$

与前面公式(14-1)和(14-2)相同。

例 14-5 用图解法解例 14-1。

解 (1)建立坐标系,σ 为横坐标,τ 为纵坐标,并确定比例尺;

(2)以坐标(−10,2)确定 C 点;以坐标(4,−2)确定 C_1 点;

(3)以 D 点为圆心,DC 为半径,做出应力圆如图 14-11 所示;

(4)从 C 点起顺时针 2α,确定 N 点,量出 N 点坐标。即

$$\sigma_{30^\circ}=-4.77\text{MPa}\qquad\tau_{30^\circ}=7.06\text{MPa}$$

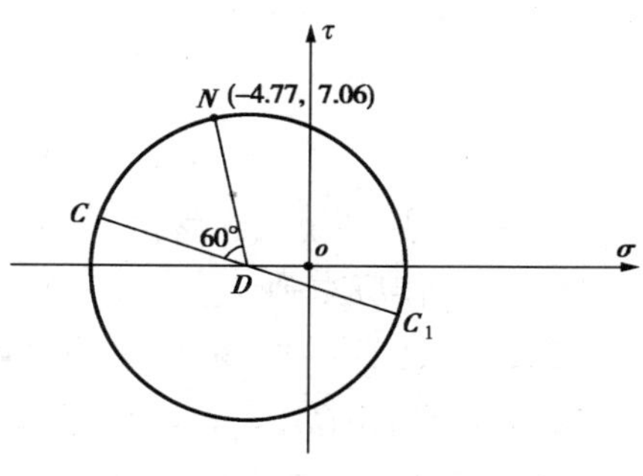

图 14-11

例 14-6 用图解法求出:

(1) $\alpha=45°$截面上的应力；

(2) $\beta=90°+\alpha$ 截面上的应力；

(3)最大剪应力及其作用面上的正应力。

解 (1)作应力圆

建立 $\sigma-\tau$ 坐标轴，选定比例尺如图 14-12b)所示。

由$\overline{OA}=\sigma_x=12\text{MPa}$，$\overline{OC}=\tau_x=-18\text{MPa}$，确定 C 点；

由$\overline{OA_1}=\sigma_y=0$，$\overline{OC_1}=\tau_y=18\text{MPa}$，确定 C_1 点；连接 CC_1 交横坐标轴于 D 点，以$\overline{DC}$为半径，画出应力圆如图 14-12b)所示。

(2)求 $\alpha=45°$截面上的应力

$\alpha=45°$表示单元体上从 x 轴到 α 斜面法线为逆时针转 45°，在应力圆上从 C 点逆时针转动 $2\alpha=90°$得 N 点，量出 N 点的横坐标$\overline{OM}=24\text{MPa}$，纵坐标$\overline{NM}=6\text{MPa}$，即为 $\alpha=45°$时斜截面上的应力值。

(3)求 $\beta=90°+\alpha=135°$截面上的应力

$\beta=135°$表示单元体上从 x 轴到 β 斜截面法线为逆时针转 135°，在应力圆上从 C 点逆时针转动 $2\beta=2\times135°=270°$得 N_1 点，量出 N_1 点的横坐标$\overline{OM_1}=-12\text{MPa}$，纵坐标$\overline{N_1M_1}=-6\text{MPa}$，就是 $\beta=135°$时斜截面上的应力值。

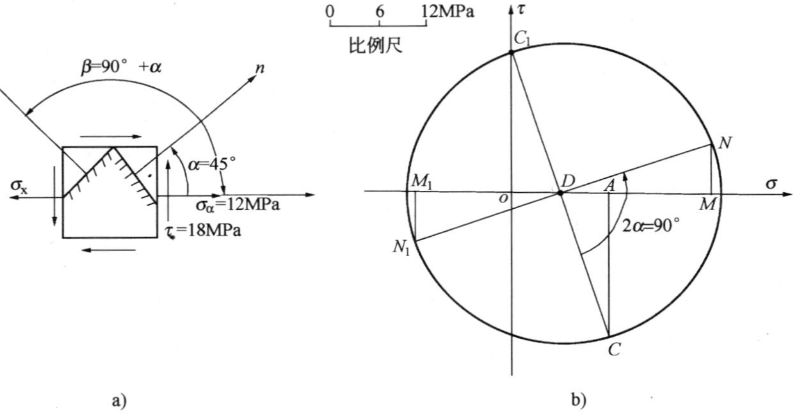

图 14-12

(4)求最大剪应力及其作用面上的正应力

$$\tau_{max}=\overline{DC_1}=19\text{MPa}$$

$$\sigma_\alpha=6\text{MPa}$$

例 14-7 用图解法求解例 14-4。

解 (1)作应力圆

建立 $\sigma-\tau$ 坐标系，确定比例尺如图 14-13b)所示，由$\overline{OA}=\sigma_x=130\text{MPa}$，$\overline{OC}=\tau_x=6.36\text{MPa}$，确定 C 点；由$\overline{OA_1}=\sigma_y=0$，$\overline{OC_1}=\tau_y=-6.36\text{MPa}$，确定 C_1 点；连接 CC_1 交 σ 轴于 D 点，以$\overline{DC}$为半径画出应力圆如图 b)所示。

(2)求主应力 σ_{max}和 σ_{min}

按选用的比例尺量取 OB 和 OB_1 即得

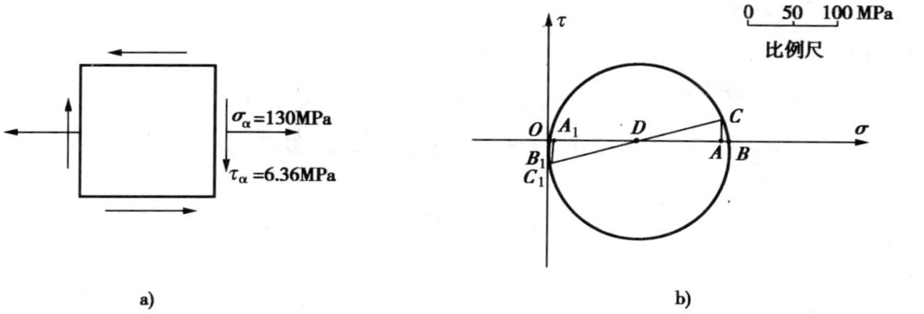

图 14-13

$$\sigma_{\max} = \overline{OB} = 130.5\text{MPa}$$

$$\sigma_{\min} = \overline{OB_1} = -0.5\text{MPa}$$

四、梁的主应力迹线

若在梁内取若干个横截面,从其中任一横截面 1-1 上任一点 a 开始,求出 a 点处的主应力方向线,将它延长与邻近一个横截面 2-2 相交于 b 点,又求出 b 点处的主应力方向线,延长后与邻近的 3-3 横截面相交于 c 点,如此继续下去,就可以得到一根折线。如果截面取得很密集,折线就成为一条光滑的曲线。这条曲线上任一点处的切线就是该点处主应力的方向。此曲线被称为主应力迹线。如图 14-14a)所示。

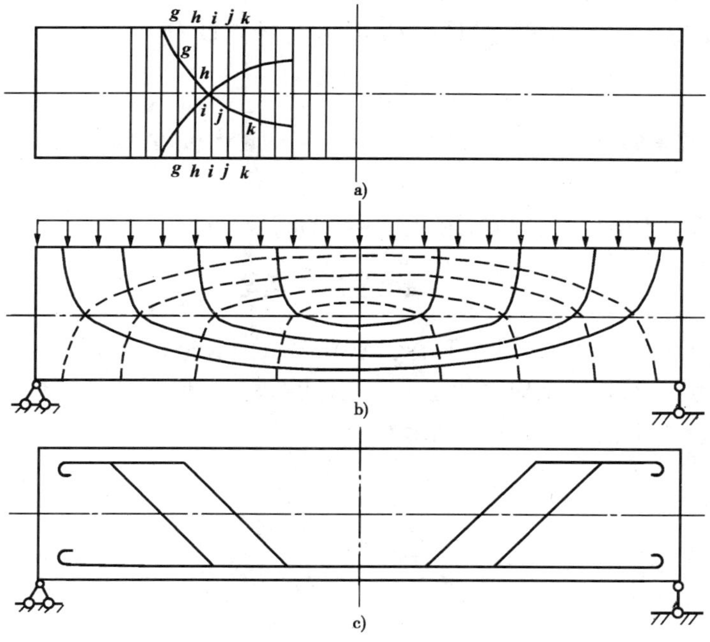

图 14-14

一根梁可以画出很多条主拉应力迹线[图 14-14b)实线部分]和主压应力迹线[图 14-14b)虚线部分]。因为单元体的主拉应力 σ_l 的方向与主压应力 σ_a 的方向总是垂直的,所以主拉应力迹线与主压应力迹线必定在中性层处正交,并与中性层的倾角为 45°。在梁的上下边缘处剪应力为零,所以主应力迹线在该处有水平或垂直的切线。

在钢筋混凝土梁中,主拉应力会使得混凝土沿主应力迹线方向受拉而产生裂隙,所以须在梁内根据主拉应力迹线方向配置相适应的钢筋,以提高钢筋混凝土梁的抗拉强度。如图14-14c)所示。所以主拉应力迹线是钢筋混凝土梁受拉钢筋配置方向的依据。

* §14-2 强度理论

强度理论是研究构件在复杂应力状态下如何建立强度条件的理论。

我们在前面已经学过构件在简单应力状态下强度条件的建立,而构件在复杂应力状态下要建立强度条件就不是件容易的事了。长期以来,人们从研究材料受力破坏的情况着手进行过大量的观察和实验,提出了一些假说来解释构件在常温、静荷载作用下破坏的原因,在此基础上建立强度条件。这类假说被称为强度理论。这些假说的基本思想是:不管材料是处在简单应力状态还是复杂应力状态,若发生某种类型的破坏,都是由某个相同的原因引起的。

下面介绍几个工程中常用的强度理论及相应的强度条件。

一、最大拉应力理论

最大拉应力理论又称为第一强度理论。它的基本假说是:无论是简单应力状态还是复杂应力状态,引起破坏的因素是相同的,都是最大拉应力 σ_l。这一理论认为:材料在复杂应力状态下达到危险点的原因就是危险截面上危险点的拉应力 σ_l 达到了共同的极限值 σ_l^0。由于脆性材料拉断时的极限应力为拉伸强度极限 σ_b,所以破坏条件为:

$$\sigma_l = \sigma_b$$

将 σ_b 除以安全系数得容许应力$[\sigma]$,因此,第一强度理论的强度条件为:

$$\sigma_l \leqslant [\sigma] \tag{14-8}$$

此强度理论适用于脆性材料和由拉应力引起的断裂情况。

二、最大拉应变理论

最大拉应变理论又称为第二强度理论。它是以最大拉伸线应变作为引起材料破坏的因素。这一理论认为:材料在复杂应力状态下达到危险状态的原因是危险截面上的最大伸长线应变 ε_l 达到了共同的极值 ε_l^0。所以破坏条件为:

$$\varepsilon_l = \varepsilon_l^0$$

由广义虎克定律:

$$\varepsilon_l = \frac{\sigma_l}{E} - \frac{\mu}{E}(\sigma_2 + \sigma_3)$$

$$\varepsilon_l^0 = \frac{\sigma_b}{E}$$

所以

$$\sigma_l - \mu(\sigma_2 + \sigma_3) = \sigma_b$$

将 σ_b 除以安全因素后,得容许应力$[\sigma]$。于是第二强度理论的强度条件:

$$\sigma_l - \mu(\sigma_2 + \sigma_3) \leqslant [\sigma] \tag{14-9}$$

此强度理论仍然适用于脆性材料的断裂情况。

三、最大剪应力理论

最大剪应力理论又称为第三强度理论。它是以剪应力作为引起材料破坏的因素。这一理论认为：材料在复杂应力状态下达到危险状态的原因是危险截面上危险点的最大剪应力 τ_{max} 达到了共同的极限值 τ_{max}^{0}。

所以破坏条件为：

$$\tau_{max} = \tau_{max}^{0}$$

由公式(14-6)知：

$$\tau_{max} = \frac{1}{2}(\sigma_1 - \sigma_2)$$

对于塑性材料可由单向拉伸实验找到屈服极限 σ_s，从而得到45°截面上最大剪应力的极限值为

$$\tau_{max} = \frac{\sigma_s}{2}$$

所以：

$$\sigma_l - \sigma_3 = \sigma_s$$

将 σ_s 除以安全系数得容许应力[σ]，于是强度条件为：

$$\sigma_1 - \sigma_3 \leqslant [\sigma] \tag{14-10}$$

此强度理论适用于塑性材料。

小　　结

本章主要介绍了应力状态的概念，单元体、主平面和主应力。

讨论了平面一般应力状态分析的两种方法——解析法和图解法。

1. 解析法：截取单元体，给出单元体各面上的已知应力，利用平衡方程，求出各种应力。

(1)平面应力状态的单元体任意斜截面上的应力计算公式为：

$$\sigma_\alpha = \frac{\sigma_x + \sigma_y}{2} + \frac{\sigma_x - \sigma_y}{2}\cos2\alpha - \tau_x\sin2\alpha$$

$$\tau_\alpha = \frac{\sigma_x - \sigma_y}{2}\sin2\alpha + \tau_x\cos2\alpha$$

(2)平面应力状态的单元体的最大正应力和最小正应力就是主应力。其计算公式为：

$$\left.\begin{matrix}\sigma_{max}\\ \sigma_{min}\end{matrix}\right\} = \frac{\sigma_x + \sigma_y}{2} \pm \sqrt{\left(\frac{\sigma_x + \sigma_y}{2}\right)^2 + \tau_x^2}$$

主平面的方位为：

$$\tan2\alpha_0 = \frac{-2\tau_x}{\sigma_x - \sigma_y}$$

(3)任意两个互相垂直的平面上的正应力之和为一常数。这个常数就是两个主应力之和。

$$\sigma_x + \sigma_y = \sigma_{max} + \sigma_{min} = \sigma_1 + \sigma_2$$

2. 图解法：通常又叫应力圆。其方法为：

(1)作出应力圆。

(2)利用应力圆，可直接量取所要求的任意截面上的应力，主应力及方位。最大剪应力及作用位置。

以上两种方法各有特点，希望同学们掌握。

处于平面应力状态的单元体的最大剪应力就是主剪应力。其计算公式为：

$$\begin{matrix}\tau_{\max}\\ \tau_{\min}\end{matrix} = \pm\sqrt{\left(\frac{\sigma_x - \sigma_y}{2}\right)^2 + \tau_x^2}$$

最大剪应力所在的截面的方位为：$\tan 2\alpha_1 = \dfrac{\sigma_x - \sigma_y}{2\tau_x}$，并与主平面成45°角。

最大剪应力的数值等于最大主应力与最小主应力之差的一半，即：$\begin{matrix}\tau_{\max}\\ \tau_{\min}\end{matrix} = \pm\dfrac{\sigma_1 - \sigma_2}{2}$

介绍了主应力迹线：

主应力迹线上任意点的切线表示该点主应力方向。主拉应力迹线和主压应力迹线在中性层处正交。并与中性层成45°的倾角。主拉应力迹线是钢筋混凝土梁受拉钢筋配置方向的依据。

介绍了三种强度理论。

(1)最大拉应力理论——第一强度理论。其强度条件为：

$$\sigma_1 \leqslant [\sigma]$$

适用于脆性材料。

(2)最大拉应变理论——第二强度理论。其强度条件为：

$$\sigma_1 - \mu(\sigma_2 + \sigma_3) \leqslant [\sigma]$$

适用于脆性材料。

(3)最大剪应力理论——第三强度理论。其强度条件为：

$$\sigma_1 - \sigma_3 \leqslant [\sigma]$$

适用于塑性材料。

习　题

14-1　试将图中单元体上的三个主应力标出 σ_1、σ_2、σ_3 的符号。

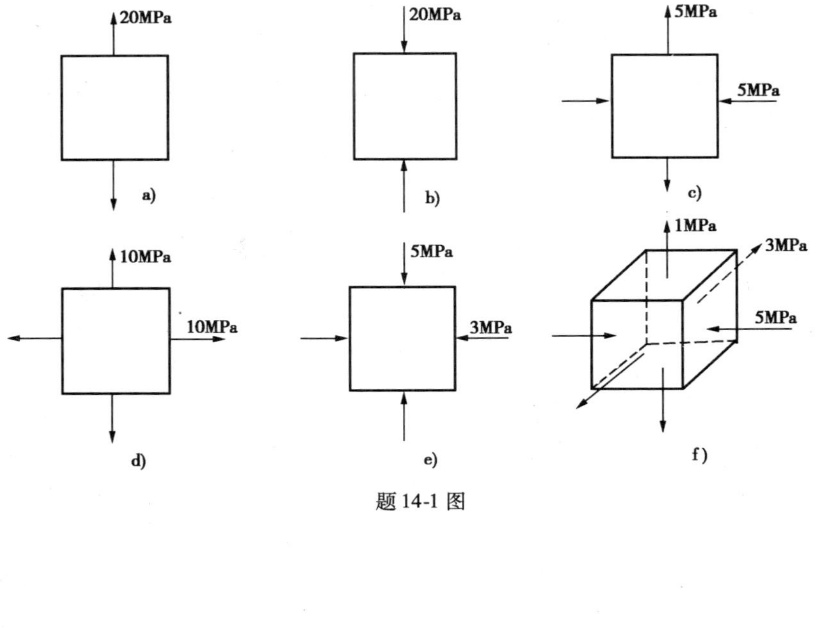

题14-1图

14-2　已知各面上的应力，求出下列 α 斜截面上的应力。并给出应力单元图。

(1) $\sigma_x = 60\text{MPa}$　$\sigma_y = -30\text{MPa}$　$\tau_x = 20\text{MPa}$　$\tau_y = -20\text{MPa}$　$\alpha = 60°$

(2) $\sigma_x = -50\text{MPa}$　$\sigma_y = -30\text{MPa}$　$\tau_x = \tau_y = 0$　$\alpha = -30°$

(3) $\sigma_x = 0$　$\sigma_y = 50\text{MPa}$　$\tau_x = 10\text{MPa}$　$\tau_y = -10\text{MPa}$　$\alpha = 30°$

14-3　已知各面上的应力，求下列各题主应力和主应力作用面的方位。并作应力单元体图。

(1) $\sigma_x = 60\text{MPa}$　$\sigma_y = -30\text{MPa}$　$\tau_x = 20\text{MPa}$　$\tau_y = -20\text{MPa}$

(2) $\sigma_x = 100\text{MPa}$　$\sigma_y = 60\text{MPa}$　$\tau_x = 15\text{MPa}$　$\tau_y = -15\text{MPa}$

(3) $\sigma_x = 10\text{MPa}$　$\sigma_y = 25\text{MPa}$　$\tau_x = -15\text{MPa}$　$\tau_y = 15\text{MPa}$

14-4　如图 14-4 所示简支梁，c 左邻截面上五个点处的应力为：

1 点：$\sigma_x = -140\text{MPa}$　$\tau_x = 0$；

2 点：$\sigma_x = -70\text{MPa}$　$\tau_x = 45\text{MPa}$；

3 点：$\sigma_x = 0$　$\tau_x = 60\text{MPa}$；

4 点：$\sigma_x = 70\text{MPa}$　$\tau_x = 45\text{MPa}$；

5 点：$\sigma_x = 140\text{MPa}$　$\tau_x = 0$。

试对各点取出单元体，画出应力圆，求出主应力，求出主平面方位，并在单元体图上表示出主应力及主平面。

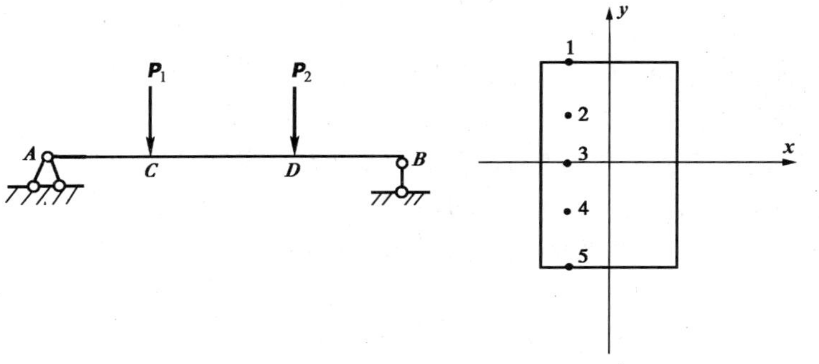

a)　　　b)

题 14-4 图

第十五章　组合变形的强度计算

§15-1　概　　述

一、组合变形的概念

前面各章已经讨论了杆件在轴向拉伸(压缩)、扭转和弯曲等基本变形时的强度和刚度计算。但是，在实际工程中，有些杆件的受力情况比较复杂，其变形不只是单一的基本变形，而是两种或两种以上基本变形的组合。例如，图 15-1a) 所示的烟囱，除由自重引起的轴向压缩外，还有因水平方向的风力作用而产生的弯曲变形；图 15-1b）所示的厂房柱，由于受到偏心压力的作用，使柱子产生压缩和弯曲变形；图 15-1c）所示的屋架檩条，荷载不作用在纵向对称面内，所以，檩条的弯曲不是平面弯曲，将檩条所受的荷载 q 沿 y 轴和 z 轴分解后可见，檩条的变形是由两个互相垂直的平面弯曲组合而成。

由两种或两种以上的基本变形组合而成的变形，称为**组合变形**。

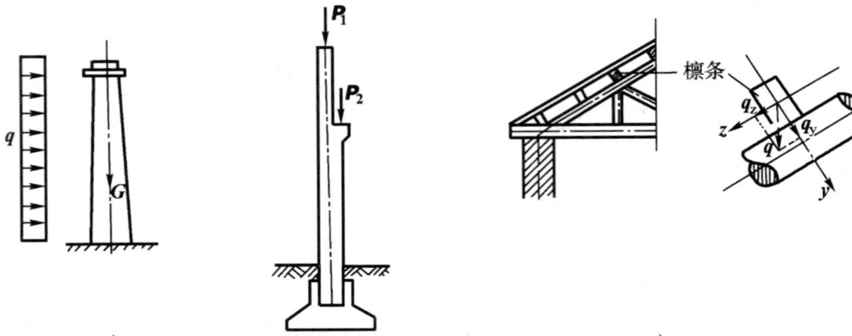

a)　　b)　　c)

图 15-1

二、组合变形的解题方法

解决组合变形强度问题的基本方法是叠加法。分析问题的基本步骤为：首先将杆件的组合变形分解为基本变形；然后计算杆件在每一种基本变形情况下所发生的应力；最后再将同一点的应力叠加起来，便可得到杆件在组合变形下的应力。实践证明，只要杆件符合小变形条件，且材料在弹性范围内工作，由上述叠加法所计算的结果与实际情况基本上是符合的。

本章讨论土建工程中常见的两种组合变形：斜弯曲和偏心压缩（或拉伸）。

§15-2　斜　弯　曲

前面讨论过平面弯曲的问题。当外力作用在梁的纵向对称面内且垂直于梁轴时，梁变形后的轴线也位于外力所在的平面内，这种变形称为梁的**平面弯曲**。如果外力的作用平面虽然通过梁轴线，但是它并不与梁的纵向对称面重合，这时，变形后的梁轴线将不在外力作用面内弯曲，这种弯曲称为**斜弯曲**。

现以图 15-2a）所示矩形截面悬臂梁为例来分析斜弯曲梁的强度计算问题。

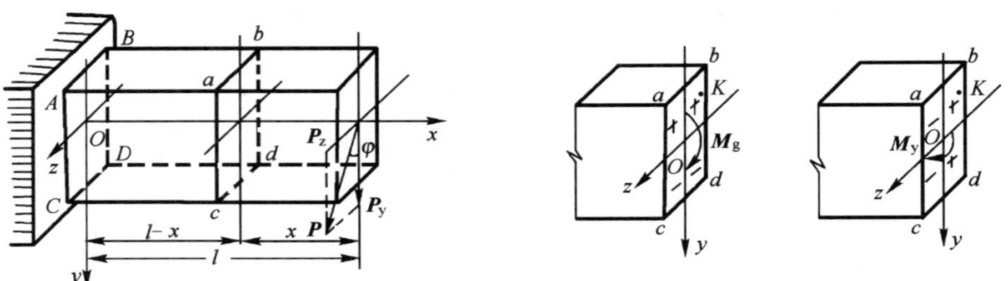

a)　　b)

图 15-2

一、外力的分解

设集中力 P 作用在悬臂梁的自由端,其作用线通过截面形心并与竖向对称轴成 φ 角[图 15-2a)]。设坐标轴如图示,将力 P 沿截面的两个对称轴 y 和 z 分解为两个分力,得

$$P_y = P\cos\varphi$$
$$P_z = P\sin\varphi$$

分力 P_y 将使梁在 xoy 平面内产生平面弯曲;分力 P_z 将使梁在 xoz 平面内产生平面弯曲。这样,就将斜弯曲分解为两个相互垂直平面内的平面弯曲。

二、内力的计算

在一般情况下,斜弯曲梁的强度是最大正应力控制的,因此,在进行内力分析时,主要是计算弯矩。

在距自由端为 x 的横截面上,两个分力 P_y 和 P_z 所引起的弯矩值分别为:

$$M_z = P_y \cdot x = P\cos\varphi \cdot x$$
$$M_y = P_z \cdot x = P\sin\varphi \cdot x$$

三、应力的计算

距自由端为 x 的横截面上任意点 K 处(坐标为 y、z),由 M_z 和 M_y 所引起的正应力分别为

$$\sigma_{M_z} = \frac{M_z \cdot y}{I_z}$$

$$\sigma_{M_y} = \frac{M_y \cdot z}{I_y}$$

应用叠加法,K 点的正应力为

$$\sigma = \sigma_{M_z} + \sigma_{M_y}$$

即

$$\sigma = \frac{M_z \cdot y}{I_z} + \frac{M_y \cdot z}{I_y} \tag{15-1}$$

式中 I_z 和 I_y 分别是横截面对形心主轴 z 和 y 的惯性矩。K 点应力 σ_{M_z}和 σ_{M_y}的正负符号,通过平面弯曲的变形情况直接判断。拉应力取正号,压应力取负号,如图 15-2b)所示。

四、强 度 条 件

进行强度计算,首先要确定危险截面和危险点的位置。对于图 15-2a)所示的悬臂梁,固定端截面的弯矩值最大,是危险截面。由 M_z 产生的最大拉应力发生在该截面的 AB 边上,由 M_y 产生的最大拉应力发生在 BD 边上,可见,此梁的最大拉应力发生在 AB 边和 BD 边的交点 B 处。同理,最大压应力发生在 C 点。B、C 两点就是危险点。

若材料的抗拉和抗压强度相等,则斜弯曲的强度条件为

$$\sigma_{max} = \frac{M_{zmax}}{W_z} + \frac{M_{ymax}}{W_y} \leqslant [\sigma] \tag{15-2}$$

根据这一强度条件,同样可以进行强度校核、截面设计和确定许用荷载。但是,在设计截面尺寸时,要遇到 W_z 和 W_y 两个未知量,可以先假设一个$\frac{W_z}{W_y}$的比值,根据强度条件式(15-2)计算出

杆件所需的 W_z 值，从而确定截面的尺寸及计算出 W_y 值，再按式(15-2)进行强度校核。通常对矩形截面取 $\frac{W_z}{W_y}=\frac{h}{b}=1.2\sim2$，对工字形截面取 $\frac{W_z}{W_y}=8\sim10$，对槽形截面取 $\frac{W_z}{W_y}=6\sim8$。

例 15-1 某屋面构造如图 15-3 所示，木檩条简支在屋架上，某跨距为 3.6m。承受由屋面传来的竖向均布荷载 $q=1\text{kN/m}$。屋面的倾角 $\varphi=26°34'$，檩条为矩形截面，$b=90\text{mm}$，$h=140\text{mm}$，材料的容许应力 $[\sigma]=10\text{MPa}$。试校核檩条强度。

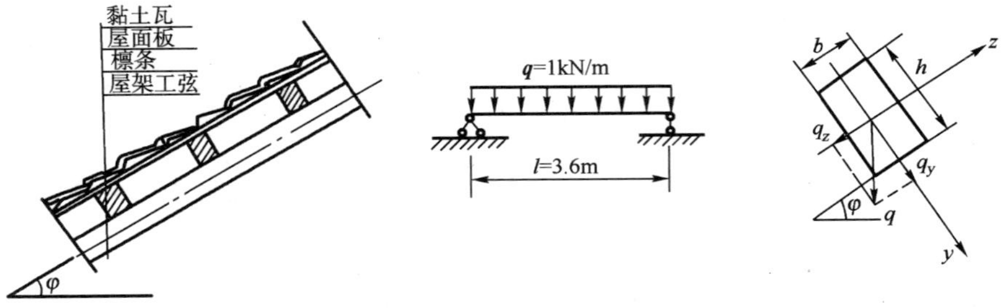

图 15-3

解 (1)荷载分解

荷载 q 与 y 轴间的夹角 $\varphi=26°34'$，将均布荷载 q 沿 y、z 轴分解，得

$$q_y = q\cos\varphi = 1\times0.894 = 0.894\text{kN/m}$$
$$q_z = q\sin\varphi = 1\times0.447 = 0.447\text{kN/m}$$

(2)内力计算

檩条在荷载 q_y 和 q_z 作用下，最大弯矩发生在跨中截面，其值分别为

$$M_{z\max} = \frac{q_y l^2}{8} = \frac{0.894\times3.6^2}{8} = 1.448\text{kN}\cdot\text{m}$$

$$M_{y\max} = \frac{q_z l^2}{8} = \frac{0.447\times3.6^2}{8} = 0.724\text{kN}\cdot\text{m}$$

(3)强度校核

截面对 z 和 y 轴的抗弯截面系数分别为

$$W_z = \frac{bh^2}{6} = \frac{90\times140^2}{6} = 2.94\times10^5\text{mm}^3$$

$$W_y = \frac{hb^2}{6} = \frac{140\times90^2}{6} = 1.89\times10^5\text{mm}^3$$

根据强度条件式(15-2)校核

$$\sigma_{\max} = \frac{M_{z\max}}{W_z}+\frac{M_{y\max}}{W_y} = \frac{1.448\times10^6}{2.94\times10^5}+\frac{0.724\times10^6}{1.89\times10^5} = 4.93+3.83$$
$$= 8.76\text{N/mm}^2 = 8.76\text{MPa} < [\sigma]$$

所以檩条强度足够。

例 15-2 如图 15-4 所示吊车梁由工字钢制成，材料的容许应力 $[\sigma]=160\text{MPa}$，$l=4\text{cm}$，$P=30\text{kN}$，现因某种原因使 P 偏离纵向对称面，与 y 轴的夹角 $\varphi=5°$。试选择工字钢的型号。

解 (1)荷载分解和内力计算

吊车荷载 P 位于梁的跨中时，吊车梁处于最不利的受力状态，梁的跨中截面弯矩最大，是危险截面。

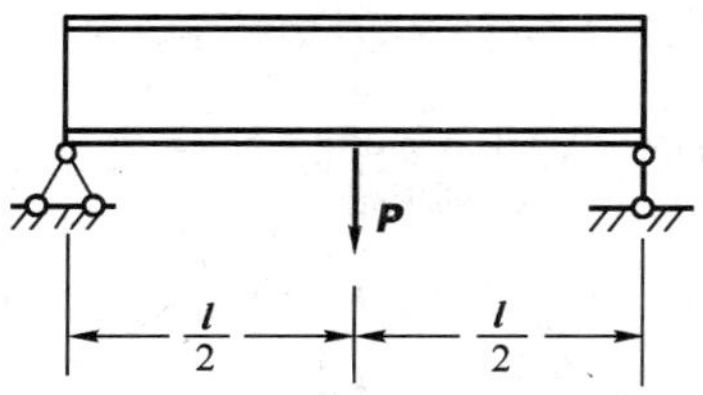

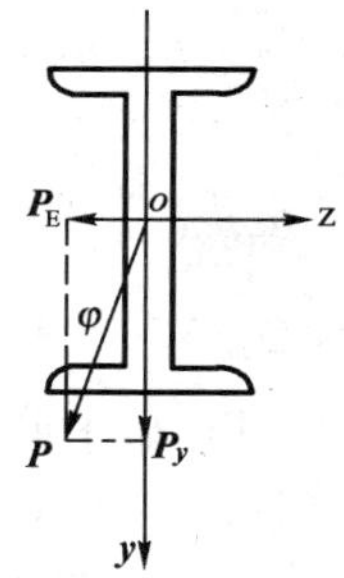

图 15-4

先将荷载 P 沿 y、z 轴分解，得

$$P_y = P\cos\varphi = 30 \times 0.996 = 29.9\text{kN}$$
$$P_z = P\sin\varphi = 30 \times 0.0872 = 2.62\text{kN}$$

由 P_y 引起在 xoy 平面内的平面弯曲，中性轴为 z 轴。跨中的最大弯矩为

$$M_{\text{zmax}} = \frac{P_y l}{4} = \frac{29.9 \times 4}{4} = 29.9\text{kN}\cdot\text{m}$$

由 P_z 引起在 xoz 平面内的平面弯曲，中性轴为 y 轴，跨中的最大弯矩为

$$M_{\text{ymax}} = \frac{P_z l}{4} = \frac{2.62 \times 4}{4} = 2.62\text{kN}\cdot\text{m}$$

(2)选择截面

先设 $\frac{W_z}{W_y} = 8$，将强度条件式(15-2)变换为

$$\frac{1}{W_z}\left(M_{\text{zmax}} + M_{\text{ymax}}\frac{W_z}{W_y}\right) \leqslant [\sigma]$$

所以
$$W_z \geqslant \frac{M_{\text{zmax}} + M_{\text{ymax}} \cdot \frac{W_z}{W_y}}{[\sigma]} = \frac{29.9 \times 10^6 + 2.62 \times 10^6 \times 8}{160} = 318 \times 10^3\text{mm}^3$$

查型钢表，选用№22b 工字钢，$W_z = 325\text{cm}^3 = 325 \times 10^3\text{mm}^3$，$W_y = 42.7\text{cm}^3 = 42.7 \times 10^3\text{mm}^3$。

(3)强度校核

按选用的型号，根据强度条件式(15-2)进行校核。

$$\sigma_{\max} = \frac{M_{\text{zmax}}}{W_z} + \frac{M_{\text{ymax}}}{W_y} = \frac{29.9 \times 10^6}{325 \times 10^3} + \frac{2.62 \times 10^6}{42.7 \times 10^3}$$
$$= 92 + 61.4 = 153.4\text{N/mm}^2 = 153.4\text{MPa} < [\sigma]$$

所以选用№22b 工字钢是合适的。

§15-3 偏心压缩(拉伸)

作用在杆件上的外力，当其作用线与杆的轴线平行但不重合时，杆件就受到**偏心压缩(或拉伸)**。如图 15-5 所示的柱子受到上部结构传来的荷载 P，作用线与柱轴线间的距离为 e，就使柱子产生偏心压缩的变形。荷载 P 称为偏心力，e 称为**偏心距**。

一、单向偏心压缩(拉伸)时的应力和强度条件

图 15-5a)所示的柱子,偏心力 P 通过截面一根形心主轴时,称为单向**偏心压缩**。

1. 荷载简化和内力计算

首先将偏心力 P 向截面形心平移,得到一个通过形心的轴向压力 P 和一个力偶矩 $m = P \cdot e$的力偶[图 15-5b)]。可见,偏心压缩实际上是轴向压缩和平面弯曲的组合变形。

运用截面法可求得任意横截面 $m\text{-}n$ 上的内力。显然,在这种承受偏心压缩的杆件中,各个横截面的内力是相同的。由图 15-3c)可知,横截面 $m\text{-}n$ 上的内力为轴力:$N = P$ 和弯矩 $M_n = P \cdot l$。

2. 应力计算和强度条件

现求横截面上任一点 K(坐标 y、z)的应力(图 15-6)。K 点的应力是轴向压缩的正应力 σ_N 和平面弯曲的正应力 σ_{M_z}的叠加。由轴力 N 引起的 K 点的正应力为

$$\sigma_N = -\frac{P}{A}$$

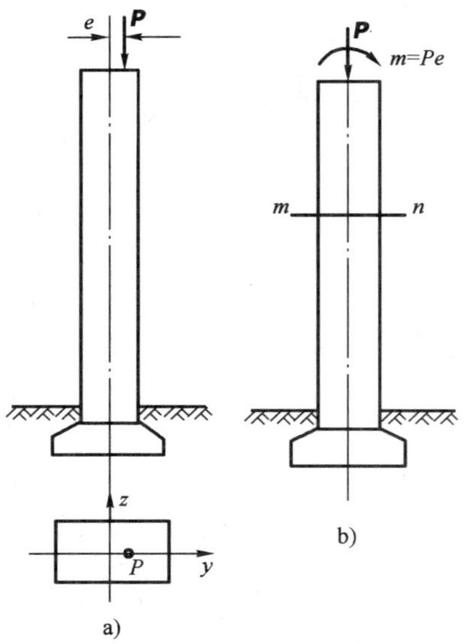

图 15-5

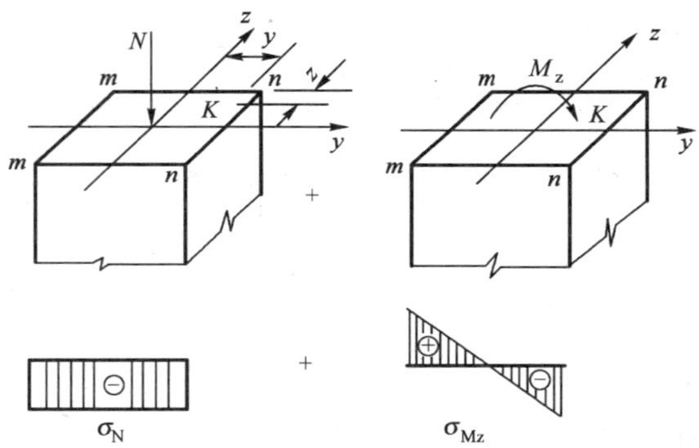

图 15-6

由弯矩 M_z 引起的 K 点的正应力为

$$\sigma_{M_z} = \frac{M_z \cdot y}{I_z}$$

K 点的总应力为

$$\sigma = -\frac{P}{A} \pm \frac{M_z \cdot y}{I_z} \tag{15-3}$$

应用式(15-3)计算正应力时,P、W_z、y 都可用绝对值代入,式中弯曲正应力的正负号可由观察变形情况来判定。当 K 点处于弯曲变形的受压区时取负号;处于受拉区时取正号。

显然,最大正应力(最小正应力)发生在截面的边线 $m\text{-}m$ 上其值分别为

$$
\left.\begin{aligned}
\sigma_{max} &= \sigma_{l max} = -\frac{P}{A} + \frac{M_z}{W_z} \\
\sigma_{min} &= \sigma_{a max} = -\frac{P}{A} - \frac{M_z}{W_z}
\end{aligned}\right\} \tag{15-4}
$$

截面上各点都处于单向拉压状态，所以强度条件为

$$
\left.\begin{aligned}
\sigma_{max} &= -\frac{P}{A} + \frac{M_z}{W_z} \leqslant [\sigma_l] \\
\sigma_{min} &= \left| -\frac{P}{A} - \frac{M_z}{W_z} \right| \leqslant [\sigma_a]
\end{aligned}\right\} \tag{15-5}
$$

3. 讨论

现在来讨论当偏心受压柱是矩形截面时，截面边缘线上的最大正应力和偏心距 e 之间的关系。如图 15-7a）所示的偏心受压柱，$A = bh$，$W_z = \frac{bh_2}{6}$，$M_z = Pe$，将各值代入式（15-5），得

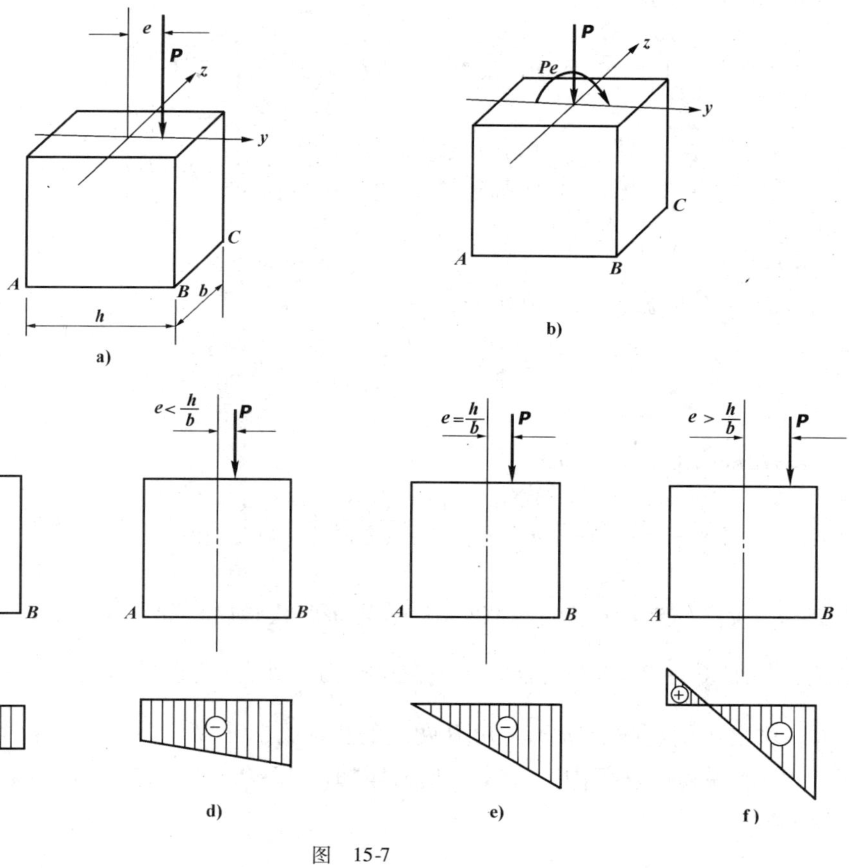

图 15-7

$$
\sigma_{max} = -\frac{P}{bh} + \frac{Pe}{\frac{bh^2}{6}} = -\frac{P}{bh}\left(1 - \frac{6e}{h}\right) \tag{15-6}
$$

以上分析说明，截面上应力分布情况随偏心距 e 而变化，与偏心力 P 的大小无关。当偏心距 $e > \frac{h}{6}$ 时，截面上出现受拉区；当偏心距 $e \leqslant \frac{h}{6}$ 时，截面全部受压。了解了偏心压缩（拉伸）杆

件的应力分布情况，我们就知道什么时候必须对截面上的应力进行校核。例如对于15-7c）、d）、e）图我们就可以只校核截面压应力，对于f）图就必须对拉应力和压应力都进行校核，才能保证结构杆件的安全。应力分布在实际应用上是非常重要的。

例15-3 如图15-8所示的一矩形截面柱，柱顶荷载 $P_1=100\text{kN}$，牛腿上受荷载 $P_2=45\text{kN}$，P_2 与柱轴线的偏心距 $e=0.2\text{m}$，$b=200\text{mm}$。求：

（1）若 $h=300\text{mm}$，柱截面中的最大拉应力和最大压应力各为多少？

（2）要使柱截面不产生拉应力，截面高度 h 为多大？此时，柱截面中的最大压应力为多少？

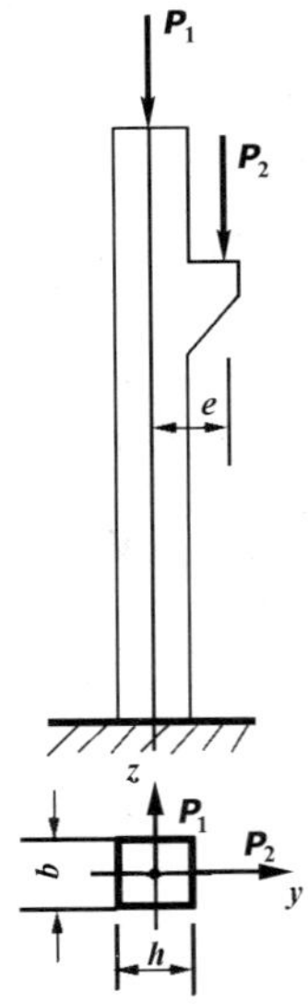

图 15-8

解 （1）求 $h=300\text{mm}$ 时的 $\sigma_{l\max}$，$\sigma_{a\max}$

①简化荷载并求内力：

$$P=P_1+P_2=100+45=145\text{kN}\quad(\downarrow)$$

$$M_2=P_2\cdot e=45\times0.2=9\text{kN}\cdot\text{m}\quad(\downarrow)$$

②若 $h=300\text{mm}$，求 $\sigma_{l\max}$ 和 $\sigma_{a\max}$

$$\sigma_{l\max}=-\frac{P}{A}+\frac{M_z}{W_z}=\frac{145\times10^3}{200\times300}+\frac{9\times10^6}{\dfrac{200\times300^2}{6}}=0.85\text{MPa}$$

$$\sigma_{a\max}=-\frac{P}{A}-\frac{M_z}{W_z}=-\frac{145\times10^3}{200\times300}+\frac{9\times10^6}{\dfrac{200\times300^2}{6}}=-5.42\text{MPa}$$

（2）求 h 及 $\sigma_{a\max}$

要使截面不产生拉应力，应满足 $\sigma_{l\max}\leqslant0$

即
$$-\frac{P}{A}+\frac{M_z}{W_z}=-\frac{145\times10^3}{200h}+\frac{9\times10^6}{\dfrac{200h^2}{6}}\leqslant0$$

得 $h\geqslant372\text{mm}$，取 $h=380\text{mm}$。

所以
$$\sigma_{a\max}=-\frac{P}{A}-\frac{M_z}{W_z}=-\frac{145\times10^3}{200\times380}+\frac{9\times10^6}{\dfrac{200\times380^2}{6}}=-3.78\text{MPa}$$

例15-4 如图15-9所示的一挡土墙，横截面形状和尺寸如图所示。C 点为其形心，土对墙的侧压力每米长为 $P=90\text{kN}$，合力作用在离底面 $\frac{h}{3}$ 处，方向水平向左。挡土墙材料容重 $\gamma=23\text{kN}\cdot\text{m}^3$。求出作用在截面 m-n 上 A、B 两点的正应力。

解 （1）取脱离体进行内力计算。脱离体如图15-9b）所示，取1m长度来计算：每1m长墙自重为

$$G=\frac{1}{2}(b_1+b_2)\cdot h\cdot\gamma=\frac{1}{2}(1+2)\times3\times23=103.5\text{kN}$$

所以
$$N=G=103.5\text{kN}$$

$$M_z=P\times\frac{h}{3}-G\cdot e=90\times\frac{3}{3}-103.5(1-0.78)=67.23\text{kN}\cdot\text{m}$$

（2）计算 m-n 截面上 A、B 两点的正应力

基底面的面积

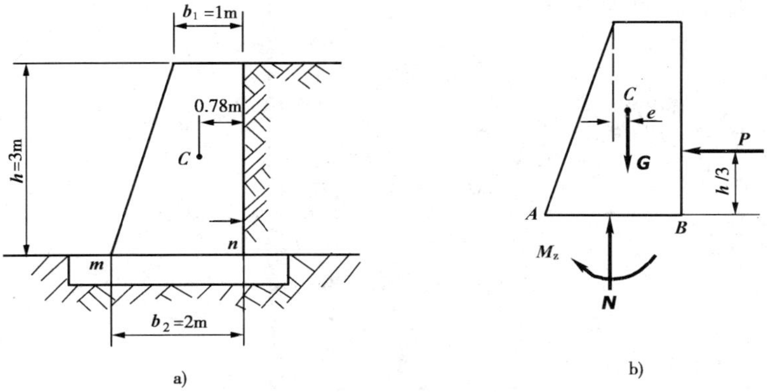

图 15-9

$$A = b_2 \times 1 = 2\text{m}^2$$

$$W_z = \frac{1}{6} \times 10^3 \times b_2^2 = 667 \times 10^6 \text{mm}^3$$

所以

$$\sigma_A = -\frac{N}{A} - \frac{M_z}{W_z} = \frac{-103.5 \times 10^3}{2 \times 10^6} - \frac{67.23 \times 10^6}{667 \times 10^6} = -0.152\text{MPa}$$

$$\sigma_B = -\frac{N}{A} + \frac{M_z}{W_z} = \frac{-103.5 \times 10^3}{2 \times 10^6} + \frac{67.23 \times 10^6}{667 \times 10^6} = 0.048\text{MPa}$$

二、双向偏心压缩(拉伸)时的应力和强度条件

当偏心压力 P 的作用线与柱轴线平行,但不通过截面任一形心主轴时,称为**双向偏心压缩**,如图 15-10 所示。

1. 荷载简化和内力计算

设压力 P 与 z 轴的偏心距为 e_y,至 y 轴的偏心距为 e_z(图 15-10)。先将压力 P 平移到 z 轴上,产生附加力偶矩 $m_z = P \cdot e_y$,再将力 P 从 z 轴上平移到截面的形心,又产生附加力偶矩 $m_y = Pe_z$。偏心力经过两次平移后,得到轴向压力 P 和两个力偶 m_z、m_y[图 15-10b)],可见,双向偏心压缩就是轴向压缩和两个相互垂直的平面弯曲的组合。

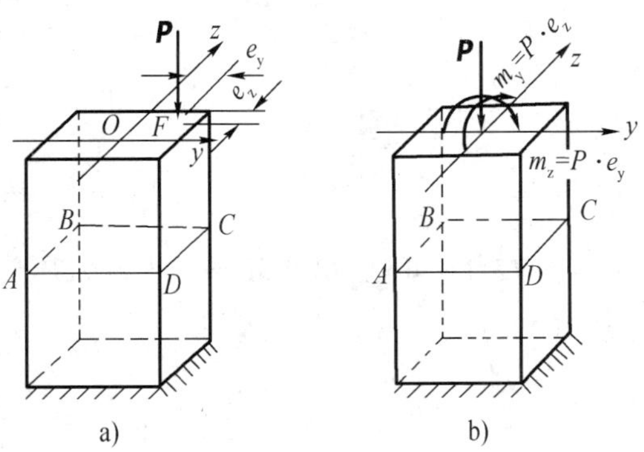

图 15-10

由截面法可求得任一横截面 $ABCD$ 上的内力为

$$N = P, M_z = P \cdot e_y, M_y = P \cdot e_x$$

2. 应力计算和强度条件

横截面 $ABCD$ 上任一点 K(坐标 y、z)的应力可用叠加法求得。

由轴力 N 引起 K 点的压应力为

$$\sigma_N = -\frac{P}{A}$$

由弯矩 M_z 引起 K 点的应力为

$$\sigma_{M_z} = \pm \frac{M_z \cdot y}{I_z}$$

由弯矩 M_y 引起 K 点的应力为

$$\sigma_{M_y} = \pm \frac{M_y \cdot z}{I_y}$$

所以,K 点的正应力为

$$\sigma = \sigma_N + \sigma_{M_z} + \sigma_{M_y}$$

即

$$\sigma = -\frac{P}{A} \pm \frac{M_z \cdot y}{I_z} \pm \frac{M_y \cdot z}{I_y} \tag{15-7}$$

计算时,上式中 P、M_z、M_y、y、z 都可用绝对值代入,式中第二项和第三项前的正负号由观察弯曲变形的情况来判定,如图 15-11 所示。

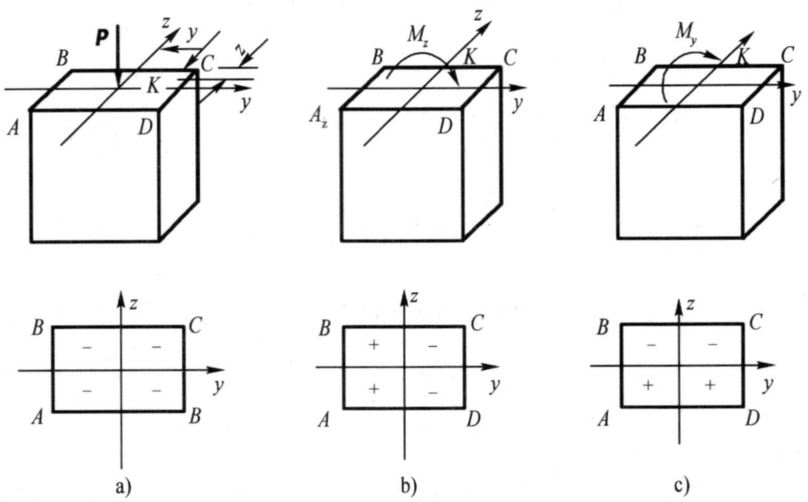

图 15-11

由图 15-11 可见,最小正应力(最大压应力)σ_{min}发生在 C 点,最大正应力 σ_{max}发生在 A 点,其值为

$$\left.\begin{aligned} \sigma_{max} &= -\frac{P}{A} + \frac{M_z}{W_z} + \frac{M_y}{W_y} \\ \sigma_{min} &= -\frac{P}{A} - \frac{M_z}{W_z} - \frac{M_y}{W_y} \end{aligned}\right\} \tag{15-8}$$

危险点 A、C 都处于单向应力状态,所以强度条件为

$$\left.\begin{aligned} \sigma_{max} &= -\frac{P}{A} + \frac{M_z}{W_z} + \frac{M_y}{W_y} \leqslant [\sigma_l] \\ \sigma_{min} &= \left| -\frac{P}{A} - \frac{M_z}{W_z} - \frac{M_y}{W_y} \right| \leqslant [\sigma_a] \end{aligned}\right\} \tag{15-9}$$

三、截面核心

前面曾经指出，当偏心压力 P 的偏心距 e 小于某一值时，可使杆横截面上的正应力全部为压应力而不出现拉应力。土建工程中大量使用的砖、石、混凝土材料，其抗拉能力比抗压能力小得多，这类材料制成的杆件在偏心压力作用下，截面中最好不出现拉应力，以避免拉裂。因此，要求偏心压力的作用点至截面形心的距离不可太大。当荷载作用在截面形心周围的一个区域内时，杆件整个横截面上只产生压应力而不出现拉应力，这个荷载作用的区域就称为截面核心。

常见的矩形、圆形、工字形截面核心如图 15-12 所示。

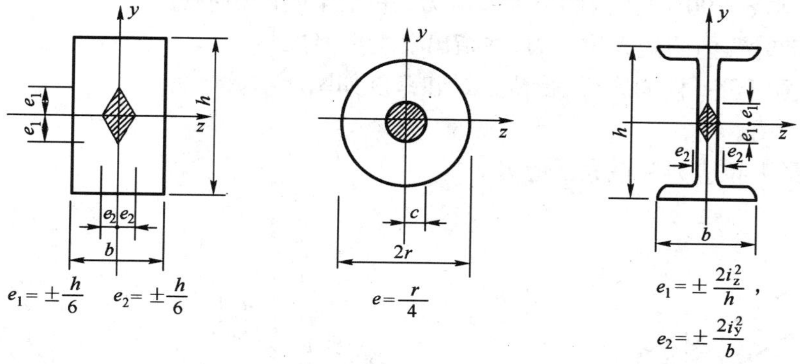

图 15-12

小　　结

（1）本章介绍了组合变形的概念及组合变形的计算方法。杆件在荷载作用下，产生两种或两种以上的基本变形，称为构件的组合变形。在计算时，组合变形杆件内各点的应力状态可以看作是几种基本变形下各点应力状态的叠加。

（2）斜弯曲，主要讲述了斜弯曲时的应力计算和强度条件，即

$$\sigma = \sigma_{(y)} + \sigma_{(z)} = M\left(\frac{\cos\varphi}{I_z}\cdot y + \frac{\sin\varphi}{I_y}\cdot z\right)$$

$$\sigma_{\max} = \frac{M_{z\cdot\max}}{W_z} + \frac{M_{y\cdot\max}}{W_y} \leqslant [\sigma]$$

可以用强度条件公式 $\sigma_{\max} \leqslant [\sigma]$ 校核强度，选择截面和计算许用荷载。

值得注意的是，斜弯曲时截面的中性轴并不垂直于外力作用平面，而垂直于梁的弯曲平面，梁的弯曲平面不与外力作用平面重合。

（3）偏心压缩（拉伸）的应力计算及强度条件，即

$$\sigma = -\frac{P}{A} \pm \frac{M_z\cdot y}{W_z} \pm \frac{M_y\cdot z}{W_y}$$

$$\sigma_{l\max} = -\frac{P}{A} - \frac{M_z}{W_z} + \frac{M_y}{W_y} \leqslant [\sigma_l]$$

$$\sigma_{a\min} = -\frac{P}{A} - \frac{M_z}{W_z} - \frac{M_y}{W_y} \leqslant [\sigma_a]$$

根据以上强度条件公式，可以对杆件的强度进行计算，也可以计算许用荷载以及选择截面。

值得注意的是，偏心受压时截面应力的变化，完全取决于外力偏心距 e 值的大小，与外力 P 的大小无关；对于受简单偏心压缩的矩形截面，偏心距 $e_y=\dfrac{h}{6}$ 及 $e_z=\dfrac{b}{6}$ 的范围内作用，整个截面上都是压应力而不会出现拉应力。

(4)简单介绍了截面核心的概念，了解矩形、工字形、圆形等几种常见截面形状的截面核心。

习　题

15-1　如图所示的悬臂梁 $l=2\text{m}$，矩形截面 $h=0.3\text{m}$，$b=0.15\text{m}$，$P=0.8\text{kN}$，求：

(1) $\alpha=0°$ 和 $\alpha=90°$ 时梁内的最大拉应力，并指出发生在何处？

(2) $\alpha=45°$ 时梁内的最大拉应力，并指出发生在何处？

15-2　如图所示一楼梯斜梁，受荷方式和跨度如图所示，试求：

(1)作内力图。

(2)求出最大拉应力和最大压应力。

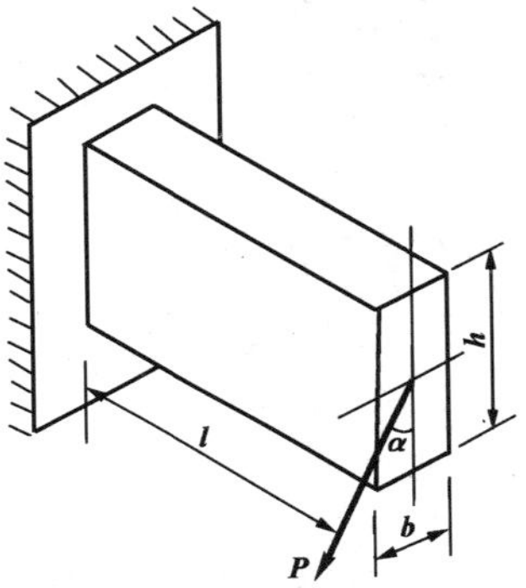

题 15-1 图

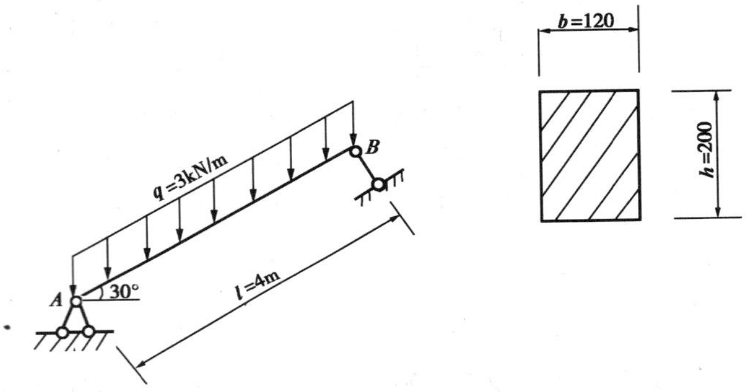

题 15-2 图

15-3　如图所示屋架上的檩条，其跨度 $l=4\text{m}$，$q=3.2\text{kN/m}$，矩形截面 $\dfrac{h}{b}=\dfrac{4}{3}$，容许应力 $[\sigma]=10\text{MPa}$。

(1)试选择檩条的截面尺寸？

(2)若改成工字型钢截面，$[\sigma]=160\text{MPa}$，试选择其型号。

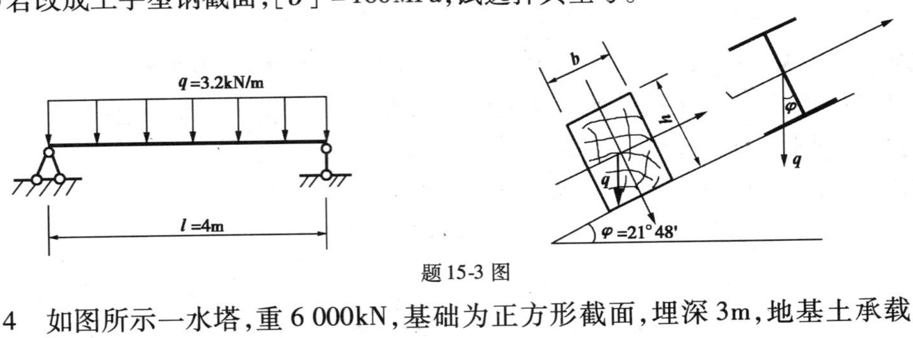

题 15-3 图

15-4　如图所示一水塔，重 6 000kN，基础为正方形截面，埋深 3m，地基土承载力 $[\sigma]=0.3\text{MPa}$，水塔受力情况如图所示，试选择基础的尺寸。

15-5　如图所示为一工业厂房柱子，受 $P_1=100\text{kN}$，$P_2=45\text{kN}$ 的作用，求柱子最大应力为多少？如要求柱子截面上不出现拉应力，截面高度 h 应为多少？此时最大压应力为多少？

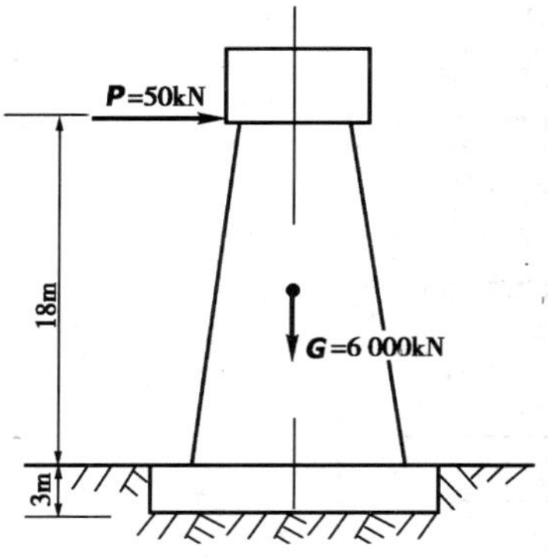

题 15-4 图

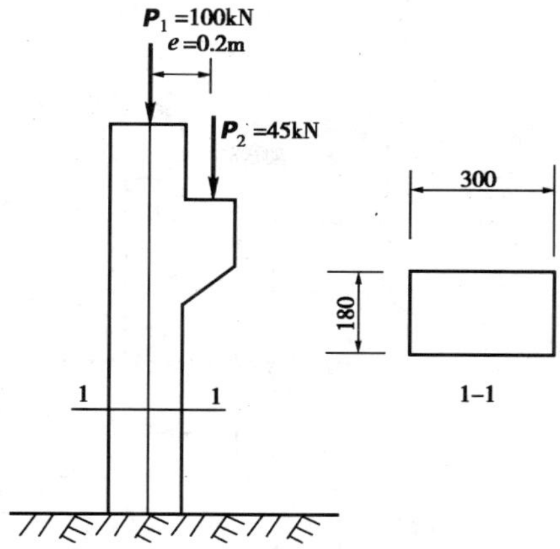

题 15-5 图

15-6　如图所示为一钢筋混凝土水坝，截面为矩形，水深为 l，混凝土密度 $\rho=2.2\times 10^3\text{kN}\cdot\text{m}^3$，问当坝底截面上不出现拉应力时 h 为多少？

15-7　砖墙和基础截面如图所示，$P=40\text{kN}$，$e=50\text{mm}$，计算 1-1，2-2，3-3 截面上由 P 引起的应力值。（提示：取 1m 长的墙进行计算）

15-8　如图所示一№25a 的工字钢简支梁，处于斜弯曲。已知：$P=20\text{kN}$，$l=4\text{m}$，$\varphi=\dfrac{\pi}{12}$，$[\sigma]=170\text{MPa}$，试校核其强度。

15-9　如图所示，若在正方形截面短柱的中间处开一切口，其面积为原面积的$\dfrac{1}{2}$，问最大压应力增大几倍？

15-10　如图所示，作下列各截面的截面核心。

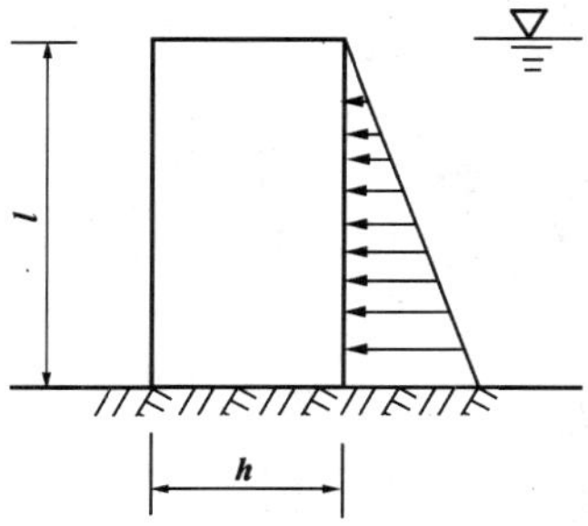

题 15-6 图

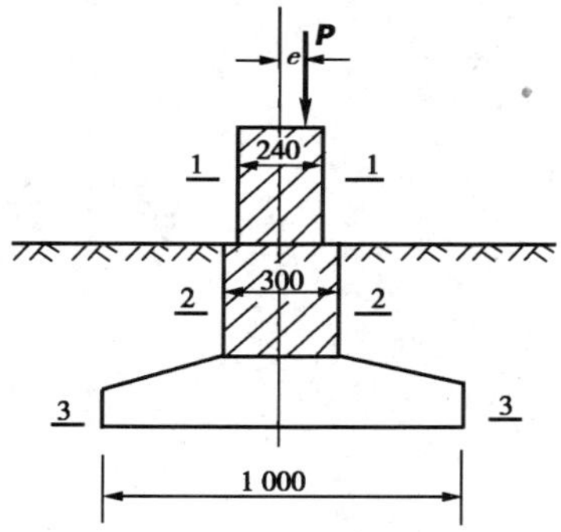

题 15-7 图

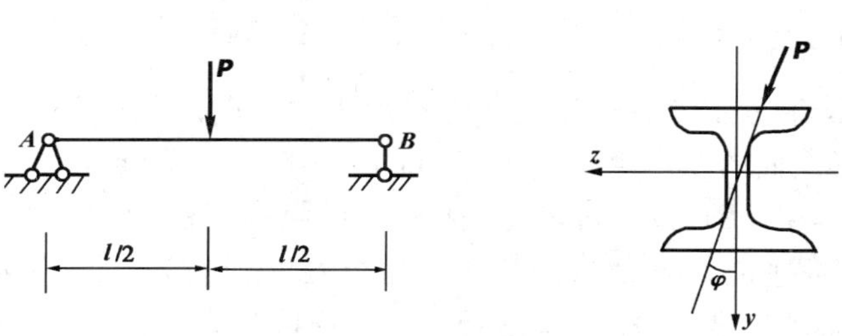

题 15-8 图

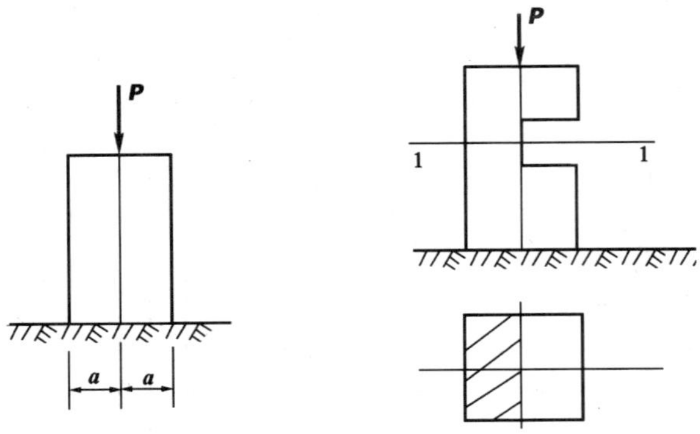

题 15-9 图

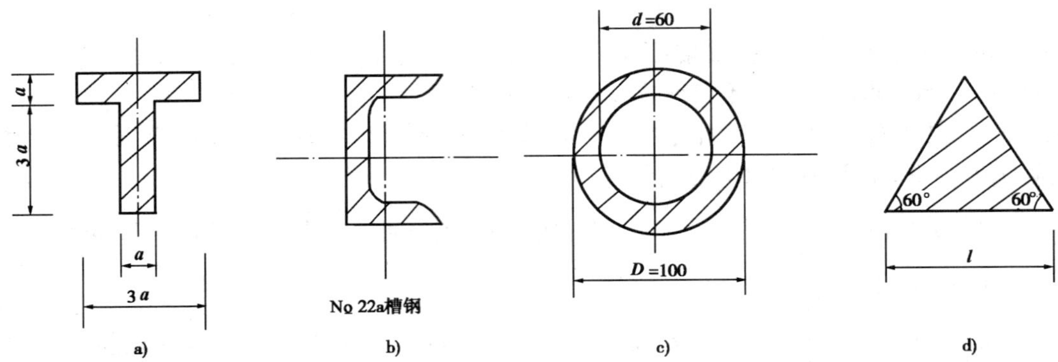

题 15-10 图

第十六章　压 杆 稳 定

§16-1　压杆稳定的概念

一、稳 定 破 坏

轴向受压杆的承载能力是依据强度条件 $\sigma=\dfrac{N}{A}\leqslant[\sigma]$ 确定的。但在实际工程中发现，许多细长的受压杆件的破坏是在满足了强度条件情况下发生的。我们可以做一个简单的实验（图 16-1）：取两根矩形截面的松木条，$A=30\times5\text{mm}^2$，一杆长为 20mm，另一杆长为 1 000mm。若松木的强度极限 $\sigma_b=40\text{MPa}$，按强度考虑，两杆的极限承载能力均应为 $P=\sigma_b\cdot A=40\times30\times5=6\,000\text{N}$。但是，我们给两杆缓缓施加压力时会发现：长杆在加到约 30N 时，杆发生了弯曲，当力再增加时，弯曲迅速增大，杆随即折断。而短杆可受力到接近 6 000N，且在破坏前一直保持着直线形状。显然，长杆的破坏不是由于强度不足而引起的。

在工程史上，曾发生过不少类似长杆的突然弯曲破坏导致整个结构毁坏的事故。其中最有名的是1907年北美魁北克圣劳伦斯河上的大铁桥，因桁架中一根受压弦杆突然弯曲，引起大桥的坍塌。

这种细长受压杆突然破坏，就其性质而言，与强度问题完全不同，经研究后知，它是由于杆件丧失了保持直线形状的稳定性而造成的。这类破坏称**丧失稳定**。杆件招致丧失稳定破坏的压力比发生强度不足破坏的压力要小得多。因此，对细长压杆必须进行稳定性的计算。

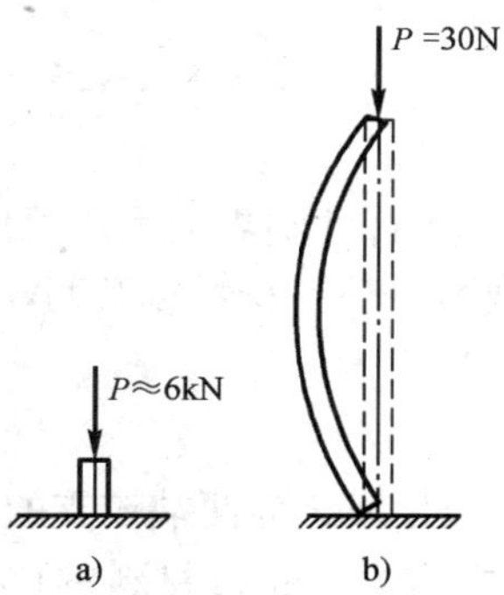

图 16-1

二、平衡状态的稳定性

一根压杆的平衡状态，根据它对干扰的承受能力也可区分为三种。图16-2为一压杆，保持着直线形状的平衡状态。当压力 P 不太大时，用一微小横向力给以干扰，杆有微弯，当干扰力撤去，杆会立即恢复原有的直线状态[图16-2a)]，这时的直线形状平衡状态是一种稳定的平衡状态。当压力 P 增大到某一特定值 P_{lj} 时，作同样的干扰后，杆件已不能回复到原来的直线形状，而会在微弯下保持新的平衡[图16-2b)]，这时的直线形状平衡状态是一种临界平衡状态。当压力 P 超过 P_{lj} 后，干扰力作用下，压杆的微弯曲将会继续增大，甚至会弯曲折断[图16-2c)]，这时的直线形状平衡状态便是一种不稳定平衡状态，即压杆丧失了平衡状态的稳定性。

压杆直线形状平衡状态的稳定性与杆上受到的压力大小有关。在 $P<P_{lj}$ 时是稳定的，$P\geqslant P_{lj}$ 时是不稳定的。特定值 P_{lj} 称为压杆的**临界力**。

工程实际中的压杆，由于种种原因不可能达到理想的中心受压状态，制作的误差、材料的不均匀性、周围物体振动的影响都相当于一种“干扰力”，所以，当压杆上的荷载达到临界力 P_{lj} 时，就会使直线形状的平衡状态变成不稳定，在这些不可避免的干扰下，即会发生“丧失稳定”的破坏。

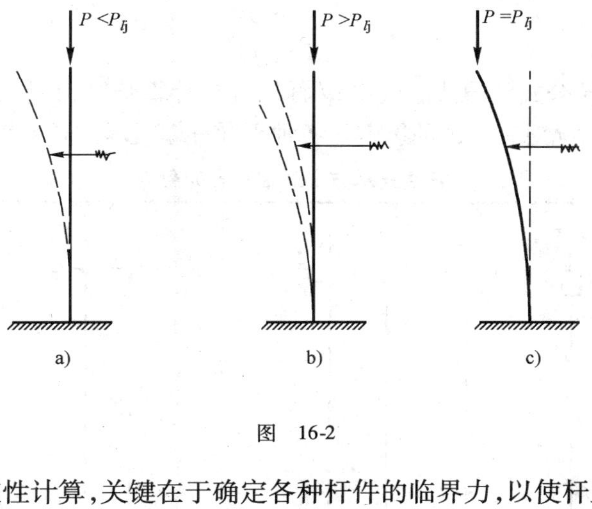

图 16-2

因此，压杆的稳定性计算，关键在于确定各种杆件的临界力，以使杆上压力不超过它，确保杆件不发生丧失稳定的破坏。

§16-2　细长压杆的临界力公式——欧拉公式

压杆的临界力大小可以由实验测试或理论推导得到。临界力的大小与压杆的长度、截面形状及尺寸、材料以及两端的支承情况有关。

一、两端铰支压杆的临界力

图16-3为两端铰支的受压杆件，由实验分别测试不同长度、不同截面、不同材料的压杆在杆内应力不超过材料的比例极限时发生丧失稳定的临界力值 P_{lj}，可得到如下关系：

$$P_{lj}=\frac{\pi^2EI}{l^2} \tag{16-1}$$

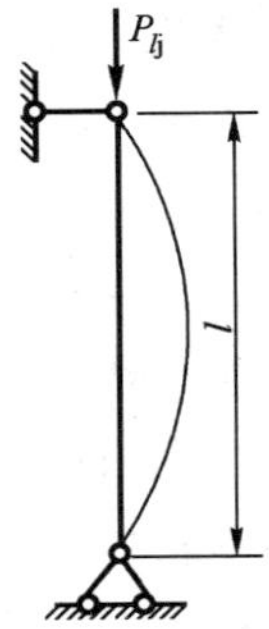

图　16-3

式中：π——圆周率；

E——材料的弹性模量；

l——杆件长度；

I——杆件横截面对形心轴的惯性矩。当杆端在各方向的支承情况相同时，压杆总是在抗弯刚度最小的纵向平面内失稳，所以式(16-1)中的惯性矩应取截面的最小形心主惯性矩 I_{min}。

上述关系式也可以通过建立临界平衡状态时压杆的弯曲挠曲线微分方程，从理论上证明。这个工作是科学家欧拉(Leonhard Euler，1707～1783，瑞士)首先完成的，故(16-1)式称为计算临界力的欧拉公式。

二、杆端支承对临界力的影响

如果压杆两端不全是铰支，而是其他约束形式，临界力的大小会受到影响，杆端的约束越强，压杆越不容易失稳，临界力就越大。各种杆端支承杆件的临界力计算式，可以两端铰支的压杆作为基本情况，通过其临界状态时挠曲线形状的比较而推出。可归纳为一个统一的公式：

$$P_{lj}=\frac{\pi^2EI}{(\mu l)^2} \tag{16-2}$$

式(16-2)称为欧拉公式的通式。式中 μl 称压杆的**计算长度**，μ 称为**长度系数**。长度系数 μ 反映了杆端的支承情况对临界力的影响。各种不同杆端支承的长度系数 μ 列于表16-1。

杆端支承方式对临界力的影响　　表16-1

杆端支承情况	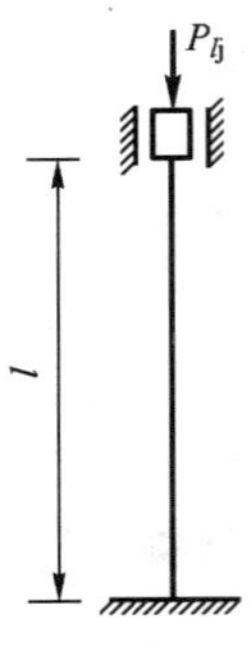	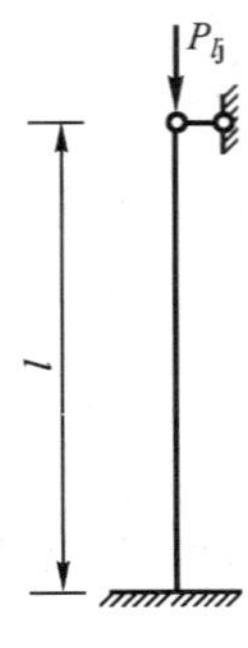	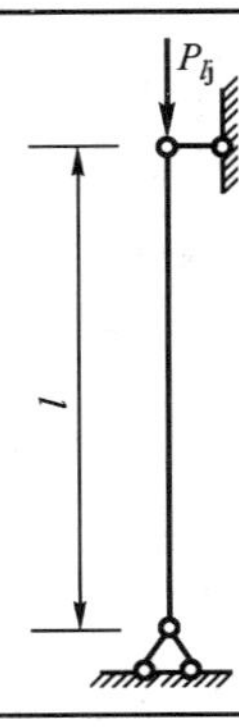	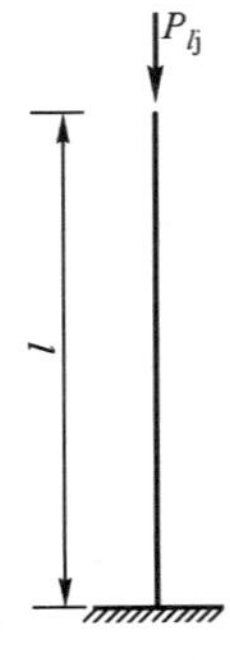

续上表

临界力 P_{lj}	$\frac{\pi^2 EI}{(0.5l)^2}$	$\frac{\pi^2 EI}{(0.7l)^2}$	$\frac{\pi^2 EI}{l^2}$	$\frac{\pi^2 EI}{(2l)^2}$
计算长度 μl	$0.5l$	$0.7l$	l	$2l$
长度系数 μ	0.5	0.7	1	2

通过对表16-1分析表明：

(1)压杆的临界力 P_{lj} 与杆端约束有关。约束愈牢固，临界力愈高。反之，临界力愈低。

(2)考虑杆端约束对临界力的影响，是通过长度系数 μ 来实现的。

应该指出：临界力是一个数值，它既不是外力，也不是内力。它是压杆在一定条件下所具有反映它承载能力的一个标志。不同压杆具有不同的临界力。

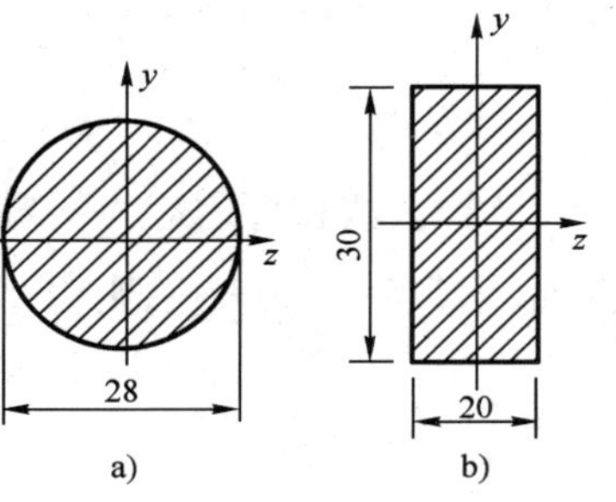

图16-4 (尺寸单位：mm)

例16-1 一端固定、一端自由的受压柱，长 $l=1\text{m}$，材料的弹性模量 $E=200\text{GPa}$，若材料在弹性范围内，试计算图16-4所示两种截面压杆的临界力。

解 (1)计算圆截面压杆的临界力。一端固定、一端自由，长度系数 $\mu=2$。圆杆直径 $d=28\text{mm}$，截面惯性矩：

$$I=\frac{\pi d^4}{64}=\frac{\pi\times 28^4}{64}=3.02\times 10^4\text{mm}^4$$

临界力

$$P_{lj}=\frac{\pi^2 EI}{(\mu l)^2}=\frac{\pi^2\times 200\times 10^3\times 3.02\times 10^4}{(2\times 1\times 10^3)^2}$$
$$=14\,890\text{N}=14.89\text{kN}$$

(2)计算 $b\times h=20\text{mm}\times 30\text{mm}$ 矩形截面压杆的临界力。$\mu=2$。

截面最小惯性矩

$$I_{\min}=\frac{hb^3}{12}=\frac{30\times 20^3}{12}=2\times 10^4\text{mm}^4$$

临界力

$$P_{lj}=\frac{\pi^2 EI_{\min}}{(\mu l)^2}=\frac{\pi^2\times 200\times 10^3\times 2\times 10^4}{(2\times 1\times 10^3)^2}=9\,860\text{N}=9.86\text{kN}$$

三、临界应力和柔度

在临界力作用下，压杆截面上的平均正应力称为压杆的**临界应力**，用 σ_{lj} 表示。如以 A 表示压杆的横截面面积，则由欧拉公式所得到的临界应力为

$$\sigma_{lj}=\frac{P_{lj}}{A}=\frac{\pi^2 EI}{(\mu l)^2\cdot A}$$

由式(10-7)可知 $\frac{I}{A}=i^2$，所以

$$\sigma_{lj} = \frac{\pi^2 E}{(\mu l)^2} i^2 = \frac{\pi^2 E}{\left(\frac{\mu l}{i}\right)^2}$$

令
$$\lambda = \frac{\mu l}{i} \tag{16-3}$$

则压杆临界应力的欧拉公式为

$$\sigma_{lj} = \frac{\pi^2 E}{\lambda^2} \tag{16-4}$$

λ 称为压杆的**柔度**或**长细比**。是一个无量纲的量，它综合反映了压杆的长度、支承情况、截面形状与尺寸等因素对临界应力的影响。λ 大，表示压杆细而长，临界应力就小，压杆容易失稳；λ 小，压杆粗短，临界应力就大，临界力也大，压杆不易失稳。所以，柔度 λ 是压杆稳定计算中一个重要的几何参数。

四、欧拉公式的适用范围

欧拉公式在杆内应力不超过材料的比例极限 σ_P 时得出，只适用于应力小于比例极限的情况，用(16-4)式表达，则为

$$\sigma_{lj} = \frac{\pi^2 E}{\lambda^2} \leqslant \sigma_P$$

若用柔度来表示，则欧拉公式的适用范围为

$$\lambda \geqslant \lambda_P = \sqrt{\frac{\pi^2 E}{\sigma_P}} \tag{16-5}$$

式中 λ_P 为 σ_{lj} 等于比例极限 σ_P 时的柔度值。

工程中把 $\lambda \geqslant \lambda_P$ 的压杆称细长杆或大柔度杆，只有这种细长杆才能应用欧拉公式计算临界力或临界应力。例如 A3 钢，若取 $E = 200\text{GPa}$，$\sigma_P = 200\text{MPa}$，代入(16-5)式可得 $\lambda_P = 100$，所以 A3 钢制成的压杆，只有在 $\lambda \geqslant 100$ 时才可应用欧拉公式。

例 16-2 一中心受压木柱，长 $l = 8\text{m}$，矩形截面，$b \times h = 120\text{mm} \times 200\text{mm}$，柱的支承情况是：在最大刚度平面内弯曲时(中心轴为 y 轴)，两端铰支，如图 16-5a)所示。在最小刚度平面内弯曲时(中心轴为 z 轴)，两端固定，如图 16-5b)所示。木材的弹性模量 $E = 10\text{GPa}$，$\lambda_P = 110$，试求木柱的临界应力和临界力。

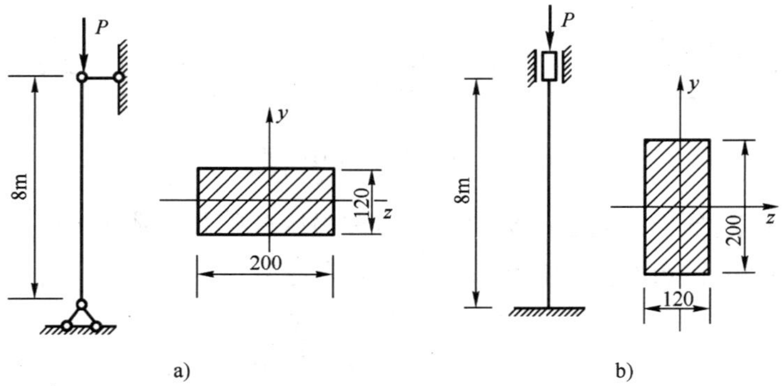

图 16-5 (尺寸单位：mm)

解 (1)计算最大刚度平面内的临界应力和临界力

矩形截面的惯性半径 $i_y=\frac{h}{\sqrt{12}}=\frac{200}{\sqrt{12}}=57.7\text{mm}$ 在此平面内，柱子两端为铰支、所以长度系数 $\mu=1$，柔度为

$$\lambda_y=\frac{\mu l}{i_y}=\frac{1\times8\times10^3}{57.7}=139>110$$

木柱为细长压杆，可用欧拉公式。

临界应力为

$$\sigma_{lj}=\frac{\pi^2E}{\lambda_y^2}=\frac{\pi^2\times10\times10^3}{139^2}=5.10\text{N/mm}^2=5.10\text{MPa}$$

临界力为 $$P_{lj}=A\cdot\sigma_{lj}=120\times200\times5.1=122.4\times10^3\text{N}=122.4\text{kN}$$

(2)计算最小刚度平面的临界应力和临界力

惯性半径 $$i_z=\frac{b}{\sqrt{12}}=\frac{120}{\sqrt{12}}=34.6\text{mm}$$

在此平面内，柱子两端固定，所以 $\mu=0.5$，柔度为

$$\lambda_z=\frac{\mu l}{i_z}=\frac{0.5\times8\times10^3}{34.6}=115.6>110$$

用欧拉公式计算临界应力为

$$\sigma_{lj}=\frac{\pi^2E}{\lambda_z^2}=\frac{\pi^2\times10\times10^3}{(115.6)^2}=7.38\text{MPa}$$

临界力为 $$P_{lj}=A\cdot\sigma_{lj}=120\times200\times7.38=177.1\times10^3\text{N}=177.1\text{kN}$$

(3)讨论

计算结果表明，木柱的最大刚度平面内临界力比最小刚度平面内临界力小，将先失稳。此例说明，当压杆在两个方向平面内支承情况不同时，不能光从刚度来判断；而应分别计算后才能确定在哪个方向失稳。

§16-3 中长杆的临界应力计算

对于 $\lambda<\lambda_p$ 但大于某个数值 λ_s 的压杆，称为中长杆。这类压杆属于临界应力超过比例极限的压杆稳定问题。其临界应力一般运用由实验所得到的经验公式来计算。常用的有直线型经验公式和抛物线型经验公式，本书仅介绍直线型公式。

直线型公式把压杆的临界应力 σ_{lj} 与 λ 表示为下列线性关系

$$\sigma_{lj}=a-b\lambda \tag{16-6}$$

式中 a、b 是与材料性质有关的常数。表 16-2 中列入了一些材料 a、b 数值，供参考。

直线公式系数 a 和 b

表 16-2

材料(σ_s、σ_b 单位为 MPa)		a(MPa)	b(MPa)
A3 钢	$\sigma_s=235$ $\sigma_b=372$	304	1.12
优质碳钢	$\sigma_s=306$ $\sigma_b=471$	461	2.568
硅　钢	$\sigma_s=353$ $\sigma_b=510$	578	3.744
铬钼钢		9807	5.296
铸　铁		332.2	1.454
强　铝		373	2.15
松　木		28.7	0.19

图 16-6 表示了直线型经验公式与欧拉曲线。图中 λ_s 是应用直线公式对 λ 的最小值，λ_s 所对应的临界应力等于材料的极限应力 σ^0。对于塑性材料，因为

$$\sigma_{lj}=a-b\lambda\leqslant\sigma_s$$

故

$$\lambda_s\leqslant\frac{a-\sigma_s}{b}\tag{16-7}$$

当 $\lambda<\lambda_s$ 时，属于小柔度杆。即所说的短粗杆，属于强度问题。

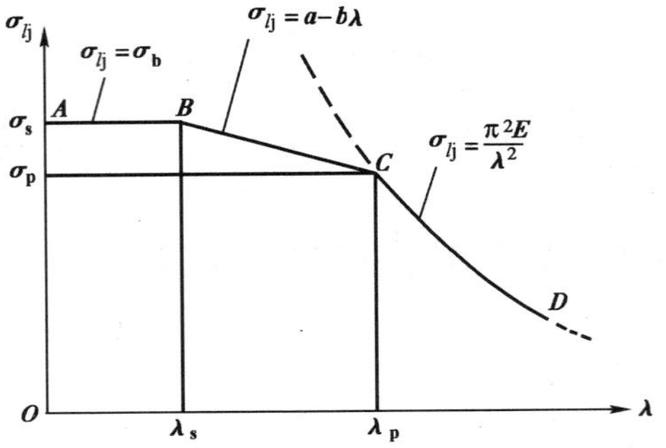

图　16-6

§16-4　压杆的稳定计算——折减系数法

一、压杆的稳定条件

要使压杆不丧失稳定，应使作用在杆上的压力 P 不超过压杆的临界力 P_{lj}，压杆的稳定条件为

$$P\leqslant\frac{P_{lj}}{K_{st}}\tag{16-8}$$

式中：P——实际作用在压杆上的压力；

P_{lj}——压杆的临界力；

K_{st}——稳定安全系数，是随 λ 而变化的。λ 越大，杆越细长，所取安全系数 K_{st} 也越大。一般稳定安全系数比强度安全系数 K 大。

稳定条件(16-7)式两边除以压杆横截面面积 A，则可改写为

$$\sigma=\frac{P}{A}\leqslant\frac{P_{lj}}{A\cdot K_{st}}=\frac{\sigma_{lj}}{K_{st}}$$

或

$$\sigma=\frac{P}{A}\leqslant[\sigma_{st}]\tag{16-9}$$

(16-9)式中，$\sigma=\dfrac{P}{A}$是杆内实际工作应力；$[\sigma_{st}]=\dfrac{\sigma_{lj}}{K_{st}}$可看作是压杆的稳定容许应力。由于临界应力$\sigma_{lj}$和稳定安全系数$K_{st}$都是随压杆的柔度$\lambda$而变化的，所以$[\sigma_{st}]$也是随$\lambda$而变化的一个量。这与强度计算时材料的容许应力$[\sigma]$不同。

二、折减系数φ

土建工程的压杆稳定计算中，常将变化的稳定容许应力$[\sigma_{st}]$改为用强度容许应力$[\sigma]$来表达：

$$[\sigma_{st}]=\frac{\sigma_{lj}}{K_{st}},[\sigma]=\frac{\sigma^0}{K}$$

$$[\sigma_{st}]=\frac{\sigma_{lj}}{K_{st}}\cdot\frac{K}{\sigma^0\cdot[\sigma]}=\varphi[\sigma]$$

式中

$$\varphi=\frac{[\sigma_{st}]}{[\sigma]}=\frac{\sigma_{lj}}{K_{st}}\cdot\frac{K}{\sigma^0}$$

由于$\sigma_{lj}<\sigma^0$，$K_{st}>K$，因此φ总是小于1。φ称为**折减系数**。φ也是一个随λ而变化的量。表16-3是几种材料的φ系数，计算时可查用。

压杆的稳定条件可用折减系数φ与强度容许应力$[\sigma]$来表达：

$$\sigma=\frac{P}{A}\varphi[\sigma] \tag{16-10}$$

式(16-10)类似压杆强度条件式(8-14)。从形式上可理解为：压杆因在强度破坏之前便丧失稳定，故由降低强度容许应力$[\sigma]$来保证杆的安全。

压杆的折减系数φ 表16-3

λ	φ值				
	A2、A3钢	16锰钢	铸铁	木材	混凝土
0	1.000	1.000	1.000	1.000	1.00
20	0.981	0.973	0.91	0.932	0.96
40	0.927	0.895	0.69	0.822	0.83
60	0.842	0.776	0.44	0.658	0.70
70	0.789	0.705	0.34	0.575	0.63
80	0.731	0.627	0.26	0.460	0.57
90	0.669	0.546	0.20	0.371	0.46
100	0.604	0.462	0.16	0.300	
110	0.536	0.384		0.248	
120	0.466	0.325		0.209	
130	0.401	0.279		0.178	
140	0.349	0.242		0.153	
150	0.306	0.213		0.134	
160	0.272	0.188		0.117	
170	0.243	0.168		0.102	
180	0.218	0.151		0.093	
190	0.197	0.136		0.083	
120	0.180	0.124		0.075	

三、稳 定 计 算

应用(16-10)式的稳定条件,可对压杆进行稳定方面的三种计算。

1. 稳定校核

已知压杆的长度、支承情况、材料、截面及作用力,检查杆件是否满足稳定条件。校核时,首先按压杆给定的支承情况确定 μ 值,然后由已知截面的形状、尺寸计算面积 A、惯性矩 I、惯性半径 i 及柔度 λ,再根据压杆的材料及 λ 值,由表 16-3 查出 φ 值,最后验算是否满足 $\sigma=\dfrac{P}{A}\leqslant\varphi[\sigma]$ 这一稳定条件。

例 16-3 一钢管支柱,长 $l=2.2\text{m}$,两端铰支。外径 $D=102\text{mm}$,内径 $d=86\text{mm}$,材料为 A3 钢,容许压应力 $[\sigma]=160\text{MPa}$。已知承受轴向压力 $P=300\text{kN}$,试校核此柱的稳定性。

解 支柱两端铰支,故 $\mu=1$。

钢管截面惯性矩 $I=\dfrac{\pi}{64}(D^4-d^4)=\dfrac{\pi}{64}(102^4-86^4)=262\times10^4\text{mm}^4$

截面面积 $A=\dfrac{\pi}{4}(D^4-d^2)=\dfrac{\pi}{64}(102^4-86^4)=23.6\times10^2\text{mm}^4$

惯性半径 $i=\sqrt{\dfrac{I}{A}}=\sqrt{\dfrac{262\times10^4}{23.6\times10^2}}=33.3\text{mm}$

柔度 $\lambda=\dfrac{\mu l}{i}=\dfrac{1\times2200}{33.3}=66$

由表 16-3 查出:

当 $\lambda=60$ 时 $\varphi=0.842$

$\varphi=70$ 时 $\varphi=0.789$

用直线插入法确定 $\lambda=66$ 时的 φ

$$\varphi=0.842-\frac{66-60}{70-60}(0.842-0.789)=0.842-0.032=0.81$$

校核稳定性

$$\sigma=\frac{P}{A}=\frac{300\times10^3}{23.6\times10^2}=127.1\text{N/mm}^2=127.1\text{MPa}$$

$$\varphi[\sigma]=0.81\times160=128\text{MPa}$$

$\sigma<\varphi[\sigma]$,支柱满足稳定条件。

2. 确定许用荷载

首先根据压杆的支承情况、截面形状和尺寸,依次确定 μ 值计算 A、I、i、λ 各值。然后根据材料和 λ 值,由表 16-3 查出 φ。最后按稳定条件计算许用荷载

$$[P]=A\cdot[\sigma]\cdot\varphi$$

例 16-4 钢柱由两根№20 槽钢组成,截面如图16-7所示,柱高 $l=5.72\text{m}$,两端铰支,材料为 A3 钢,容许应力 $[\sigma]=160\text{MPa}$。求钢柱所能承受的轴向压力 $[P]$。

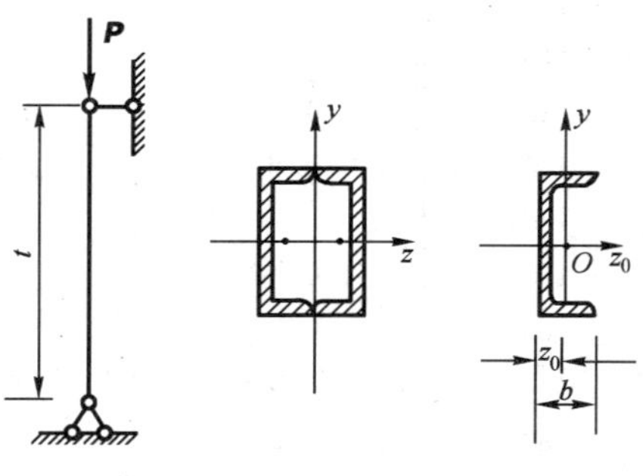

图 16-7

解 查到钢表得一个№20 槽钢的有关数据如下:

$b=7.5\text{cm}, z_0=1.95\text{cm}, A=32.8\text{cm}^2, I_{z0}=1913\text{cm}^4, I_{y0}=144\text{cm}^4$

钢柱截面由两根槽钢组成，

$$I_z = 2I_{z0} = 2\times 1913 = 3\,830\text{cm}^4$$

$$I_y = 2[I_{y0}+A(b-z_0)^2] = 2[144+32.8(7.5-1.95)^2] = 2\,310\text{cm}^4$$

由于 $I_y<I_z$，失稳将在以 y 轴为中性轴方向发生。所以

$$i_{\min} = i_y = \sqrt{\frac{I_y}{A}} = \sqrt{\frac{2\,310}{2\times 32.8}} = 5.93\text{cm} = 59.3\text{mm}$$

钢柱两端铰支，$\mu=1$

钢柱最大柔度为
$$\lambda_{\max}=\frac{\mu l}{i_{\min}}=\frac{1\times 5\,720}{59.3}=96.5$$

查表16-3得

当 $\lambda=90$ 时　　$\varphi=0.669$

$\lambda=100$ 时　　$\varphi=0.604$

用直线插入法求 $\lambda=96.5$ 时的 φ 为

$$\varphi = 0.669-\frac{96.5-95}{100-90}(0.669-0.604) = 0.669-0.042 = 0.627$$

所以许用荷载为

$$[P]=A\cdot[\sigma]\cdot\varphi=(2\times 32.8\times 10^2)\times 160\times 0.627=658\times 10^3\text{N}=658\text{kN}$$

3. 选择截面

由稳定条件选择杆件截面时，可将稳定条件改写为

$$A\geqslant\frac{P}{\varphi[\sigma]}$$

从上式看，要计算出 A，需先查知 φ，但 φ 与 λ 有关，λ 与 i 有关，i 则与 A 有关，所以当 A 未求得之前，φ 值也不能查出。因此，工程上采用试算法来进行截面选择工作。其步骤如下：

(1)先假设一适当的 φ_1 值(一般取 $\varphi=0.5\sim 0.6$)，由此可定出截面尺寸 A_1。

(2)按初选的截面尺寸 A_1 计算 i、λ，查出相当的 φ'_1。比较查出的 φ'_1 与假设的 φ_1，若两者比较接近，可对所选截面进行稳定校核。

(3)若 φ'_1 与 φ_1 相差较大，可再设 $\varphi_2=\frac{\varphi_1+\varphi'_1}{2}$，重复(1)(2)步骤。直至求得的 φ'_n 与所设的 φ_n 值接近为止。一般重复二三次便可达到目的。

例16-5　一木柱高 $l=3.5\text{m}$，截面为圆，两端铰支，承受轴向压力 $P=75\text{kN}$，木材容许应力 $[\sigma]=10\text{MPa}$。试选择直径 d。

解　(1)先设 $\varphi_1=0.5$

则
$$A_1=\frac{P}{\varphi_1[\sigma]}=\frac{75\times 10^3}{0.5\times 10}=15\times 10^3\text{mm}^3$$

于是直径
$$d_1=\sqrt{\frac{4A_1}{\pi}}=\sqrt{\frac{4\times 15\times 10^3}{\pi}}=138\text{mm}$$

取 $d_1=140\text{mm}$。

(2)在所选直径下，$i_1=\frac{d_1}{4}=\frac{140}{4}=35\text{mm}$

$$\lambda_1 = \frac{\mu l}{i_1} = \frac{1 \times 3.5 \times 10^3}{35} = 100$$

查表16-3得 $\varphi'_1 = 0.3$。这与所设 $\varphi_1 = 0.5$ 差别较大,应重新计算。

(3)设 $\varphi_2 = \dfrac{\varphi_1 + \varphi'_1}{2} = \dfrac{0.5 + 0.3}{2} = 0.4$

则

$$A_2 = \frac{P}{\varphi_2[\sigma]} = \frac{75 \times 10^2}{0.4 \times 10} = 18.75 \times 10^3 \text{mm}^2$$

$$d_2 = \sqrt{\frac{4A_2}{\pi}} = \sqrt{\frac{4 \times 18.75 \times 10^3}{\pi}} = 154.5\text{mm}$$

取 $d_2 = 160\text{mm}$。

(4)$i_2 = \dfrac{d_2}{4} = \dfrac{160}{4} = 40\text{mm}$

$$\lambda_2 = \frac{\mu l}{i_2} = \frac{1 \times 3.5 \times 10^3}{40} = 87.5$$

查表得 $\varphi'_2 = 0.393$,与所设 $\varphi_2 = 0.4$ 很接近,不必再选。

(5)作稳定性校核

$$\sigma = \frac{P}{A} = \frac{75 \times 10^3}{\frac{\pi}{4} \times 160^2} = 3.73\text{N/mm}^2 = 3.73\text{MPa}$$

$$\varphi[\sigma] = 0.393 \times 10 = 3.93\text{MPa}$$

$\sigma < \varphi[\sigma]$ 符合稳定条件,故最后选定圆柱直径 $d = 160\text{mm}$。

§16-5 提高压杆稳定性的措施

提高压杆稳定性的中心问题,是提高杆件的临界力(或临界应力),可以从下列两方面考虑:

一、柔度方面

对于一定材料制成的压杆,其临界应力与柔度 λ 的平方成反比,柔度越小,稳定性越好。为了减小柔度,可采取如下一些措施。

1. 选择合理的截面形状

柔度 λ 与惯性半径 i 成反比,因此,要提高压杆的稳定性,应尽量增大 i。由于 $i = \sqrt{\dfrac{I}{A}}$,所以在截面积一定的情况下,要尽量增大惯性矩 I。例如,采用空心截面(图16-8)或组合截面(图16-9),尽量使截面材料远离中性轴。

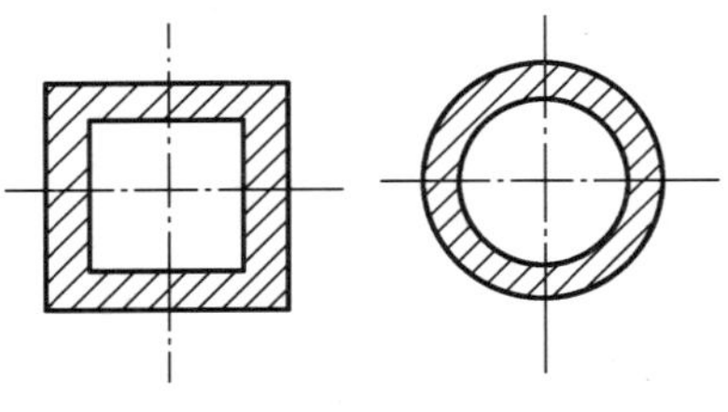

图 16-8

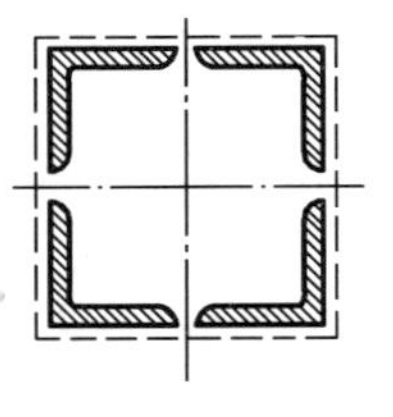

图 16-9

当压杆在各个弯曲平面内的支承情况相同时，为避免在最小刚度平面内先发生失稳，应尽量使各个方向的惯性矩相同。例如采用圆形、方形截面。

若压杆的两个弯曲平面支承情况不同，则采用两个方向惯性矩不同的截面，与相应的支承情况对应。例如采用矩形、工字形截面。在具体确定截面尺寸时，抗弯刚度大的方向对应支承固结程度低的方向，抗弯刚度小的方向对应支承固结强的方向，尽可能使两个方向的柔度相等或接近，抗失稳的能力大体相同。

2. 改善支承条件

因压杆的两端支承越牢固，长度系数μ就越小，则柔度也小，从而临界应力就越大。故采用μ值小的支承形式可提高压杆的稳定性。

3. 减小杆的长度

压杆临界力的大小与杆长平方成反比，缩小杆件长度可以大大提高临界力，即提高抵抗失稳的能力。因此压杆应尽量避免细而长。可能时，在压杆中间增加支承，也能起到有效作用。

二、材 料 方 面

在其他条件相同的情况下，选择高弹性模量的材料，可以提高压杆的稳定性。例如钢杆的临界力大于铜、铁、木杆的临界力。但应注意，对细长杆，临界应力与材料的强度指标无关，各种钢材的E值又大致是相等的，所以采用高强度钢材是不能提高压杆的稳定性的，反而造成浪费。对于中长杆，临界应力与材料强度有关，采用高强度钢材，提高了屈服极限σ_s和比例极限σ_p，在一定程度上可以提高临界应力。

小　　结

稳定问题是材料力学三大任务之一，与强度、刚度同等重要，务必给予重视。学习本章着重要掌握以下基本要求：

(1)掌握有关弹性稳定的基本概念，弄清什么是“稳定的平衡”；什么是“不稳定的平衡”；什么是“失稳”。特别要掌握弹性失稳时其直线平衡形式将突然转变为弯曲形式这一物理本质，并用以理解、分析和处理一些理论和实际问题。

(2)弄清影响压杆承载能力的因素，正确理解弹性压杆临界力的推导过程，弄清临界力公式中每一项的意义及公式的应用条件，正确计算临界力。

(3)确切掌握柔度的概念，用以区分三类不同柔度的压杆。分别采用不同的公式计算。

(4)掌握折减系数法是对压杆进行稳定设计与计算的基本方法。

习　　题

16-1　两端铰支的压杆，长$l=5\text{m}$，截面为№22a 工字钢。材料的比例极限$\sigma_p=200\text{MPa}$，$E=200\text{GPa}$。试求此压杆的临界力。

16-2　截面为$100\text{mm}\times150\text{mm}$的矩形松木柱，长$l=4\text{m}$，一端固定，另一端铰支。材料的$E=10\text{GPa}$，$\lambda_p=110$。试求此柱的临界力。

16-3　A3 钢制成的矩形截面杆受力及两端的约束情况如图所示。[a)为正视图；b)为俯视图]，在A、B二处为销钉连接。若已知$l=230\text{cm}$，$b=4.0\text{cm}$，$h=6.0\text{cm}$。

求临界荷载。

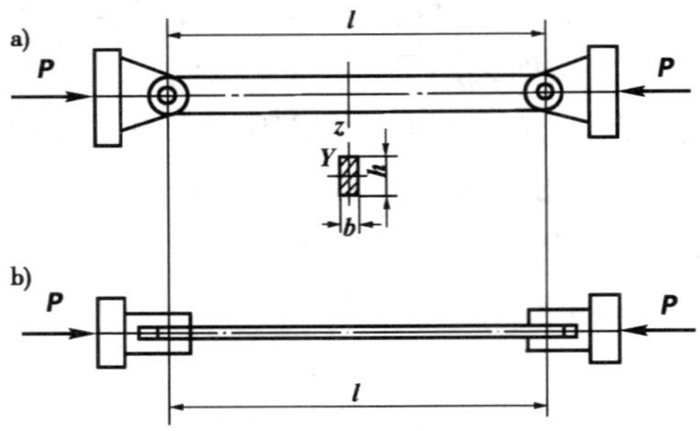

题 16-3 图

16-4　钢屋架及其受力情况如图所示，上弦杆 CD 由两根 $75\times75\times6$ 的等边角钢组成一整体，截面上有直径 $d=23\text{mm}$ 的铆钉孔。材料的 $[\sigma]=160\text{MPa}$。试校核 CD 杆的安全性。

16-5　图示托架承受均布荷载 $q=50\text{kN/m}$，撑杆 AB 为圆截面木柱，材料的 $[\sigma]=11\text{MPa}$，试设计 AB 杆的直径。

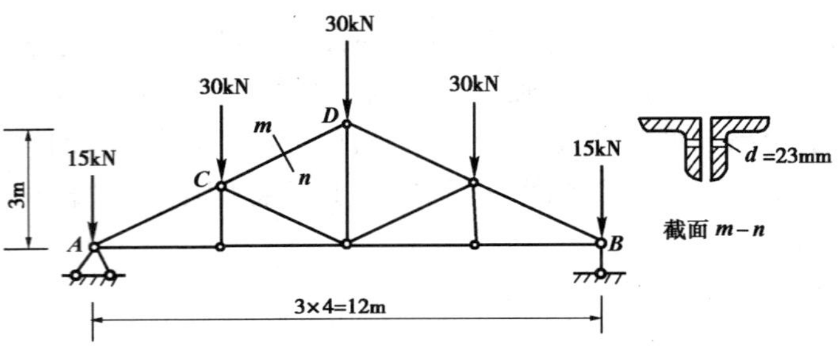

题 16-4 图

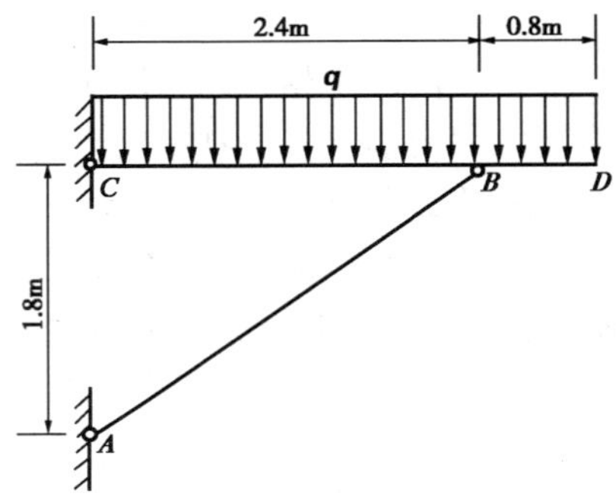

题 16-5 图

附　　录

附录Ⅰ　型　钢　表

表附　Ⅰ－1　热轧等边角钢(GB 9787—88)

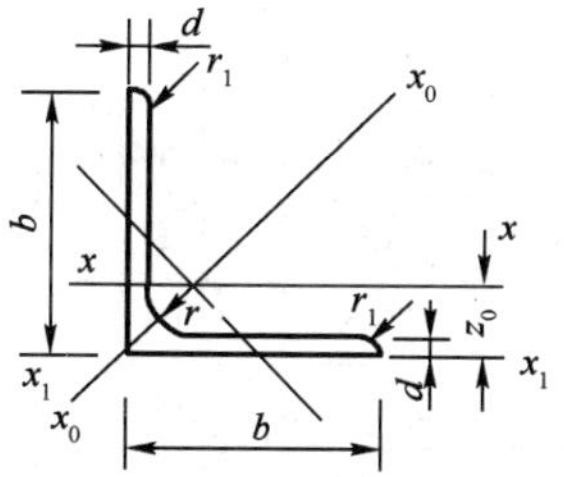

b——边宽；

d——边厚；

r——内圆弧半径；

r_1——边端内弧半径；

r_2——边端外弧半径；

r_0——顶端圆弧半径；

I——惯性矩；

i——惯性半径；

W——截面系数；

z_0——重心距离

角钢号数	尺寸(mm)			截面面积 $\times 10^2$ (mm^2)	理论重量 $\times 9.8$ (N/m)	外表面积 (m^2/m)	参考数值										$z_0 \times 10$
							$x-x$			x_0-x_0			y_0-y_0			x_1-x_1	
	b	d	r				$I_x \times 10^4$ (mm^4)	$i_x \times 10$ (mm)	$W_x \times 10^3$ (mm^3)	$I_{x0} \times 10^4$ (mm^4)	$i_{x0} \times 10$ (mm)	$W_{x0} \times 10^3$ (mm^3)	$I_{y0} \times 10^4$ (mm^4)	$i_{y0} \times 10$ (mm)	$W_{y0} \times 10^3$ (mm^3)	$I_{x1} \times 10^4$ (mm^4)	(mm)
2	20	3	3.5	1.132	0.889	0.078	0.40	0.59	0.29	0.63	0.75	0.45	0.17	0.39	0.20	0.18	0.60
		4		1.459	1.145	0.077	0.50	0.58	0.36	0.78	0.73	0.55	0.22	0.38	0.24	1.09	0.64
2.5	25	3		1.432	1.124	0.098	0.82	0.76	0.46	1.29	0.95	0.73	0.34	0.49	0.33	1.57	0.73
		4		1.859	1.459	0.097	1.03	0.74	0.59	1.62	0.93	0.92	0.43	0.48	0.40	2.11	0.76
3.0	30	3	4.5	1.749	1.373	0.117	1.46	0.91	0.68	2.31	1.15	1.09	0.61	0.59	0.51	2.71	0.85
		4		2.276	1.786	0.117	1.84	0.90	0.87	2.92	1.13	1.37	0.77	0.58	0.62	3.63	0.89
3.6	36	3		2.109	1.656	0.141	2.58	1.11	0.99	4.09	1.39	1.61	1.07	0.70	0.76	4.68	1.09
		4		2.756	2.163	0.141	3.29	1.09	1.28	5.22	1.38	2.05	1.37	0.70	0.93	6.25	1.04
		5		3.382	2.654	0.141	3.95	1.08	1.56	6.24	1.36	2.45	1.65	0.70	1.09	7.84	1.07

续上表

角钢号数	尺寸 (mm)			截面面积 $\times10^2$	理论重量 $\times9.8$	外表面积	参考数值										
							$x-x$			x_0-x_0			y_0-y_0			x_1-x_1	$z_0\times10$
	b	d	r	(mm²)	(N/m)	(m²/m)	$I_x\times10^4$ (mm⁴)	$i_x\times10$ (mm)	$W_x\times10^3$ (mm³)	$I_{x0}\times10^4$ (mm⁴)	$i_{x0}\times10$ (mm)	$W_{x0}\times10^3$ (mm³)	$I_{y0}\times10^4$ (mm⁴)	$i_{y0}\times10$ (mm)	$W_{y0}\times10^3$ (mm³)	$I_{x1}\times10^4$ (mm⁴)	(mm)
4.0	40	3	5	2.359	1.852	0.157	3.59	1.23	1.23	5.69	1.55	2.01	1.49	0.79	0.96	6.41	1.09
		4		3.086	2.422	0.157	4.60	1.22	1.60	7.29	1.54	2.58	1.91	0.79	1.19	8.56	1.13
		5		3.791	2.976	0.156	5.53	1.21	1.96	8.76	1.52	3.01	2.30	0.78	1.39	10.74	1.17
4.5	45	3	5	2.659	2.088	0.177	5.17	1.40	1.58	8.20	1.76	2.58	2.14	0.90	1.24	9.12	1.22
		4		3.486	2.736	0.177	6.65	1.38	2.05	10.56	1.74	3.32	2.75	0.89	1.541	2.28	1.26
		5		4.292	3.369	0.176	8.04	1.37	2.51	12.74	1.72	4.00	3.33	0.88	1.811	5.25	1.30
		6		5.076	3.985	0.176	9.33	1.36	2.951	1.76	1.70	4.64	3.89	0.88	2.061	8.36	1.33
5	50	3	5.5	2.971	2.332	0.197	7.18	1.55	1.96	11.37	1.96	3.22	2.98	1.00	1.571	2.50	1.34
		4		3.897	3.059	0.197	9.26	1.54	2.561	4.70	1.94	4.16	3.82	0.99	1.961	6.69	1.38
		5		4.803	3.770	0.196	11.21	1.53	3.131	7.79	1.92	5.03	4.64	0.98	2.312	0.90	1.42
		6		5.688	4.465	0.196	13.05	1.52	3.682	0.68	1.91	5.85	5.42	0.98	2.632	5.14	1.46
5.6	56	3	6	3.343	2.624	0.221	10.19	1.75	2.48	16.14	2.20	4.08	4.24	1.13	2.02	17.56	1.48
		4		4.390	3.446	0.220	13.18	1.73	3.24	20.92	2.18	5.28	5.46	1.11	2.52	23.43	1.53
		5		5.415	4.251	0.220	16.02	1.72	3.97	25.42	2.17	6.42	6.61	1.10	2.98	29.33	1.57
		8		8.367	6.568	0.219	23.63	1.68	6.03	37.37	2.11	9.44	9.89	1.09	4.16	47.24	1.68
6.3	63	4	7	4.978	3.907	0.248	19.03	1.96	4.13	30.17	2.46	6.78	7.89	1.26	3.29	33.35	1.70
		5		6.143	4.822	0.248	23.17	1.94	5.08	36.77	2.45	8.25	9.57	1.25	3.90	41.73	1.74
		6		7.288	5.721	0.247	27.12	1.93	6.00	43.03	2.43	9.66	11.20	1.24	4.46	50.14	1.78
		8		9.515	7.469	0.247	34.46	1.90	7.75	54.56	2.40	12.25	14.33	1.23	5.47	67.11	1.85
		10		11.657	9.151	0.246	41.09	1.88	9.39	64.85	2.36	14.56	17.33	1.22	6.36	84.31	1.93

续上表

角钢号数	尺寸(mm)			截面面积 $\times 10^2$	理论重量 $\times 9.8$	外表面积	参考数值										
							$x-x$			x_0-x_0			y_0-y_0			x_1-x_1	$z_0\times 10$
	b	d	r	(mm^2)	(N/m)	(m^2/m)	$I_x\times 10^4$ (mm^4)	$i_x\times 10$ (mm)	$W_x\times 10^3$ (mm^3)	$I_{x0}\times 10^4$ (mm^4)	$i_{x0}\times 10$ (mm)	$W_{x0}\times 10^3$ (mm^3)	$I_{y0}\times 10^4$ (mm^4)	$i_{y0}\times 10$ (mm)	$W_{y0}\times 10^3$ (mm^3)	$I_{x1}\times 10^4$ (mm^4)	(mm)
7	70	4	8	5.570	4.372	0.275	26.39	2.18	5.14	41.80	2.74	8.44	10.99	1.40	4.17	45.74	1.86
		5		6.875	5.397	0.275	32.21	2.16	6.32	51.08	2.73	10.32	13.34	1.39	4.95	57.21	1.91
		6		8.160	6.406	0.275	37.77	2.15	7.84	59.93	2.71	12.11	15.61	1.38	5.67	68.73	1.95
		7		9.424	7.398	0.275	43.09	2.14	8.59	68.35	2.69	13.81	17.82	1.38	6.34	80.29	1.99
		8		10.667	8.373	0.274	48.17	2.12	9.68	76.37	2.68	15.43	19.98	1.37	6.98	91.92	2.03
7.5	75	6	9	7.367	5.818	0.295	39.97	2.33	7.32	63.3	2.92	11.94	16.63	1.50	5.77	70.56	2.04
		6		8.797	6.907	0.294	46.95	2.31	8.64	74.38	2.90	14.02	19.51	1.49	6.67	84.55	2.07
		7		10.160	7.976	0.294	53.57	2.30	9.93	84.96	2.80	16.02	22.18	1.48	7.44	98.71	2.11
		8		11.503	9.030	0.294	59.96	2.28	11.20	95.07	2.88	17.93	24.80	1.47	8.19	112.97	2.15
		10		14.126	11.089	0.293	71.98	2.26	13.64	113.92	2.84	21.48	30.05	1.46	9.56	141.71	2.22
8	80	5	9	7.912	6.211	0.315	48.79	2.48	8.34	77.33	3.13	13.67	20.25	1.60	6.66	85.36	2.15
		6		9.397	7.376	0.314	57.35	2.47	9.87	90.98	3.11	16.08	23.72	1.59	7.65	102.50	2.19
		7		10.860	8.525	0.314	65.58	2.46	11.37	104.07	3.10	18.40	27.09	1.58	8.28	119.70	2.23
		8		12.303	9.658	0.314	73.49	2.44	12.83	116.60	3.08	20.01	30.39	1.57	9.46	136.97	2.27
		10		15.126	11.874	0.313	88.43	2.42	15.64	140.09	3.04	24.76	36.77	1.56	11.08	171.74	2.35
9	90	6	9	10.637	8.350	0.354	82.77	2.79	12.61	131.26	3.51	20.63	34.28	1.80	9.95	145.87	2.44
		7		12.301	9.656	0.354	94.83	2.78	14.54	150.47	3.50	23.64	39.18	1.78	11.19	170.30	2.48
		8		13.944	10.946	0.353	106.47	2.76	16.42	163.97	3.48	26.55	43.97	1.78	12.35	194.80	2.52
		10		17.167	13.476	0.353	128.58	2.74	20.07	203.90	3.45	32.04	53.26	1.76	14.52	244.07	2.59
		12		20.306	15.940	0.352	149.22	2.71	23.57	236.21	3.41	37.12	62.22	1.75	16.49	293.76	2.67

续上表

角钢号数	尺寸(mm)			截面面积 $\times10^2$	理论重量 $\times9.8$	外表面积	参考数值										$z_0\times10$
							$x-x$			x_0-x_0			y_0-y_0			x_1-x_1	
	b	d	r	(mm^2)	(N/m)	(m^2/m)	$I_x\times10^4$ (mm^4)	$i_x\times10$ (mm)	$W_x\times10^3$ (mm^3)	$I_{x0}\times10^4$ (mm^4)	$i_{x0}\times10$ (mm)	$W_{x0}\times10^3$ (mm^3)	$I_{y0}\times10^4$ (mm^4)	$i_{y0}\times10$ (mm)	$W_{y0}\times10^3$ (mm^3)	$I_{x1}\times10^4$ (mm^4)	(mm)
10	100	6	12	11.932	9.366	0.393	114.95	3.01	15.68	181.98	3.90	25.74	47.92	2.00	12.69	200.07	2.67
		7		13.796	10.830	0.393	131.86	3.09	18.10	208.97	3.89	29.55	54.74	1.99	14.26	233.54	2.71
		8		15.638	12.276	0.393	148.24	3.08	20.47	235.07	3.88	33.24	61.41	1.98	15.75	267.09	2.76
		10		19.261	15.120	0.392	179.51	3.05	25.06	284.68	3.84	40.26	74.35	1.96	18.54	334.48	2.84
		12		22.800	17.898	0.391	208.90	3.03	29.48	330.95	3.81	46.80	86.84	1.95	21.08	402.34	2.91
		14		26.256	20.611	0.391	236.53	3.00	33.73	374.06	3.77	52.90	99.00	1.94	23.44	470.75	2.99
		16		29.627	23.257	0.390	262.53	2.98	37.82	414.16	3.74	58.57	110.89	1.94	25.63	539.9	3.06
11	110	7	12	15.196	11.928	0.433	177.16	3.41	22.05	280.94	4.30	36.12	73.38	2.20	17.51	310.64	2.96
		8		17.238	13.532	0.433	199.46	3.40	24.95	316.49	4.28	40.69	82.42	2.19	19.39	355.20	3.01
		10		21.261	16.690	0.432	242.19	3.38	30.60	384.39	4.25	49.42	99.98	2.17	22.91	444.65	3.09
		12		25.200	19.782	0.431	282.55	3.35	36.05	448.17	4.22	57.62	116.93	2.15	26.15	534.60	3.16
		14		29.056	22.809	0.431	320.71	3.32	41.31	508.01	4.18	65.31	133.40	2.14	29.14	625.16	3.24
12	125	8	14	19.750	15.540	0.492	297.03	3.88	32.52	470.89	4.88	53.28	123.16	2.50	25.86	521.01	3.37
		10		24.373	19.133	0.491	361.67	3.85	39.97	573.89	4.85	64.93	149.46	2.48	30.62	651.93	3.45
		12		28.912	22.696	0.491	423.16	3.83	41.17	671.44	4.82	75.96	174.88	2.46	35.03	783.42	3.53
		14		33.367	26.193	0.490	481.65	3.80	54.16	763.73	4.78	86.41	199.57	2.45	39.13	915.61	3.61
14	140	10		27.373	21.488	0.551	514.65	4.34	50.58	817.27	5.46	82.56	212.04	2.78	39.20	915.11	3.82
		12		32.512	25.522	0.551	603.68	4.31	59.80	958.79	5.43	96.85	248.57	2.76	45.02	1099.28	3.90
		14		37.567	29.490	0.550	688.81	4.28	68.75	1093.56	5.40	110.47	284.06	2.75	50.45	1284.22	3.98
		16		42.539	33.393	0.549	770.24	4.26	77.46	1221.81	5.36	123.42	318.67	2.74	55.55	1470.07	4.06

续上表

角钢号数	尺寸(mm)			截面面积 ×10²	理论重量 ×9.8	外表面积	参考数值									
							x − x			$x_0 - x_0$			$y_0 - y_0$			$x_1 - x_1$	$z_0 \times 10$
	b	d	r	(mm²)	(N/m)	(m²/m)	$I_x \times 10^4$ (mm⁴)	$i_x \times 10$ (mm)	$W_x \times 10^3$ (mm³)	$I_{x0} \times 10^4$ (mm⁴)	$i_{x0} \times 10$ (mm)	$W_{x0} \times 10^3$ (mm³)	$I_{y0} \times 10^4$ (mm⁴)	$i_{y0} \times 10$ (mm)	$W_{y0} \times 10^3$ (mm³)	$I_{x1} \times 10^4$ (mm⁴)	(mm)
16	160	10	16	31.502	24.729	0.630	779.53	4.98	66.70	1237.30	6.27	109.36	321.76	3.20	52.76	1365.33	4.31
		12		37.441	29.391	0.630	916.58	4.95	78.98	1455.68	6.24	128.67	377.49	3.18	60.74	1639.57	4.39
		14		43.296	33.987	0.629	1048.36	4.92	90.95	1665.02	6.20	147.17	431.70	3.16	68.244	1914.68	4.47
		16		49.067	38.518	0.629	1175.08	4.89	102.63	1865.57	6.17	164.89	484.59	3.14	75.31	2190.82	4.55
18	180	12		42.241	33.159	0.710	1321.35	5.59	100.82	2100.10	7.05	165.00	542.61	3.58	78.41	2332.80	4.89
		14		48.896	38.388	0.709	1514.48	5.56	116.25	2407.42	7.02	189.14	625.53	3.56	88.38	2723.48	4.97
		16		55.467	43.542	0.709	1700.99	5.54	131.13	2703.37	6.98	212.40	698.60	3.55	97.83	3115.29	5.05
		18		61.955	48.634	0.708	1875.12	5.50	145.64	2988.24	6.94	234.78	762.01	3.51	105.14	3502.43	5.13
20	200	14	18	54.642	42.894	0.788	2103.55	6.20	144.70	3343.26	7.82	236.40	863.83	3.98	111.82	3734.10	5.46
		16		62.013	48.680	0.788	2366.15	6.18	163.65	3760.89	7.79	265.93	971.41	3.96	123.96	4270.39	5.54
		18		69.301	54.401	0.787	2620.64	6.15	182.22	4164.54	7.75	294.48	1076.74	3.94	135.52	4808.13	5.62
		20		76.505	60.056	0.787	2867.30	6.12	200.42	4554.55	7.72	322.06	1180.04	3.93	146.55	5347.51	5.69
		24		90.661	71.168	0.785	2338.52	6.07	236.17	5294.97	7.64	374.41	1381.53	3.90	166.55	6457.16	5.87

注:1. $r_1 = \frac{1}{3}d, r_2 = 0, r_0 = 0$;

2. 角钢长度:2 ~4 号,长 3 ~9m;4.5 ~8 号,长 4 ~12m;9 ~14 号,长 4 ~19m;16 ~20 号,长 6 ~19m;

3. 一般采用材料:Q215A,Q235A,Q215A·F。

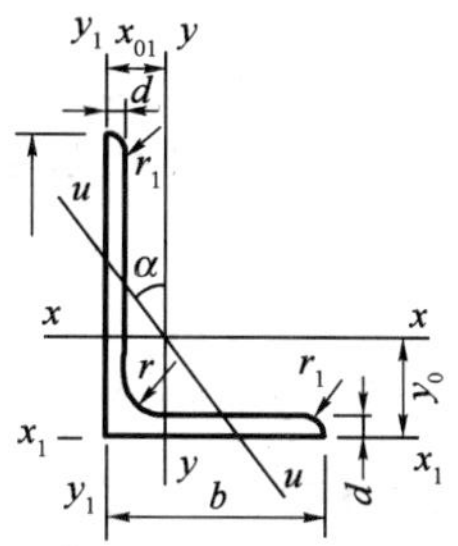

表附 Ⅰ-2 热轧不等边角钢(GB 9788—88)

B——长边宽度； b——短边宽度；
d——边厚； r——内圆弧半径；
r_1——边端内弧半径； r_2——边端外弧半径；
r_0——顶端圆弧半径； I——惯性矩；
i——惯性半径； W——截面系数；
x_0——重心距离； y_0——重心距离

角钢号数	尺寸(mm)				截面面积 $\times 10^2$	理论重量 $\times 9.8$	外表面积	参考数值 $x-x$			$y-y$			x_1-x_1		y_1-y_1		$u-u$			
	B	b	d	r	(mm^2)	(N/m)	(m^2/m)	$I_x \times 10^4$ (mm^4)	$i_x \times 10$ (mm)	$W_x \times 10^3$ (mm^3)	$I_y \times 10^4$ (mm^4)	$i_y \times 10$ (mm)	$W_y \times 10^3$ (mm^3)	$I_{x1} \times 10^4$ (mm^4)	$y_0 \times 10$ (mm)	$I_{y1} \times 10^4$ (mm^3)	$x_0 \times 10$ (mm)	$I_u \times 10^4$ (mm^4)	$i_u \times 10$ (mm)	$W_u \times 10^3$ (mm)	$\tan\alpha$
2.5/1.6	25	16	3	3.5	1.162	0.912	0.080	0.70	0.78	0.43	0.22	0.44	0.19	1.56	0.86	0.43	0.42	0.14	0.34	0.16	0.392
			4		1.499	1.176	0.079	0.88	0.77	0.55	0.27	0.43	0.24	2.09	0.90	0.59	0.46	0.17	0.34	0.20	0.381
3.2/2	32	20	3		1.492	1.171	0.102	1.53	1.01	0.72	0.46	0.55	0.30	3.27	1.08	0.82	0.49	0.28	0.43	0.25	0.382
			4		1.939	1.522	0.101	1.93	1.00	0.93	0.57	0.54	0.39	4.37	1.12	1.12	0.53	0.35	0.42	0.32	0.374
4/2.5	40	25	3	4	1.890	1.484	0.127	3.08	1.28	1.15	0.93	0.70	0.49	6.39	1.32	1.59	0.59	0.56	0.54	0.40	0.386
			4		2.467	1.936	0.127	3.93	1.26	1.49	1.18	0.69	0.63	8.53	1.37	2.14	0.63	0.71	0.54	0.52	0.381
4.5/2.8	45	28	3	5	2.149	1.687	0.143	4.45	1.44	1.47	1.34	0.79	0.62	9.10	1.47	2.23	0.64	0.80	0.61	0.51	0.383
			4		2.806	2.203	0.143	5.69	1.42	1.91	1.70	0.78	0.80	12.13	1.51	3.00	0.68	1.02	0.60	0.66	0.380
5/3.2	50	32	3	3.5	2.431	1.908	0.161	6.24	1.60	1.84	2.02	0.91	0.82	12.49	1.60	3.31	0.73	1.20	0.70	0.68	0.404
			4		3.177	2.494	0.160	8.02	1.59	2.39	2.58	0.90	1.06	16.65	1.65	4.45	0.77	1.53	0.69	0.87	0.402
5.6/3.6	56	36	3	6	2.743	2.153	0.181	8.88	1.80	2.32	2.92	1.03	1.05	17.54	1.78	4.70	0.80	1.73	0.79	0.87	0.408
			4		3.590	2.818	0.180	11.45	1.79	3.03	3.76	1.02	1.37	23.39	1.82	6.33	0.85	2.23	0.79	1.13	0.408
			5		4.415	3.466	0.180	13.86	1.77	3.71	4.49	1.01	1.65	29.25	1.87	7.94	0.88	2.67	0.78	1.36	0.404

续上表

角钢号数	尺寸 (mm)				截面面积 ×10²	理论重量 ×9.8	外表面积	参考数值													
								x－x			y－y			x_1-x_1		y_1-y_1		u－u			
	B	b	d	r	(mm²)	(N/m)	(m²/m)	$I_x\times10^4$ (mm⁴)	$i_x\times10$ (mm)	$W_x\times10^3$ (mm³)	$I_y\times10^4$ (mm⁴)	$i_y\times10$ (mm)	$W_y\times10^3$ (mm³)	$I_{x1}\times10^4$ (mm⁴)	$y_0\times10$ (mm)	$I_{y1}\times10^4$ (mm³)	$x_0\times10$ (mm)	$I_u\times10^4$ (mm⁴)	$i_u\times10$ (mm)	$W_u\times10^3$ (mm)	tanα
6.3/4	63	40	4	7	4.058	3.185	0.202	16.49	2.02	3.87	5.23	1.14	1.70	33.30	2.04	8.63	0.92	3.12	0.88	1.40	0.398
			5		4.993	3.920	0.202	20.02	2.00	4.47	6.31	1.12	2.71	41.63	2.08	10.86	0.95	3.76	0.87	1.71	0.396
			6		5.908	4.638	0.201	23.36	1.96	5.59	7.29	1.11	2.43	49.98	2.12	43.12	0.99	4.34	0.86	1.99	0.393
			7		6.802	5.339	0.201	26.53	1.98	6.40	8.24	1.10	2.78	58.07	2.15	15.47	1.03	4.97	0.86	2.29	0.389
7/4.5	70	45	4	7.5	4.547	3.570	0.226	23.17	2.26	4.36	7.55	1.29	2.17	45.92	2.24	12.26	1.02	4.40	0.98	1.77	0.410
			5		5.609	4.403	0.225	27.95	2.23	5.92	9.13	1.28	2.65	57.10	2.28	15.39	1.06	5.40	0.98	2.19	0.407
			6		6.647	5.218	0.225	32.54	2.21	6.95	10.62	1.26	3.12	68.35	2.32	18.58	1.09	6.35	0.98	2.59	0.404
			7		7.657	6.011	0.225	37.22	2.20	8.03	12.01	1.25	3.57	79.99	2.36	21.84	1.13	7.16	0.97	2.94	0.402
(7.5/5)	75	50	5	8	6.125	4.804	0.245	34.86	2.39	6.83	12.61	1.44	3.30	70.00	2.40	21.04	1.17	7.41	1.10	2.74	0.435
			6		7.260	5.699	0.245	41.12	2.38	8.12	14.70	1.42	3.88	84.30	2.44	25.37	1.21	8.54	1.08	3.19	0.435
			8		9.467	7.431	0.244	52.39	2.35	10.52	18.53	1.40	4.99	112.50	2.52	34.23	1.29	10.87	1.07	4.10	0.429
			10		11.590	9.098	0.244	62.71	2.33	12.79	21.96	1.38	6.04	140.80	2.60	43.43	1.36	13.10	1.06	4.99	0.423
8/5	80	50	5	8	6.375	5.005	0.225	41.96	2.56	7.78	12.82	1.42	3.32	85.21	2.60	21.06	1.14	7.66	1.10	2.74	0.388
			6		7.560	5.935	0.255	49.49	2.56	9.25	14.95	1.41	3.91	102.53	2.65	25.41	1.18	8.85	1.08	3.20	0.387
			7		8.724	6.848	0.255	6.16	2.54	10.58	16.96	1.39	4.48	119.33	2.69	29.82	1.21	10.18	1.08	3.70	0.384
			8		9.867	7.745	0.254	62.83	2.52	11.92	18.85	1.38	5.03	136.41	2.73	34.32	1.25	11.38	1.07	4.16	0.381
9/5.6	90	56	5	8	7.212	5.661	0.287	60.45	2.90	9.92	18.32	1.59	4.21	121.32	2.91	29.53	1.25	10.98	1.23	3.49	0.385
			6		8.557	6.717	0.286	71.03	2.88	11.74	21.42	1.58	4.96	145.59	2.95	35.58	1.29	12.90	1.23	4.18	0.384
			7		9.880	7.756	0.286	81.01	2.86	13.49	24.36	1.57	5.70	169.66	3.00	41.71	1.33	14.67	1.22	4.72	0.382
			8		11.183	8.779	0.286	91.03	2.85	15.27	27.15	1.56	6.41	194.17	3.04	47.93	1.36	16.34	1.21	5.29	0.380

续上表

角钢号数	尺寸 (mm)				截面面积 $\times 10^2$	理论重量 $\times 9.8$	外表面积	参考数值													
								$x-x$			$y-y$			x_1-x_1		y_1-y_1		$u-u$			
	B	b	d	r	(mm^2)	(N/m)	(m^2/m)	$I_x \times 10^4$ (mm^4)	$i_x \times 10$ (mm)	$W_x \times 10^3$ (mm^3)	$I_y \times 10^4$ (mm^4)	$i_y \times 10$ (mm)	$W_y \times 10^3$ (mm^3)	$I_{x1} \times 10^4$ (mm^4)	$y_0 \times 10$ (mm)	$I_{y1} \times 10^4$ (mm^3)	$x_0 \times 10$ (mm)	$I_u \times 10^4$ (mm^4)	$i_u \times 10$ (mm)	$W_u \times 10^3$ (mm)	$\tan\alpha$
10/6.3	100	63	6	10	9.617	7.550	0.320	99.06	3.21	14.64	30.94	1.79	6.35	199.71	3.24	50.50	1.43	18.42	1.38	5.25	0.394
			7		11.111	8.722	0.320	113.45	3.29	16.88	35.26	1.78	7.29	233.00	3.28	59.14	1.47	21.00	1.38	6.02	0.393
			8		12.584	9.878	0.319	127.37	3.18	19.03	39.39	1.77	8.21	266.32	3.32	67.88	1.50	23.50	1.37	6.78	0.391
			10		15.467	12.142	0.319	153.81	3.15	23.32	47.12	1.74	9.98	333.06	3.40	85.73	1.58	28.33	1.35	8.24	0.387
10/8	100	80	6	10	10.637	8.350	0.354	107.04	3.17	15.19	61.24	2.40	10.16	199.83	2.95	102.68	1.97	31.65	1.72	8.37	0.627
			7		12.301	9.656	0.354	122.73	3.16	17.52	70.08	2.39	11.71	233.20	3.00	119.98	2.01	36.17	1.72	9.60	0.626
			8		13.944	10.946	0.353	137.92	3.14	19.81	78.58	2.37	13.21	266.61	3.04	137.37	2.05	40.58	1.71	10.80	0.625
			10		17.167	13.476	0.353	166.87	3.12	24.24	94.65	2.35	16.12	333.63	3.12	172.48	2.13	49.10	1.69	13.12	0.622
11/7	110	70	6		10.637	8.350	0.354	133.37	3.54	17.85	42.92	2.01	7.90	265.78	3.53	69.08	1.57	25.36	1.54	6.53	0.403
			7		12.301	9.656	0.354	153.00	3.53	20.60	49.01	2.00	9.09	310.07	3.57	80.82	1.61	28.95	1.53	7.50	0.402
			8		13.944	10.946	0.353	172.04	3.51	23.30	54.87	1.98	10.25	354.39	3.62	92.70	1.65	32.45	1.53	8.45	0.401
			10		17.167	13.476	0.353	208.39	3.43	28.54	65.88	1.96	12.48	443.13	3.70	116.83	1.72	39.20	1.51	10.29	0.397
12.5/8	125	80	7	11	14.096	11.066	0.403	227.93	4.02	26.26	74.42	2.03	12.01	454.99	4.01	120.32	1.80	43.81	1.76	9.92	0.408
			8		15.989	12.551	0.403	256.77	4.01	30.41	83.49	2.28	13.56	519.99	4.06	137.85	1.84	49.15	1.75	11.18	0.407
			10		19.712	15.474	0.402	321.04	3.98	37.33	100.67	2.26	16.56	650.09	4.14	173.40	1.92	59.45	1.74	13.64	0.404
			12		23.351	18.330	0.402	364.41	3.95	44.01	116.67	2.24	19.43	780.39	4.22	209.67	2.00	69.35	1.72	16.01	0.400
14/9	140	90	8	12	18.038	14.160	0.453	365.64	4.50	38.48	120.69	2.59	17.34	730.53	4.50	195.79	2.04	70.83	1.98	14.31	0.411
			10		22.261	17.575	0.452	445.50	4.47	47.31	146.03	2.56	21.22	913.20	4.58	245.92	2.12	85.82	1.96	17.48	0.409
			12		26.400	20.724	0.451	521.59	4.44	55.87	169.79	2.54	24.95	1096.09	4.66	296.89	2.19	100.21	1.95	20.51	0.406
			14		30.456	23.908	0.451	594.10	4.42	64.18	192.10	2.51	28.54	1279.26	4.74	348.82	2.27	114.13	1.94	23.52	0.403

续上表

角钢号数	尺寸 (mm)				截面面积 ×10²	理论重量 ×9.8	外表面积	参考数值													
								x − x			y − y			x_1-x_1		y_1-y_1		u − u			
	B	b	d	r	(mm²)	(N/m)	(m²/m)	$I_x\times10^4$ (mm⁴)	$i_x\times10$ (mm)	$W_x\times10^3$ (mm³)	$I_y\times10^4$ (mm⁴)	$i_y\times10$ (mm)	$W_y\times10^3$ (mm³)	$I_{x1}\times10^4$ (mm⁴)	$y_0\times10$ (mm)	$I_{y1}\times10^4$ (mm³)	$x_0\times10$ (mm)	$I_u\times10^4$ (mm⁴)	$i_u\times10$ (mm)	$W_u\times10^3$ (mm)	tanα
16/10	160	100	10	13	25.315	19.872	0.512	668.69	5.14	62.13	205.03	2.85	26.56	1362.89	5.24	336.59	2.28	121.74	2.19	21.92	0.390
			12		30.054	23.192	0.511	784.91	5.11	73.49	239.06	2.82	31.28	1635.56	5.32	455.94	2.36	132.33	2.17	25.79	0.388
			14		34.709	27.247	0.510	896.30	5.08	84.56	271.20	2.80	35.83	1908.50	5.40	476.42	2.43	162.23	2.16	29.56	0.385
			16		39.281	30.835	0.510	1003.04	5.05	95.33	301.60	2.77	40.24	2181.79	5.48	548.22	2.51	182.57	2.16	33.44	0.382
18/11	180	110	10	14	28.373	22.273	0.571	956.25	5.80	78.96	278.11	3.13	32.49	1940.40	5.89	447.22	2.44	166.50	2.42	26.88	0.376
			12		33.712	26.464	0.571	1124.72	5.78	93.53	325.03	3.10	38.32	2328.38	5.98	538.94	2.52	194.87	2.40	31.66	0.374
			14		38.967	30.589	0.570	1286.91	5.75	107.76	369.55	3.08	43.97	2716.60	6.06	631.95	2.59	222.30	2.39	36.32	0.372
			16		44.139	34.649	0.569	1443.06	5.72	121.64	411.85	3.06	49.44	310.15	6.14	726.46	2.67	248.94	2.38	40.87	0.369
20/12.5	200	125	12		37.912	29.761	0.641	1570.90	6.44	116.43	483.16	3.57	49.99	3193.85	6.54	787.74	2.83	285.79	2.74	41.23	0.392
			14		43.867	34.436	0.640	1800.97	6.41	134.65	550.83	3.54	57.44	372.67	6.62	922.47	2.91	326.58	2.73	47.34	0.360
			16		49.739	39.045	0.639	2023.35	6.38	152.18	615.44	3.52	64.69	4258.86	6.70	1058.86	2.99	366.21	2.71	53.32	0.388
			18		55.526	43.588	0.639	2238.30	6.35	169.33	677.19	3.49	71.74	4792.00	6.78	1197.13	3.06	404.83	2.70	59.18	0.385

注：1. $r_1=\frac{1}{3}d, r_2=0$；

2. 角钢长度：2.5/1.6～5.6/3.6 号，长 3～9m；6.3/4～9/5.6 号，长 4～12m；10/6.3～14/9 号，长 4～19m；16/10～20/12.5 号，长 6～19m；

3. 一般采用材料：Q215A，Q235A，Q215A·F。

表附 I-3 热轧普通槽钢(GB 707—88)

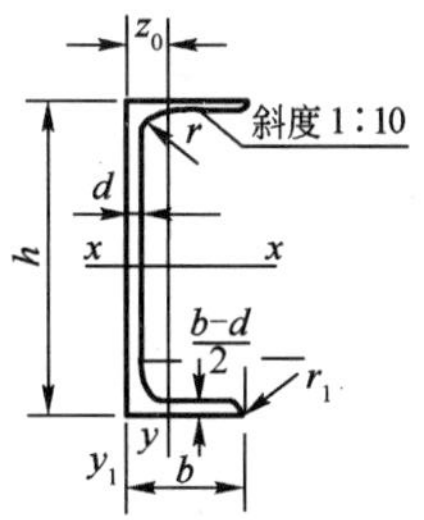

h——高度；
b——腿宽；
d——腰厚；
t——平均腿厚；
r——内圆弧半径；
r_1——腿端圆弧半径；
I——惯性距；
W——截面系数；
i——惯性半径；
z_0——$y-y$ 与 y_1-y_1 轴线间距离

型号	尺寸(mm)						截面面积 $\times10^2$ (mm^2)	理论重量 $\times9.8$ (N/m)	参考数值							
									$x-x$			$y-y$			y_1-y_1	
	h	b	d	t	r	r_1			$W_x\times10^2$ (mm^2)	$I_x\times10^4$ (mm^4)	$i_x\times10^3$ (mm^3)	$W_y\times10^3$ (mm^3)	$I_y\times10^4$ (mm^4)	$i_y\times10$ (mm)	$I_{y1}\times10^4$ (mm^4)	$z_0\times10$ (mm)
5	50	37	4.5	7	7	3.5	6.93	5.44	10.4	26.0	1.64	3.55	8.3	1.10	20.9	1.35
6.3	63	40	4.8	7.5	7.5	3.75	8.45	6.63	16.1	50.8	2.45	4.50	11.9	1.19	28.4	1.36
8	80	43	5	8	8	4	10.25	8.04	25.3	101.3	3.15	5.79	16.6	1.27	37.4	1.43
10	100	48	5.3	8.5	8.5	4.25	12.75	10.00	39.7	198.3	3.95	7.80	25.6	1.41	54.9	1.52
12.6	126	53	5.5	9	9	4.5	15.69	12.23	62.1	391.4	4.95	10.24	38.0	1.57	77.1	1.59
14a	140	58	6	9.5	9.5	4.75	18.51	14.53	80.5	563.7	5.52	13.01	53.2	1.70	107.1	1.71
b	140	60	8	9.5	9.5	4.75	21.31	16.73	87.1	609.4	5.35	14.12	61.1	1.69	120.6	1.67
16a	160	63	6.5	10	10	5	21.9	17.24	108.3	866.2	6.28	16.30	73.3	1.83	144.1	1.80
16	160	65	8.5	10	10	5	625.16	19.75	116.8	934.5	6.10	17.35	83.4	1.82	160.8	1.75
18a	180	68	7	10.5	10.5	5.25	25.69	20.17	141.41	1272.7	7.04	20.03	98.6	1.96	189.7	1.88
18	180	70	9	10.5	10.5	5.25	29.29	22.99	52.2	1369.9	6.84	21.52	111	1.95	210.1	1.84
20a	200	73	7.0	11.0	11.0	5.5	28.83	22.63	178	1780	7.86	24.2	128.6	2.11	244.0	2.01
20	200	75	9.0	11.0	11.0	5.5	32.83	25.77	191	1910	7.64	25.9	143.6	2.09	268.4	1.95

续上表

型号	尺寸(mm)						截面面积 $\times 10^2$	理论重量 $\times 9.8$	参考数值							
									$x-x$			$y-y$			y_1-y_1	
	h	b	d	t	r	r_1	(mm^2)	(N/m)	$W_x \times 10^2$ (mm^2)	$I_x \times 10^4$ (mm^4)	$i_x \times 10^3$ (mm^3)	$W_y \times 10^3$ (mm^3)	$I_y \times 10^4$ (mm^4)	$i_y \times 10$ (mm)	$I_{y1} \times 10^4$ (mm^4)	$z_0 \times 10$ (mm)
22a	220	77	7.0	11.5	11.5	5.8	31.84	24.99	218	2390	8.67	28.2	157.8	2.23	298.2	2.10
22	220	79	9.0	11.5	11.5	5.8	36.24	28.45	234	2570	8.42	30.1	176.4	2.21	326.3	2.03
a	250	78	7.0	12.0	12.0	6.0	34.91	27.41	270	3370	9.823	30.6	175.53	2.24	322.26	2.07
25b	250	80	9.0	12.0	12.0	6.0	39.91	31.33	282	3530	9.405	32.7	196.42	2.22	353.19	1.98
c	250	82	11.0	12.0	12.0	6.0	44.91	35.26	295	3690	9.065	35.9	218.42	2.21	384.13	1.92
a	280	828	7.5	12.5	12.5	6.2	40.03	31.42	340	4760	10.91	35.7	217.99	2.33	387.57	2.10
28b	280	486	9.5	12.5	12.5	6.2	45.63	35.82	366	5130	10.60	37.9	242.14	2.30	427.59	2.02
c	280		11.5	12.5	12.5	6.2	51.23	40.21	393	5500	10.35	40.3	267.60	2.29	426.60	1.95
a	320	88	8.0	14.0	14.0	7.0	48.51	38.08	475	7600	12.49	46.5	304.79	2.50	552.31	2.24
32b	320	90	10.0	14.0	14.0	7.0	54.91	43.10	509	8140	12.15	49.2	336.33	2.47	592.93	2.16
c	320	92	12.0	14.0	14.0	7.0	61.31	48.13	543	8690	11.88	52.6	374.18	2.47	643.30	2.09
a	360	96	9.0	16.0	16.0	8.0	60.91	47.81	660	11900	13.97	63.5	455.0	2.73	818.40	2.44
36b	360	98	11.0	16.0	16.0	8.0	68.11	53.46	703	12700	13.63	66.9	496.7	2.70	880.40	2.37
c	360	100	13.0	16.0	16.0	8.0	75.31	59.11	746	13400	13.36	70.0	536.4	2.67	947.90	2.34
a	400	100	10.5	18.0	18.0	9.0	75.06	58.92	879	17600	15.30	78.8	592.0	2.81	1067.70	2.49
40b	400	102	12.5	18.0	18.0	9.0	83.06	65.20	932	18600	14.98	82.5	640.0	2.78	1135.60	2.44
c	400	104	14.5	18.0	18.0	9.0	91.06	71.48	986	19700	14.71	86.2	687.8	2.75	1220.70	2.42

注:1. 糟钢长度:5 ~ 8 号,长 5 ~ 12m;10 ~ 18 号,长 5 ~ 19m;20 ~ 40 号,长 6 ~ 19m;

2. 一般采用材料:Q215A,Q235A,Q235A·F。

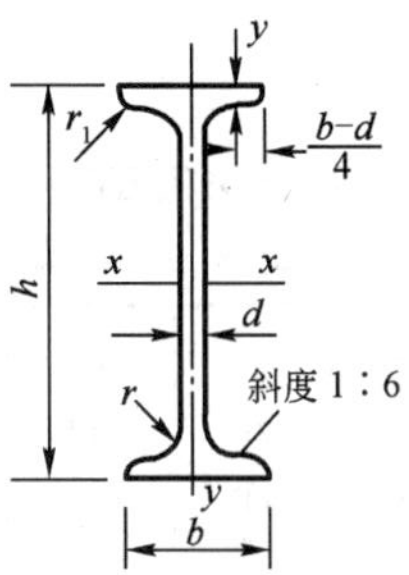

表附 Ⅰ-4 热轧普通工字钢(GB 706—88)

h——高度；
b——腿宽度；
d——腰厚度；
t——平均腿厚度；
r——内圆弧半径；
r_1——腿端圆弧半径；
I——惯性距；
W——截面系数；
i——惯性半径；
S_0——半截面的静力矩

型号	尺寸(mm)						截面面积	理论重量	参考数值						
									x-x				y-y		
	h	b	d	t	r	r_1	$\times 10^2$ (mm^2)	$\times 9.8$ (N/m)	$I_x \times 10^4$ (mm^4)	$W_x \times 10^3$ (mm^3)	$i_x \times 10^3$ (mm^3)	I_x: S_x	$I_y \times 10^4$ (mm^4)	$W_y \times 10^3$ (mm^3)	$i_y \times 10$ (mm)
10	100	68	4.5	7.6	6.5	3.3	14.3	11.2	245	49.0	4.14	8.59	33.0	9.72	1.52
12.6	126	74	5	8.4	7	3.5	18.1	14.2	488	77.5	5.20	10.85	46.9	12.70	1.51
14	140	80	5.5	9.1	7.5	3.8	21.5	16.9	712	102	5.76	12.0	64.4	16.1	1.73
16	160	88	6	9.9	8	4	26.1	20.5	1130	141	6.58	13.8	93.1	21.2	1.89
18	180	94	6.5	10.7	8.5	4.3	30.6	24.1	1660	185	7.36	15.4	122	26.0	2.00
20a	200	100	7	11.4	9	4.5	35.5	27.9	2370	237	8.15	17.2	158	31.5	2.12
20b	200	102	9	11.4	9	4.5	39.5	31.1	2500	250	7.96	16.9	169	33.1	2.06
22a	220	110	7.5	12.3	9.5	4.8	42	33.1	3400	309	8.99	18.9	225	40.9	2.31
22b	220	112	9.5	12.3	9.5	4.8	46.4	36.5	3570	325	8.78	18.7	239	42.7	2.27
25a	250	116	8	13	10	5	48.5	38.1	5020	402	10.18	21.58	280	48.3	2.40
25b	250	118	10	13	10	5	53.5	42.0	5280	423	9.94	21.27	309	52.4	2.40
32a	320	130	9.5	15	11.5	5.8	67.05	52.7	11100	692	12.84	27.46	460	70.8	2.62
32b	320	132	11.5	15	11.5	5.8	73.45	57.7	11600	726	12.58	27.09	502	76.0	2.61
32c	320	134	13.5	15	11.5	5.8	79.95	62.8	12200	760	12.34	26.77	544	81.2	2.61

续上表

型号	尺寸(mm)						截面面积 $\times 10^2$ (mm^2)	理论重量 $\times 9.8$ (N/m)	参考数值						
									$x-x$				$y-y$		
	h	b	d	t	r	r_1			$I_x \times 10^4$ (mm^4)	$W_x \times 10^3$ (mm^3)	$i_x \times 10^3$ (mm^3)	I_x: S_x	$I_y \times 10^4$ (mm^4)	$W_y \times 10^3$ (mm^3)	$i_y \times 10$ (mm)
36a	360	136	10	15.8	12	6	76.3	60.0	15800	875	14.40	30.7	552	81.2	2.69
36b	360	138	12	15.8	12	6	83.5	65.7	16500	919	14.10	30.3	582	84.3	2.64
36c	360	140	14	15.8	12	6	90.7	71.3	17300	962	13.80	29.9	612	87.4	2.60
40a	400	142	10.5	16.5	12.5	6.3	86.1	67.6	21700	1090	15.90	34.1	660	93.2	2.77
40b	400	142	12.5	16.5	12.5	6.3	94.1	73.0	22800	1140	15.60	33.6	692	96.2	2.71
40c	400	142	14.5	16.5	12.5	6.3	102	80.2	23900	1190	15.20	33.2	727	99.6	2.65
45a	450	150	11.5	18	13.5	6.8	102	80.4	32200	1430	17.70	38.6	855	114	2.89
45b	450	152	13.5	18	13.5	6.8	111	87.5	33800	1500	17.40	38	894	118	2.84
45c	450	154	15.5	18	13.5	6.8	120	94.5	35300	1570	17.10	37.6	938	122	2.79
50a	500	158	12	20	14	7	119	93.6	46500	1860	19.70	42.8	1120	142	3.07
50b	500	160	14	20	14	7	129	101.5	48600	1940	19.40	42.4	1170	146	3.01
50c	500	162	16	20	14	7	139	109.4	50600	2080	19.00	41.8	1220	151	2.96
56a	560	166	12.5	21	14.5	7.3	135.25	106.3	65600	2340	22.02	47.73	1370	165	3.18
56b	560	168	14.5	21	14.5	7.3	146.45	115.1	68500	2450	21.63	47.17	1490	174	3.16
56c	560	170	16.5	21	14.5	7.3	157.85	123.9	71400	2550	21.27	46.66	1560	183	3.16
63a	630	176	13	22	15	7.5	154.9	121.4	93900	2980	24.52	54.17	1700	193	3.31
63b	630	178	15	22	15	7.5	167.5	131.3	98000	3160	24.20	53.51	1812	204	3.29
63c	630	180	17	22	15	7.5	180.1	141.2	102000	3300	23.82	52.92	1924	214	3.27

注:1. 工字钢长度:10 ~ 18 号,长 5 ~ 19m;20 ~ 63 号,长 6 ~ 19m;

2. 一般采用材料:Q215A,Q235A,Q235A·F。

附录Ⅱ 习题答案

第三章

3-1 $R=50\text{kN}, \angle(\boldsymbol{R},\boldsymbol{P})=38°22'$

3-2 $R=699\text{N}, \angle(\boldsymbol{R},x)=34°48', \angle(\boldsymbol{R},y)=124°48'$

3-3 $T_{AC}=22.0\ \text{kN}, T_{AB}=15.53\ \text{kN}$

3-4 $R_A=22.4\ \text{kN}(\nearrow); R_B=10\ \text{kN}(\nwarrow)$

3-5 15 kN;37°,12 kN

3-6 $R_A=5\ \text{kN}; S_{BC}=-5\ \text{kN}$(压力)

3-7 $S_{BA}=-11\ \text{kN}$(压力),$S_{AC}=-41\ \text{kN}$(压力)

3-8 $T_{BD}=1.414\ \text{kN}, T_{BC}=1\ \text{kN}, T_{DF}=1.155\ \text{kN}, T_{DE}=1.577\ \text{kN}$

3-9 a)$S_{AC}=-1.155\ G, S_{AB}=0.577\ G$

b)$S_{AC}=-1.155\ G, S_{AB}=-0.577\ G$

c)$S_{AC}=-0.866\ G, S_{AB}=-0.5\ G$

d)$S_{AC}=S_{AB}=0.577\ G$

3-10 $R_A=R_B=\frac{\sqrt{2}}{2}P$。$R_A$ 指向右上方且与水平成45°角;R_B 指向右下方且与水平成45°角。

3-11 $T=173.2\ \text{N}$ $N=13.4\ \text{N}$

3-12 $T=2.06\ \text{kN}$ $P=0.174\ \text{kN}$

3-13 $N=2.31\ \text{kN}$

3-14 $N_D=2.54\ \text{kN}; T=1.30\ \text{kN}, R_A=1.33\ \text{kN}$,指向右上方且与水平成74°42′31″角。

3-15 $N=1.07\ \text{kN}$

3-16 $P=137\ \text{kN}; T=122\ \text{kN}$

第四章

4-1 a)$m_O(\boldsymbol{P})=pl$ b)$m_O(\boldsymbol{P})=0$

c)$m_O(\boldsymbol{P})=(P\cdot\sin\beta)l$ d)$m_O(\boldsymbol{P})=(P\cdot\sin\theta)l$

e)$m_O(\boldsymbol{P})=-Pa$ f)$m_O(\boldsymbol{P})=P(l+r)$

g)$m_O(\boldsymbol{P})=P\sqrt{l^2+b^2\sin\alpha}$

4-2 (1)$M_D=-73.9\ \text{N}\cdot\text{m}$

(2)$F_c=296\ \text{N}(\leftarrow)$

(3)$F_{cmin}=209\ \text{N}$ 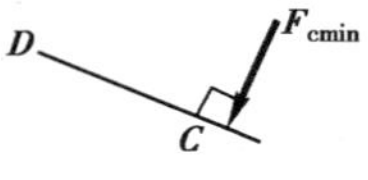

4-3 $\sum M_A(\boldsymbol{F})=-178.5\ \text{kN}\cdot\text{m}$ (↻)

$M_{倾}=144\ \text{kN}\cdot\text{m}$,逆时针向;

$M_{稳}=322.5\ \text{kN}\cdot\text{m}$,顺时针向。

4-4　a) $R_A = \frac{P}{3}(\downarrow)$, $R_B = \frac{P}{3}(\uparrow)$

b) $R_A = \frac{\sqrt{2}}{3}P$ 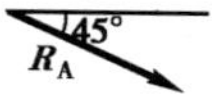

, $R_b = \frac{\sqrt{2}}{3}P$ 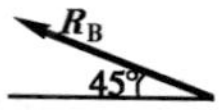

　c) $R_A = P(\uparrow)$, $R_B = P(\downarrow)$

d) $R_A = P(\uparrow)$, $R_B = P(\downarrow)$

e) $R_A = \frac{\sqrt{3}}{3}P(\uparrow)$, $R_B = \frac{\sqrt{3}}{3}P(\downarrow)$　f) $R_A = \frac{1}{2}P(\downarrow)$, $R_B = \frac{1}{2}P(\uparrow)$

4-5　$R_A = 1.118P$ 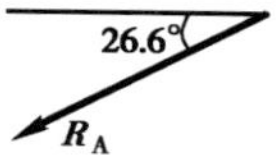

, $R_D = 0.5P(\uparrow)$

4-6　$M = 400\ \text{N·m}$

4-7　$M = -\frac{\sqrt{3}}{2}Fa$

4-8　$m_2 = 3\ \text{N·m}$, $S = 5\ \text{N}$

第五章

5-1　$R' = 45.4\ \text{kN}$ 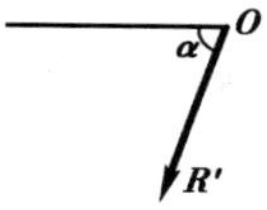

　$\alpha = 82°24'$　$M_0 = 54.8\ \text{kN·m}$ (↺)

5-2　$\frac{\sqrt{3}}{2}Pa$

5-3　合力 $R = 32\ 800\ \text{kN}$ 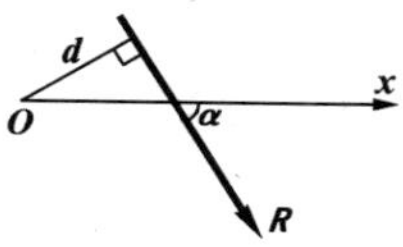

　$\alpha = 72°02'$　$d = 18.97\ \text{m}$

5-4　$R = 18\ \text{kN}(\downarrow)$　$d = 0.622\ \text{m}$(与 G_1 距离)

5-5　a) $X_A = 34.6\ \text{kN}(\leftarrow)$　$Y_A = 20\ \text{kN}(\uparrow)$　$R_B = 20\ \text{kN}(\uparrow)$

b) $X_A = 7.07\ \text{kN}(\rightarrow)$　$Y_A = 12.07\ \text{kN}(\uparrow)$　$M_A = 38.3\ \text{kN·m}$ (↺)

c) $X_A = 3\ \text{kN}(\rightarrow)$　$Y_A = 1.875\ \text{kN}(\uparrow)$　$R_B = 0.125\ \text{kN}(\uparrow)$

5-6　a) $X_A = 3\ \text{kN}(\leftarrow)$　$Y_A = 0.25\ \text{kN}(\downarrow)$　$R_B = 4.25\ \text{kN}(\uparrow)$

b) $X_A = 0$　$Y_A = 6\ \text{kN}(\uparrow)$　$M_A = 5\ \text{kN·m}$ (↺)

5-7　$X_A = 31\ \text{kN}(\leftarrow)$　$Y_A = 70\ \text{kN}(\uparrow)$　$M_A = 171.5\ \text{kN·m}$ (↻)

5-8　$X_A = 4\ \text{kN}(\leftarrow)$　$Y_A = 17\ \text{kN}(\uparrow)$　$M_A = 43\ \text{kN·m}$ (↻)

5-9　$R_a = 53.3\ \text{kN}(\uparrow)$　$R_b = 70.7\ \text{kN}(\searrow)$　$R_c = 83.3\ \text{kN}(\uparrow)$

5-10　$X_A = 11.2\ \text{kN}(\leftarrow)$　$Y_A = 46\ \text{kN}(\uparrow)$　$R_B = 62.4\ \text{kN}(\nearrow)$

5-11　$X_A = 22.4\ \text{kN}(\leftarrow)$　$Y_A = 4.4\ \text{kN}(\downarrow)$　$R_B = 28\ \text{kN}(\nearrow)$

5-12　$\alpha = 2\arcsin\frac{Q}{G}$

5-13　a) $R_A = 113.3\ \text{kN}(\uparrow)$　$R_B = 86.7\ \text{kN}(\uparrow)$

b) $R_A = 19.33\ \text{kN}(\uparrow)$　$R_B = 10.67\ \text{kN}(\uparrow)$

c) $R_B = 16\ \text{kN}(\uparrow)$　$M_B = 49\ \text{kN}$ (↻)

d) $R_A=20$ kN(↑)　　$M_A=40$ kN(↻)

e) $R_A=5.83$ kN(↑)　　$R_B=89.17$ kN(↑)

f) $R_A=9.50$ kN(↑)　　$R_B=3.50$ kN(↑)

5-14　a) $R_A=4.97$ kN(↑)　　$R_B=5.56$ kN(↑)

b) $R_A=2.02$ kN(↑)　　$R_B=14.38$ kN(↑)

5-15　$\alpha=38°40'$

5-16　$Q_{min}=333$ kN　　$x_{max}=6.75$ m

5-17　(1) $R_A=41$ kN(↑)　　$R_B=49$ kN(↑)

(2) $x=4.33$ m

5-18　1 600 N

5-19　a) $R_A=10$ kN(↑)　$R_C=42$ kN(↑)　$M_C=164$ kN·m(↻)

b) $R_A=4.83$ kN(↓)　$R_B=17.5$ kN(↑)　$R_D=5.33$ kN(↑)

5-20　$G_2=0.3$ kN

5-21　$R_A=48.33$ kN(↓)　$R_B=100$ kN(↑)　$R_D=8.33$ kN(↑)

5-22　$X_A=30$ kN(→)　$Y_A=45$ kN(↑)　$R_B=30$ kN(↑)　$R_C=15$ kN(↑)

5-23　$X_A=\frac{1}{4}qa$(←)　$Y_A=\frac{3}{4}qa$(↑)　$X_B=\frac{3}{4}qa$(←)　$Y_B=\frac{5}{4}qa$(↑)

$X_C=\frac{3}{4}qa$(←　→)　$Y_C=\frac{1}{4}qa$(↑　↓)

5-24　a) $X_A=0$　$Y_A=8$ kN(↑)　$M_A=16$ kN·m(↘)　$N_{DB}=22.6$ kN(压力)

b) $X_A=0$　$Y_A=4$ kN(↑)　$M_A=8.6$ kN·m(↘)　$N_{DB}=11.31$ kN(压力)

c) $X_A=4$ kN(→)　$Y_A=4$ kN(↑)　$M_A=2.4$ kN·m(↻)　$N_{DB}=11.31$ kN(压力)

5-25　$G_{min}=\frac{2Q(R-r)}{R}$

5-26　$N_1=62.5$ kN(↑)　$N_2=57.7$ kN(↗)　$N_3=57.7$ kN(↖)　$N_4=12.5$ kN(↓)

5-27　(1)静止 $F=3$ N(←);

(2)不平衡 $F'=15$ N(↑)

5-28　(1)不滑动;

(2)不翻倒

5-29　$f=\frac{P\cos\alpha}{G+P\sin\alpha}$

5-30　$Q\geqslant 8$ kN

5-31　(1) $P=Q\tan(\alpha-\varphi_m)$;(2) $P=Q\tan(\alpha+\varphi_m)$

第六章

6-1　(1) $X_1=0$　$Y_1=173.2$ N　$Z_1=100$ N

$X_2=-75$ N　$Y_2=-129.9$ N　$Z_2=0$

$X_3=176.8$ N　$Y_3=0$　$Z_3=-176.8$ N

(2) $X_1=-94.9$ N　$Y_1=0$　$Z_1=285$ N

$X_2=57.1$ N　$Y_2=-85.7$ N　$Z_2=171.4$ N

6-2　(1) $R=300$ N　$\alpha=48°11'$　$\beta=48°11'$　$\gamma=70°32'$

(2) $R=821\ \text{N}$　$\alpha=79°11'$　$\beta=31°30'$　$\gamma=60°51'$

6-3　$N_{AB}=N_{AC}=3\ \text{kN}$(压)　　$T=6\ \text{kN}$

6-4　$T=\dfrac{G}{\cos\gamma}$　　$N_B=N_C=\dfrac{\sqrt{2}}{2}G\tan\gamma$

6-5　$N_1=N_2=10\ \text{kN}$(压力)　$N_3=14.14\ \text{kN}$(压力)

$N_4=N_5=10\ \text{kN}$(拉力)　$N_6=20\ \text{kN}$(压力)

6-6　$M_x=-25\ \text{kN·m}$　$M_y=-10\ \text{kN·m}$　$M_z=0$

6-7　$M_x(\boldsymbol{P}_1)=0, M_y(\boldsymbol{P}_1)=-56.9\ \text{N·m}, M_z(\boldsymbol{P}_1)=0$

$M_x(\boldsymbol{P}_2)=51.4\ \text{kN·m}, M_y(\boldsymbol{P}_2)=0, M_z(\boldsymbol{P}_2)=-17.14\ \text{kN·m}$

6-8　$N_1=25\ \text{N}$　$N_2=525\ \text{N}$　$N_3=450\ \text{N}$

6-9　$S=667\ \text{N}$(压)　$X_K=-667\ \text{N}$　$Z_K=-100\ \text{N}$　$X_H=133.3\ \text{N}$　$Z_H=500\ \text{N}$

6-10　$R=20\ \text{kN}$　$x_c=1.465\ \text{m}$　$Y_c=1.880$

6-11　a) $x_c=19.36\ \text{mm}$　$Y_c=41.90\ \text{mm}$

b) $x_c=110\ \text{mm}$　$Y_c=0$

c) $x_c=0$　$Y_c=57.2\ \text{mm}$

6-12　$x_c=1.673\ \text{m}$　$Y_c=2.150\ \text{m}$

6-13　a) $x_c=-\dfrac{Rr^2}{2(R^2-r^2)}=0$　$y_c=0$

b) $x_c=0$　$y_c=0.611a$

c) $x_c=0$　$y_c=466\ \text{mm}$

6-14　$x_c=0$　$y_c=597\ \text{mm}$

6-15　$x_c=2.20\ \text{m}$　$y_c=1.15\ \text{m}$　$z_c=0.716\ \text{m}$

第八章

8-2　$\sigma=10\text{MPa}$

8-3　$\sigma=74\text{MPa}$

8-4　$\sigma=5.63\text{MPa}; d=30\text{mm}$

8-5　$A_1=500\text{mm}^2; A_2=1410\text{mm}^2; A_3=2500\text{mm}^2$

8-6　$P=420\text{kN}$

8-7　$\varepsilon_{\text{I}}=0.01\%$　$\varepsilon_{\text{II}}=0$　$\varepsilon_{\text{III}}=-0.01\%$

$\Delta l_{\text{I}}=0.01\text{cm}$　$\Delta l_{\text{II}}=0$　$\Delta l_{\text{III}}=-0.02\text{cm}$　$\Delta l_{总}=-0.01\text{cm}$

8-8　$\tau=70.8\text{MPa}>[\tau]; d\geqslant 32.6\text{mm}$

8-9　$d\geqslant 50\text{mm}; b\geqslant 100\text{mm}$

8-10　$d/h=2.4$

第九章

9-1　a) $M_{n1}=2\text{kN·m}$　　$M_{n2}=-2\text{kN·m}$

b) $M_{n1}=20\text{kN·m}$　　$M_{n2}=-10\text{kN·m}$　　$M_{n3}=-5\text{kN·m}$

9-3　$\tau_P=34.4\text{MPa}$　　$\tau_{max}=86\text{MPa}$

9-4　(2) $\tau_{max}=47.8\text{MPa}; \varphi_{max}=0.015\text{rad}$

9-5　$d=6.3\text{cm}$　　$d_2=6.4\text{cm}$

9-6　$\tau_{ACmax}=48.4\text{MPa}; \tau_{DBmax}=20.9\text{MPa}; \varphi_{max}=1.74°/\text{m}$

9-7 $\varphi_B = \dfrac{M_{ke}{}^2}{2GJ_p}$

9-8 $\tau_{max} = 4.33\text{kPa}$

第十章

10-1 a) $S = \dfrac{2}{3}R^3$

b) $S_z = 37.12 \times 10^5 \text{mm}^3$

c) $S_{z1} = 11.52 \times 10^5 \text{mm}^3$

10-2 $y_C = 275.13\text{mm}$ $S_z = 199.7 \times 10^5 \text{mm}^3$

10-3 $\Delta = 74.07\%$

10-4 c) $I_{zC} = 105.4 \times 10^5 \text{mm}^4$ $I_{yC} = 1221 \times 10^5 \text{mm}^4$

10-5 b) $I_z = 141.01 \times 10^6 \text{mm}^4$

c) $I_{zC} = 56.75 \times 10^6 \text{mm}^4$

10-6 a) $I_z = 3.59 \times 10^6 \text{mm}^4$ $I_y = 7.89 \times 10^6 \text{mm}^4$

b) $y_c = 186.03\text{mm}$ $I_z = 213.5 \times 10^6 \text{mm}^4$ $I_y = 35.91 \times 10^6 \text{mm}^4$

10-7 $a = 77\text{mm}$

第十一章

11-1 a) $Q_1 = P$ $M_1 = -\dfrac{Pl}{2} + \text{m}$

$Q_2 = P$ $M_2 = -Pl + \text{m}$

b) $Q_1 = 2\text{kN}$ $M_1 = -2\text{kN}\cdot\text{m}$

$Q_2 = 4\text{kN}$ $M_2 = -5\text{kN}\cdot\text{m}$

$Q_3 = 4\text{kN}$ $M_3 = -9\text{kN}\cdot\text{m}$

c) $Q_1 = \dfrac{2}{3}\text{kN}$ $M_1 = -\dfrac{2}{3}\text{kN}\cdot\text{m}$

$Q_2 = -\dfrac{4}{3}\text{kN}$ $M_2 = \dfrac{2}{3}\text{kN}\cdot\text{m}$

$Q_3 = \dfrac{2}{3}\text{kN}$ $M_3 = -\dfrac{2}{3}\text{kN}\cdot\text{m}$

d) $Q_1 = 14\text{kN}$ $M_1 = -26\text{kN}\cdot\text{m}$

e) $Q_1 = 15\text{kN}$ $M_1 = 5\text{kN}\cdot\text{m}$

$Q_2 = -2.5\text{kN}$ $M_2 = 2.5\text{kN}\cdot\text{m}$

f) $Q_1 = -2\text{kN}$ $M_2 = -11\text{kN}\cdot\text{m}$

$Q_2 = 2.5\text{kN}$ $M_2 = 1.5\text{kN}\cdot\text{m}$

g) $Q_1 = -\dfrac{5}{3}\text{kN}$ $M_1 = -\dfrac{5}{3}\text{kN}\cdot\text{m}$

$Q_2 = -\dfrac{5}{3}\text{kN}$ $M_2 = -\dfrac{10}{3}\text{kN}\cdot\text{m}$

h) $Q_1 = -2.5\text{kN}$ $M_1 = -5\text{kN}\cdot\text{m}$

$Q_2 = 10\text{kN}$ $M_1 = -10\text{kN}\cdot\text{m}$

i) $Q_1 = -\dfrac{1}{2}be$ $M_1 = \dfrac{7}{8}be^2$

$Q_2 = be$ $\qquad$ $M_2 = \frac{1}{2}be^2$

j) $Q_1 = 7\text{kN}$ $\qquad$ $M_2 = -12\text{kN}\cdot\text{m}$

$Q_2 = 7\text{kN}$ $\qquad$ $M_2 = 2\text{kN}\cdot\text{m}$

$Q_3 = -3\text{kN}$ $\qquad$ $M_2 = 4.5\text{kN}\cdot\text{m}$

k) $Q_1 = 0$ $\qquad$ $M_1 = -\frac{5}{3}\text{kN}\cdot\text{m}$

$Q_2 = 0$ $\qquad$ $M_2 = \frac{10}{3}\text{kN}\cdot\text{m}$

l) $Q_1 = 11\text{kN}$ $\qquad$ $M_1 = 5\text{kN}\cdot\text{m}$

$Q_2 = -9\text{kN}$ $\qquad$ $M_2 = 13.5\text{kN}\cdot\text{m}$

m) $Q_1 = \frac{1}{4}ql$ $\qquad$ $M_1 = -\frac{1}{4}ql^2$

$Q_2 = -\frac{1}{4}ql$ $\qquad$ $M_2 = -\frac{1}{4}ql^2$

n) $Q_1 = -qa$ $\qquad$ $M_1 = qa^2$

o) $Q_1 = p$ $\qquad$ $M_1 = 0$ $\qquad$ $Q_3 = p$

$Q_2 = p$ $\qquad$ $M_2 = 0$ $\qquad$ $Q_3 = -pq$

第十二章

12-1 $\sigma_A = -9.38\text{MPa}$ $\qquad$ $\sigma_B = 18.75\text{MPa}$

12-2 $\sigma_{Tmax} = 15.1\text{MPa}$ $\qquad$ $\sigma_{Cmax} = 9.6\text{MPa}$

12-3 截面 1－1：$\sigma_A = -14.5\text{MPa}$ $\qquad$ $\sigma_B = -13.1\text{MPa}$

截面 2－2：$\sigma_A = 29\text{MPa}$ $\qquad$ $\sigma_B = 26.2\text{MPa}$

12-4 a) $\sigma_{max} = 8.75\text{MPa}$ $\qquad$ b) $\sigma_{max} = 9.17\text{MPa}$

12-5 $\sigma_{cmax} = 161.2\text{MPa}$ $\qquad$ $\sigma_{max} = 12.5\text{MPa}$

$\sigma_a = 149.1\text{MPa}$ $\qquad$ $\sigma_a = 8.7\text{MPa}$

$\sigma_{max} = 160.1\text{MPa}$ $\qquad$ $\sigma_{max} = 12.6\text{MPa}$

12-6 $P_{max} = 5\text{kN}$

12-7 $[P] = 25.27\text{kN}$

12-8 $d = 133.8\text{mm}$ $\qquad$ $a = 112.2\text{mm}$ $\qquad$ $b = 70.6\text{mm}$ $\qquad$ №20a

耗费材料之比为：1∶0.895∶0.711∶0.252

12-9 $a = 2.12\text{m}$ $\qquad$ $q = 24.6\text{kN/m}$

12-10 横放 $M_0 = 7.5\text{kN}\cdot\text{m}$ $\qquad$ 竖放 $M_0 = 58\text{kN}\cdot\text{m}$

12-11 (1) $\tau_k = 4.8\text{MPa}$ $\qquad$ $\tau_{max} = 7.14\text{MPa}$

(2) $\tau_{max} = 14.1\text{MPa}$

12-12 $\sigma_{max} = 106.5\text{MPa}$ $\qquad$ $\tau_{max} = 24.95\text{MPa}$ $\qquad$ $\tau_E = 20.54\text{MPa}$

12-13 圆截面 $d = 78.2\text{mm}$ $\qquad$ $A = 4\ 800\text{mm}^2$

矩形截面 $h = 82.6\text{mm}$ $\qquad$ $b = 41.3\text{mm}$ $\qquad$ $A = 3\ 410\text{mm}^2$

工字钢截面№10 $\qquad$ $A = 1\ 430\text{mm}^2$

12-14 №16

12-15 $W = 4\ 800\text{mm}^3$ $\qquad$ 选用两个 8 号槽钢

12-16 $\sigma_{左} = -0.073\text{MPa}$ $\sigma_{右} = -0.042\text{MPa}$

12-17 $\sigma_{max} = 15.1\text{MPa}$ $\sigma_{min} = 9.62\text{MPa}$

第十三章

13-2 a) $Y_C = \dfrac{5ql^2}{384EI_z}$ $Q_A = \dfrac{ql^3}{24EI_z}$

b) $Y_C = \dfrac{2pa(l^2-a^2)3/2}{9\sqrt{3}lEI}$

c) $Q_C = \dfrac{ql^3}{96EI}$ $Y = \dfrac{ql^4}{384EI}$

d) $Q_C = \dfrac{7P^2}{24EI}$ $Y = \dfrac{Pl^3}{8EI}$

13-4 a) $Q_B = \dfrac{5Pa^2}{2EI}$ $Y_B = \dfrac{7Pa^2}{2EI}$

b) $Q_A = \dfrac{7Pl^3}{24EI}$ $Q_A = \dfrac{l^3}{8EI}$

c) $Q_C = \dfrac{ql^3}{144EI}$ $Y_C = 0$

13-5 $\dfrac{f}{l} = \dfrac{1}{267} > [\dfrac{f}{l}]$

13-6 $\dfrac{f}{l} = \dfrac{0.987}{800} < [\dfrac{f}{l}]$

13-7 $q = 2.95\text{kN/m}$

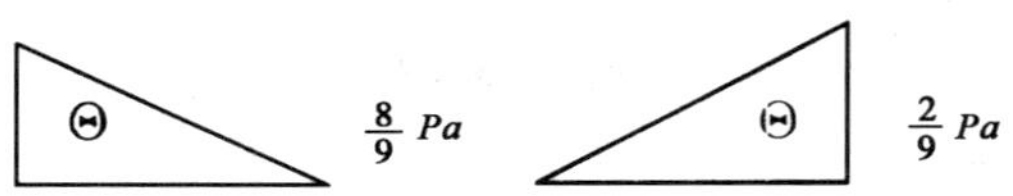

AB梁　　BC 梁

第十四章

14-2 ①$\sigma_a = -24.82\text{MPa}$ $\tau_a = 28.97\text{MPa}$

②$\sigma_a = -32.5\text{MPa}$ $\tau_a = 30.31\text{MPa}$

③$\sigma_a = 3.84\text{MPa}$ $\tau_a = -16.65\text{MPa}$

14-3 ①$\sigma_1 = 64.2\text{MPa}$ $\sigma_2 = -34.2\text{MPa}$ $\alpha_0 = 26.57°$ $\alpha_a = 116.57°$

①$\sigma_1 = 105\text{MPa}$ $\sigma_2 = 55\text{MPa}$ $\alpha_0 = 18.44°$ $\alpha_a = 98.44°$

①$\sigma_1 = 34.27\text{MPa}$ $\sigma_2 = 0.73\text{MPa}$ $\alpha_0 = 31.72°$ $\alpha_a = 121.72°$

14-4 1 点：$\sigma_1 = \sigma_2 = 0$ $\sigma_3 = -140\text{MPa}$ 主平面为 x 面、y 面

2 点：$\sigma_1 = 22\text{MPa}$ $\sigma_2 = 0$ $\sigma_3 = -92\text{MPa}$ $\alpha_0 = -64°$

3 点：$\sigma_1 = 60\text{MPa}$ $\sigma_2 = 0$ $\sigma_3 = -60\text{MPa}$ $\alpha_0 = -45°$

4 点：$\sigma_1 = 92\text{MPa}$ $\sigma_2 = 0$ $\sigma_3 = -22\text{MPa}$ $\alpha_0 = -26°$

5 点：$\sigma_1 = 140\text{MPa}$ $\sigma_2 = \sigma_3 = 0$ 主为 x 面和 y 面

第十五章

15-1 (1) $\alpha = 0°$时 $\sigma_{max} = 0.71\text{MPa}$ $\alpha = 90°$时 $\sigma_{max} = 1.42\text{MPa}$

(2) $\alpha = 45°$时 $\sigma_{max} = 1.51\text{MPa}$

15-2　(2) $\sigma_{max}=6.37\text{MPa}$　　$\sigma_{max}=-6.62\text{MPa}$

15-3　(1) $h=191\text{mm}$　　$b=143\text{mm}$

(2) 选用№16 工字钢

15-4　$a=5\text{m}$

15-5　$\sigma_{lmax}=6.48\text{MPa}$　　$\sigma_{amax}=-60.18\text{MPa}$

15-6　$h=0.674e$

15-7　1－1 截面　$\sigma_{max}=41.6\text{kPa}$　　$\sigma_{max}=-375\text{kPa}$

2－2 截面　$\sigma_{max}=0$　　$\sigma_{max}=-266.6\text{kPa}$

3－3 截面　$\sigma_{max}=-28\text{kPa}$　　$\sigma_{max}=-52\text{kPa}$

15-8　$\sigma_{max}=156\text{kPa}$　安全

15-9　增加了 7 倍

第十六章

16-1　$P_{lj}=1771\text{kN}$

16-2　$P_{lj}=1541\text{kN}$

16-3　$P_{lj}=281\text{kN}$

16-4　$P_{lj}=52.3\text{MPa}$　$\sigma=45.3\text{MPa}$

16-5　$\alpha=180\text{mm}$